ALASTAIR REYNOLDS

Alastair Reynolds est né au Pays de Galles en 1966. Après des études d'astronomie et de physique à l'université de Newcastle, il poursuit son cursus en Écosse à St Andrews. En 1991, devenu astrophysicien, il s'installe en Hollande et travaille pour l'ESA (Agence spatiale européenne) ainsi qu'à l'université d'Utrecht. Aujourd'hui écrivain à plein temps, il met ses connaissances scientifiques au service de son imagination extraordinaire.

Alastair Reynolds est l'une des plumes majeures de la science-fiction. Son cycle *Les Inhibiteurs* est d'ores et déjà devenu un monument du genre.

LA PLUIE DU SIÈCLE

SCIENCE-FICTION
Collection dirigée par Bénédicte Lombardo

ALASTAIR REYNOLDS

LA PLUIE DU SIÈCLE

*Traduit de l'anglais
par Dominique Haas*

PRESSES DE LA CITÉ

Titre original :
CENTURY RAIN

© Alastair Reynolds, 2004
© Presses de la Cité 2008, un département de
pour la traduction française
ISBN 978-2-266-19143-2

place
des
éditeurs

Pour Josette

1

Une Seine d'octobre, grise et plate comme un vieux linoléum, coulait mollement sous le pont de la Concorde. Les autorités, qui avaient relancé la lutte contre la contrefaçon et multipliaient les opérations coup de poing, avaient installé un poste de contrôle éclair au bout du pont et les voitures étaient bloquées jusqu'à la rive droite.

— Il y a un truc que j'aimerais bien tirer au clair, dit Custine. Est-ce qu'on est des musiciens qui arrondissent leurs fins de mois en jouant un peu les détectives, ou est-ce que c'est le contraire : on est détectives, et on met un peu de beurre dans les épinards en faisant de la musique ?

Floyd jeta un coup d'œil dans le rétroviseur.

— Qu'est-ce que tu préférerais, toi ?

— Je pense que je préférerais avoir le genre de fins de mois qui n'auraient pas besoin d'être arrondies.

— On s'en sortait bien, il n'y a pas si longtemps.

— Il n'y a pas si longtemps, on était trois. Et avant ça on était quatre. C'est peut-être une idée, mais j'ai l'impression de discerner une tendance…

Floyd passa la première et avança de vingt centimètres.

— Je vais te dire ce qu'on va faire : on va former le cercle avec les chariots et tenir le coup en attendant son retour.

— Qui n'arrivera pas, décréta Custine. Quand elle a pris ce train, c'était pour de bon. Tu peux toujours lui garder une place à l'avant de la voiture, ça n'y changera rien.

— C'est sa place.

— Elle est partie, soupira Custine. C'est le problème avec les talents reconnus : tôt ou tard, quelqu'un d'autre les repère aussi.

Le grand Français fouilla dans la poche de son veston.

— Là. Montre ça au gentil monsieur.

Floyd prit les papiers jaunis et les posa à côté des siens sur le tableau de bord. Au poste de contrôle, un milicien jeta un coup d'œil aux papiers de Floyd, les lui rendit sans un mot, fit de même avec ceux de Custine et se pencha pour inspecter l'intérieur de la Mathis Emyquatre.

— Vous vous déplacez pour votre travail, messieurs ?

— On aimerait bien, répondit tout bas Custine.

— Qu'est-ce que ça veut dire ?

— Ça veut dire que du travail, on en cherche, répondit aimablement Floyd. L'ennui, c'est qu'on n'en trouve pas.

— Quel genre de travail ?

— Dans la musique. D'où les instruments, répondit Floyd en indiquant la banquette arrière de la voiture.

Le milicien pointa le canon de sa mitraillette vers l'étui en tissu souple de la contrebasse.

— On pourrait en mettre, des cigarettes, là-dedans. Allez, inspection ! Garez-vous là.

Floyd repassa la première et avança au pas vers une cabane en bois devant laquelle d'autres miliciens, qui passaient d'ordinaire le temps en jouant aux cartes ou en feuilletant des revues de cul, fouillaient, ce jour-là, les véhicules. Un muret de pierre surplombait un quai étroit, recouvert de gravier. Une chaise vide se languissait près du muret, à côté d'une grande table posée sur des tréteaux et couverte d'un carré de tissu.

— Mets-la en veilleuse, glissa Floyd à Custine.

Le milicien à la mitraillette regagna son poste et l'un de ses collègues tapa sur le toit de la voiture.

— Sortez l'étui. Posez-le sur la table.

Floyd et Custine s'exécutèrent. L'étui était plus encombrant que lourd, et déjà tellement amoché que quelques éraflures de plus n'y changeraient pas grand-chose.

— Vous voulez que je l'ouvre ? demanda Custine.

— 'videmment, répondit le second milicien. Et veuillez sortir l'instrument.

Custine obtempéra et déposa doucement la contrebasse sur la table. Il y avait juste assez de place, à côté de l'étui.

— Là, dit-il. Vous pouvez examiner l'étui, si vous pensez que j'ai été assez rusé pour y cacher quoi que ce soit…

— Ce n'est pas l'étui qui m'intéresse, répondit le milicien.

Il fit signe à un de ses collègues, assis sur un pliant à côté de la cabane. Le type – une sorte de superviseur, sans doute – posa son journal et prit une mallette d'outils en bois.

— J'ai déjà vu ces deux-là, poursuivit le milicien. Ils font des allers et retours sur le pont comme s'ils avaient peur qu'on le leur enlève de sous les pieds. Ça incite à s'interroger, non ?

Le superviseur regarda Custine en plissant les yeux.

— Je le connais, celui-là, dit-il. Z'étiez flic, pas vrai ? Une grosse légume au Central, non ?

— J'ai pensé que le moment était venu de réorienter ma carrière.

Floyd prit un cure-dents neuf dans la poche poitrine de sa chemise et se le fourra dans le bec. Le bout pointu se planta dans sa gencive, la faisant saigner.

— Une sacrée dégringolade, non, pour un policier haut gradé ? En être réduit à ça ? insista le superviseur en posant sa trousse à outils.

— Si vous le dites, répondit Custine.

Le type souleva la contrebasse et la secoua d'un air pénétré avant de la remettre sur la table.

— Y a rien qui bouge, là-dedans. Mais ils ont pu scotcher quelque chose à l'intérieur. Il faut qu'on démonte ce machin, dit-il en reprenant sa trousse à outils.

Floyd vit Custine réprimer une exclamation et poser les mains sur l'instrument dans une attitude protectrice.

— Vous ne pouvez pas faire ça, dit-il. C'est un instrument de musique. Ça ne se démonte pas.

— D'après mon expérience, reprit le superviseur, on peut tout démonter.

— Du calme, dit Floyd. Qu'ils fassent ce qu'ils veulent. Ce n'est qu'un morceau de bois.

— Ecoutez votre ami, suggéra le milicien. Il a du bon sens, surtout pour un Américain.

— Veuillez enlever vos mains de l'instrument, ordonna le superviseur.

Mais Custine s'y refusait. Et Floyd, dont la contrebasse était le bien le plus précieux, avant même la

Mathis, ne pouvait pas lui en vouloir, pas vraiment. Les clients ne se bousculaient pas pour leur confier des enquêtes, et c'était à peu près la seule chose qui les empêchait de sombrer dans l'indigence.

— Laisse tomber, articula Floyd. Ça n'en vaut pas la peine.

Le superviseur et Custine commencèrent à se disputer l'instrument par-dessus la table. Attiré par la querelle, le milicien à la mitraillette qui les avait interceptés quitta son poste et s'approcha des deux hommes, qui tenaient chacun la contrebasse par un bout et tiraient de toutes leurs forces, tentant farouchement de se faire lâcher prise.

Le milicien retira le cran de sécurité de son arme. La lutte s'intensifia, l'instrument semblait sur le point de se casser en deux. Puis le superviseur prit l'avantage et arracha la contrebasse à Custine. L'espace d'un instant, il se figea, puis, d'un mouvement coulé, il la balança par-dessus le muret, de l'autre côté de la table de fouille. Le temps se coagula : Floyd eut l'impression qu'une éternité passait, puis il l'entendit, l'affreux bruit d'écrasement marquant l'atterrissage de la contrebasse sur le quai pavé, en contrebas. Custine s'effondra sur la chaise, à côté de la table.

Floyd cracha son cure-dents et mit le pied dessus comme si c'était un mégot de cigarette. Il s'approcha lentement du muret et se pencha pour examiner les dégâts. Le quai se trouvait dix ou douze mètres plus bas. Le manche de l'instrument était cassé en deux, le corps pulvérisé en une myriade d'échardes qui irradiaient à partir du point d'impact.

Un bruit de bottes raclant les marches de pierre attira l'attention de Floyd. Le deuxième milicien descendait vers le quai. Entendant un gémissement, Floyd se retourna et vit Custine qui regardait par-dessus le parapet. On ne voyait que le blanc de ses yeux écarquillés, gros comme des calots, ses pupilles réduites à deux têtes d'épingle sous l'effet du choc. Ses gémissements finirent par former des syllabes cohérentes :

— Non… Non… Non…

— On ne peut pas défaire ce qui est fait, dit Floyd. Et plus vite on partira d'ici, mieux ça vaudra.

— Vous avez détruit l'histoire ! hurla Custine au superviseur. C'était la contrebasse de Soudieux ! Django Reinhardt l'avait touchée !

Floyd plaqua une main sur la bouche de son ami.

— Mon ami est un peu émotif, dit-il. Il ne faut pas lui en vouloir. Il est sous pression, ces temps-ci, il a des problèmes personnels. Il vous présente ses excuses pour son comportement. Pas vrai, André ?

Custine ne répondit pas. Il tremblait, focalisé sur la destruction de la contrebasse. Il aurait voulu remonter le temps, se dit Floyd. Il aurait voulu revenir sur les dix dernières minutes de sa vie et tout recommencer. Cette fois, il serait aimable, il répondrait poliment aux miliciens et les dégâts qu'ils finiraient, inévitablement, par faire subir à l'instrument ne seraient peut-être pas irrémédiables.

— Dis-le, murmura Floyd.

— Je vous présente mes excuses, dit Custine.

— Je retire tout ce que j'ai dit.

— Je retire tout ce que j'ai dit.

Le superviseur le regarda d'un œil critique et haussa les épaules.

— Ce qui est fait est fait. A l'avenir, vous feriez mieux de suivre l'exemple de votre ami.

— Je le ferai, répondit Custine, comme engourdi.

Tout en bas, le milicien flanqua les restes de la contrebasse dans le fleuve à coups de pied. Les débris se mêlèrent bientôt aux détritus qui flottaient au ras du quai.

Lorsque Floyd entra dans son bureau, au troisième étage d'un vieil immeuble de la rue du Dragon, le téléphone sonnait. Il se débarrassa du courrier qu'il venait de récupérer et décrocha.

— Floyd Enquêtes et Filatures, dit-il en retirant le cure-dents de sa bouche. Que puis-je… ?

— Monsieur Floyd ? Mais où étiez-vous ? fit une voix d'homme âgé, plus curieuse que réprobatrice. J'ai essayé de vous joindre tout l'après-midi et je m'apprêtais à y renoncer.

— Je suis désolé, répondit Floyd. J'étais sur une enquête.

— Vous devriez penser à investir dans une standardiste, reprit l'homme. Ou au moins dans un répondeur téléphonique. Je pense que c'est très populaire chez les Juifs orthodoxes.

— Les standardistes ?

— Les répondeurs. Ils enregistrent les messages sur bande magnétique. J'en ai vu un modèle à vendre rue des Rosiers, pas plus tard que la semaine dernière.

— C'est passionnant, ce monde où l'on vit, les progrès de la science…, fit Floyd en s'asseyant derrière son bureau. Je peux vous demander… ?

— Excusez-moi. J'aurais dû me présenter. Je m'appelle Blanchard. J'appelle du treizième arrondissement. Il se pourrait que j'aie une affaire pour vous.

— Allez-y, dit Floyd, à moitié convaincu qu'il était en train de rêver.

Après tout ce qui lui était tombé dessus ces jours-ci – le départ de Greta, le manque de boulot, l'incident au poste de contrôle –, il n'osait espérer avoir affaire à un vrai client.

— Je dois vous prévenir qu'il s'agit d'une affaire sérieuse. Je doute que l'enquête soit simple, et que ça aille vite.

— Ce n'est pas… un problème, fit Floyd en se versant un petit verre de cognac. De quoi s'agit-il, monsieur ? demanda-t-il en passant mentalement les possibilités en revue.

Les épouses infidèles étaient toujours d'un bon rendement, la filature pouvant se poursuivre pendant des semaines. Les chats perdus étaient également un secteur d'activité lucratif…

— D'un meurtre, répondit Blanchard.

Floyd s'autorisa à plonger ses lèvres dans le cognac. Son moral venait de retomber aussi vite qu'il était monté.

— Je regrette vraiment ; nous ne pouvons accepter ce genre d'affaires…

— Et pourquoi donc ?

— Les homicides sont du ressort des garçons en chapeau melon et chaussettes à clous. Les gars du Quai. Ils ne me laisseront jamais mener une enquête de ce type.

— Ah, mais c'est bien là tout le problème. Ils ne pensent pas que ce soit un meurtre, ou un « homicide », comme vous dites.

— Vraiment ?

— Pour eux, c'est un suicide ou un accident, mais dans un cas comme dans l'autre ça ne les intéresse pas. Vous savez comment ça se passe, ces temps-ci : ils sont beaucoup plus intéressés par la poursuite de leurs propres investigations.

— Oui, je vois ce que vous voulez dire.

Une habitude profondément ancrée lui faisait déjà prendre des notes : *Blanchard, 13ᵉ arrt, homicide poss.* Il se pouvait que ça ne serve à rien, mais si la communication était coupée il essaierait de rappeler son correspondant. Il griffonna la date à côté de ses notes et constata que la dernière fois qu'il avait écrit sur ce même bloc remontait à six semaines.

— Supposons que la police se trompe... Qu'est-ce qui vous fait penser qu'il ne s'agit ni d'un suicide ni d'un accident ?

— Je connaissais la victime, une jeune femme.

— Et vous pensez qu'elle n'était pas du genre à mettre fin à ses jours ?

— Ça, je ne peux pas le dire. Tout ce que je sais, c'est qu'elle était sujette au vertige, c'est elle-même qui me l'avait dit, alors que serait-elle allée faire sur un balcon au quatrième étage ?

Floyd ferma les yeux et tiqua. Il pensa à la contrebasse fracassée, volant en éclats sur les pavés. Il détestait l'idée que des gens, suicidaires ou non, puissent se tuer en tombant, par une fenêtre ou de n'importe quel endroit élevé. Il s'octroya une gorgée de cognac, dans l'espoir que l'alcool dissoudrait l'image qui se formait dans son esprit.

— Où est le corps ? demanda-t-il.

— La victime est morte et enterrée... ou plutôt incinérée, conformément à ses dernières volontés. Elle est morte il y a trois semaines, le 20 septembre. Il y a eu une autopsie, je suppose, mais il faut croire qu'elle n'a rien révélé de louche.

— Eh bien...

Mentalement, Floyd se préparait déjà à tirer un trait sur ses notes, convaincu que l'affaire était un cul-de-sac.

— … peut-être qu'elle était somnambule. Ou troublée par quelque chose. Ou que la rambarde du balcon a cédé sous son poids. La police a parlé au logeur ?

— Oui, c'est moi. Je suis le propriétaire de l'immeuble, et je vous assure que les rambardes sont en parfait état.

Aucun intérêt, se dit Floyd. Ça pouvait valoir un ou deux jours d'enquête, mais il finirait par arriver aux mêmes conclusions que la police. Ce serait toujours mieux que rien, mais ce n'était pas ça qui réglerait son problème financier, autrement plus profond que son malaise.

Il posa son stylo, prit un coupe-papier, ouvrit la première des enveloppes qu'il avait remontées de son casier et en sortit un rappel de loyer de son propre propriétaire.

— Monsieur Floyd, vous êtes toujours là ?

— Je réfléchissais, dit Floyd. Il me semble difficile d'exclure complètement l'hypothèse de l'accident. Et sans preuve qu'on lui voulait du mal, je ne peux pas ajouter grand-chose au verdict officiel.

— Des preuves qu'on lui voulait du mal, monsieur Floyd, c'est exactement ce que j'ai. Evidemment, les imbéciles sans imagination du quai des Orfèvres n'ont pas voulu en entendre parler. Mais j'attendais mieux de votre part.

Floyd roula la relance de loyer en boule et la balança dans la corbeille à papiers.

— Vous pouvez me parler de ces preuves ?

— De vive voix, oui. Je vous demanderai de venir me voir chez moi. Ce soir. Votre emploi du temps vous le permet-il ?

— Je devrais réussir à trouver un moment…

Floyd nota l'adresse de Blanchard, son numéro de téléphone, et convint d'une heure de rendez-vous.

— Encore une chose, monsieur. Je comprends que la PJ ne s'intéresse pas au cas de cette femme. Mais pourquoi m'avez-vous appelé ?

— Vous voulez dire que j'aurais dû appeler quelqu'un d'autre ?

— Non, pas du tout. C'est juste que la plupart des affaires arrivent par recommandation. Rares sont les clients qui me consultent après avoir trouvé mon nom dans l'annuaire.

L'homme au bout du fil eut un ricanement entendu, qui rappela le bruit d'un sac de charbon roulant sur une grille.

— Ça, je m'en doute. Vous êtes américain, après tout. Il faut être vraiment idiot pour faire appel aux services d'un détective américain à Paris, n'est-ce pas ?

— Je suis français, répondit Floyd en ouvrant la deuxième enveloppe.

— Oublions les questions d'état civil. Vous parlez un français impeccable, monsieur Floyd – pour un étranger. Mais j'en resterai là. Vous êtes né aux Etats-Unis, n'est-ce pas ?

– Vous savez beaucoup de choses sur moi. Comment avez-vous trouvé mon nom ?

— Je le tiens du seul policier raisonnable auquel j'aie parlé pendant toute cette affaire : un certain inspecteur Maillol. J'imagine que vous le connaissez ?

— Nos chemins se sont croisés. Maillol n'est pas un mauvais bougre. Il n'a pas pu enquêter sur ce prétendu suicide ?

— Il dit qu'il est pieds et poings liés. Quand je lui ai signalé que la femme était américaine, votre nom lui est automatiquement venu à l'esprit.

— D'où était-elle ?

— Du Dakota, il me semble. Ou du Minnesota. Quelque part dans le Nord, en tout cas.

— Je suis de Galveston, dans le Texas, dit Floyd. Un continent nous séparait.

— Quand même, vous voulez bien vous intéresser à l'affaire ?

— Nous avons rendez-vous, monsieur. Nous en discuterons à ce moment-là.

— Très bien. Je compte sur vous, donc ?

Floyd secoua la seconde enveloppe, qui avait été postée à Nice, et fit tomber sur le bureau une feuille de papier gris, pliée en deux. Il la déplia, révélant un message manuscrit, écrit dans une encre diluée, à peine plus sombre que le papier qui lui servait de support. Il reconnut aussitôt l'écriture. Celle de Greta.

— Monsieur Floyd ?

Floyd lâcha la lettre comme si elle lui brûlait les doigts. De fait, il avait l'impression que sa peau le picotait. Il ne s'attendait pas à recevoir des nouvelles de Greta – pas dans ce monde. Il lui fallut quelques instants pour se faire à l'idée de sa soudaine résurgence dans sa vie. Que pouvait-elle bien avoir à lui dire ?

— *Monsieur Floyd ?* Vous êtes encore là ?

Il tapota le micro.

— Nous avons été coupés un instant, monsieur. Les rats, dans la cave. Ils grignotent les lignes téléphoniques.

— Bien sûr. Je compte donc sur vous, à l'heure dite. C'est entendu ?

— J'y serai, répondit Floyd.

2

Verity Auger observait le spectacle souterrain, debout dans son scaphandre à une douzaine de mètres de l'épave accidentée du crawleur. L'engin, une sorte de tarentule mécanique, était couché sur le côté, deux pattes cassées et trois autres écrasées, inutilisables, contre la voûte de glace taillée. Le crawleur n'irait plus nulle part – on ne le remonterait même pas à la surface –, mais au moins sa bulle de support vie était encore intacte. Cassandra, l'étudiante, observait le déroulement des opérations depuis la cabine, les bras croisés, avec une sorte de détachement hautain. Sebastian, le garçon, gisait non loin du crawleur. Son scaphandre était endommagé, mais le maintiendrait en vie jusqu'à l'arrivée de l'équipe de sauvetage et de récupération.

— Accroche-toi, dit Auger, sur le circuit audio. Ils ont traversé. On sera chez nous et en sécurité en un rien de temps, maintenant.

La réponse du garçon lui parvint, accompagnée d'un crépitement d'électricité statique comme s'il s'était trouvé à un million d'années-lumière :

— Je ne me sens pas très bien, mademoiselle.

— Qu'est-ce qui ne va pas ?

— Mal à la tête.

— Bon. Reste tranquille. Ne bouge pas, surtout, ton scaphandre va se reformer.

Auger recula en voyant apparaître les crawleurs du Conseil des Antiquités qui se foraient un chemin dans la glace avec leurs pinces et leurs marteaux-piqueurs pneumatiques.

— C'est vous, Auger ? fit une voix dans son casque.

Mancuso, un sauveteur à qui elle avait déjà eu affaire dans le passé.

— Bien sûr que c'est moi. Qu'est-ce que vous foutiez ? Je commençais à me demander si vous arriveriez un jour…

— On a fait aussi vite que possible. J'ai eu du mal à vous repérer dans ces profondeurs. C'est une belle panique dans les nuages, ce soir, un tas de merde électromagnétique brouille les signaux. Mais qu'est-ce que vous fabriquiez si bas ?

— Mon boulot, répondit-elle d'une voix tendue.

— Le gamin est blessé ?

— Son scaphandre a morflé.

L'un des moniteurs de sa propre visière affichait encore le résumé diagnostique du scaphandre de Sebastian : des icônes rouges flashaient au niveau du coude droit.

— Mais rien de grave, ajouta-t-elle. Je lui ai dit de s'allonger et d'attendre votre arrivée sans bouger.

Le crawleur de tête vomissait déjà deux membres de l'équipe de sauvetage. Ils portaient le scaphandre un peu comique de la section d'intervention en situation d'urgence extrême et se déplaçaient comme des lutteurs de sumo, les jambes légèrement arquées.

Auger se tourna vers Sebastian et s'agenouilla à côté de lui.

— Ils sont là. Ne bouge pas. Tout ira bien, tu vas voir.

Sebastian répondit d'un gargouillis inintelligible. Auger fit signe au plus proche des deux scaphandres.

— C'est le gamin. Je pense que vous devriez commencer par vous occuper de lui.

— C'était bien le plan, coassa une autre voix dans son casque. Reculez, Auger.

— Allez-y doucement. Il a une vilaine déchirure à droite, au niveau du…

Le scaphandre de Mancuso dressa son énorme masse au-dessus du petit garçon.

— Du calme, gamin, entendit-elle. On va t'arranger ça en un rien de temps. Ça va, là-dedans ?

— Mal… hoqueta Sebastian.

— Je pense qu'on a intérêt à intervenir en vitesse, répondit Mancuso en faisant signe au second sauveteur avec son bras hypertrophié. On ne peut pas prendre le risque de le déplacer, pas avec une densité de particules aussi forte.

— Le régénérer in situ ? avança l'autre sauveteur.

— C'est parti.

Mancuso tendit le bras gauche vers le gamin. Une trappe s'ouvrit dans le blindage, faisant apparaître un embout vaporisateur. Une matière blanc nacré en jaillit, qui durcit instantanément. En quelques secondes, Sebastian devint un cocon humain enrobé de fils pareils à de la bave solidifiée.

— Doucement, hein ! répéta Auger.

Une seconde équipe entreprit alors de découper, au laser, la glace sur laquelle reposait le cocon. Un jet de vapeur jaillit du point de découpe. Les sauveteurs s'arrêtaient de temps à autre, échangeant des signes, par petits gestes de la main, et se remettaient au boulot. La première équipe revint en poussant une sorte de chariot à roulettes muni d'un harnais. Des pinces métalliques descendirent de la nacelle, s'insinuèrent dans la glace autour du cocon et le hissèrent lentement avec son socle de glace. Auger les regarda déposer l'ensemble sur le chariot et le charger dans le premier engin de récupération.

— Ce n'était qu'une égratignure qui ne nécessitait pas une opération d'urgence critique, dit Auger quand Mancuso revint près d'elle. Le pauvre gamin a dû mourir de trouille.

— Ça lui fera une expérience à raconter plus tard.

— Il a eu suffisamment d'expériences pour la journée.

— Auger, on n'est jamais trop prudent. A ces profondeurs, tous les accidents sont des urgences. Vous devriez le savoir, depuis le temps.

— Vous feriez mieux d'aller voir la fille, dit-elle en indiquant le crawleur.

— Elle est blessée ?

— Non.

— Alors, elle n'est pas prioritaire. Voyons plutôt pour quoi vous avez risqué la vie de ces gamins, d'accord ?

Mancuso parlait du journal.

— Il est dans le compartiment de stockage du crawleur, répondit Auger.

Elle le conduisit vers l'engin accidenté. Sur l'avant, logée entre des batteries de bras manipulateurs et d'outils, une trappe dissimulait un caisson équipé de plateaux. Auger actionna un levier et tira un plateau.

— Regardez, dit-elle en sortant le journal de son logement avec tout un luxe de précautions.

Mancuso laissa échapper un sifflement, à la fois impressionné et quelque peu bougon.

— Où avez-vous trouvé ça ?

Elle indiqua un trou, juste devant la machine accidentée.

— Il y a une voiture, là-dessous.

— Quelqu'un à l'intérieur ?

— Vide. On a ouvert le toit, et on a pris le journal sur le siège arrière à l'aide des manipulateurs. Il a fallu prendre appui sur le plafond pour l'empêcher de basculer. Malheureusement, la structure de la voûte n'était pas saine.

— La caverne n'avait pas encore été déblayée pour les interventions humaines, lui rappela Mancuso.

Auger répondit en choisissant soigneusement ses termes, bien consciente que tout ce qu'elle pourrait dire maintenant risquait d'être consigné quelque part :

— Il n'y a pas de bobo. Nous avons perdu un crawleur, mais la récupération du journal compense largement cette perte.

— Et le garçon, que lui est-il arrivé ?

— Il m'aidait à stabiliser le crawleur quand il a déchiré son scaphandre. Je lui ai dit de rester tranquille et d'attendre la cavalerie.

Elle reposa le journal sur le plateau. Il était encore aussi net et lisible que lorsqu'elle l'avait sorti de la voiture. Ils avaient dû le fléchir légèrement pour l'extraire, ce qui avait même réactivé l'une des publicités animées : une fille sur une plage, qui lançait un ballon vers l'objectif.

— Pas mal du tout, Auger. On dirait que vous avez eu la main heureuse, cette fois.

— Aidez-moi à sortir le tiroir, dit-elle, comprenant qu'ils n'essaieraient pas de récupérer le crawleur.

Ils extirpèrent le plateau d'échantillons, le transportèrent vers le premier crawleur de secours et le glissèrent dans une encoche libre.

— Maintenant, la caméra tourne, dit Mancuso.

Auger fit le tour du véhicule de guingois, actionna des manettes pour faire glisser les lourdes cartouches noires et les clipsa ensemble pour faciliter le transport. Une fois les douze plateaux assemblés, y compris ceux des moniteurs de la cabine, elle tendit le volumineux paquet à Mancuso.

— Je veux qu'ils aillent direct au labo, dit-elle.

— Tout est là ? demanda-t-il.

— Tout est là, confirma Auger. Bon, on peut s'occuper de Cassandra, maintenant ?

Mais quand elle plongea à nouveau le regard dans la lueur de la cabine, elle ne vit pas trace de la fille.

— Cassandra ? appela-t-elle, espérant que le canal vers le crawleur était toujours ouvert.

— Tout va bien, répondit la fille. Je suis juste derrière vous.

Auger se retourna et vit Cassandra debout sur la glace, dans l'autre scaphandre de petite taille.

— Je t'avais dit de rester à l'intérieur, dit Auger.

— Il était temps de partir, répondit Cassandra.

Elle avait, pour autant qu'Auger pouvait le dire, réussi à revêtir toute seule son scaphandre. Auger était impressionnée : les adultes avaient déjà assez de mal à s'équiper seuls, alors cette gamine…

— Tu es sûre… ? commença Auger.

— Le scaphandre est impeccable. Je pense qu'il est amplement temps de repartir. Toute cette activité risque d'alerter les furies. Nous ne tenons pas à être dans le coin lorsqu'elles se déchaîneront.

Mancuso effleura l'épaule d'Auger avec un gant à amplification d'énergie qui aurait pu l'écraser en un clin d'œil.

— La fille a raison. Tirons-nous de là. Paris me fout toujours la trouille.

A bord du crawleur de secours, Auger regardait par les hublots du plafond en espérant que les feux rouge et vert du vaisseau-mère allaient bientôt trouer les nuages, et que l'activité nébuleuse allait cesser. Il y avait quelque chose qui n'allait pas dans les nuées, ce soir. Leur langage normal était une forme de communication lente et sereine, qui se traduisait par des changements de formes, de couleurs et de textures. De vastes structures bleu-gris, aux bords bien nets, qui ressemblaient à des circuits, mettaient de longues minutes à se former. Elles se stabilisaient graduellement, puis s'estompaient lentement. Des dizaines de minutes plus tard, de nouveaux schémas commençaient à émerger du gris pâteux des nuages non structurés. Ces mouvements n'étaient que les unités de base d'un échange qui pouvait prendre des heures, voire des jours.

Pour l'heure, il y avait du grabuge dans les nuées. Les schémas se formaient et se dégradaient à un rythme accéléré, les éclairs offrant une sorte de ponctuation emphatique au dialogue. Les nuages se fissionnaient et fusionnaient comme s'ils renégociaient des traités et des alliances immémoriaux.

— Il leur arrive de faire ça, dit Cassandra.

— Je sais, répondit Auger. Mais pas quand je suis de garde, et pas juste au-dessus de la cité où je fais des recherches.

— Peut-être que ça n'arrive pas que sur Paris, fit rêveusement Cassandra.

— C'est aussi ce que j'espérais. Malheureusement, j'ai vérifié. Il y a un conflit majeur dans le système climatique centré juste au-dessus du nord de la France, et la perturbation a commencé à s'intensifier à peu près au moment de notre arrivée.

— Coïncidence.

— Ou pas.

Des éclairs illuminèrent la scène au-dehors, révélant une course d'obstacles linéaire de blocs, de rampes et de tranchées profondes, aux parois lisses, taillées dans la glace bleu pâle avec la précision des découpes au laser. Des deux côtés des Champs-Elysées, les formes effondrées des bâtiments se devinaient sous le vernis ténu de la même glace pastel, sculptée en marches et en tranchées par les excavatrices télécommandées du Conseil des Antiquités, qui s'interrompaient dès qu'elles sentaient la maçonnerie fragile, le verre et l'acier. Auger pensa aux contrôleurs qui dirigeaient ces machines depuis l'orbite, et fut prise d'un désir intense d'être là-haut, avec eux, loin des dangers du terrain.

— Dépêche-toi, se dit-elle *sotto voce*. Il y a déjà des heures que ce n'est plus drôle.

— Est-ce que ça valait vraiment la peine, pour un unique journal ? demanda Cassandra.

— Bien sûr que ça valait la peine. Tu le sais bien. Les journaux font partie des artefacts les plus précieux du Siècle du Vide. Surtout les dernières éditions, datées des dernières heures avant la fin de tout. On en retrouve si peu que tu ne le croirais pas.

Cassandra repoussa le rideau de cheveux noirs qui lui retombait sur l'œil gauche.

— Quelle importance s'il y a des détails que vous ignorez encore, tant que vous arrivez à distinguer l'image d'ensemble ?

Un mouvement attira l'attention d'Auger : par les hublots du plafond, elle vit un escadron de vaisseaux de largage descendre à travers les nuages, sur des colonnes de poussée.

— Je trouve important d'essayer d'éviter de répéter éternellement les mêmes erreurs, répondit Auger.

— Comme quoi ? demanda Cassandra.

— Foutre la Terre en l'air, par exemple. Penser qu'on peut pallier un désastre technologique par un supplément de technologie, alors que toutes les tentatives précédentes de ce genre n'ont fait qu'empirer les choses.

— Seule une sorte de fatalisme superstitieux pourrait nous faire y renoncer, rétorqua Cassandra en croisant les bras. De toute façon, je ne vois pas comment ça pourrait aller encore plus mal que ça ne va déjà.

— Sers-toi de ton imagination, gamine, répondit Auger.

Le crawleur de secours fut ébranlé par la poussée du plus proche vaisseau de largage. Une lumière vive baigna la cabine, suivie par une secousse : la nacelle de récupération s'emparait de l'appareil. Qui se retrouva bientôt dans le vide alors que le vaisseau de largage prenait de l'altitude. Par les vitres latérales, Auger vit les Champs-Elysées reculer dans le lointain, puis ils disparurent derrière les bâtiments effondrés de part et d'autre. Elle parcourut du regard les rues environnantes, incapable de déconnecter la partie de son cerveau qui tenait absolument à les identifier. Le boulevard Haussmann au nord, les avenues Marceau et Montaigne au sud.

— Comment la situation pourrait-elle encore s'aggraver ? demanda Cassandra. Rien ni personne ne peut vivre ici, en bas. Pas même les bactéries. Je ne vois pas comment ça pourrait être pire.

— Nous avons marqué des points, aujourd'hui, répondit Auger. Nous rapportons un vestige du passé, une fenêtre sur l'histoire. Et il y en a encore beaucoup à exhumer, ici. Il y a tant de lacunes, de failles dans nos connaissances qui attendent d'être comblées. Tant de choses que nous avons oubliées, et que nous ne saurons jamais à moins de trouver la vérité qui est ici, en bas, conservée sous la glace.

— Les projets de la Fédération ne menacent rien de tout ça.

— Pas sur le papier, non, mais nous savons tous que ce n'est qu'un prélude. Chassons les furies, stabilisons le climat et nous pourrons entreprendre le vrai travail : la terraformation.

Elle prononça ce dernier mot avec comme un dégoût raffiné.

Alors que les nuages s'épaississaient autour du crawleur de secours, Auger entrevit les sinuosités de la Seine, ruban virginal de glace blanche piquetée, çà et là, de sites de fouilles un peu pareils aux perles d'un collier. Plus loin, révélés par les indices plus sombres des vaisseaux spatiaux qui planaient en dessous, elle distingua les deux tiers inférieurs de la tour Eiffel, inclinée comme un homme luttant contre le vent.

— Est-ce un tel crime de vouloir faire en sorte que la Terre redevienne vivable ? demanda Cassandra.

— Pour moi, oui, parce que, pour cela, il faudrait effacer tout ce qu'il y a ici, couper tous les fils qui nous relient au passé. Autant décaper la Joconde alors qu'on a une toile vierge juste à côté.

— Alors, vous plaideriez plutôt en faveur du terraforming de Vénus ?

Auger feignit de s'arracher les cheveux.

— Non, je ne plaide pas pour ça non plus. C'est juste que si je devais faire un choix…

Elle secoua la tête.

— Je ne sais pas pourquoi j'ai cette conversation avec toi !

— Et pourquoi ça ?

— Parce que tu es des nôtres, Cassandra, une bonne petite Thresher, citoyenne des Etats-Unis de Proxy-Terre. Tu fais même des études pour travailler aux Antiquités. Je ne devrais pas être obligée de t'expliquer tout ça…

Cassandra eut un petit haussement d'épaules très enfantin, accompagné par une ébauche de moue.

— Je pensais que le débat était une bonne chose, contra-t-elle.

— En effet, répondit Auger, tant que tu es d'accord avec moi.

Tanglewood drapait la Terre d'un suaire étincelant. Le vaisseau de largage naviguait avec circonspection entre les gigantesques guirlandes lumineuses mouvantes qui étaient autant de chaînes d'habitats. Dans toutes les directions, ce n'étaient que boucles, brins et nœuds de lumière, qui se perdaient dans le lointain en un enchevêtrement diaphane d'une complexité inextricable, chaque lumignon suivant son orbite particulière autour de la Terre.

Des centaines de milliers d'habitats, des cités à part entière ; des centaines de millions de gens, chacun avec une vie aussi complexe, pleine de problèmes et d'espoirs que la sienne, se disait Auger. Des étincelles de lumière glissant d'un fil à l'autre, dans toutes les directions : le trafic, qui entrait et sortait inlassablement de tous les coins de Tanglewood. Les fils concaténés d'habitats interconnectés qui se séparaient et se réunissaient constamment, tels des brins d'ADN pullulant dans une boîte de Petri.

Son moral remonta lorsqu'elle sentit que le vaisseau de largage ralentissait pour l'approche finale. Droit devant elle, reliées par le moyeu, se trouvaient les six roues à rotation alternée du Conseil des Antiquités. Elle était sûre que la nouvelle de sa découverte suivait déjà les canaux académiques habituels, et qu'on lui demanderait bientôt de publier un résumé préliminaire du contenu du journal. Elle aurait bien de la chance si elle arrivait à fermer l'œil au cours des prochaines vingt-quatre heures. Mais c'était le genre de travail qu'elle adorait – fatigant et en même temps exaltant, et qui la laissait, à la fin, vidée et euphorique. Et ce ne serait que le début d'un processus beaucoup plus long d'examen approfondi, qui confirmerait, ou non, ses intuitions initiales et ses déductions.

L'escadrille de vaisseaux de largage aborda la première roue et pénétra dans une vaste soute de réception à faible gravité, pleine de vaisseaux et de matériel. Avec un picotement d'appréhension, Auger remarqua que l'un des appareils garés là avait le profil caractéristique des vaisseaux slashers : long et élancé comme un calmar de compétition, dont il avait un peu l'élégance translucide. Ses marquages et son mécanisme intérieur clignotaient à travers sa coque bleu cobalt, lustrée. A côté de la technologie robuste mais pataude de son propre peuple, le vaisseau slasher paraissait insolemment futuriste. Ce qu'il était, d'une certaine façon.

Auger n'arrivait pas tout à fait à mettre le doigt sur la raison de son malaise. On ne voyait pas beaucoup de bâtiments slashers à Tanglewood, surtout depuis ces derniers mois, où la situation s'était beaucoup tendue. Mais ça arrivait encore de temps à autre, et il était généralement plus efficace, en cas d'échanges diplomatiques, d'emprunter les moyens de transport slashers.

Quand même, aux Antiquités ? C'était un peu inhabituel.

Elle chassa ces considérations et revint aux affaires présentes.

Pendant le déroulement du processus de stérilisation, aussi agressif qu'approfondi – les vaisseaux étaient récurés à fond, pour éliminer toute trace de contamination parisienne –, Auger fouilla le crawleur de secours à la recherche d'un stylo et d'un bloc de rapports standard des Antiquités et entreprit de rédiger le compte rendu des événements tels qu'ils s'étaient déroulés.

Le temps que la stérilisation soit achevée, elle avait pratiquement terminé son rapport. Une passerelle-sas était connectée au vaisseau de secours, et les voyants de la porte extérieure passèrent au vert : ils pouvaient enfin débarquer. Les membres de l'équipage de sauvetage furent les premiers à sortir, impatients de quitter le vaisseau pour échanger de bonnes histoires avec leurs camarades autour de quelques verres.

— Vas-y, dit-elle en faisant signe à Cassandra de passer.

— Après vous, répondit la fille, d'un ton qu'Auger trouva un peu pincé.

Ce qu'elle mit sur le compte de sa propre tension, accrue par la vision du vaisseau slasher. Elle entra dans le sas, et, effectuant des mouvements souvent répétés, se propulsa dans l'ombilic de connexion.

A l'autre bout, elle fut accueillie par deux fonctionnaires en costumes gris à rayures. Elle reconnut dans l'un d'eux un haut responsable appelé August Da Silva. C'était un petit personnage au visage lisse de chérubin et aux cheveux toujours impeccablement coiffés, gominés par des huiles parfumées. Leurs chemins s'étaient déjà croisés, au hasard des discussions budgétaires et de transgressions de procédure mineures.

Da Silva s'interposa entre Auger et la fille.

— Ah non. Vous, vous allez par là, dit-il.

— Il faut que je m'occupe de Cassandra, objecta Auger.

Doucement mais fermement, Da Silva la cornaqua dans une petite salle d'attente aux murs capitonnés, sans fenêtres. L'accès fut aussitôt fermé et verrouillé derrière elle. Auger tambourina sur la porte, mais personne ne vint lui donner la moindre explication sur ce qui se passait. Une demi-heure s'écoula, puis une heure. Bouillonnant d'indignation, Auger commençait à tourner et retourner dans sa tête les discours vengeurs qu'elle débiterait quand on la libérerait enfin. C'était bien la première fois qu'on lui faisait un coup pareil. Il y avait parfois des moments d'attente, par suite de dysfonctionnements dans la procédure de stérilisation, mais, dans ces cas-là, on ne la laissait pas poireauter sans rien lui dire.

Au bout d'une autre demi-heure, la porte s'ouvrit, et Da Silva passa sa tête pommadée par l'entrebâillement.

— Allez, Auger, dehors. On vous attend.

Elle se fendit d'un rictus de défi.

— Qui ça, *on* ? Putain, vous ne vous rendez pas compte que j'ai du boulot ?

— Votre travail ne va pas s'envoler.

En ronchonnant, elle suivit Da Silva hors de la salle d'attente. Il sentait la lavande et la cannelle.

— Il faut que je récupère le journal et les films afin de commencer à documenter la découverte. C'est primordial, des milliers de gens sont impatients de savoir ce que le journal a à nous apprendre. Ils doivent déjà se demander pourquoi je n'ai pas rédigé un communiqué préliminaire.

— Je crains de ne pouvoir vous remettre les films, répondit Da Silva. Ils ont déjà été mis en sûreté, pour traitement.

— Quoi ? ! Mais qu'est-ce que vous racontez ? Ce sont *mes* données !

— Ce ne sont plus des données, répondit l'homme. Ce sont des pièces à conviction dans une enquête criminelle. Le garçon est mort.

La violence de la nouvelle lui fit l'effet d'un coup à l'estomac.

— Non ! fit-elle dans un souffle rauque, comme si le fait de le nier pouvait y changer quoi que ce soit.

— Je crains bien que si.

— Que s'est-il passé ? demanda-t-elle d'une voix qui lui parut spectrale.

— Il y avait une déchirure dans son scaphandre. Les furies l'ont eu.

Auger se rappela que Sebastian s'était plaint d'avoir mal à la tête. Ça devait être les minuscules machines qui se déchaînaient dans son cerveau, se dupliquant et dévastant tout sur leur passage.

Cette pensée la rendit malade.

— Mais nous avions vérifié le niveau des furies, dit-elle. Il était à zéro…

— Vos détecteurs n'étaient pas sensibles à la dernière variété microscopique. Vous l'auriez su si vous aviez pris la peine de suivre les bulletins techniques. Vous auriez dû tenir compte de ce facteur quand vous avez décidé de sortir.

— Mais il ne peut pas être mort !

— Et si. Pendant la remontée.

Da Silva la regarda, se demandant peut-être ce qu'il avait le droit de lui dire.

— Destruction complète du tronc cérébral.

— Oh, mon Dieu !

Elle inspira profondément en essayant de ne pas perdre pied.

— Est-ce que quelqu'un a prévenu…

— Sa famille ? Les parents ont été informés qu'il y avait eu un incident. A la minute où nous parlons, ils sont en route. On espère avoir réussi à ramener le garçon à un certain état de conscience lorsqu'ils arriveront.

Da Silva jouait donc avec ses nerfs…

— Vous m'avez dit qu'il était mort.

— Il est mort. Mais par bonheur ils ont réussi à le récupérer.

— La tête pleine de furies ?

— Ils l'ont bourré de pan-AC. Ils ont éliminé les furies avec cette médecine magique slasher. Pour le moment, le garçon est encore dans le coma. Il se peut que ses structures cérébrales majeures aient subi des dégâts irréversibles, mais nous ne le saurons pas avant quelques jours.

— Ce n'est pas possible, dit Auger, se sentant spectatrice de sa propre conversation. Ce n'était qu'une banale expédition sur le terrain. Personne ne devait mourir.

— Facile à dire, maintenant, dit-il en se penchant vers elle, si près qu'elle sentit son haleine. Vous pensez honnêtement que nous pourrions garder une histoire pareille sous le boisseau ? Nous sentons déjà le souffle de la Commission des Transgressions sur notre nuque. Il y a eu pas mal de cafouillage sur Terre, ces temps derniers, et il paraît qu'ils estiment le moment venu de faire un exemple, avant que quelqu'un ne commette l'irréparable.

— Je suis désolée pour le garçon, dit-elle.

— Est-ce un aveu de culpabilité, Auger ? Ça nous faciliterait beaucoup les choses.

— Non, dit-elle d'une voix défaillante. Je n'avoue rien. Tout ce que je dis, c'est que je suis désolée, c'est tout. Ecoutez, je pourrais parler aux parents ?

— A vrai dire, Auger, je pense que vous êtes la dernière personne du système solaire à qui ils ont envie de parler en ce moment.

— Je veux juste qu'ils sachent à quel point je suis navrée.

— C'est avant qu'il fallait vous en faire, rétorqua Da Silva. Avant de tout risquer pour un malheureux artefact sans valeur.

— L'artefact n'est pas sans valeur ! lança-t-elle. Quoi qu'il ait pu arriver en bas, il valait la peine que nous prenions ce risque. Demandez à qui vous voudrez aux Antiquités, tout le monde vous dira la même chose.

— Vous voulez que je vous le montre, le journal, Auger ? Ça vous plairait ?

Da Silva le tira de la poche intérieure de son veston où il l'avait fourré et le lui tendit. Elle le prit, les doigts tremblants, sentant tous ses espoirs s'évanouir en un instant. Comme le garçon, le journal était mort. L'encre s'était brouillée, les lignes de texte étaient fondues les unes dans les autres comme les dessins sur le glaçage d'un gâteau qui aurait pris un coup de chaud. Il était déjà complètement illisible. Les illustrations et les publicités étaient devenues statiques, leurs couleurs se mélangeant jusqu'à ressembler aux taches sur un tableau abstrait. Le petit moteur qui fournissait l'énergie au papier intelligent avait dû cracher ses dernières bribes d'énergie lorsqu'elle l'avait tiré de la voiture.

Elle lui rendit l'objet inutile, ridicule.

— Eh ben, je suis pas dans la merde…

3

Floyd tourna dans la rue des Peupliers. Il y avait des années qu'il n'avait pas mis les pieds dans le quartier, et il gardait le souvenir d'une rue étroite aux trottoirs crevassés, de boutiques désaffectées, condamnées par des planches, et de prêteurs sur gages minables. La chaussée asphaltée était impeccable, et les voitures garées le long des deux falaises d'immeubles étaient des bêtes puissantes, aux chromes étincelants, surbaissées comme des panthères ramassées sur elles-mêmes pour bondir. Les poteaux des lampadaires étaient repeints de frais. Les commerces installés au rez-de-chaussée étaient des boutiques raffinées : des horlogers, des joailliers, des librairies spécialisées dans les ouvrages rares, un magasin qui vendait des cartes et des globes, un autre spécialisé dans les stylos. C'était la fin de l'après-midi, et les vitrines projetaient des rectangles de lumière accueillante sur les trottoirs où les ombres s'allongeaient.

— Voilà le 23, dit Floyd en se garant. C'est là qu'elle a dû s'écraser, ajouta-t-il en indiquant un endroit du trottoir qui avait, selon toute apparence, été récemment briqué à mort. Elle a dû tomber d'un de ces balcons.

Custine leva les yeux par la vitre latérale.

— Aucun signe de rambarde endommagée, à aucun étage. Rien n'indique qu'ils en aient remplacé ou repeint une récemment.

Floyd tendit la main, et Custine lui passa son calepin et son chapeau mou.

— On va bien voir.

Au moment où ils descendaient de voiture, une petite fille en robe tachée et chaussures noires éculées sortit précipitamment de l'immeuble. Floyd était sur le point de l'appeler pour lui dire de retenir la porte, mais ses paroles lui restèrent dans la gorge lorsqu'il vit son visage : même dans la lumière déclinante, on ne pouvait faire autrement que d'avoir l'étrange impression qu'elle était défigurée. Il la regarda filer dans la rue et disparaître dans l'ombre entre les réverbères. Résigné, Floyd s'approcha de la porte vitrée par laquelle la fillette venait de sortir et constata qu'elle était verrouillée. A côté se trouvait un panneau d'interphone, avec les noms des occupants. Il appuya sur le bouton marqué *Blanchard*.

Une voix croassante se fit aussitôt entendre par la grille :

— Vous êtes en retard, monsieur Floyd.

— Est-ce que ça veut dire que le rendez-vous est annulé ?

En guise de réponse, il y eut un bourdonnement. Custine poussa la porte, qui s'entrebâilla.

— On va voir comment ça se passe, dit Floyd. La technique habituelle : c'est moi qui parle, et toi tu observes sans rien dire.

C'était généralement leur façon de procéder. Floyd s'était aperçu depuis longtemps que son français pas tout à fait irréprochable donnait aux gens une fausse impression de sécurité et les encourageait souvent à laisser échapper des informations qu'ils auraient pu, sans cela, conserver par-devers eux.

L'entrée donnait directement sur un escalier recouvert d'un tapis. Ils arrivèrent essoufflés sur le palier du deuxième étage. Trois des portes étaient fermées, mais la quatrième était légèrement entrebâillée, et un rai de lumière électrique barrait le tapis bien usé. Un œil les observait par la fente.

— Par ici, monsieur Floyd. Je vous en prie !

La porte s'ouvrit suffisamment pour laisser entrer les deux hommes dans un salon où les rideaux avaient déjà été tirés pour laisser au-dehors l'obscurité sinistre du soir.

— Mon associé, André Custine, dit Floyd. Comme il s'agit d'une affaire d'homicide, j'ai pensé que deux paires d'yeux et d'oreilles valaient peut-être mieux qu'une seule.

Blanchard les salua courtoisement d'un hochement de tête.

— Voulez-vous du thé ? La théière est encore chaude.

Custine s'apprêtait à répondre, mais Floyd, qui pensait déjà au peu de temps dont il disposait avant son rendez-vous avec Greta, le devança :

— Merci beaucoup, monsieur, mais je vous propose de passer directement à l'affaire qui nous amène. Par où voulez-vous commencer ?

Il enleva son chapeau mou et le posa sur une table de bridge.

— Je m'attendais plus ou moins à ce que vous meniez l'entretien, répondit Blanchard en refermant la porte derrière eux.

41

L'image mentale que Floyd s'était faite de l'homme qui les avait appelés se révélait assez proche de la réalité, ce qui était rassurant. Blanchard était un vieux monsieur mince et sec, de soixante-dix ans à peu près, avec un nez busqué sur lequel étaient perchées des lunettes en demi-lune. Il portait une sorte de fez, ou de bonnet, qui défiait toute identification précise, un peignoir matelassé sur un pyjama à rayures, de grosses pantoufles.

— Si vous commenciez par le commencement ? suggéra Floyd. Parlez-moi de cette Américaine. Que savez-vous d'elle ?

— C'était une locataire, et elle payait son loyer en temps et en heure.

Blanchard farfouilla un moment avec un tisonnier dans les cendres de l'énorme cheminée Art déco. Sur le dessus, deux serre-livres en forme de chouette surveillaient les opérations de leurs yeux pareils à des joyaux. Floyd et Custine s'assirent côte à côte sur le canapé et se tortillèrent, mal à l'aise.

— C'est tout ? insista Floyd.

Blanchard se retourna devant la cheminée.

— Il y avait trois mois qu'elle était là quand elle est morte. Elle habitait au quatrième. Elle aurait préféré trouver quelque chose à un étage un peu moins élevé… comme je crois vous l'avoir dit, elle n'aimait pas les hauteurs, mais il n'y avait rien de libre.

— S'en était-elle plainte à vous ? demanda Floyd.

Son regard se promenait sur les murs, passant en revue une exposition de masques africains et de trophées de chasse qui n'auraient pas volé un coup de plumeau. A côté de la porte était accrochée une photo encadrée d'un jeune et beau couple devant la tour Eiffel. Leurs vêtements, leur attitude, un peu raide, suggéraient que la photo avait été prise au moins quinze ans plus tôt. Floyd étudia le visage du jeune homme et le compara à celui du vieux gentleman qui les recevait.

— En effet, répondit celui-ci en s'asseyant dans un fauteuil. Mais elle ne s'en était pas plainte au propriétaire de l'immeuble.

— Je pensais que vous étiez…, commença Floyd, surpris.

— J'étais bel et bien son propriétaire, en effet, mais elle ne le savait pas. Les occupants ignorent que je ne suis pas un simple locataire comme eux. Ils payent leur loyer à un intermédiaire.

— Curieux arrangement, observa Floyd.

— Mais très utile. J'entends leurs plaintes et leurs récriminations officielles et non officielles en bavardant, lorsque nous nous croisons dans l'escalier. La locataire en question n'avait jamais exprimé son mécontentement par écrit, mais elle ne manquait pas une occasion de se plaindre chaque fois que nous nous croisions.

Floyd jeta un coup d'œil à son équipier et ramena son regard sur Blanchard.

— Le nom de la jeune fille, monsieur ?

— Une jeune femme. Elle s'appelait Susan White.

— Mariée ?

— Elle ne portait pas d'alliance, et ne m'a jamais parlé d'un quelconque mari.

Floyd nota cette information.

— Elle vous a dit son âge ?

— Elle ne devait pas avoir plus de trente-cinq ans. Peut-être même trente ans seulement. Ce n'était pas facile à dire. Elle était moins maquillée que les autres jeunes femmes de l'immeuble.

— Elle vous a dit ce qu'elle faisait avant de venir ici ? demanda Custine.

— Seulement qu'elle venait d'Amérique, et qu'elle était bonne dactylo. Il faut que je vous parle de la machine à écrire…

— D'où ça, en Amérique ? coupa Floyd, se rappelant que Blanchard n'en était pas certain lorsqu'ils s'étaient parlé au téléphone.

— Dans le Dakota. Je m'en souviens, maintenant. Elle avait l'accent de là-bas, disait-elle.

— Elle parlait anglais avec vous ? demanda Floyd.

— De temps en temps, à mon initiative. Sans cela, elle parlait un français comme le vôtre.

— Donc impeccable, fit Floyd avec un sourire. Enfin, pour un étranger.

— Et que faisait Mlle White à Paris ? demanda Custine.

— Elle ne me l'a jamais dit, et je ne le lui ai jamais demandé. Elle n'avait apparemment pas de problèmes financiers. Peut-être avait-elle un travail, mais dans ce cas elle avait des horaires très variables.

Floyd tourna une page de son calepin en séchant avec son pouce l'encre des notes qu'il venait de prendre.

— On dirait une touriste venue passer quelques mois à Paris avant de repartir. Je peux vous demander comment vous vous étiez rencontrés, et jusqu'où allait votre relation ?

— C'était une relation parfaitement anodine. Nous avions fait connaissance aux courses, à Longchamp… J'ai vu que vous regardiez la photo de ma défunte femme et moi-même.

Floyd hocha la tête, un peu honteux que son indiscrétion ait été repérée.

— Elle était très jolie.

— La photo ne lui rend pas justice. Elle s'appelait Claudette. Elle est morte en 54... il n'y a que cinq ans, mais j'ai l'impression d'avoir déjà vécu la moitié de ma vie sans elle.

— Je suis navré, dit Floyd.

— Claudette adorait les courses de chevaux.

Blanchard se releva, tisonna le feu, sans grand effet visible, et se rassit dans un craquement de jointures arthritiques.

— Après sa mort, pendant longtemps, je suis resté enfermé ici, sans mettre le nez dehors, alors, aller aux courses, vous pensez bien... Et puis, un jour, je me suis gendarmé pour y aller, ne serait-ce que pour mettre de l'argent sur un cheval en souvenir d'elle. Je m'étais dit que c'était ce qu'elle aurait voulu, mais je ne pouvais pas m'empêcher de me sentir un peu coupable d'être là, sans elle.

— Il n'y avait pourtant pas de quoi, fit Floyd.

Blanchard le regarda.

— Vous avez été marié, monsieur Floyd ? Ou vous est-il arrivé de perdre un être cher, à la suite d'une longue maladie ?

Floyd baissa les yeux, comme un élève puni.

— Non, monsieur.

— Eh bien, sauf votre respect, vous ne pouvez pas imaginer ce que c'est. Ce sentiment de trahison... si absurde que ce soit. Et pourtant j'ai continué, économisant un peu d'argent chaque semaine, revenant parfois avec un petit gain. Et c'est là que j'ai rencontré Susan White.

— Elle jouait, elle aussi ?

— Pas sérieusement. Elle a reconnu en moi un de ses voisins et m'a demandé si je pouvais l'aider à parier une petite somme. Au début, aussi stupide que ça puisse paraître, je me suis senti gêné, comme si Claudette était là, et me regardait.

— Mais vous l'avez aidée.

— Je me suis dit que ça ne pouvait pas faire de mal de lui montrer comment étudier la cote des chevaux, et elle a placé un pari en suivant mes conseils. A sa grande surprise, le cheval a gagné. Par la suite, nous avons fait en sorte de nous retrouver aux courses une ou deux fois par semaine. Franchement, je pense que les chevaux la fascinaient plus que l'argent ; je la surprenais en train de les regarder au paddock, lorsque les jockeys les menaient par la bride. On aurait dit que c'était la première fois qu'elle voyait des chevaux.

— Peut-être qu'ils n'en ont pas, dans le Dakota, risqua Custine.

— Et ça n'est pas allé plus loin ? demanda Floyd. Vous vous voyiez aux courses, une ou deux fois par semaine ?

— Au début, oui, répondit Blanchard. Et ça aurait peut-être dû en rester là. Et puis j'ai commencé à apprécier sa compagnie. Je retrouvais en elle quelque chose de ma défunte épouse : le même amour de la vie, la même délectation enfantine pour les choses les plus simples. Ce qui était vraiment surprenant, c'était qu'elle semblait apprécier aussi ma compagnie.

— Alors vous vous êtes vus en dehors des courses ?

— Une ou deux fois par semaine, je l'invitais ici, et nous prenions un thé ou un café, avec peut-être une tranche de cake. Et nous parlions de tout ce qui nous passait par la tête. Ou plutôt, c'est moi qui parlais… la plupart du temps, en tout cas, elle se contentait de rester assise ici, à m'écouter.

46

Il eut un sourire, qui rida son vieux visage.

— Je lui disais : « Mais je monopolise la conversation ; parlez-moi un peu de vous », et elle répondait : « Non, non, j'aime vraiment vous écouter raconter vos histoires. » Et le plus drôle, c'est qu'elle avait l'air sincère. Nous parlions de tout, du passé, de cinéma, de théâtre…

— Et vous avez eu l'occasion de jeter un coup d'œil dans son appartement ?

— Evidemment. J'étais son propriétaire et j'avais un double de sa clé. J'attendais qu'elle soit sortie. Pas pour fouiner, ajouta-t-il, un peu sur la défensive, en se penchant en avant pour appuyer son propos. Je dois aux autres locataires de veiller à ce que les termes du contrat de location soient respectés.

— Bien sûr, accorda Floyd. Et quand vous étiez chez elle, pas pour fouiner, avez-vous remarqué quelque chose de particulier ?

— Seulement que l'endroit était parfaitement propre et net, et qu'elle amassait une quantité remarquable de livres, de disques, de magazines et de journaux.

— Un petit rat de bibliothèque bien ordonné, en d'autres termes. Enfin, ce n'est pas un crime.

— A moins qu'ils n'aient changé la loi…, répondit Blanchard, qui marqua une pause. Mais il y a un détail qui m'a paru plutôt inhabituel. Je ne sais pas s'il faut que je vous en parle…

— Ça ne peut pas faire de mal.

— Les livres n'arrêtaient pas de changer. Pas d'un jour sur l'autre, mais d'une semaine sur l'autre, à peu près. Et pareil pour les magazines et les journaux. C'était comme si elle les entassait et qu'elle les mettait ailleurs pour faire de la place aux nouveaux.

— C'était peut-être ça, répondit Floyd. Si c'était une riche touriste, elle pouvait envoyer des colis chez elle de façon régulière.

— J'ai envisagé cette possibilité, en effet.

— Et… ? demanda Floyd.

— Un jour, par hasard, je l'ai vue dans la rue, loin d'ici. C'était dans le cinquième. Elle descendait la rue Monge, vers la station de métro Cardinal-Lemoine. Elle portait une lourde valise, et l'idée m'a traversé l'esprit qu'elle avait peut-être fait ses paquets et qu'elle s'en allait.

— Sans payer son loyer ?

— Elle avait payé d'avance, jusqu'à la fin du mois. Me sentant coupable de mes soupçons, je me suis dit que j'allais la rattraper et l'aider à porter sa valise. Mais je suis un vieil homme, et je ne suis pas allé assez vite. J'ai dû me contenter de la regarder disparaître dans la station de métro…

Blanchard sélectionna une pipe sculptée dans un râtelier posé sur une petite table, au bout du canapé, et l'examina distraitement.

— Fin de l'épisode, me suis-je dit, mais elle est réapparue presque aussitôt. Il ne s'était pas écoulé plus d'une minute ou deux depuis qu'elle était descendue dans le métro, et elle avait encore la valise. Mais elle avait l'air beaucoup plus légère, à cet instant. Il y avait du vent, et la valise rebondissait sur sa hanche.

— Vous avez raconté tout ça à la police ? demanda Floyd.

— Oui, mais ils n'en ont pas tenu compte. Ils m'ont dit que j'avais rêvé tout l'incident, ou que j'avais imaginé que la valise était plus légère la deuxième fois.

Floyd nota soigneusement tout cela, certain – sans pouvoir dire pourquoi – que c'était une observation importante.

— Et c'est la « preuve » qu'on a attenté à son existence dont vous m'avez parlé au téléphone ?

— Non, répondit Blanchard. Ce n'est pas ça du tout. Deux ou trois semaines avant sa mort, l'attitude de Mlle White a complètement changé. Elle n'allait plus aux courses, elle ne descendait plus me voir et elle passait de plus en plus de temps dehors. Les rares occasions où nous nous croisions dans l'escalier, elle avait l'air ailleurs.

— Vous êtes allé voir chez elle ?

Blanchard hésita un instant avant d'acquiescer d'un hochement de tête.

— Elle avait cessé d'acheter des livres et des magazines. Il y en avait encore beaucoup chez elle, mais toujours les mêmes ; il n'y avait plus de nouveaux arrivages, et elle ne les emportait pas ailleurs non plus.

Floyd jeta un coup d'œil à Custine.

— D'accord. Elle devait avoir quelque chose en tête. J'ai une théorie. Vous voulez l'entendre ?

— Est-ce que je paye déjà pour ça ? Nous n'avons pas parlé des conditions.

— Nous y viendrons si nous décidons de faire affaire. Je pense que Mlle White avait un amant. Elle avait dû rencontrer quelqu'un au cours des trois semaines avant sa mort.

Floyd observa Blanchard en se demandant ce qu'il avait vraiment envie de savoir de tout ça.

— Elle passait du temps avec vous, en toute innocence, donc, et tout à coup son nouvel ami l'a voulue pour lui seul. Fini les balades, les courses et les conversations bien au chaud ici.

Blanchard sembla soupeser l'argument.

— Et les livres ?

— Ce n'est qu'une hypothèse mais peut-être qu'elle a eu plus passionnant à faire, subitement, que de dévaliser les librairies et les marchands de journaux. Le stockage de livres et de revues a perdu tout intérêt pour elle, et elle n'avait plus besoin d'envoyer des caisses dans le Dakota.

— Ça fait beaucoup de suppositions, répondit Blanchard. Basées sur une absence assez frappante d'éléments tangibles.

— J'ai dit que c'était une théorie, pas un dossier bien ficelé.

Floyd prit un cure-dents et commença à le mâchonner.

— Tout ce que je dis, c'est qu'il pourrait y avoir moins de choses dans tout cela que l'œil n'en contemple.

— Et la question de sa mort ?

— La chute pourrait encore être accidentelle.

— Je suis convaincu qu'on l'a poussée.

Blanchard tendit la main sous son fauteuil et prit une boîte à biscuits en métal écaillé, imprimée sur toute sa surface d'un motif écossais et, sur le couvercle, d'une photo de terrier écossais.

— Ceci vous convaincra peut-être.

Floyd prit la boîte.

— Il faut vraiment que je fasse attention à ma ligne…

— Ouvrez-la, s'il vous plaît.

Floyd souleva le couvercle avec ses ongles. La boîte contenait une liasse de papiers maintenus par un élastique.

— Vous pourriez nous en dire plus, concernant ces documents ? demanda Floyd, décontenancé.

— Moins d'une semaine avant sa mort, Mlle White a frappé à ma porte. Elle est morte le 20. Ça devait être vers le 15 ou le 16. Je l'ai fait entrer. Elle paraissait encore agitée, troublée, mais au moins elle était disposée à me parler. Elle a commencé par s'excuser pour son impolitesse des deux dernières semaines, puis elle m'a dit que les chevaux lui manquaient, et elle m'a donné cette boîte.

Floyd enleva l'élastique qui retenait la liasse de papiers et les étala sur ses genoux.

— Que vous a-t-elle dit d'autre ?

— Seulement qu'il se pourrait qu'elle soit obligée de quitter Paris rapidement, et que je devais garder sa boîte si elle ne revenait pas la chercher.

Floyd parcourut les papiers. Il y avait des documents de voyage, des reçus, des cartes, des coupures de journaux, et un dessin au crayon, soigneusement annoté, d'un objet circulaire qu'il ne reconnut pas. Et aussi une carte postale : une photo passée de Notre-Dame. Floyd la retourna et vit que la carte avait été rédigée, timbrée, mais pas envoyée. L'écriture était nette, féminine, avec des boucles et des fioritures exagérées. Elle était adressée à un certain M. Caliskan, domicilié à Tanglewood, dans le Dakota.

— Vous me permettez de la lire ?

— Je vous en prie, monsieur Floyd.

La femme commençait par raconter qu'elle prévoyait de passer l'après-midi à faire les magasins, à la recherche de bijoux en argent, mais qu'elle pourrait changer d'avis en cas de pluie. Les mots « argent » et « pluie » avaient été soigneusement soulignés. Ce que Floyd trouva d'abord bizarre, puis il repensa à une vieille tante qui avait l'habitude de souligner des mots clés dans ses lettres. La carte postale était signée *ta Susan*. Floyd se dit qu'elle devait être destinée à un oncle, ou à un grand-père, plutôt qu'à un amant ou un ami proche.

Il ouvrit l'une des cartes, l'étala. Il s'attendait à un plan touristique de Paris, ou au moins à une carte de France, mais c'était une carte à grande échelle de toute l'Europe de l'Ouest, de Kaliningrad au nord à Bucarest au sud, de Paris à l'ouest à Odessa à l'est. On avait dessiné un cercle à l'encre autour de Paris, un autre autour de Berlin, et les deux étaient reliés par une ligne tracée à la règle, avec la même encre. Un autre cercle entourant Milan était relié de la même façon à Paris. Le tout formait une sorte de *L*, avec Paris dans l'angle et Berlin au bout du côté le plus long. Deux nombres étaient inscrits bien nettement sur les lignes : *875* au-dessus de l'axe Paris-Berlin, et *625* le long de la ligne qui reliait Paris et Milan. Floyd se dit que ça devait être les distances en kilomètres qui séparaient les villes entre elles.

Il grattouilla l'encre du bout de l'ongle. C'était bien ce qu'il pensait : l'impression n'était pas d'origine. Il n'avait pas idée de ce que ça pouvait vouloir dire, sinon que Susan White devait prévoir l'étape suivante de son voyage, et mesurait les distances séparant Paris et les deux autres villes avant de décider pour laquelle opter. Mais quel genre de touriste aurait besoin de connaître aussi précisément de telles distances ? Les trains et même les aéroplanes ne suivaient pas des trajectoires rectilignes, compte tenu de la géographie réelle et politique de l'Europe. Enfin, peut-être que ce détail avait échappé à la jeune femme.

Floyd replia la carte, puis entreprit de parcourir les autres papiers. Il y avait un courrier, en allemand, d'un certain Altfeld, dactylographié sur un papier à lettres épais à l'en-tête d'une firme qui fabriquait du matériel lourd et appelée Kaspar Metals, avec une adresse à Berlin, et la lettre semblait répondre à une demande précédente de Susan White. En dehors de ça, Floyd parlait trop mal l'allemand pour tenter de la traduire.

— Ça ne ressemble pas vraiment à une lettre d'amour, nota-t-il.

— Elle m'a donné une autre instruction, poursuivit Blanchard. Au cas où elle ne reviendrait pas. Elle m'a dit qu'il se pourrait que sa sœur vienne chercher la boîte, et que je devrais la lui remettre.

— Elle était manifestement inquiète, commenta Floyd. Au moins, on peut s'accorder là-dessus.

— Vous n'êtes pas encore convaincu qu'on aurait pu la tuer ? J'aurais cru que vous vous empresseriez d'accepter une affaire de meurtre. Je vous paierai le temps que vous y consacrerez. Si vous ne trouvez aucun indice prouvant qu'elle a été assassinée, alors je m'en remettrai à votre jugement.

— Je ne voudrais pas vous faire jeter votre argent par les fenêtres. Ni perdre mon temps, répondit Floyd.

Custine lui jeta un coup d'œil appuyé, comme s'il s'interrogeait sur sa santé mentale.

— Je vous autorise à me faire gaspiller mon argent.

Floyd remit les documents dans la boîte.

— Et pourquoi ne gardez-vous pas tout ça en attendant de voir si la sœur se montre ?

— Parce que chaque jour qui passe est un jour de plus depuis qu'elle est morte.

— Avec tout le respect que je vous dois, monsieur, ce n'est pas à vous de vous préoccuper de ce problème.

— Je pense que ça me regarde tout à fait.

— Et qu'est-ce que la police a fait avec la boîte ? demanda Custine.

— Je la leur ai montrée, évidemment, mais ça ne les a pas intéressés. Comme je vous l'ai dit, ils manquent totalement d'imagination.

— Vous pensez qu'elle aurait pu être une espionne, supputa Floyd.

— Cette pensée m'a effleuré l'esprit. Ne me dites pas que vous l'excluez.

— Je ne sais pas quoi penser de tout ça, répondit Floyd. Ce que je sais, c'est que ça ne peut pas faire de mal de rester ouvert à toute éventualité…

— Eh bien, ne fermez pas votre esprit à la possibilité qu'elle ait été assassinée. Je dois à la mémoire de cette belle jeune femme de ne pas laisser sa mort impunie. Je sais dans mon cœur que quelqu'un l'a provoquée, monsieur Floyd. Je sais aussi que Claudette m'observe, en ce moment même, et que je la décevrais beaucoup si je ne faisais pas mon devoir envers Mlle White.

— C'est très louable de votre part…, commença Floyd.

— Ne vous méprenez pas, coupa sèchement Blanchard. Il y a aussi une composante égoïste. Tant qu'on n'aura pas retrouvé son meurtrier, le doute planera toujours dans l'esprit de mes autres locataires sur l'éventualité qu'elle ait pu faire une chute accidentelle.

— La police ne s'est pas prononcée en ce sens.

— Ils n'avaient pas besoin d'exprimer cette opinion à voix haute, fit Blanchard. Je vous en prie, prenez la boîte, et voyez ce que vous pourrez en tirer. Interrogez les autres occupants de l'immeuble... discrètement, bien sûr. Il se peut qu'elle leur ait parlé aussi. Maintenant, pourriez-vous m'indiquer le montant de vos émoluments ?

Floyd fouilla dans la poche de son veston et y prit une carte de visite écornée.

— Ce sont les conditions habituelles. Comme c'est une enquête pour homicide, M. Custine m'assistera aussi. Ce qui veut dire que les tarifs sont doublés.

— Je pensais que vous vouliez m'éviter des dépenses.

— C'est vous qui avez fait appel à nous. Mais si nous devons enquêter sur la mort de Mlle White, il n'y a pas de raison de faire les choses à moitié. Nous serons deux fois plus efficaces, mon associé et moi, en deux fois moins de temps que si j'étais tout seul.

Blanchard prit la carte et l'empocha sans un regard.

— J'accepte vos conditions. Mais en échange de mon argent je m'attends à un résultat rapide.

— Vous l'aurez, dans un sens ou dans l'autre.

— Eh bien, c'est entendu.

— J'ai besoin de savoir ce qu'elle vous a dit à propos de sa sœur.

— C'est ça qui est drôle. Jusqu'à cette dernière conversation, celle où elle m'a donné la boîte, elle n'avait jamais fait allusion à sa famille.

— Vous a-t-elle décrit sa sœur ?

— Oui. Elle s'appelle Verity. Elle est blonde, pas rousse, Mlle White me l'a bien spécifié, mais en dehors de ça elle était à peu près de la même taille et de la même constitution qu'elle. Sur ce point, vous avez de la chance. J'ai pris une photo d'elle à Longchamp.

Blanchard se leva et prit deux photos sous l'une des chouettes qui ornaient le dessus de la cheminée.

— Vous pouvez les garder toutes les deux.

— Ce sont les seuls tirages ?

— Non. J'en ai fait faire plusieurs au moment où j'espérais que la police s'intéresserait à l'affaire. Je pensais qu'ils les voudraient pour enquêter.

Floyd examina l'un des clichés. C'était une photo en pied d'une jeune femme devant une barrière, la tache floue, étirée, d'un cheval passant derrière elle. Elle maintenait son chapeau en forme de tambourin comme si elle craignait que le vent ne l'emporte. Elle souriait, surprise et heureuse. Elle n'avait pas l'air de quelqu'un qui devait trouver la mort quelques semaines plus tard.

— C'était une jeune femme séduisante, reprit Blanchard en se rasseyant. Mais je n'ai pas besoin de vous le dire. Elle avait des cheveux roux somptueux. Dommage que vous ne puissiez les voir, parce qu'ils sont remontés sous ce chapeau. Elle portait souvent du vert. J'ai toujours pensé que le vert était le fard des rousses, pas vous ?

— J'avoue que je ne saurais dire, répondit Floyd.

Custine examinait son exemplaire de la photo.

— Une belle fille. Elles sont toutes comme ça, en Amérique ?

— Pas à Galveston, répondit Floyd.

Le logement qui avait été celui de l'Américaine pendant les trois derniers mois de sa vie se trouvait deux étages au-dessus. Il était resté inoccupé depuis sa chute.

— On y a à peine touché, ajouta Blanchard. L'appartement a été aéré, mais en dehors de ça tout est resté comme quand elle est partie. Même le lit était fait. C'était une jeune femme très soigneuse, contrairement à certains de mes locataires.

— Je vois ce que vous voulez dire, pour les livres…

Floyd s'avança sur le parquet grinçant pour examiner la collection que Susan White avait accumulée. Des livres, des magazines et des journaux occupaient tous les plans horizontaux, et même une surface significative du plancher. Mais ils étaient soigneusement triés et empilés, ce qui indiquait un processus méthodique, strict, d'achat et d'entreposage avant expédition. Il se rappela que Blanchard l'avait vue aller vers le métro avec une valise pleine, et devina qu'elle avait dû faire des dizaines de voyages de cette espèce toutes les semaines, si la collection avait évolué à la fréquence mentionnée par Blanchard.

— Vous verrez peut-être là-dedans un sens ou une explication qui m'échappe, dit Blanchard en hésitant sur le pas de la porte.

Floyd se pencha pour regarder une pile de disques neufs.

— Est-ce que ça faisait partie des objets qu'elle amassait et expédiait aussi ?

— Oui. Examinez-les tant que vous voudrez.

Floyd jeta un coup d'œil aux pochettes, espérant se faire une idée du processus de pensée de la jeune femme, mais les disques étaient aussi divers que les livres et les revues. Il y avait du jazz, dont certains enregistrements que Floyd possédait lui-même, et une poignée de classiques, mais le reste semblait avoir été acheté au hasard, sans considération de genre ou de qualité intrinsèque.

— Alors comme ça elle aimait la musique, dit-il.

— Sauf qu'elle ne passait jamais aucun de ces disques, dit Blanchard.

Floyd regarda plus attentivement l'un des disques, examinant la pochette puis la galette proprement dite, et plus particulièrement les sillons. Depuis quelque temps de grandes quantités de disques pirates, de médiocre qualité, avaient commencé à inonder le marché. Ils pouvaient paraître acceptables à une oreille non exercée, mais pour les vrais mélomanes c'était une insulte. D'après les rumeurs, les pirates pressaient leurs disques de pacotille dans un atelier clandestin de la région parisienne. S'étant lui-même fait refiler une de ces médiocres copies, Floyd avait appris à les repérer de loin. Il paraissait probable qu'une proportion non négligeable des disques de la morte soient de cette sorte, mais si elle ne les écoutait pas, elle n'avait qu'à s'en prendre à elle-même.

Floyd remit le disque dans sa pochette et, en se relevant, remarqua un vieux gramophone à manivelle dans un coin de la pièce, à côté d'un appareil de TSF plus moderne.

— C'était à elle ? demanda-t-il.

— Non. Il était dans l'appartement. Il doit bien y avoir trente ans qu'il est là.

— Et elle ne mettait jamais de disque dessus ?

— Elle n'écoutait jamais de musique. Lors des rares occasions où il m'est arrivé de passer devant cet appartement, ou d'entrer dans celui du dessous, je n'ai entendu que la radio.

— Vous savez ce qu'elle écoutait ?

— Impossible à dire. Le son était toujours très faible.

Floyd passa ses doigts dans la poussière sur le dessus du meuble radio.

— Vous avez utilisé cet appareil depuis sa mort ?

— Comme je vous l'ai dit, la pièce a été aérée, mais c'est tout.

— Vous me permettez d'essayer de savoir ce qu'elle écoutait ?

— Vous êtes à mon service, maintenant, monsieur Floyd. Je vous autorise à faire tout ce que vous jugerez utile.

— Je vais regarder sur le balcon, dit Custine. Voir si elle aurait pu facilement en tomber.

Floyd déplia le tapis, qui était chiffonné, et s'agenouilla dessus, face au meuble TSF. C'était un appareil Philips datant d'une vingtaine d'années, encastré dans un meuble en noyer. Floyd en avait eu un à peu près du même genre pendant cinq ans, après son arrivée à Paris. Il alluma le poste, entendit le bourdonnement des lampes qui chauffaient et le crépitement du haut-parleur. Il marchait encore.

Il sentit un souffle d'air sur sa nuque lorsque Custine ouvrit la porte-fenêtre qui donnait sur le balcon. La rumeur de la ville entra dans la pièce, troublant le silence comme un invité irrespectueux. Floyd tendit instinctivement la main vers le bouton de réglage pour faire glisser la petite flèche le long de la bande lumineuse sur laquelle étaient indiquées les longueurs d'ondes et les stations émettrices. Il connaissait toutes les stations qui passaient encore le genre de musique qu'ils aimaient, Custine et lui. Il y en avait de moins en moins chaque année. On aurait même pu dire chaque mois, à ce qu'il semblait, ces temps derniers.

Il se contenta de monter le son, conservant le réglage effectué par Susan White. Ils n'entendirent que des parasites.

— Il est entre deux stations, commenta Floyd. Soit ça, soit le poste qui émettait sur cette longueur d'onde n'émet plus.

Il prit son calepin, l'ouvrit à la première page vierge et prit note de la position du réglage, puis il tourna le bouton, faisant passer la flèche d'un bout de la bande de fréquences à l'autre. La radio crépita, siffla, mais à aucun moment Floyd ne capta un signal reconnaissable.

— Alors ? demanda Blanchard.

— La TSF doit avoir un problème technique. J'aurais dû capter un poste, depuis le temps.

— L'appareil marchait parfaitement quand Mlle White a loué l'appartement.

— Et peut-être qu'il marchait aussi quand elle était là. Mais il est mort, maintenant, à moins que toutes les stations de France n'aient cessé d'émettre.

Floyd remit le bouton de réglage approximativement à la position où il se trouvait quand il avait allumé le poste, puis il l'éteignit.

— Enfin, tant pis. Je pensais que le fait de savoir ce qu'elle écoutait aurait pu nous livrer un indice sur elle et sur sa personnalité.

Custine revint dans la pièce et referma la porte-fenêtre derrière lui.

— Le balcon paraît parfaitement sûr. La rambarde arrive jusqu'ici, dit-il en mettant la main au niveau de son estomac. Quelle taille faisait-elle, monsieur ?

— A peu près la vôtre.

— On ne peut donc pas exclure qu'elle ait fait un faux pas et qu'elle soit passée par-dessus, observa Custine. Mais il aurait vraiment fallu qu'elle y aille fort. En tout cas, il est impensable qu'elle soit tombée en s'appuyant contre la rambarde.

— C'est donc une hypothèse à éliminer, dit le propriétaire. Il paraît plus probable qu'elle a été poussée.

— Ou qu'elle a sauté, intervint Floyd.

Il referma son calepin avec un claquement.

— Bon, je pense que nous en avons suffisamment vu ici pour le moment. Vous allez garder cette pièce telle quelle pendant quelque temps ?

— Jusqu'à ce que l'affaire soit résolue, lui assura Blanchard.

Floyd tapota Custine dans le dos.

— Allez, on va discuter avec les autres locataires. On verra bien ce qu'ils ont à dire.

Custine récupéra la boîte à biscuits en fer que Floyd avait posée à côté du meuble TSF.

— La porte de l'appartement, dit-il en se tournant vers Blanchard. Elle était fermée à clé quand ils l'ont retrouvée ?

— Non. Elle était ouverte.

— Elle aurait donc pu être assassinée, constata Custine.

— A moins qu'elle n'ait laissé la porte ouverte parce qu'elle avait d'autres préoccupations, dit Floyd. Ça ne prouve rien. Et la porte de devant, elle était ouverte aussi ?

— Non, répondit Blanchard. Elle était fermée. Mais elle se bloque automatiquement. Quand le meurtrier est parti, il n'a eu qu'à la tirer derrière lui.

— Et vous n'avez pas remarqué s'il manquait quelque chose dans l'appartement ?

— Si j'avais vu quoi que ce soit, je vous l'aurais dit.

Custine tapota la boîte en métal.

— C'est peut-être ça qu'ils cherchaient, mais ils ne l'ont pas trouvée parce qu'elle était déjà chez M. Blanchard.

— Tu as vu quelque chose dans cette boîte qui t'a paru justifier qu'on tue quelqu'un pour le récupérer ?

— Non, répondit Custine. Mais quand j'étais à la PJ, j'ai vu des gens tuer pour une miche de pain.

— Monsieur Blanchard, reprit Floyd, je vous appelle demain si j'ai du nouveau. Sans cela, je poursuis mes investigations jusqu'à ce que j'aie des informations qui méritent que je vous en parle.

— J'aimerais que vous m'appeliez tous les jours, que vous ayez du neuf ou non.

— Si vous voulez, fit Floyd avec un haussement d'épaules.

— Vous pouvez me joindre facilement le soir. A la fin de chaque semaine, je voudrais recevoir un rapport d'enquête dactylographié, ainsi qu'un mémoire des frais engagés.

— Vous prenez ça très à cœur, n'est-ce pas ?

— Un drame s'est produit dans cette pièce, répondit le vieil homme. Je ne sais pas si vous le sentez, mais moi si. Mlle White a eu peur, et elle était loin de chez elle. Quelqu'un est venu la tuer, et il ne faut pas que les choses en restent là.

— Je comprends, répondit Floyd.

Ils étaient presque revenus à la porte quand Blanchard s'arrêta et mit la main sur un coffret en bois posé sur une petite table aux pattes incurvées.

— Encore un détail… C'est peut-être sans importance, mais Mlle White avait une machine à écrire électrique chez elle. Une machine allemande, de marque Heimsoth et Reinke, il me semble. Très lourde. C'est la boîte dans laquelle elle se trouvait.

— Drôle de bagage pour une touriste, commenta Floyd.

— Je lui en ai parlé, et elle m'a répondu qu'elle s'exerçait à la frappe pour ne pas perdre la main, en prévision du jour où elle rentrerait chez elle.

— Vous avez bien fait de nous le dire, acquiesça Floyd. Ça n'a peut-être pas de rapport, mais tout détail peut se révéler utile.

— Nous devrions peut-être y jeter un coup d'œil, suggéra Custine.

— Justement, répondit Blanchard. Il n'y a plus de machine à écrire. On l'a retrouvée en mille morceaux, sur le trottoir, à côté de Mlle White.

4

— Salut, Verity ! fit l'ex-mari d'Auger. Pardon de débarquer comme ça, mais nos amis commençaient à se demander si tu étais toujours vivante.

Peter Auger était grand, et bronzé comme s'il revenait de bonnes vacances au soleil plutôt que d'une tournée diplomatique exténuante dans les États fédérés. Il portait un costume vert olive qui avait dû coûter une fortune, sur lequel tranchait une pochette en soie rouge vif, avec, au revers, l'épingle dorée, raffinée, du corps diplomatique. Ses yeux verts brillaient comme des émeraudes, illuminés par la fascination et l'amusement que lui inspiraient perpétuellement les choses et les gens qui l'entouraient.

— Bien sûr que je suis en vie, répondit hargneusement Auger. Mais je n'ai pas le droit de sortir de chez moi, par décision de justice, et ça complique un peu ma vie sociale.

— Tu sais ce que je veux dire. Tu ne réponds ni au téléphone ni aux p-mails, fit-il avec un geste en direction des cylindres qui s'accumulaient dans la corbeille de réception du tube pneumatique.

— J'essaie de remettre de l'ordre dans mes idées.

— Tu ne peux pas continuer comme ça. Tu veux offrir la vision d'une épave bredouillante quand tu te présenteras à l'audience préliminaire ? Il faut que tu sois forte. J'ai entendu dire que c'était pour la fin de la matinée ?

— C'est bien ça.

— Tu m'as l'air remarquablement détendue.

— Ce n'est qu'une formalité, une occasion pour les deux parties de se regarder en chiens de faïence. C'est plus la perspective du tribunal disciplinaire qui m'empêche de dormir.

Peter s'assit, croisa ses longues jambes et jeta un coup d'œil par la baie vitrée, admirant la vue de la Terre et, en surimpression sur le disque blanc, nacré, un proche secteur de Tanglewood.

— Ils sont en train de changer leurs plans, dit-il. Attends-toi à certaines surprises, surtout en ce moment. Ils aiment lancer des balles courbes traîtresses, surtout quand ils ont affaire à quelqu'un comme toi.

— Quoi, quelqu'un comme moi ? Qu'est-ce que ça veut dire ?

— Quelqu'un qui a l'échine trop raide pour se plier aux contraintes de l'autorité. Pour dire les choses aimablement. Il paraît que tu as même réussi à te mettre Caliskan à dos, l'an dernier. Ça, il faut le faire !

— Pff, tout ça parce que j'ai refusé de le laisser cosigner un article auquel il n'avait absolument pas contribué. Si ça lui posait un tel problème, il n'avait qu'à porter plainte.

— C'est Caliskan qui te paye, quand même.

— N'empêche que s'il veut être crédité il n'a qu'à mettre la main à la pâte.

Auger s'assit, tournant le dos à la baie vitrée, face à Peter, devant une table basse en bois brut sur laquelle était posé, en équilibre précaire, un vase noir contenant une douzaine de fleurs fanées.

— Je ne cherche pas spécialement à l'emmerder. Je m'entends bien avec DeForrest. Ce n'est pas comme si j'avais une aversion systématique pour l'autorité.

— Peut-être que Caliskan avait d'autres griefs à ton égard, répondit Peter.

De ce ton calme, cet air entendu qu'elle avait toujours trouvés aussi exaspérants que séduisants. Ça, pour faire du charme, il était doué. Si quelqu'un percevait en lui comme une sorte de vacuité, il la prenait généralement pour une insondable profondeur de caractère, comme quand on interprète mal un écho radar.

— Qu'est-ce que tu en sais ?

— Tout ce que je veux dire, c'est que se faire des ennemis n'est pas le meilleur moyen de gravir les échelons dans sa carrière.

— Je ne me fais pas d'ennemis, protesta-t-elle. C'est juste que je n'aime pas qu'on me mette des bâtons dans les roues dans les domaines de recherche qui m'intéressent.

— C'était l'anniversaire de Paula, la semaine dernière.

— Je sais. Je suis désolée. Mais avec tout ça…

— « Tout ça » n'a rien à voir là-dedans. Le jour de son anniversaire, tu ne t'étais pas encore attiré ces ennuis, à Paris, poursuivit Peter de ce ton calme et compréhensif dont il ne se départait jamais, même quand il lui cherchait des poux dans la tête. Tu as une idée de l'impact que ce genre d'oubli peut avoir sur une enfant de neuf ans ?

— Je suis navrée, d'accord ? Je lui ai envoyé un p-mail, si ça peut te faire plaisir.

— Le problème n'est pas de me faire plaisir à moi, mais à ta fille.

Tout à coup, elle se sentit lamentable et honteuse.

— Je sais. Et merde ! Je foire tout. Je ne mérite pas d'être sa mère, exactement comme je ne méritais pas d'être ta femme !

— Je t'en prie, n'essaie pas de m'apitoyer. Je ne suis pas venu t'asticoter au sujet de Paula. C'est une gamine, elle s'en remettra. C'est juste que je me disais qu'un petit rappel à l'ordre s'imposait.

Auger se cacha le visage dans les mains. Elle avait tenu bon pendant cinq jours, mais là les digues étaient rompues. Etait-elle désolée pour sa fille, ou pour elle-même ? Elle n'avait même pas particulièrement envie de le savoir.

— Alors, pourquoi es-tu venu ? marmonna-t-elle entre deux sanglots.

— Pour voir comment tu encaissais le coup.

Elle riva sur lui ses yeux rougis, gonflés par les larmes, et le foudroya du regard.

— Absolument foutument formidablement bien, comme tu vois.

Il y eut un *swoush* suivi d'un *plop !* et un nouveau tube à message tomba dans la boîte de réception, sur les autres. Auger n'y jeta même pas un coup d'œil. Comme tous ceux qui étaient déjà arrivés au cours des derniers jours, elle était sûre qu'il venait d'un railleur anonyme. Pourquoi lui envoyer des plans de Paris, sinon pour lui mettre le nez dans son caca ?

— L'autre raison pour laquelle je suis venu, reprit Peter après une pause pleine de dignité, c'était pour te proposer mon aide. Je pourrais peut-être tirer quelques ficelles.

— Faire intervenir tes nouveaux amis haut placés ?

— Il n'y a pas de honte à avoir des relations en politique, rétorqua hautement Peter.

— Comment c'était ? demanda-t-elle d'une voix qui lui parut frêle et distante, même à ses propres oreilles.

— C'était un sacré voyage.

— Pour un peu, je t'envierais.

Peter était souvent allé, dans le cadre de ses missions diplomatiques, dans les territoires contrôlés par la Fédération, aux confins du système solaire, mais sa dernière mission l'avait emmené beaucoup plus loin dans les profondeurs de la galaxie, *via* l'hyperweb.

— Tu aurais adoré ça, dit Peter. Evidemment, il y a eu des moments absolument terrifiants... Mais je pense que ça en valait la peine.

— J'espère que tu as fait preuve de l'humilité et de la révérence appropriées, dit Auger.

— Ce n'était pas du tout ça. Ils avaient l'air sincèrement ravis d'avoir quelqu'un à qui montrer tout ça.

— Ben tiens ! Je serais moins sceptique si je pensais que ce qui les intéresse vraiment c'est notre coopération.

— Parce que tu n'y crois pas ?

— Tu as lu les petits caractères du contrat ? On a accès à l'hyperweb, dans des conditions très strictes et restrictives, pas besoin de le préciser, en échange de quoi ils ont accès à la Terre... selon leurs propres conditions, aussi, bizarrement.

— Je n'ai pas tout à fait le même point de vue. Je ne vois pas pourquoi ils ne devraient rien retirer de l'échange. Bon sang ! Ils mettent la galaxie tout entière à nos pieds. La Terre, une Terre glacée, inhabitable, dangereuse... ça semble être un faible prix à payer, en échange. Et ce n'est pas comme si nous leur livrions la planète entière sur un plateau.

— Donne-leur un doigt et ils te prendront tout le bras.

Peter fronça les sourcils comme s'il essayait de se débarrasser d'un mal de tête.

— Au moins, nous aurons gagné quelque chose. Ce qu'il faut bien comprendre, maintenant plus que jamais, c'est que les Slashers ne constituent pas un bloc politique uni, même si ça nous arrange de voir la situation sous cet éclairage. En tout cas, ce n'est assurément pas comme ça qu'ils voient la Fédération. Pour eux, c'est une alliance informelle, évolutive, d'intérêts progressistes, chacun ayant une vision particulière de la meilleure façon de traiter avec la Terre. Ce n'est un secret pour personne que certaines factions, au sein de la Fédération, privilégieraient une politique plus agressive.

Un petit frisson parcourut Auger.

— Qui se traduirait comment ?

— Allons ! Ils ont très envie de la Terre, surtout maintenant qu'ils peuvent envisager une stratégie claire pour éliminer les furies et initier la terraformation. Tout ce qui les en empêche, en toute honnêteté, c'est nous et nos alliés slashers plus modérés. Le pragmatique qui est en moi dit que nous devrions trouver un accord avec les modérés pendant que c'est encore possible.

— Par « pragmatique », prière de comprendre « cynique au cœur de pierre », rectifia Auger, ce qu'elle regretta aussitôt, sachant que ce n'était pas juste. Pardon, Peter. Ecoute, je sais que tu es animé des meilleures intentions du monde, et une partie de ce que tu dis a peut-être un sens, même dévoyé, mais ça ne veut pas dire que ça me plaît.

— Que ça te plaise ou non, la coopération avec la Fédération est la seule façon d'arriver à un résultat.

— Peut-être, rétorqua Auger, mais s'ils veulent prendre pied sur la Terre, il faudra qu'ils me passent sur le corps !

Peter lui lança son sourire exaspérant.

— Ecoute, je déteste me retrouver dans le rôle du porteur de mauvaises nouvelles, mais quand ce tribunal se mettra en branle, tu te retrouveras face à un témoin de l'accusation extrêmement crédible. C'est pour ça que je t'offre toute mon aide.

— Qu'est-ce que tu veux dire ? Quel témoin de l'accusation ?

— La fille. Cassandra.

— Quoi ? fit Auger avec intensité, les paupières étrécies. Que sais-tu que j'ignore à son sujet ?

— C'est une Fédérée. Avec ses faux airs de petite jeune fille, elle est complètement adulte, avec des facultés adultes, et le caractère implacable d'une adulte.

Auger secoua la tête.

— Non. Ce n'est pas possible.

Et puis elle repensa à l'étrange réaction de la fille, après l'incident de Paris, à l'agilité intellectuelle, l'âpreté avec lesquelles elle avait défendu la collaboration avec les Slashers. Et, enfin, au mince fuselage bleu cobalt du vaisseau spatial slasher amarré aux Antiquités.

— Oh que si, répondit Peter.

Il commença à essayer d'arranger les fleurs fanées dans le vase, en fronçant un sourcil réprobateur.

— Enfin, merde ! Comment a-t-elle réussi à franchir nos barrières de sécurité ?

— Elle ne s'est pas faufilée clandestinement. Sa présence sur ton champ de fouilles était validée par les autorités.

— Et personne n'avait pensé à me le dire ? !

— Sa présence était une question très sensible. Si la situation n'avait pas si mal tourné, personne ne l'aurait su.

— Et maintenant ils vont tout faire éclater au grand jour dans un tribunal ?

— Ils ont décidé que faire témoigner Cassandra était exactement le geste à faire pour resserrer les liens avec les Slashers modérés. Ça prouvera que nous leur faisons confiance pour jouer un rôle actif dans notre processus judiciaire.

— Même si ça implique de me sacrifier au passage ?

Peter étendit devant lui des mains aux ongles soigneusement manucurés.

— Je t'ai dit que je ferais tout mon possible. Officiellement, je n'aurais même pas dû te mettre au courant.

— Comment l'as-tu appris ?

Il préleva deux fleurs séchées dans le bouquet et les déposa côte à côte sur la table, comme des soldats abattus.

— Tu vois que tous les contacts politiques ne sont pas forcément néfastes. Si Caliskan te proposait un accord, est-ce que tu l'accepterais ?

— Quel genre d'accord ?

— Ce n'était qu'une idée comme ça. Je ferais mieux d'y aller. De toute façon, ce n'était probablement pas une bonne idée de venir ici.

Il se releva, lissa le pli de son pantalon.

— J'imagine que je devrais te remercier ?

— Tu ne vas pas rompre pour si peu les habitudes de toute une vie.

— Je regrette pour l'anniversaire de Paula. Je me rattraperai. Dis-lui ça, tu veux bien ? Et dis à Andrew que je l'aime. Ne leur laisse pas croire que je suis une mauvaise mère.

— Tu n'es pas une mauvaise mère, dit Peter. Tu n'es même pas une mauvaise personne. C'est juste que cette planète… cette ville… Paris a envahi toute ta vie. Tu te laisses posséder comme par un amant jaloux. Tu sais, je crois que j'aurais mieux géré tout ça si tu avais vraiment eu une liaison.

— Si je ne m'occupe pas de Paris, personne ne le fera.

— Est-ce que ça vaut de perdre un mariage et l'amour de deux enfants ? Non, ne réponds pas, reprit Peter en lui tendant la main. Mais réfléchis-y. Pour nous deux, il est trop tard.

La plate certitude de cette déclaration la prit un peu de court.

— C'est ce que tu crois ?

— Evidemment. La meilleure preuve en est que nous arrivons à avoir cette conversation sans nous lancer des assiettes à la tête.

— Tu as peut-être raison…

— Enfin, pense aux enfants, poursuivit Peter. Au tribunal, n'hésite pas à faire preuve d'humilité. Dis la vérité, dis que tu as fait des erreurs et que tu regrettes. Et tu devrais avoir un espoir de sortir d'ici.

— Et de conserver mon travail ?

— Je ne te promets pas de miracles.

Elle se leva et prit la main qu'il lui tendait, sentant comment elle s'emboîtait bien dans la sienne avec une familiarité qui lui brisa le cœur, comme s'ils avaient été sculptés l'un pour l'autre.

— Je ferai de mon mieux, dit Auger. J'ai trop de travail en perspective. Je ne vais pas me laisser baiser par ces salauds juste pour leur permettre d'exprimer une prise de position politique.

— C'est la bonne attitude, répondit Peter. Mais rappelle-toi ce que je t'ai dit : de l'humilité, d'accord ?

— Je tâcherai de m'en souvenir.

Sitôt qu'il fut sorti, elle emporta le vase dans la cuisine et flanqua les fleurs fanées dans le vide-ordures.

— Verity Auger... Veuillez venir à la barre, s'il vous plaît.

L'audience préliminaire avait lieu dans une salle monumentale au plafond voûté, dans une partie des Antiquités où elle n'avait jamais mis les pieds et pourtant située à une courte distance – effectuée sous bonne escorte – de son appartement. Sur tout le tour de la salle, de grandes fresques photographiques représentaient la Terre d'avant le Nanocauste.

— Allons-y, dit la présidente en s'adressant à Auger depuis une estrade surélevée, devant un fond constitué par le drapeau des EUPT, les Etats-Unis de ProxyTerre. D'après l'enquête préliminaire diligentée par ce comité disciplinaire spécial, l'opération que vous avez dirigée à Paris a provoqué la mort de l'étudiant Sebastian Nerval...

Auger fut la seule à ne pas se tourner pour regarder le garçon allongé dans un lit de convalescence vertical, entouré par un halo de délicates machines de fabrication slasher, qui vibrionnaient autour de son crâne comme autant d'anges gardiens.

— Objection ! fit l'avocat de la défense que les Antiquités avaient fourni à Auger. Cet étudiant étant présent dans la salle, on ne peut pas dire qu'il est « mort » au sens strict du terme.

— Objection rejetée. La loi ne fait pas de distinction entre la mort temporaire et la mort définitive, rétorqua la présidente d'un ton las, comme si elle avait souvent débité cette réplique. Le garçon n'a survécu que grâce à l'intervention médicale des Etats fédérés. Comme on ne peut normalement compter dessus, le tribunal ne prendra pas cet argument en considération.

L'avocat avait une tête de taupe, toute ronde, et ses lunettes, tout aussi rondes, aux gros verres de myope, ne faisaient rien pour dissiper la ressemblance.

— N'empêche que les faits sont là : il n'est pas mort.

— Objection rejetée, répéta la présidente. Et, si je puis me permettre une suggestion, vous feriez mieux de vous familiariser avec les principes fondamentaux de la loi des Etats-Unis de ProxyTerre avant de remettre les pieds dans un tribunal.

L'avocat fourragea dans ses papiers comme s'il cherchait une jurisprudence oubliée qui lui donnerait raison. Auger regardait les papiers tomber de son bureau sur ses genoux et se répandre par terre. Il se pencha pour les ramasser et cogna ses lunettes contre le bord du plateau.

La présidente l'ignora ostensiblement et se tourna vers la femme assise à la droite d'Auger.

— Cassandra… c'est le nom par lequel vous souhaitez être appelée, c'est bien ça ?

— Le nom que je préfère est…

Elle ouvrit la bouche et émit un trille complexe, liquide, une séquence rapide de trémolos et de vibratos. Le génie génétique avait doté tous les citoyens de la Fédération d'un organe servant à émettre des sons vocaux calqué sur le syrinx des oiseaux, ainsi que du circuit neural nécessaire pour générer et décoder les sons produits par cet organe. Comme il faisait maintenant partie de leur génome, les Slashers conserveraient cette faculté de communication rapide même s'ils subissaient un nouvel Oubli, ou toute autre catastrophe technologique.

Cassandra eut un sourire attristé.

— Enfin, Cassandra fera l'affaire pour le moment.

— Assurément, fit la présidente, en faisant écho à son sourire. D'abord, je tiens à vous remercier, au nom des Antiquités et des autorités des Etats-Unis de ProxyTerre, d'avoir pris le temps de revenir à Tanglewood, surtout dans ces pénibles circonstances.

— Pas de problème, répondit Cassandra.

Ayant renoncé à son déguisement, elle avait maintenant bien l'air de ce qu'elle était : une citoyenne des Etats fédérés. Ses caractéristiques physiques essentielles n'avaient pas changé : c'était toujours une petite fille à l'air réservé, avec une frange de cheveux noirs et l'expression boudeuse de quelqu'un qui a l'habitude de se faire rembarrer. Mais, pour l'instant, elle était environnée par un nuage grouillant de machines autonomes dont le mouvement incessant brouillait les contours de son corps et de son esprit. Comme tous les Slashers, elle était infestée par une multitude de machines invisibles à l'œil nu : de lointaines parentes des furies microscopiques qui se déchaînaient encore à la surface de la Terre. Elle portait une tenue blanche, unie, à la coupe austère, mais les machines formaient une sorte d'armure mouvante autour d'elle, un halo métallisé, aux bords argentés, étincelants. Certains éléments s'étaient sûrement déjà détachés du nuage principal pour améliorer sa vision générale de la salle et de ses occupants. Il était tout à fait possible que certaines de ces machines se soient même infiltrées dans les membres de l'assistance, pour espionner leurs pensées.

— Vous êtes à l'heure actuelle, reprit la présidente, le seul témoin à la disposition de la justice. Peut-être, quand le garçon aura réappris le langage…

— S'il le réapprend, rectifia Cassandra. Rien ne prouve que nos techniques nous permettront de reconstituer le câblage neural qui assure la fonction langagière.

— On verra bien, reprit la présidente. Entre-temps, nous vous avons, vous, et nous avons les bobines de film récupérées dans le crawleur.

— Et le témoignage de Verity, ajouta Cassandra en fixant Auger de son regard inexpressif, depuis son nuage de machines scintillantes. Vous avez aussi cela.

— En effet. Malheureusement, il a plutôt tendance à contredire le vôtre.

La fille cilla, puis haussa les épaules.

— Quel dommage.

— En effet, acquiesça la présidente. D'après Auger, le site des Champs-Elysées aurait été sécurisé pour des équipes humaines. N'est-ce pas le cas ?

— Je crois, Votre Honneur, que vous avez lu ma déclaration, répondit Auger.

La présidente jeta un coup d'œil à ses notes.

— L'analyse des films montre que le site de fouilles n'était pas marqué comme sécurisé pour des visiteurs humains.

— Les marques sont souvent trop indistinctes pour être décelables, répondit Auger. Les excavateurs les matérialisent à l'aide de colorants parce que les transpondeurs ne tiennent pas le coup, mais les teintures ne résistent pas longtemps non plus.

— Les enregistrements confirment que la caverne n'avait jamais été sécurisée, répéta la présidente.

— Les enregistrements sont souvent obsolètes.

— Ce n'est pas une raison suffisante pour foncer tête baissée dans une caverne souterraine.

— Avec tout le respect que je vous dois, personne n'a foncé tête baissée où que ce soit. C'est une expédition qui a été menée avec toute la prudence nécessaire, et qui a malheureusement mal tourné.

— Ce n'est pas ce que prétend Cassandra.

— Non ? fit Auger en essayant vainement de déchiffrer l'expression de la Slasher.

Elle avait encore du mal à s'adapter au fait que ce n'était pas une enfant mais une adulte qui avait adopté une silhouette enfantine, aussi intelligente et ambitieuse qu'elle, sinon plus.

— A en croire Cassandra, les risques étaient prévisibles depuis le départ, répondit la présidente, et vous les avez sciemment ignorés. Les bandes de l'intérieur de la cabine, du moins ce que nous avons réussi à en retrouver, semblent appuyer ses dires. Vous êtes descendue dans ce trou, Auger, alors que vous aviez la charge de deux enfants vulnérables...

— Je vous demande pardon, Votre Honneur : un enfant et une petite merdeuse qui ment comme elle respire. J'aurais dû être informée que nous avions une Slasher parmi nous. Du reste, les nuées le savaient. Elles l'avaient flairée.

— Contrôlez vos paroles, l'avertit la présidente. Ce n'est peut-être qu'une audience préliminaire, mais je pourrais déjà vous faire accuser d'outrage à la cour.

— Allez-y. Ça pourrait nous faire gagner du temps.

Auger se pencha à la barre, les poings crispés sur la rampe de bois. L'espace d'un instant, elle avait vraiment essayé de jouer le jeu, comme Peter le lui avait conseillé, avec honnêteté et humilité. D'ailleurs, à cet instant précis, elle le vit, derrière la paroi de verre de l'étroite galerie d'observation, secouer la tête et se détourner pour quitter la salle d'audience.

— Je ferai, pour cette fois, comme si je n'avais rien entendu, dit la présidente. Mais puis-je tenir pour acquis que vous n'avez pas changé de position depuis que vous avez remis votre déclaration écrite ?

— Vous pouvez, répondit Auger.

— Très bien. Nous procéderons à l'audition disciplinaire dans cinq jours à compter d'aujourd'hui. Auger, je suppose que je n'ai pas besoin de vous rappeler la gravité de l'incident ?

— Non, madame la présidente. C'est inutile.

La présidente frappa un coup de marteau.

— L'audience est levée.

Auger roula la lettre à sa fille et fit sauter le bouchon de plastique de l'un des cylindres en attente. Une carte en papier en jaillit et se déplia toute seule. Elle l'ignora, glissa la lettre roulée dans le cylindre maintenant vide, le reboucha et composa un code : l'adresse de Peter dans un secteur de Tanglewood. Le cylindre s'éclipsa et fila dans la complexité déconcertante du réseau pneumatique. Malgré les aléas du dispatching, Paula avait de bonnes chances de le recevoir d'ici quelques heures à peine. Mais quand on avait déjà plus d'une semaine de retard pour souhaiter un anniversaire, Auger se dit que ce n'étaient pas quelques heures de plus ou de moins qui changeraient la face du problème, même pour une enfant de neuf ans.

Quelque chose attira son regard.

La carte du cylindre. Elle l'étala soigneusement, intriguée par un détail… manquant. Où était le Périphérique ? L'anneau autoroutier, avec ses tronçons surélevés et couverts, qui entourait Paris comme des douves grises de béton précontraint ? Même sous la glace qui recouvrait la ville, le Périphérique était encore une caractéristique importante du paysage. C'était là que les Antiquités avaient érigé la haute barrière blindée destinée à la fois à retenir la glace et à prévenir les incursions des furies. Au-delà du Périphérique, les machines mutantes, sous leurs myriades de formes, régnaient en maîtresses absolues. Les expéditions de terrain hors de cette limite étaient encore plus dangereuses que celle qu'Auger avait entreprise.

Or, sur cette carte, il n'y avait pas de Périphérique. A l'époque du Nanocauste, il existait déjà depuis plus d'une centaine d'années ; reconstruit, redressé, élargi et doté de systèmes de guidage pour gérer le trafic automatisé, mais toujours reconnaissable, bordé de bâtiments et d'obstacles qui l'empêchaient de changer trop radicalement. Sur les quelques cartes en papier qu'Auger avait eu l'occasion de tenir entre ses mains ou d'examiner, le Périphérique était toujours là : il faisait autant partie du paysage parisien que la Seine, ou ses nombreux jardins et cimetières.

Alors, pourquoi n'était-il pas sur la carte ?

Avec un mélange de curiosité et de méfiance, elle retourna la carte et chercha la date d'impression. Sur la couverture, tout en bas, figuraient une minuscule indication de copyright et une date : *1959*. La carte avait été imprimée plus d'un siècle avant la fin ; avant même l'achèvement du Périphérique. Il était assez étrange qu'il n'y figure pas, qu'il n'y ait même pas d'indication des tronçons inachevés, ou le tracé fantomatique, en pointillés, de son futur emplacement – mais peut-être la carte était-elle déjà démodée lorsqu'elle avait été imprimée.

Pourquoi quelqu'un lui envoyait-il un fac-similé sans intérêt ? Si son intention était de lui rappeler ce qui était arrivé sous les Champs-Elysées, il y avait d'autres façons moins détournées d'y arriver.

En réexaminant la carte, elle eut une impression étrange, la sensation qu'il y avait là une autre anomalie, un détail insolite sur lequel elle ne parvenait pas vraiment à mettre le doigt... mais elle refusait de se laisser entraîner plus avant dans les jeux pervers d'un esprit dérangé. Elle replia la carte et la remit dans un tube, s'apprêtant à la renvoyer n'importe où, au hasard.

— Je n'ai vraiment pas besoin de ça, marmonna-t-elle.

C'est alors qu'on frappa à la porte. Peter ? Non, le coup frappé était trop sec, trop anonyme pour être le sien. Elle songea à ignorer le visiteur, mais si c'était un représentant des Autorités, il trouverait tôt ou tard le moyen d'entrer chez elle, alors... Et s'il lui apportait des nouvelles du tribunal, elle préférait en prendre connaissance tout de suite.

Elle ouvrit la porte.

— Oui ?

Ils étaient deux, jeunes, un homme et une femme. Ils portaient des costumes sombres, d'allure très officielle, sur lesquels tranchaient des cols blancs, raides. Ils avaient des cheveux blonds coiffés en vagues bien ordonnées, maintenues par du gel, comme s'ils étaient frère et sœur. Il émanait d'eux une tension perceptible, l'énergie de deux ressorts bandés. Ils étaient dangereux, efficaces, et ils tenaient à le lui faire sentir.

— Verity Auger ? demanda la femme.

— Vous savez très bien qui je suis.

La femme lui fourra sous le nez un badge brillant, avec des parties métallisées et des incrustations d'hologrammes. Sous les étoiles et les bandes des EUPT, une photo de la tête et du buste de la femme effectua une rotation de trois cent soixante degrés.

— Département de la Sécurité. Je suis l'agent Ringsted, et voici l'agent Molinella. Je vais vous demander de nous accompagner.

— J'ai encore cinq jours devant moi avant le procès, répondit Auger.

— Vous avez cinq minutes devant vous, rétorqua Ringsted. Ça vous suffira pour vous préparer ?

— Attendez, fit Auger, peu disposée à céder. Le tribunal censé statuer sur mon sort dépend des Antiquités. Il se peut que j'aie merdé, en bas – ça ne veut pas dire que j'avoue, attention ! –, mais même dans ce cas je ne vois pas en quoi la Sécurité serait concernée. Je pensais que votre mission était de protéger les intérêts de la communauté tout entière. Vous n'avez rien de mieux à faire que de perdre votre temps à me compliquer la vie ?

— Vous savez que les Transgressions s'intéressent à votre affaire ? demanda Ringsted. Ce qui se passe, c'est qu'elles veulent votre peau. Elles trouvent que les procédures sont trop laxistes. Trop de gens s'imaginent qu'ils peuvent faire la java sur Terre sans réfléchir aux conséquences.

Molinella hocha la tête en signe d'assentiment.

— Les Transgressions aimeraient envoyer un signal aux amateurs, et une condamnation pénale et une peine sévère tomberaient à pic.

— Par « peine sévère », vous entendez le genre de sanction qui se solde par une inscription à la rubrique nécrologique ? demanda Auger d'un ton caustique.

— Vous avez saisi l'idée, répondit Ringsted. En réalité, à ce stade, il se pourrait que vous préfériez avoir affaire à la Sécurité plutôt qu'aux Transgressions.

— Vous n'êtes pas censés travailler pour le même gouvernement ?

— Théoriquement, concéda Ringsted, comme si cette idée venait seulement de lui apparaître.

— C'est complètement surréaliste. Qu'attendez-vous de moi ?

— Venez avec nous, répondit Ringsted. Un vaisseau nous attend.

— Avant que j'oublie…, fit Molinella. Apportez les plans.

Le vaisseau était une navette banalisée, d'allure efficace. L'appareil partit du dock le plus proche de chez Auger et coupa à travers le trafic local selon le genre de trajectoire express qui exigeait des autorisations gouvernementales au plus haut niveau. Ils louvoyèrent bientôt à travers les faubourgs environnants en frôlant dangereusement la zone d'exclusion entourant la Terre. Ils prenaient manifestement un raccourci pour arriver de l'autre côté de Tanglewood, et non la trajectoire plus longue, moins gourmande en énergie, qui l'aurait contournée.

Lorsque Auger se retrouva seule – les agents avaient pris place à l'avant, avec l'équipage, la laissant seule dans la cabine passager –, elle prit le plan qu'elle avait emporté pour le voyage. Elle l'avait fourré dans sa veste après l'avoir roulé et remis dans son tube. Une impulsion contradictoire l'avait amenée à s'abstenir de prendre les autres, bien qu'on lui eût dit de le faire, mais ce plan particulier – le dernier arrivé chez elle, et le seul qu'elle ait convenablement examiné – excitait sa curiosité. Il lui avait tout d'abord fait l'effet d'un aiguillon, mais elle commençait à présent à se demander s'il n'avait pas un autre but. Elle le réexamina pour s'assurer qu'elle ne s'était pas trompée la première fois. Mais non, c'était bien là : les mêmes couleurs passées, la même absence du Périphérique, la même date de copyright et la même impression insolite qu'il y avait un détail qui n'était pas tel qu'il aurait dû être. Elle scruta la carte, la tournant et la retournant dans tous les sens, dans l'espoir que le détail qui la troublait allait lui apparaître. Dans le calme de son bureau, elle l'aurait identifié en quelques minutes d'examen patient et attentif. Mais alors que la navette virait sur l'aile et accélérait, ses pensées n'arrêtaient pas de dérailler. Elle était au moins aussi anxieuse de savoir où on l'emmenait que de résoudre l'énigme de la carte.

Puis la navette commença sa décélération et amorça la manœuvre d'approche finale. Les vastes structures de Tanglewood se profilèrent à travers les petits hublots. Elle vit de gigantesques roues à rayons, certaines partielles, des sphères et des cylindres, tous reliés comme autant de symboles d'un langage étrange – étranger. L'architecture de base n'avait rien d'inhabituel selon les critères de Tanglewood, mais elle ne reconnaissait pas le district. Les habitats étaient très sombres et très vieux, englués comme dans un tissu cicatriciel, au fil de nombreuses strates d'agrandissement et de réorganisation. Seul un léger saupoudrage de petites fenêtres dorées suggérait une présence humaine. Auger se raidit : on aurait dit une sorte de quartier de haute sécurité, ou un complexe psychiatrique.

Dans une section particulièrement sombre d'une des sphères, une petite porte s'ouvrit, encadrée par des flashes d'approche rouges et blancs. La navette se dirigea vers cette petite ouverture. Auger crispa ses mains moites sur la carte, l'encre commençant à maculer ses doigts. Elle la replia et la remit dans sa veste, en essayant d'empêcher ses mains de trembler.

La navette s'amarra et les agents l'escortèrent à travers le sas dans un labyrinthe de corridors noirs et froids, qui s'enfonçaient dans les profondeurs de la sphère en faisant des tours et des détours.

— Où sommes-nous ? demanda-t-elle. Quel est cet endroit ?

— Vous avez entendu parler de la Sécurité, répondit Molinella. Bienvenue aux Contingences, notre sœur la plus ancienne, la plus secrète et la plus manipulatrice.

— Il n'existe rien de tel.

— C'est précisément l'idée.

Ils la conduisirent à travers une série de barrages et de portails sécurisés, dont l'un était muni d'un gros cyberserpent de construction slasher, marqué du *A* barré d'une croix qui voulait dire qu'il ne répondait pas aux lois de la robotique édictées par Asimov. Auger sentit sa nuque la picoter alors que le robot l'étudiait.

Derrière la zone de sécurité, un court couloir donnait sur une porte entrebâillée de quelques centimètres, d'où un éventail de lumière orange venait réchauffer le caillebotis noir du sol. Un planton armé, portant de grosses lunettes, les regarda approcher. Des bruits sortaient par la porte : des raclements et des grattements stridents, à faire grincer des dents. Les sons avaient une régularité et une structure, au point qu'Auger les identifia comme étant de la musique, même si elle eût été bien incapable de dire de quel genre. Elle serra les mâchoires, bien déterminée à ne pas se laisser déstabiliser.

Le planton s'effaça et lui fit signe de passer. Elle remarqua qu'il avait des écouteurs sous son casque. Molinella et Ringsted restèrent en retrait, la laissant entrer seule dans la pièce.

Auger poussa la porte, recevant de plein fouet l'affreuse cacophonie, et se retrouva dans une salle sans fenêtres où son appartement aurait tenu tout entier, et beaucoup plus luxueusement meublée. En fait, on eût dit une reconstitution d'un salon du dix-huitième ou du dix-neuvième siècle, une sorte de cabinet de curiosités. Derrière un bureau énorme, un homme d'un certain âge, qui tournait le dos à la porte, paraissait profondément absorbé. Il portait une veste d'intérieur de satin violet, et ses cheveux blancs, argentés, retombaient sur son col. Ses mains s'affairaient sur un instrument qu'il tenait crispé sous son menton. De l'une, il appuyait sur les cordes avec ses doigts tandis que l'autre les sciait avec un long arc de bois. Tout le corps de l'homme se balançait en synchronisme avec les bruits qu'il produisait.

Et qui étaient littéralement terrifiants. Auger fut prise d'une nausée encore légère, mais qui allait en empirant, et s'efforça d'y résister. L'homme lui rappelait quelqu'un, quelqu'un qu'elle connaissait bien, mais dans un contexte radicalement différent.

Alors, sentant sa présence, il se retourna et abandonna sa musique, laissant l'archet s'immobiliser dans un raclement.

Thomas Caliskan : le Musicien. Le responsable des Antiquités, l'homme dont elle s'était récemment fait un ennemi personnel en lui refusant de cosigner un de ses articles.

Il posa son violon sur le bureau.

— Salut, Verity. Trop aimable de vous être déplacée.

[...]

5

A l'entrée de la gare, un jeune homme en pardessus
essaya de fourrer un tract ronéotypé dans les mains de
Floyd.

— Tenez, monsieur, dit-il dans un français châtié.
Lisez ça, et si vous êtes d'accord avec nos idées, venez
à la manifestation, le week-end prochain. Nous avons
encore une chance de contrer les agissements de
Châtelier.

C'était un jeune binoclard de dix-huit ou dix-neuf
ans, et son menton duveteux évoquait le velouté d'une
peau de pêche. Il pouvait être étudiant en médecine ou
stagiaire dans une étude d'avocat.

— Et pourquoi devrais-je m'intéresser à ce Châtelier ? demanda Floyd.

— Vous êtes étranger. Je l'entends à votre accent.

— Le passeport que j'ai dans la poche dit que je
suis français.

— Ça ne voudra bientôt plus rien dire.

— Quoi, je devrais surveiller mes arrières, c'est ça ?

— Comme nous tous, répondit le jeune homme.

Il lui mit le tract de force dans la main. Floyd, qui
s'apprêtait à le chiffonner et à le jeter, modéra sa

réaction et le fit prudemment disparaître dans sa poche.

— Merci pour l'avertissement, chef, dit-il au jeune homme.

— Vous ne me croyez pas, hein ?

— Gamin, quand vous aurez vu le film aussi souvent que moi...

Floyd secoua la tête, accablé. Entre eux s'ouvrait un gouffre d'incompréhension qu'il se savait incapable de combler. Il y avait des expériences qu'on ne pouvait pas expliquer ; il fallait les avoir vécues dans sa chair.

— Ça commencera par les boucs émissaires habituels, poursuivit le jeune homme. Et ça finira par tous ceux dont la figure ne leur reviendra pas.

— Profitez-en, gamin, régalez-vous de penser que vous pouvez y changer quelque chose. Ça ne durera pas éternellement, conclut-il avec un sourire éclair.

— Monsieur..., fit le jeune homme.

Floyd lui avait déjà tourné le dos et s'éloignait.

La gare de Lyon avait amorcé son lent assoupissement nocturne. D'après les tableaux d'affichage, quelques trains étaient encore attendus ou au départ, mais la frénésie de l'heure de pointe était depuis longtemps retombée. Des courants d'air glacés s'engouffraient par les vitres cassées du toit métallique, offrant à Floyd un avant-goût de l'hiver. C'était une sensation pénible qu'il refoulait depuis des jours, et il eut un frisson.

En mettant la main dans sa poche pour prendre la lettre de Greta, il ressortit à la place le tract que lui avait donné le jeune homme. Il se retourna et, ne le voyant pas, roula le papier en boule et le jeta dans une corbeille. Il trouva la lettre qu'il cherchait et la relut avec attention. Pas d'erreur, il était juste à l'heure.

— Sacré Wendell, en retard, comme d'habitude, dit une femme en anglais, avec un accent à couper au couteau.

Floyd se retourna d'un bloc en reconnaissant la voix dans son dos.

— Greta ? commença-t-il, comme s'il pouvait s'agir de quelqu'un d'autre. Je ne t'attendais pas avant…

— J'ai pris une correspondance plus tôt. Il y a une demi-heure que je t'attends, dans l'espoir insensé que tu arriverais plus d'une minute avant l'horaire prévu.

— Alors ce n'est pas ton train qui arrive, ici ?

— Je reconnais bien ton célèbre flair de détective.

Greta posait élégamment en manteau de fourrure trois quarts, noir, une main sur la hanche, l'autre tenant un fume-cigarette devant ses lèvres. Elle portait des chaussures noires, des bas noirs, des gants noirs, un chapeau noir à large bord incliné sur les yeux. Une plume noire était passée dans le ruban, noir aussi, et une valise noire était posée par terre, à ses pieds. Elle avait du rouge à lèvres noir, et ce jour-là de l'eye-liner noir.

Greta aimait le noir. Ce qui avait toujours facilité la tâche de Floyd quand il devait lui faire un cadeau.

— Quand as-tu reçu ma lettre ? demanda-t-elle.

— Cet après-midi.

— Je l'ai postée d'Antibes vendredi. Tu aurais dû la recevoir lundi au plus tard.

— On a été un peu débordés, Custine et moi, répondit Floyd.

— Par les affaires, peut-être ? Aide-moi à porter ça, tu veux bien ? fit Greta en indiquant sa valise. Tu es venu en voiture ? Je vais chez ma tante Marguerite, et je préférerais ne pas fiche d'argent en l'air dans un taxi.

Floyd eut un mouvement de menton vers les lumières accueillantes du Train Bleu, une brasserie située en haut d'un escalier avec une rambarde de fer forgé.

— La voiture est tout près. Mais je parie que tu n'as rien mangé de la journée, hein, dans ce train ?

— Je préférerais aller tout de suite chez ma tante.

Floyd se pencha pour prendre la valise et dit :

— Si j'en crois ta lettre, elle habite toujours Montparnasse ?

— Oui, répondit Greta avec un hochement de tête las.

— Eh bien, comme tous les ponts qui traversent la Seine sont complètement embouteillés, on aura aussi vite fait d'attendre une demi-heure en prenant un verre.

— Je suis sûre que tu aurais trouvé un prétexte tout aussi plausible si je t'avais dit qu'elle avait déménagé rive droite.

Floyd eut un sourire.

— Je prends ça pour un « oui » de ta part, dit-il en commençant à monter l'escalier avec la valise. Qu'est-ce qu'il y a là-dedans, au fait ?

— Des draps. Personne n'a utilisé la chambre d'amis de ma tante depuis des années. Depuis que j'en suis partie.

— Tu sais que tu peux toujours habiter chez moi, dit Floyd.

Les talons de Greta claquèrent sur les marches de pierre.

— Et chasser Custine de sa chambre, c'est ça ? Le pauvre, tu le traites comme de la merde.

— Je ne l'ai jamais entendu se plaindre.

Greta poussa les doubles portes qui menaient dans le café et s'arrêta un instant sur le seuil, comme si on prenait sa photo. Dedans, ce n'étaient que fumée et miroirs, et plafond peint avec opulence : une chapelle Sixtine en réduction. Un garçon se tourna vers eux avec une expression de refus atone et esquissa un unique mouvement de tête négatif.

Floyd s'installa à la première table venue.

— Deux Grand Marnier, s'il vous plaît. Et ne vous en faites pas, nous ne resterons pas longtemps.

Le garçon s'éloigna en marmonnant. Greta s'assit en face de Floyd, enleva son chapeau et ses gants et les posa à côté d'elle, sur la table. Elle éjecta le mégot de sa cigarette dans un cendrier et ferma les yeux d'un air profondément las, ou résigné. A la lumière du café, il se rendit compte que ce n'était pas de l'eye-liner ; juste une obscure fatigue.

— Désolée, Floyd, dit-elle. Je ne suis pas très en forme, comme tu l'as peut-être constaté.

Floyd se tapota le nez.

— Le flair du détective, encore une fois. Il ne m'a jamais trahi.

— Ouais, sauf qu'il n'a pas précisément fait ta fortune, hein ?

— J'attends toujours qu'elle frappe à la porte.

Elle dut discerner, dans l'intonation particulière de sa voix, un soupçon d'espoir, ou d'ouverture. Elle lui jeta un rapide coup d'œil, prit une cigarette dans son sac à main et l'enfonça dans le fume-cigarette.

— Je ne suis pas revenue pour de bon, Floyd. Quand j'ai dit que je quittais Paris, c'était sérieux.

Le garçon leur apporta leurs verres en posant celui de Floyd devant lui avec brusquerie, comme un mauvais joueur encaissant mal sa défaite.

— Je ne pensais pas sincèrement que la situation avait changé, répondit Floyd. Tu disais, dans ta lettre, que tu revenais voir ta tante malade…

— Elle va mourir, rectifia Greta en allumant sa cigarette.

Le garçon se pencha sur Floyd, qui alla à la pêche dans la poche poitrine de sa chemise, trouva ce qu'il pensait être un billet et le posa sur la table. C'était la photo de Susan White, prise aux courses. Elle se retrouva face visible, offerte à Greta.

Qui aspira une bouffée de sa cigarette.

— Ta nouvelle petite amie, Floyd ? Superbe, il faut lui laisser ça.

Floyd remit la photo dans sa poche et paya le garçon.

— Elle est on ne peut plus morte. Tu peux lui laisser ça aussi.

— Je suis désolée. Qu'est-ce que…

— Notre nouvelle enquête, répondit Floyd. Cette femme s'est jetée d'un balcon du quatrième étage, dans le treizième arrondissement. Il y a quelques semaines de ça. Elle était américaine, mais c'est à peu près tout ce qu'on sait d'elle.

— Une affaire ouverte et refermée, donc.

— Peut-être, concéda Floyd en sirotant son Grand Marnier. Et il n'y en a pas, au fait.

— Pas de quoi ?

— De nouvelle petite amie. Je ne suis sorti avec personne depuis ton départ. Demande à Custine. Il te le confirmera.

— Je t'ai dit que je ne revenais pas. Tu n'as pas à faire vœu de célibat pour moi.

— Tu es tout de même revenue.

— Pas pour longtemps. Je ne suis pas sûre d'être encore à Paris la semaine prochaine.

Floyd regarda par les vitres enfumées du café. A l'autre bout de la salle des pas perdus, le long d'un quai, un train s'enfonçait dans la nuit. Il imagina Greta dans un train comme celui-ci, repartant pour le Sud, et ce serait la dernière fois qu'il la verrait, en dehors des photos retouchées des hebdomadaires musicaux…

Ils finirent leur verre en silence, quittèrent le Train Bleu et retrouvèrent la structure de fer forgé de la gare presque déserte à présent, en dehors d'une poignée d'égarés attendant l'un des derniers trains. Floyd reconduisit Greta vers la rue. Ils s'approchaient de la porte lorsqu'il prit conscience d'un brouhaha de voix furieuses ou menaçantes.

— Que se passe-t-il ? demanda Greta.

— Attends-moi ici.

Elle le suivit quand même. Au coin de l'immeuble, ils se retrouvèrent face à un tableau d'ombres et de lumières qui évoquait une image fixe prise dans un film. Trois jeunes gens, tête nue, se dressaient dans une posture agressive sous un lampadaire. Ils portaient tous les trois des tenues noires, d'une rigueur paramilitaire, le pantalon enfoncé dans des bottes luisantes comme des miroirs. Le jeune homme qui avait donné le tract à Floyd, un peu plus tôt, était assis par terre, cloué dans un cercle de lumière, au pied du lampadaire. Il avait le visage en sang, ses lunettes étaient à terre, à même le trottoir, monture tordue, verres cassés.

Il reconnut Floyd et une sorte d'espoir éclaira brièvement son visage.

— Monsieur… aidez-moi, je vous en prie…

L'un des nervis se mit à rire et lui flanqua un coup de pied dans les côtes. Le jeune homme se plia en deux, laissant échapper une toux pénible. L'un des autres durs se détourna de la petite scène, des ombres glissant sur son visage. Il avait des pommettes saillantes, des cheveux blonds, courts, plaqués en arrière, rasés sur les côtés et la nuque.

— Vous mêlez pas de ça, dit le type, un objet brillant dans la main.

Greta serra le bras de Floyd.

— On ne peut pas laisser faire ça !

— Trop dangereux, répondit Floyd en reculant.

— Mais ils vont le tuer !

— Ce n'est qu'un avertissement. S'ils voulaient vraiment le tuer, ce serait déjà fait.

Le jeune homme tenta de dire quelque chose, mais ses paroles furent interrompues par un autre coup de botte bien placé, en pleine poitrine. Le haut de son corps bascula et il s'affaissa sur le trottoir avec un gémissement. Floyd fit un pas vers le groupe, tout en regrettant de ne pas être armé. Le premier voyou agita son couteau dans sa direction, secoua très lentement la tête.

— Je t'ai dit de ne pas t'en mêler, le gros.

Floyd se détourna, les joues picotantes, se sentant rougir de honte. Il éloigna rapidement Greta de la scène, vers un coin de la gare où il savait trouver une autre sortie. Elle lui prit le bras comme s'ils se promenaient aux Tuileries par un beau dimanche après-midi.

— Tout va bien, dit-elle. Tu as fait ce qu'il fallait.

— Je n'ai rien fait.

— C'est ce qu'il fallait faire. Ils t'auraient découpé en rondelles. J'espère seulement qu'ils ne vont pas massacrer ce pauvre type.

— C'était sa faute, dit Floyd. Distribuer ces trucs-là, comme ça... Il aurait dû se méfier.

— Qu'est-ce qu'il racontait, au juste ?

— Je n'en sais rien. J'ai jeté son tract.

Ils retrouvèrent la Mathis dans une ruelle, derrière la gare. Un autre tract était glissé sous l'essuie-glace. Floyd l'étala sur le pare-brise et l'examina à la lueur crachotante d'une lampe au sodium mourante. Il était imprimé sur un papier de meilleure qualité que ceux que le jeune homme distribuait, et il y avait une photo de Châtelier, lisse et beau dans un uniforme militaire. Le texte incitait les amis et alliés du président à continuer à le soutenir, avant de s'embarquer dans une attaque à peine voilée de diverses minorités – les Juifs, les Noirs, les homosexuels et les Tziganes.

Greta lui prit le papier des mains et le parcourut rapidement. Elevée à Paris par une tante française, elle lisait facilement le français.

— C'est pire qu'avant mon départ, dit-elle. A l'époque, ils n'auraient jamais osé tenir ouvertement des discours pareils.

— Maintenant, la police est de leur côté, dit Floyd. Ils peuvent raconter ce qu'ils veulent.

— Je ne suis pas étonnée que Custine les ait plaqués quand il était encore temps. Il a toujours eu la tête et les épaules au-dessus de cette engeance. A propos, où est-il ? demanda-t-elle en tapant du pied pour se réchauffer.

Elle avait remis son chapeau et ses gants.

Floyd lui reprit le tract, se moucha dedans et le jeta dans le caniveau.

— Il s'occupe de cette petite affaire d'homicide.

— Ce n'était donc pas une plaisanterie ?

— Tu as cru que je te racontais des salades ?

— Je ne savais pas que tu acceptais les affaires criminelles…

— Maintenant, oui.

— Mais si elle a été assassinée, les anciens collègues de Custine devraient s'en occuper, non ? A moins qu'ils ne soient trop occupés à persécuter les dissidents…

Floyd ouvrit la portière de la voiture et mit la valise de Greta sur le siège arrière.

— Si elle avait été française, ils auraient peut-être été plus motivés. Mais ce n'était qu'une touriste américaine, et ils n'en avaient pas grand-chose à faire. Sitôt ouvert, le dossier a été refermé : soit elle avait sauté, soit elle était tombée accidentellement. La rambarde n'était pas en cause, de sorte qu'il n'y avait personne à poursuivre, pour quoi que ce soit.

Il tint la portière ouverte pendant que Greta s'installait sur le siège passager, fit le tour de la voiture et prit place au volant.

— Sauf que tu penses que ça ne s'est pas passé comme ça ?

— Je n'ai pas d'idée arrêtée, en fait.

Il laissa un peu tourner le moteur de la voiture.

— Compte tenu de ce que nous avons appris jusque-là, on ne peut pas exclure une mort accidentelle, ni même un suicide. Mais il y a deux ou trois détails qui ne collent pas.

— Et qui paye pour cette enquête indépendante ?

— Le propriétaire de la victime, un vieux monsieur.

Floyd s'engagea dans la circulation et prit la direction de la Seine et du premier carrefour. Une voiture de police passa dans la direction opposée, vers la gare, mais sans hâte apparente.

— Et qu'est-ce que le propriétaire a à voir là-dedans ?

— Il s'était pris d'amitié pour elle, et il pense que sa mort est suspecte.

Tenant le volant d'une main, Floyd prit la boîte à biscuits sous son siège et la passa à Greta.

— Regarde ça, et dis-moi ce que ça t'inspire.

Greta enleva ses gants et souleva le couvercle de la boîte de métal.

— Ces choses appartenaient à la morte ?

— Si le propriétaire dit vrai, elle lui aurait confié cette boîte juste avant sa mort, pour qu'il la mette en sûreté. Et pourquoi aurait-elle fait ça si elle ne craignait pas pour sa vie ?

Greta parcourut le petit tas de papiers.

— Il y a des documents en allemand, nota-t-elle.

— C'est pour ça que j'aimerais que tu y jettes un coup d'œil.

Elle remit les papiers dans la boîte, la referma et la déposa sur le siège arrière, à côté de sa valise.

— Je ne peux pas regarder ça tout de suite. Il fait trop noir ici, et quand je lis en voiture j'ai mal au cœur. Surtout avec ta façon de conduire.

— Ça ne fait rien, répondit Floyd. Tu n'as qu'à prendre la boîte avec toi et la regarder plus tard, quand tu auras un moment.

— Je suis venue m'occuper de ma tante, pas t'aider dans ton enquête.

— Ça te prendra deux minutes, Greta. Et tu n'es pas obligée de le faire ce soir. Je passerai te chercher demain pour déjeuner. On en reparlera à ce moment-là.

— Là, je dois reconnaître, tu fais fort, Floyd.

— Tu trouveras là-dedans une sorte de billet de train, poursuivit-il du ton désinvolte de celui qui n'avait rien prémédité. Et aussi une lettre d'affaires adressée à une usine à Berlin. Dans le domaine de la métallurgie, apparemment. Je me demande ce qu'une délicieuse jeune femme comme Susan White avait à faire avec une usine métallurgique...

— Comment sais-tu que c'était une délicieuse jeune femme ?

— Bah, elles sont toutes délicieuses, sous réserve d'inventaire, répondit-il avec un sourire innocent.

Greta laissa passer trois rues sans répondre, se contentant de regarder par la vitre, comme hypnotisée par le flux incessant de feux arrière et de phares.

— Je vais regarder ça, Floyd, mais c'est tout ce que je te promets. Tu comprends, j'ai autre chose en tête en ce moment.

— Je suis vraiment navré pour ta tante, dit Floyd.

Il s'insinua dans la file de voitures qui attendaient pour traverser le fleuve, soulagé de voir confirmée son histoire selon laquelle la circulation était épouvantable. Devant, un camion était en panne, et des hommes s'affairaient sur le moteur avec des clés à molette. Des miliciens étaient massés autour, leurs mitraillettes bon marché luisant comme des faux. Tout le monde battait la semelle en se refilant l'étincelle brillante d'une unique cigarette.

Greta dit alors :

— Les médecins lui donnent entre deux et huit semaines. Mais qu'est-ce qu'ils y connaissent, hein ?

— Ils font de leur mieux, répondit Floyd.

Il ne savait pas encore ce qu'avait la tante de Greta. Non que ça change quoi que ce soit, mais enfin...

— Elle ne veut pas aller à l'hôpital. Elle n'en démordra pas. Elle a vu mon oncle mourir à l'hôpital, en 39. Elle n'a plus rien, maintenant, que sa maison et quelques semaines de vie devant elle...

Les vitres de la voiture commençaient à s'embuer. Il regarda Greta tracer une ligne dans la buée, avec son ongle, laissant une fine marque de condensation.

— Je ne suis même pas sûre qu'elle soit encore en vie. Les dernières nouvelles que j'ai d'elle remontent à huit jours. Ils lui ont coupé le téléphone parce qu'elle ne pouvait plus payer la facture.

— J'espère que tu arriveras à temps, dit Floyd. Si j'avais su, j'aurais essayé de t'envoyer un billet d'avion.

Elle le regarda.

— Tu aurais essayé, Floyd, et ce ne serait pas allé plus loin.

— Et les gars de l'orchestre ? Ils n'auraient pas pu se cotiser pour t'offrir l'avion pour Paris ?

La voiture avait avancé de trois longueurs lorsqu'elle répondit :

— Il n'y a plus de gars de l'orchestre, Floyd. Je les ai largués.

Il dut faire un effort sur lui-même pour réprimer un mouvement de triomphe, bannir toute note victorieuse de sa voix, et surtout éviter de s'exclamer : « Je te l'avais bien dit ! »

— Je suis désolé, articula-t-il à la place. Qu'est-ce qui n'a pas marché ? Ces types me paraissaient plutôt corrects. Des camés, mais pas plus que les autres jazzmen.

— Ce n'est pas une nécessité.

— Bah, tu sais ce que je veux dire.

— On ne peut rien leur reprocher. Ils ont été très corrects avec moi, et la tournée ne marchait pas trop mal. On avait eu du succès à Nice, et on avait de bonnes dates jusqu'à Cannes.

— Alors, pourquoi tu les as laissés tomber ?

— Parce que ça ne menait nulle part. Un soir, ça m'a frappée avec la force de la révélation : ils ne perceraient jamais. Et moi non plus, si je restais avec eux.

— C'est ce que tu pensais quand tu nous as plaqués, Custine et moi ?

— Oui, répondit-elle sans l'ombre d'une hésitation.

Floyd dépassa le camion en panne et porta un doigt au bord de son chapeau alors que les miliciens pointaient vaguement le canon de leur arme dans la direction de la Mathis.

— Enfin, au moins, tu es honnête.

— Ça fait gagner du temps, je trouve, répondit Greta.

Ils arrivèrent à la hauteur du poste de contrôle, leurs papiers déjà prêts. Floyd regarda le milicien parcourir les siens en grommelant puis les lui rendre avec une moue réprobatrice, comme s'il avait commis un délit mineur et se trouvait en liberté conditionnelle. Ils étaient toujours comme ça, même si vos papiers étaient parfaitement en règle. Floyd supposa que c'était ce qui leur permettait de justifier leur emploi.

— Là, fit Greta en tendant son passeport par-dessus Floyd.

Le milicien le prit, l'examina à la lumière de sa lampe torche. Il s'apprêtait à les leur rendre, puis il hésita et les regarda de plus près. Il s'humecta un doigt et tourna les pages du passeport de Greta en s'arrêtant çà et là, comme s'il examinait une collection de timbres rares, ou de papillons.

— Z'avez pas mal voyagé, pour une Allemande, dit-il avec un mauvais accent français.

— C'est à ça que sert un passeport, rétorqua Greta avec un accent parigot impeccable.

Floyd sentit des caillots de glace lui parcourir les veines. Il posa la main sur le genou de Greta et le pressa doucement pour l'inciter au silence.

— Vous n'avez pas votre langue dans votre poche, non plus, remarqua le milicien.

— Ce serait dommage. Je suis chanteuse.

— En attendant, vous devriez apprendre les bonnes manières.

Le milicien leur rendit leurs papiers, en affectant de les tendre à Floyd et non pas à Greta.

— Votre passeport expire l'année prochaine, dit-il. Compte tenu des nouvelles dispositions, tout le monde n'en obtiendra pas automatiquement le renouvellement. Surtout les Allemandes à grande gueule. Vous devriez peut-être revoir votre attitude.

— Je doute que ça me pose un problème, fit Greta.

— Ça reste à voir.

Le milicien fit signe à son collègue et flanqua une claque du plat de la main sur le montant de la vitre.

— Allez-y, et tâchez d'apprendre à votre petite amie à la mettre en sourdine.

Floyd ne reprit sa respiration que lorsqu'ils eurent traversé la Seine et mis le fleuve entre le poste de contrôle et eux.

— C'était... intéressant, dit-il.

— Des clowns !

— Des clowns avec lesquels nous sommes bien obligés de vivre, rétorqua Floyd en ratant une vitesse, par nervosité. Et puis, qu'est-ce que ça veut dire, que ce ne sera pas un problème pour toi ?

Greta secoua la tête.

— Rien du tout.

— J'aurais cru que tu ne disais pas ça à la légère.

— Contente-toi d'avancer, Floyd, tu veux bien ? Je suis crevée et je n'ai vraiment pas envie de discuter.

Floyd prit la direction de Montparnasse. Il se mit à pleuvoir, d'abord un petit crachin léger qui voila les lumières de la ville, les changeant en traînées pastel, puis plus fort, les gens se précipitant à l'abri des bars et des restaurants. Floyd essaya de trouver un poste sur la radio de la voiture, tomba sur une mesure de Gershwin, mais quand il tenta d'accrocher la station, il eut beau faire, il n'entendit que des parasites.

Une fois chez la tante, Floyd aida Greta à monter ses affaires au premier étage, puis dans la chambre libre, à côté de la petite cuisine. La maison était glacée et sentait le renfermé. Quand elles n'étaient pas grillées, les lampes émettaient une maigre lumière vacillante. Le téléphone avait été coupé, comme Greta l'avait dit. Le parquet grinçait, et Floyd eut l'impression que les lattes avaient pris l'eau et commençaient à pourrir. La verrière brisée, au-dessus de la cage d'escalier, avait été réparée avec un bout de tôle ondulée sur lequel la pluie tambourinait de ses petits doigts aux ongles impatients.

— Tu n'as qu'à mettre tout ça là, dit Greta en indiquant le petit lit à peine plus grand qu'une couchette, poussé dans un coin de la pièce. Je vais voir comment va tante Marguerite.

— Tu veux que je vienne avec toi ?

— Non, dit-elle après réflexion. Merci quand même, vraiment, mais non. Je pense qu'il vaut mieux qu'elle ne voie que des visages familiers.

— Je croyais faire partie des visages familiers.

Elle le regarda sans rien dire.

— Je vais essayer de trouver quelque chose à grignoter, dit Floyd.

— Tu n'es pas obligé de m'attendre, tu sais.

Floyd posa ses affaires sur le lit, avec la boîte en métal contenant les papiers de Susan White.

— Je n'irai nulle part. Pas tant qu'il pleuvra comme ça, en tout cas.

La jeune femme qui leur avait ouvert la porte – une sténographe appelée Sophie – louait une petite pièce au troisième étage. Elle avait des grosses lunettes de la Sécurité sociale et un rire nerveux, une sorte de braiment qui s'achevait dans un reniflement nasal. Floyd la rangea dans la catégorie « vieilles filles incasables » et se sentit un peu coupable quand, Sophie ayant tourné les talons, Greta commença à lui parler d'elle :

— C'est vraiment un ange. Elle fait les courses, le ménage, elle écrit les lettres de ma tante et elle prend généralement soin de toutes ses affaires… tout ça en continuant à payer son loyer rubis sur l'ongle. Mais elle a trouvé du travail à Nancy et elle ne peut plus faire attendre son employeur. C'était déjà bien gentil de sa part de rester aussi longtemps.

— Et Marguerite n'a pas d'autre famille ? Personne en dehors de toi ?

— Personne qu'on puisse déranger, répondit Greta.

Pendant que Greta montait voir Marguerite, Floyd rejoignit Sophie dans la cuisine. L'endroit était d'une propreté immaculée, mais la plupart des étagères étaient vides. Renonçant à manger un morceau, Floyd se fit un thé et attendit dans la chambre d'amis, en regardant les fissures du plâtre, les déchirures et les taches sur le papier peint qui avait une bonne cinquantaine d'années. Il entendait au loin des voix très assourdies, ou plutôt une voix très basse qui faisait la conversation.

Sophie passa la tête par l'entrebâillement de la porte et annonça qu'elle sortait voir un film avec son copain. Floyd lui souhaita une bonne soirée et entendit le bruit de ses pas sur les vieilles marches grinçantes, puis le déclic de la porte d'entrée, en bas, qu'elle refermait – doucement.

Il quitta la pièce et sur la pointe des pieds monta à l'étage au-dessus. La porte de la chambre de Marguerite était entrouverte et il entendit plus clairement la voix de Greta, qui lisait à haute voix les pages locales d'un journal, mettant Marguerite au courant des nouvelles de la vie parisienne. Floyd s'approcha à pas de loup, se figea lorsqu'il fit craquer une latte de parquet. Greta s'interrompit dans son monologue, tourna la page du journal et continua.

Par la fente de la porte, Floyd vit Greta assise sur une chaise à côté du lit, les jambes croisées, le journal étalé sur les genoux. Derrière elle, il devinait la forme de sa tante sous ses couvertures. Elle était tellement frêle qu'au premier abord le lit donnait l'impression d'être simplement défait, le renflement des couvertures ne suggérant que vaguement une forme humaine. Il ne voyait pas la tête de Marguerite, masquée par le dos de Greta. Mais il voyait un de ses bras, chétif, décharné, dépasser comme une allumette de la manche de sa chemise de nuit. Greta tenait la main de sa tante et lui caressait les doigts avec une infinie gentillesse tout en lisant le journal. Pour la deuxième fois, ce soir-là, Floyd se sentit vaguement honteux.

Il recula dans le couloir en évitant la latte de parquet qui grinçait et regagna la chambre de Greta. Ça ne pouvait pas être Marguerite, la Marguerite pleine de vie qu'il avait connue, quelques années auparavant. Elle n'avait pas pu se retrouver dans cet état en si peu de temps...

Au début, quand il avait commencé à sortir avec Greta, elle l'avait considéré avec méfiance. D'autant qu'elle avait appris qu'il avait demandé à sa nièce de chanter dans son orchestre. Et puis ils étaient parvenus, vaille que vaille, à une espèce de compréhension mutuelle, réticente, et la froideur s'était muée en une amitié improbable. Souvent, quand Greta montait se coucher, Floyd restait à jouer aux dames avec Marguerite, ou à parler des vieux films muets qu'ils aimaient tant. Il avait perdu contact avec elle depuis des mois, à partir du moment où Greta était allée s'installer de l'autre côté de Paris. Et maintenant il sentait une vague de tristesse l'envahir, comme un soudain changement chimique de son propre sang.

Pour passer le temps, il rouvrit la boîte à biscuits et prit la carte postale, remarquant une fois de plus les mots « argent » et « pluie » délibérément soulignés. Si « pluie d'argent » était un message – ce qui n'était pas prouvé –, que voulait-il dire pour le mystérieux Caliskan à qui la carte postale était adressée ?

Il reposait la carte lorsque Greta rentra dans sa chambre.

— Je t'avais dit de ne pas m'attendre, dit-elle.

— Il pleut toujours, répondit-il. Et puis je jetais un coup d'œil à ces trucs...

Il regarda Greta, vit qu'elle avait les yeux gonflés de larmes et de fatigue.

— Comment va-t-elle ? demanda-t-il.

— Elle est encore en vie. C'est tout ce que je peux dire.

Floyd eut un sourire compatissant, tout en se demandant secrètement s'il n'aurait pas mieux valu que la pauvre femme soit morte avant l'arrivée de Greta.

— J'ai fait du thé, dit-il. Il est encore chaud.

Greta s'assit à côté de lui sur le lit.

— Ça t'ennuie si je grille plutôt une cigarette ?

Floyd remit la carte postale dans la boîte.

— Je t'en prie.

Greta alluma une cigarette et tira dessus à plusieurs reprises, sans mot dire, pendant une longue minute.

— Les médecins appellent ça « détresse respiratoire », dit-elle en exhalant un nuage de fumée bleutée. Ça veut dire cancer du poumon, mais ils ne veulent pas prononcer le mot. Il n'y a plus rien à faire. Ce n'est qu'une question de temps. Elle dit que c'est toutes les cigarettes qu'elle a fumées, ajouta-t-elle avec un rire creux. Elle m'a dit d'arrêter. Et je lui ai dit que je l'avais déjà fait, pour préserver mes précieuses cordes vocales de chanteuse.

— Je pense qu'à ce stade un ou deux pieux mensonges sont permis, dit Floyd.

— Enfin, ce n'était peut-être pas le tabac. Il y a vingt ans, elle travaillait sur des chaînes de production d'armement. Beaucoup de femmes de son âge sont malades maintenant, à cause de tout l'amiante qu'elles ont respiré.

— Ça, je te crois, dit Floyd.

— Sophie a parlé au docteur, hier. Ils lui donnent une semaine, maintenant. Peut-être dix jours.

Floyd lui prit la main et la serra entre les siennes.

— Je suis vraiment désolé. Je n'arrive même pas à imaginer ce que ça peut représenter pour toi. Si je peux faire quoi que ce soit...

— Il n'y a plus rien à faire, répondit amèrement Greta en tirant sur sa cigarette. C'est le problème. Tous les matins, le docteur vient lui faire une piqûre de morphine. C'est le seul soulagement qu'on peut encore lui offrir.

Floyd parcourut la pauvre petite chambre du regard.

— Tu veux vraiment rester ici ? Ce n'est peut-être pas l'endroit idéal, quand on a le moral dans les chaussettes. Si tu as dit bonne nuit à ta tante, tu pourrais sortir et revenir demain matin, à la première heure. Elle ne le saurait pas…

— Je reste ici, trancha-t-elle. C'est là que je lui ai dit que je serais.

— Je disais ça comme ça…

— Je sais.

Greta agita distraitement sa cigarette.

— Ecoute, je ne voudrais pas avoir l'air ingrate. Mais même si je ne lui avais pas promis de rester, je n'ai pas besoin de complications supplémentaires dans ma vie en ce moment.

— Et tu me considères comme une complication ?

— Pour le moment, oui.

— Franchement, Greta, commença Floyd d'un ton qu'il voulait conciliant, si tu m'as écrit, c'était bien pour une raison. Pas seulement parce que tu avais besoin que je t'emmène à Montparnasse, hein ?

— Non, ce n'était pas que ça.

— Alors, qu'est-ce que c'est ? Ça a un rapport avec la façon dont tu as parlé à ce trou du cul, au poste de contrôle ?

— Tu as remarqué ?

— Difficile de faire autrement.

Greta eut un fin sourire, peut-être en repensant à ce petit, ce minuscule instant de triomphe.

— D'après ce minus, les Allemandes à grande gueule pourraient avoir des ennuis avec leur passeport, d'ici peu. Eh bien, il a sûrement raison. Mais ce sera sans conséquence pour moi.

— Et pourquoi ça ?

— Parce que je ne serai plus là. Je prends l'hydravion pour l'Amérique dès que j'en aurai fini ici.

— L'Amérique ? répéta Floyd, comme s'il avait mal entendu.

— Je voyais bien que je n'irais pas loin, avec Custine et toi. Je te l'ai dit, c'est pour ça que j'ai quitté Paris. Mais ce que je n'avais pas prévu, c'est que j'aurais la même certitude avec l'autre orchestre. Bon, on était à Nice, un soir… Le spectacle s'était bien passé, on s'était installés au bar, après, et on se faisait offrir des verres par les clients…

Elle se frotta les yeux, peut-être pour lutter contre le sommeil.

— C'est chouette quand ça marche comme ça, dit Floyd. Quand on a fini, Custine et moi, on essaie généralement d'éviter les clients.

Greta secoua la tête.

— Il faut toujours que tu te rabaisses, Floyd. Tu vis dans le passé en t'accrochant à ton bien-aimé complexe d'infériorité. Quoi d'étonnant à ce que tu ne t'en sortes pas ?

— D'accord… Donc, tu as fait une rencontre, au bar ?

— Il y avait un homme, reprit Greta. Un Américain : un gros type avec un costume moche, une coupe de cheveux encore pire, et un très très très gros portefeuille.

— Ce qui compense largement. Et c'était qui ?

— Il ne nous l'a pas tout de suite dit, juste qu'il était « en ville » et que son bateau était au mouillage dans la marina, à Cannes. Il nous a dit qu'il aimait ce qu'on faisait, mais il a fait quelques remarques très pertinentes sur notre ensemble, et notamment qu'on avait intérêt à se mettre au goût du jour si on voulait « tout casser ». Autant dire qu'on était bons mais ringards, quoi.

— Ouais. J'entends souvent ça, moi aussi, dit Floyd.

— Bref, il nous a payé à boire toute la soirée. Mais tu sais comment sont ces musicos : au bout de quelques heures, c'est tout juste s'ils savent sur quelle planète ils sont, et ils ne pourraient pas dire le nom de la boîte où ils ont joué même si leur vie en dépendait… Bref, quand ils ont eu leur compte, le type s'est vraiment intéressé à moi. C'est là qu'il m'a dit qu'il était producteur de télévision.

— La télévision, fit Floyd en écho, comme s'il se souvenait vaguement d'en avoir entendu parler un jour.

— C'est important, en Amérique. Beaucoup plus qu'ici, poursuivit Greta. Et ça l'est davantage de jour en jour. On dit que si on peut se payer une nouvelle voiture, on peut se payer une télévision.

— Ça ne prendra jamais.

— Peut-être pas, mais il faut que j'essaie. Il faut que je voie par moi-même si j'ai ce qu'il faut pour ça. Le type dit qu'ils sont avides de talents nouveaux.

Elle fouilla dans la poche de sa veste et tendit à Floyd la carte de visite que le producteur de télévision lui avait donnée : un nom et une adresse professionnelle étaient imprimés à côté de deux palmiers en ombre chinoise, sur un bristol de belle qualité.

Floyd la regarda une bonne seconde et la lui rendit.

— Que pourraient-ils bien faire d'une Allemande ?

— Je parle leur langue, Floyd. Et l'homme a dit que ça aurait l'attrait de la nouveauté.

— Ils vont te presser comme un citron et jeter l'écorce.

— Tu as payé pour le savoir, hein ?

Floyd haussa les épaules.

— Je suis réaliste, c'est tout.

— Eh bien, qu'ils me pressent comme un citron. Tout plutôt que la mort lente dans une formation de jazz de troisième zone, qui joue une musique que personne n'a plus envie d'entendre.

— Tu as des coups de langue qui valent des coups de lance, dit Floyd.

— Ecoute, dit Greta, ça y est, ma décision est prise. J'ai économisé suffisamment pour prendre l'hydravion. Je me donne deux ans. Si je n'ai pas percé à ce moment-là, alors je rentrerai en Europe.

— Ce ne sera plus jamais pareil, dit Floyd.

— Je sais, mais il faut que j'essaie. Je ne veux pas rendre le dernier soupir, dans cinquante ans, dans une vieille maison humide de Paris, à regretter de ne pas avoir saisi la chance que m'offrait la vie.

— Je comprends, dit Floyd. Je t'assure que je comprends. C'est ta vie, et ce que tu en fais te regarde. Mais ce que je ne comprends pas, c'est pourquoi tu me racontes ça. Tu ne m'as toujours pas répondu : pourquoi m'as-tu écrit cette lettre ?

— Parce que je t'offre une chance de venir avec moi. En Amérique, Floyd. Hollywood. Toi et moi. Tous les deux.

Il se dit qu'il savait, à un certain niveau, que ça allait venir, depuis qu'elle avait mentionné l'Amérique.

— Ce n'est pas une proposition à prendre à la légère, dit-il.

— Je suis sérieuse, dit Greta.

— Je sais. Je le vois bien. Et je te suis reconnaissant de me le proposer. Je ne mérite pas une seconde chance, dit-il faiblement.

— Eh bien, je te la donne quand même. Mais je suis sérieuse aussi quand je te dis que je veux partir dès que toute cette horreur, ici, aura pris fin.

Autrement dit : dès que sa tante serait morte.

Floyd n'osait pas penser aux conséquences, pas encore. Il n'osait pas caresser l'idée de partir avec elle, avec tout ce que ça impliquait pour lui, pour sa vie à Paris.

— Ecoute, et si je te disais que je pourrais te rejoindre très vite, mais que je ne peux pas partir avec toi – pas alors que nous avons cette affaire d'homicide sur les bras. Et même si nous l'élucidons, j'ai des tas de problèmes à régler. Je ne peux pas partir comme ça, du jour au lendemain…

— Je veux que tu viennes avec moi. Je ne veux pas d'une vague promesse de venir me rejoindre dès que tu auras mis assez d'argent de côté. Te connaissant, ça pourrait prendre dix ans.

— J'ai juste besoin d'un peu de temps…, dit-il.

— Tu as toujours besoin de temps. C'est ça, ton problème. Si c'est une question d'argent, j'en ai un peu. Pas assez pour un billet, mais il suffirait que tu vendes ta voiture et tout ce que tu pourrais supporter de ne pas emporter avec toi.

— Combien de temps après… Je veux dire, quand ta tante…

Floyd laissa sa phrase en suspens, incapable d'articuler la suite, reprit :

— Tu as parlé d'une semaine, dix jours tout au plus.

— Il me faudra une semaine, après, pour régler les funérailles. Ça te laisse au moins deux semaines, peut-être davantage.

— Je m'en fais pour Custine.

— Laisse-lui ton affaire. Dieu sait qu'il ne l'aurait pas volé.

Elle avait donc envisagé la situation sous tous ses aspects, se dit Floyd. Il l'imaginait en train de peaufiner les détails dans le train, en remontant du Midi, et il se sentit à la fois flatté et irrité d'avoir été le sujet d'une telle attention, bien imméritée.

— Pourquoi me donnes-tu cette seconde chance ? demanda-t-il.

— Parce qu'une partie de moi est encore amoureuse de toi, répondit-elle. Amoureuse de ce que tu pourrais être, si tu arrêtais de vivre dans le passé. Tu es un homme bien, Floyd. Je le sais. Mais tu n'arrives à rien, ici, et si je reste avec toi ici, je n'irai nulle part non plus. Et je ne suis pas du genre à m'en contenter. Alors qu'en Amérique la vie… tout pourrait être différent.

— C'est vrai ? Tu m'aimes encore ?

— Tu ne serais pas venu à la gare si tu n'éprouvais pas les mêmes sentiments. Tu aurais pu ignorer cette lettre, faire comme si tu ne l'avais jamais reçue, ou alors trop tard.

— J'aurais pu, admit Floyd.

— Alors, pourquoi ne l'as-tu pas fait ? Pour la même raison que je t'ai écrit… parce que, quels que soient le mal et le chagrin que nous pouvons nous faire quand nous sommes ensemble, c'est encore pire quand nous sommes séparés. J'ai essayé de me passer de toi, Floyd. Je me suis dit que j'y arriverais. Mais je me racontais des histoires. Je n'étais pas assez forte.

— Donc, ce n'était pas fini avec moi, mais tu me quitteras quand même si je n'accepte pas de venir en Amérique avec toi ?

— C'est la seule solution. C'est soit être ensemble, soit ne pas être sur le même continent.

— J'ai besoin de temps pour y réfléchir, dit Floyd.

— Comme je te disais, tu as au moins deux semaines. Ça devrait suffire, non ?

— Une semaine ou une année, je ne pense pas que ça change fondamentalement la question.

Elle se rapprocha de lui, lui prit la main et posa sa tête sur son épaule.

— C'est dans cette pièce que j'ai grandi, dit-elle. C'était le centre de mon univers. Elle me paraît tellement petite et sombre, maintenant, que je n'arrive pas à le croire. C'est incroyable ce que je peux m'y sentir cafardeuse… et adulte.

Elle serra sa main entre les siennes.

— J'ai été heureuse, ici, Floyd. Aussi heureuse qu'une fille peut l'être à Paris, et maintenant tout ça me donne l'impression d'avoir déjà beaucoup vécu, et d'avoir beaucoup moins de temps devant moi, par rapport à l'époque où je vivais ici.

— Ça finit toujours par nous rattraper, dit Floyd. Grandir, je veux dire.

Elle se rapprocha encore de lui, et il sentit ses cheveux ; pas seulement son shampooing, mais les odeurs accumulées de la dure journée qu'elle venait de vivre : le voyage, la fumée, les escarbilles, l'odeur des autres gens, avec, tout au fond, un peu de Paris.

— Oh, Floyd, souffla-t-elle. Je regrette que ça se passe comme ça. Si seulement il y avait un autre moyen. Mais quand elle sera partie, je ne veux pas rester une minute de plus que le strict nécessaire dans cette ville. Il y aura beaucoup trop de tristes souvenirs, trop de fantômes, et je ne pense pas que j'aie envie de passer le reste de ma vie à me sentir hantée par tout ça.

— Non, répondit Floyd. Ce ne serait pas bien. Et tu as raison de faire ça. Va en Amérique. Tu vas les subjuguer.

— Oh, je vais y aller, quoi qu'il arrive, dit-elle. Mais je ne serai pas vraiment heureuse tant que tu n'y seras pas avec moi. Réfléchis-y, Floyd, d'accord ? Réfléchis-y comme tu n'as jamais pensé à rien d'autre de toute ta vie. Ça pourrait être ta chance autant que la mienne.

— Je vais y réfléchir, répondit Floyd. Mais n'attends pas de réponse avant demain matin.

Il pensa à faire l'amour avec elle – il y pensait depuis la seconde où il avait ouvert sa lettre. Il était à peu près sûr qu'elle se laisserait faire s'il essayait. Il était également sûr que ce qu'elle attendait le plus de lui, c'était qu'il la serre contre lui, jusqu'à ce que, émotionnellement et physiquement vidée, elle sombre dans un sommeil superficiel, agité. Elle marmonna quelques mots en allemand qu'il ne comprit pas, des imprécations qui paraissaient pressantes mais qui pouvaient aussi ne rien vouloir dire, et puis, peu à peu, elle se tut.

A trois heures du matin, il la mit doucement au lit, remonta la couverture sur elle et sortit sous la pluie, la laissant seule dans la petite chambre où elle avait grandi.

6

Auger eut instantanément l'impression d'être tombée dans un piège visqueux, obscène. Thomas Caliskan était un homme d'une maigreur ascétique, avec des cheveux d'argent renvoyés en arrière au-dessus d'un front aristocratique et impeccablement coupés au-dessus des épaules. Il aimait les costumes de soie et de velours frappé, avec des jaquettes à queue-de-pie, sophistiquées et d'un anachronisme minutieux. Ses lunettes aux verres bleutés lui donnaient des airs de hibou, il fermait souvent les yeux en parlant, comme s'il écoutait une mélodie qu'il était seul à entendre, et lorsqu'il bougeait, sa tête paraissait momentanément hésiter à suivre son corps. On aurait dit qu'elle était ancrée à un point particulier de l'espace et du temps.

— Ça vous ennuie si je joue encore un peu ? Je trouve que l'exercice manuel concentre merveilleusement l'esprit.

— C'est ce qu'on dit aussi de l'exécution capitale.

— Asseyez-vous, Verity.

Auger prit place sur une chaise longue, capitonnée de velours vert, qu'elle soupçonnait d'être aussi authentique et précieuse qu'elle en avait l'air.

Devant la chaise longue se trouvait une petite table basse, sur laquelle était posé un objet carré, plat, orné d'un dessin imprimé, compliqué. Pendant que Caliskan se remettait à jouer, Auger prit l'objet et se rendit compte que c'était la pochette en carton – de la pulpe de bois retraitée – d'un enregistrement de gramophone. Elle inclina la pochette, laissa glisser le disque entre ses doigts : une galette noire, peu épaisse, obtenue par pressage d'une sorte de plastique lourd – de la gomme-laque. Elle se rappelait que c'était une sorte de résine produite par des insectes. Des deux côtés était gravé un sillon en forme de spirale, assez finement réalisé, qui contenait des sons encodés conçus pour être lus par un stylet à pointe de diamant, tandis que le disque tournait à quelques dizaines de tours à la minute. Ce procédé de lecture provoquait la détérioration progressive de l'enregistrement, parce que le stylet usait la gravure et y incrustait de minuscules particules de poussière. Même l'enregistrement original avait été effectué au moyen d'une chaîne de processus qui avaient introduit une succession de structures aléatoires dans le son.

Cela dit, c'était un véritable artefact, et en tant que tel il recelait une immense valeur historique. Un enregistrement stocké dans la mémoire volatile d'un système informatique pouvait être effacé ou modifié en un clin d'œil, et sa trace habilement dissimulée. Un enregistrement comme le disque de gomme-laque pouvait être détruit, mais il était difficile à modifier. La réalisation de faux était tout aussi compliquée, à cause des procédés de fabrication complexes du disque et de son emballage. Les rares articles de ce genre que l'on retrouvait à l'époque actuelle étaient donc considérés comme des fenêtres extrêmement fiables sur le passé historique, pré-Nanocauste, pré-Oubli.

Auger regarda l'étiquette. Le disque contenait une œuvre de Mahler, *Le Chant de la Terre*. Auger ne connaissait pas grand-chose aux compositeurs en général, et encore moins à Mahler. Tout ce qu'elle savait, c'est qu'il était mort bien avant le début de la période qui l'intéressait.

Caliskan arrêta de jouer et rangea le violon et l'archet sur leur support. Il la regarda examiner le disque et lui demanda :

— Intriguée ?

Auger remit le délicat disque noir dans sa pochette et la reposa sur la table.

— C'est ce que vous jouiez ?

— Non, c'était du Bach. Le sixième *Concerto brandebourgeois*, si vous voulez tout savoir. La partition et les enregistrements originaux n'ont pas disparu, contrairement à ceux de Mahler.

— C'est un enregistrement original, n'est-ce pas ? demanda Auger en palpant la pochette du disque.

— Oui. Mais on n'a su que très récemment qu'il en avait survécu quelques-uns. Maintenant que nous avons cet enregistrement, quelqu'un, quelque part, essaie de reconstituer la partition originale de Mahler. Ce qui est une entreprise condamnée d'avance, évidemment. Nous avons plus de chances de déterrer une partition intacte.

Elle avait encore cette impression taraudante d'être testée, ou piégée.

— Attendez, il y a quelque chose qui m'échappe. Vous me dites que ce morceau de musique était complètement perdu ?

— Oui.

— Et vous en avez retrouvé un enregistrement intact ?

— Absolument. C'est une découverte formidable. L'enregistrement que vous voyez là a été retrouvé à Paris, il y a quelques semaines à peine.

— Je ne vois pas comment c'est possible, fit Auger, en prenant bien garde de ne pas l'accuser froidement de mensonge. Rien de plus gros qu'une tête d'épingle ne peut sortir de Paris sans que je le sache. Si on avait fait une découverte aussi importante, j'en aurais forcément entendu parler. En réalité, c'est probablement moi qui l'aurais faite.

— Ça vous a échappé. Vous voulez que je vous apprenne encore une nouvelle intéressante ?

— Bah, pourquoi pas ?

— C'est l'original. Pas une copie. C'est l'artefact véritable, exactement tel qu'il a été retrouvé. Il n'a fait l'objet d'aucune restauration.

— Ça aussi, c'est plus qu'improbable. Le disque aurait pu survivre trois ou quatre cents ans sans trop de dégâts, mais son emballage, sûrement pas.

Caliskan retourna s'asseoir derrière son monstrueux bureau. On aurait dit un petit garçon qui serait venu voir son père au travail. Il fit un petit clocher avec ses doigts et la regarda par-dessus d'un air de chouette.

— Expliquez-moi ça.

— Le papier ne se conserve pas. Surtout pas le papier fait avec de la pulpe de bois qu'ils utilisaient à l'époque. Paradoxalement, le papier de chiffon des époques antérieures résiste beaucoup mieux. Il est moins facile à blanchir, mais l'alun employé lors du processus de fabrication du papier en fibre de bois subit une hydrolyse qui produit de l'acide sulfurique.

— Ce qui est mauvais.

— Et ce n'est pas tout. Les tanins métalliques contenus dans les encres induisent encore une détérioration. Sans parler des contaminations aériennes. Et les colles sèchent. Les étiquettes se décollent, la pochette commence à se défaire aux collures. Les impressions pâlissent. Le vernis du carton jaunit et se craquelle.

Elle prit la pochette et l'examina à nouveau, sûre qu'un détail lui avait échappé.

— Avec les techniques adéquates, on peut pallier beaucoup de ces dégâts. Mais les artefacts qui en résultent sont encore incroyablement fragiles... beaucoup trop précieux pour être manipulés comme ça. Et celui-ci n'a manifestement fait l'objet d'aucune restauration.

— C'est ce que je viens de vous dire.

— Très bien. Alors cet objet a dû passer près de trois cents ans dans une chambre à vide, ou un autre agent de conservation. Quelqu'un a dû faire ce qu'il fallait pour le préserver intact.

— Aucune mesure particulière n'a été prise, insista Caliskan. Comme je vous l'ai dit, il est exactement tel que nous l'avons retrouvé. Il y a une autre question : si vous soupçonniez l'enregistrement d'être un faux, comment le prouveriez-vous ?

— Une contrefaçon récente ? avança Auger avec un haussement d'épaules. On pourrait essayer plusieurs méthodes. L'analyse chimique de la gomme-laque, pour commencer, mais évidemment je me garderais d'y toucher tant que nous n'aurions pas scanné le sillon au laser, et transféré l'enregistrement sur bande magnétique.

— Excellente méthodologie. Et ensuite ?

— Ensuite, je procéderais à une analyse au carbone 14 des fibres de cellulose du papier.

Caliskan se frotta le nez d'un air spéculatif.

— Superflu, non, sur un objet censé avoir trois ou quatre cents ans ?

— Mais faisable. On a fait beaucoup de progrès dans le calibrage des courbes, ces derniers temps. Et il ne s'agit pas de dater l'objet avec précision, juste d'établir qu'il n'est pas récent.

— Et les conclusions auxquelles vous vous attendez ?

— Je ne voudrais pas anticiper, mais il y a gros à parier que cet artefact est une contrefaçon particulièrement réussie, aussi certain que vous puissiez l'être de sa provenance.

— Eh bien, vous auriez raison, dit Caliskan. Si vous le soumettiez aux tests habituels, vous concluriez que l'objet est de fabrication très récente.

Auger éprouva un étrange sentiment de déception, comme si elle s'était enthousiasmée sans même s'en rendre compte.

— Il y a une raison à tout cela, monsieur ?

— La raison, c'est que, à moi, ça me fait l'impression d'être du Mahler.

— Ça, je ne saurais vous le dire, répondit Auger.

— La musique vous manque ?

— On ne peut pas regretter ce qu'on n'a jamais connu, monsieur.

— Vous n'avez jamais connu la pluie, non plus. La vraie pluie, tombant d'un vrai ciel.

— Ce n'est pas pareil, dit-elle, piquée au vif par le fait qu'il en savait tant à son sujet. Monsieur, je peux vous demander où vous voulez en venir ? Ce que vous faites là, si loin des Antiquités ? Pourquoi m'avoir traînée ici, à l'autre bout de Tanglewood ?

— Attention, Verity.

— J'ai le droit de le savoir.

— Vous n'avez aucun droit. Cela dit, je me sens d'humeur magnanime… Je suppose que vous avez entendu parler du Bureau des Contingences ?

— Oui. Je sais aussi qu'il n'existe rien de tel.

— Oh si, dit Caliskan. Et je suis payé pour le savoir : c'est moi qui le dirige.

— Non, monsieur, objecta-t-elle. Vous dirigez les Antiquités.

— Ça aussi. Mais ma promotion annexe aux Antiquités n'a jamais été qu'une question de commodité. Il y a deux ans, il s'est produit un événement très important. Une découverte… ou plutôt *deux* découvertes, d'une valeur stratégique énorme, l'une comme l'autre. Deux découvertes liées, qui ont le potentiel pour changer notre relation entière avec la Fédération. Des découvertes qui pourraient, en fait, modifier complètement notre relation à la réalité.

— Je n'aime pas les Slashers, dit Auger. Surtout après ce qui s'est passé à Paris.

— Vous ne pensez pas qu'on devrait tourner la page ?

— C'est facile à dire pour vous, monsieur. Vous n'avez pas été touché par Amusica. Ce n'est pas vous qui avez perdu ça.

— Non, dit Caliskan. J'ai eu la chance d'être épargné par le virus Amusica, comme une personne sur mille. Mais j'y ai laissé des plumes, et ce que j'ai perdu m'était plus cher que la simple perception de la musique.

— Si vous le dites…

— J'ai perdu un frère à cause des Slashers, dit-il. Lors de l'étape finale de l'offensive de Phobos, alors

121

que nous tentions de reprendre la Lune. Si quelqu'un avait le droit de les haïr, ce serait bien moi.

Elle ne savait pas que Caliskan avait eu un frère, et encore moins qu'il était mort au cours de la dernière guerre.

— Vous les détestez, monsieur ?

— Non. Je les prends pour ce qu'ils sont : une commodité à exploiter, quand et comme ça nous convient. Mais les haïr ? Non.

Elle décida qu'il était peut-être temps d'écouter vraiment ce qu'il avait à dire.

— Et le lien avec les Antiquités ?

— Très profond. Alors que la nature de la deuxième découverte devenait claire, nous nous sommes rendu compte que nous devions profondément resserrer les liens avec les Antiquités. La solution la plus simple consistait à remplacer DeForrest... à me mettre à sa place, afin de me permettre de survoler absolument toutes les activités basées sur Terre.

Les lumières se reflétaient sur ses verres teintés, faisant comme deux petites fenêtres dans un ciel bleu clair.

— J'ai toujours dit que c'était une nomination politique.

— Mais pas comme vous l'entendiez. Maintenant, je vais vous demander les cartes...

Elle se hérissa, se rendant compte qu'elle avait été sous surveillance tout du long. Elle aurait dû se douter qu'ils la tiendraient à l'œil.

— C'est vous qui me les avez fait envoyer ? C'était une sorte de test inutile, comme l'enregistrement de Mahler ?

Cela parut l'amuser.

— On m'avait prévenu, à votre sujet.

— Et qu'est-ce qu'on vous a dit ?

— Que vous ne mâchiez pas vos mots. Je savais déjà, par expérience personnelle, que vous n'aviez guère de respect pour l'autorité. On m'avait dit aussi, poursuivit-il d'un ton adouci, que vous aviez une très bonne vision des détails. Maintenant, dites-moi ce que vous avez pensé des cartes.

Une petite voix intérieure lui dit que beaucoup de choses dépendaient de ses réponses. Plus qu'il n'y paraissait. Elle sentit sa voix s'étrangler, sa facilité d'élocution l'abandonner. Elle se reprit :

— Je n'en ai regardé qu'une, et il y avait dedans un détail qui n'avait pas de sens.

— Continuez, dit Caliskan.

— D'après le copyright, la carte aurait été imprimée plus d'un siècle avant le Nanocauste, et pourtant elle était en excellent état... exactement comme l'enregistrement de Mahler.

— La date de la carte vous a-t-elle paru significative, d'une façon ou d'une autre ?

— Non, dit-elle. Juste qu'elle tombait à peu près dans la période qui m'intéresse.

— Seulement *à peu près* ?

Auger hocha la tête.

— Oui. Je suis plutôt bonne sur le Paris du Siècle du Vide, jusqu'en 2077. Les choses sont un peu plus brumeuses quand on remonte en 1959. Je ne dis pas que je ne connais rien de cette période, juste qu'elle m'est moins familière que les décennies suivantes.

Caliskan remonta ses lunettes sur son nez.

— Imaginons que je veuille m'entretenir avec un véritable expert de cette période précise... Compte tenu de votre réseau de contacts universitaires, qui me conseilleriez-vous ?

Auger réfléchit un moment.

— White, dit-elle enfin. Susan White. Je suis sûr que vous connaissez ses travaux. C'est elle qui a écrit cet article sur les fouilles d'EuroDisney, l'an dernier.

— Vous la connaissez bien, n'est-ce pas ?

— Non, pas particulièrement, répondit Auger. Nous avons échangé quelques messages, et nous avons un peu parlé lors de conférences universitaires. Il se peut qu'elle ait cité un de mes articles, et que j'aie fait référence à l'un des siens.

— Vous la considérez comme une rivale, alors ?

— Nous nous disputons toutes les deux le même budget de recherche. Ça ne veut pas dire que je lui arracherais les yeux.

Sentant que son utilité pour Caliskan tirait à sa fin, elle ajouta :

— Ecoutez, si vous voulez, je devrais pouvoir vous mettre en contact avec elle.

— En réalité, nous l'avons déjà contactée.

Auger haussa les épaules. La preuve était donc faite qu'elle avait vu juste.

— Dans ce cas… qu'attendez-vous de moi ?

— Il y a un problème avec White. C'est pourquoi nous nous rabattons sur vous.

Sympa…

— Quel genre de problème ?

— Je crains de ne pas pouvoir vous le dire, hélas.

Il frappa dans ses mains et les écarta, les paumes tournées vers elle.

— D'où la seconde candidate. Ne regrettez rien, Auger : vous avez toujours été notre second choix, mais, en tant que second choix, vous nous avez été très très chaleureusement recommandée.

Caliskan pencha la tête sur son bureau, prit un gros stylo noir et commença à écrire dans un journal, la plume crissant sur le papier de bonne qualité.

— Alors c'est tout ?

Il releva les yeux sur elle.

— Vous vous attendiez à autre chose ?

— Je pensais…

Elle n'alla pas au bout de sa pensée.

— Vous pensiez quoi ?

— J'ai foiré, n'est-ce pas ? Je ne vous ai pas dit ce que vous attendiez.

— Pardon ? fit Caliskan, sa plume cessant de crisser.

— J'étais censée voir autre chose sur la carte.

Maintenant sous pression, elle éprouvait une certitude entêtante, et les détails qui lui avaient échappé se mettaient en place.

— Eh bien, je l'ai vu. Mais je ne savais pas quoi en déduire.

Caliskan attendait, sa plume levée au-dessus de l'encrier.

— Continuez.

— La carte n'a pas de sens, même pour une carte imprimée en 1959. On dirait plutôt un plan de Paris d'une époque révolue qui chercherait à se faire passer pour une carte plus récente.

— Comment ça ?

— Les nom des rues. Il n'y a pas de Roosevelt, pas de Charles de Gaulle ou de Churchill. Comme si la Seconde Guerre mondiale n'avait jamais eu lieu.

Caliskan referma son journal et le poussa sur le côté.

— Je suis très heureux de vous l'entendre dire, dit-il. Je commençais à penser que, finalement, vous n'étiez peut-être pas taillée pour la course.

— Quelle course ? demanda Auger.

D'un tiroir de son bureau, Caliskan tira un billet sur lequel était imprimé le cheval volant Art déco de la Pegasus Intersolar.

— Je voudrais que vous alliez sur Mars pour moi, dit-il. Certains objets sont tombés entre de mauvaises mains, et nous aimerions bien les récupérer.

Le vaisseau s'appelait le *Vingtième-Siècle-SA*. Auger en entrevit des fragments – jamais la totalité –, alors qu'on la faisait monter à bord, la conduisant d'une embarcation pressurisée à l'autre. C'était un vaisseau gigantesque selon les critères threshers, six cents ou sept cents mètres de long, mais l'appareil partirait presque à vide pour Mars. Avec l'intensification des tensions d'un bout à l'autre du système, les gens avaient renoncé à voyager si ce n'était pas absolument indispensable. Jusque-là, les hostilités se bornaient à des escarmouches entre factions slashers rivales, mais deux vaisseaux des EUPT avaient été pris entre deux feux, et il y avait eu des victimes civiles. Les avant-postes non essentiels avaient été mis sous cocon, et un certain nombre de bâtiments de transit intersolaires avaient fait faillite.

Lorsqu'elle eut fini son verre dans le salon d'observation, où elle regardait disparaître la Terre et Tanglewood, elle vérifia l'heure locale et retourna dans sa cabine. Elle avait ouvert la porte et était sur le point d'allumer lorsqu'elle se rendit compte qu'il y avait déjà de la lumière et que la cabine était occupée. Auger tiqua. L'espace d'un instant, elle crut s'être trompée de porte, et puis elle reconnut ses bagages et son manteau au bout du lit.

C'était bien sa cabine, et les deux personnes assises au bord du lit étaient Ringsted et Molinella, les agents du Département de la Sécurité qu'elle avait rencontrés à Tanglewood.

— Verity Auger ? demanda Ringsted.

— Oh ça va, je vous en prie ! s'exclama-t-elle. Evidemment que c'est moi !

— Vérifie-la, dit Ringsted.

Molinella se leva et tira d'une poche une sorte de stylo. Avant qu'Auger ait eu le temps de réagir, il la plaqua contre la porte et braqua le stylo sur son œil en lui maintenant les paupières ouvertes. Une lumière bleu-vert intense lui poignarda la rétine, lui envoyant des étincelles pénibles dans le cerveau.

— C'est bien elle, confirma Molinella, relâchant sa prise.

— Evidemment que c'est moi ! répéta Auger en secouant la tête pour éclaircir sa vision. On s'est déjà rencontrés. Vous ne vous souvenez pas ?

— Asseyez-vous, ordonna Molinella. Nous avons du pain sur la planche.

— Foutez-moi la paix ! lança Auger. Nous venons juste de quitter le port, nous n'arriverons pas sur Mars avant cinq jours.

— Cinq jours suffiraient à peine, même si nous avions tout ce temps devant nous.

Molinella la fixait avec l'expression atone d'un mannequin de confection. Comme l'autre fois, les deux agents étaient en costume, mais d'une coupe moins officielle, ce coup-ci. Auger se dit qu'ils auraient pu passer pour deux jeunes mariés threshers un peu coincés.

— Nous n'avons pas tout ce temps, confirma Ringsted. Pour des raisons de sécurité, nous devons achever votre briefing tout de suite.

— Vous ne restez pas à bord jusqu'à ce que nous arrivions sur Mars ? demanda Auger.

— Si, répondit Ringsted. Ainsi que Caliskan vous l'a sans doute expliqué, les Slashers surveillent probablement ce bâtiment comme ils monitorent tout le trafic long-courrier thresher. Nous ne pourrions faire monter ou descendre quelqu'un du *Vingtième* en cours de route sans attirer l'attention, et c'est bien la dernière chose dont nous avons besoin en ce moment.

— Bon, alors, qu'y a-t-il de si urgent ?

— La porte est bien fermée ? demanda Ringsted en regardant par-dessus l'épaule d'Auger. Bon. Asseyez-vous. Il faut qu'on parle.

— D'abord, il faut que je vous montre quelque chose, dit Molinella.

Il prit dans la poche de son veston où il rangeait son stylo lumineux un cylindre noir mat qui ressemblait à un tube à cigare. Il dévissa le haut et en sortit une seringue pleine d'un épais fluide vert fluorescent.

— Quand vous attendiez le vaisseau, dit Ringsted, on vous a donné à boire et à manger, dans les bureaux de Caliskan, aux Contingences...

— En effet, dit Auger.

— Ce que vous ne savez pas, c'est qu'il y avait des traceurs chimiques inoffensifs dans ce que vous avez avalé. Ces traceurs se sont insinués dans votre organisme et attachés à chacun des nouveaux souvenirs que vous vous êtes fabriqués depuis que vous êtes entrée chez Caliskan...

Molinella prit la suite :

— L'agent chimique contenu dans cette seringue agit sur les structures neurales étiquetées et les démantèle. L'effet ne sera pas fatal, mais vous ne vous rappellerez rien de ce que Caliskan vous a dit, et rien de ce que nous allons vous dire maintenant. En réalité, vous ne garderez pas un seul souvenir de toute cette période. Evidemment, nous ne l'utiliserons que si nous y sommes absolument obligés.

— Alors, si je merde, ou si je vous emmerde, je me réveillerai avec un grand trou dans la mémoire ?

— Ce qui ne vous aidera pas beaucoup à la veille d'un procès, ajouta Molinella. Alors, espérons que nous n'en arriverons pas là, hein ?

— Espérons-le, acquiesça Auger avec une cordialité exagérée. Mais vous ne m'avez toujours pas dit pourquoi il fallait que je sache tout ça tout de suite.

— La raison, dit Molinella patiemment, c'est que d'ici vingt-quatre heures il n'y aura plus qu'une seule personne à bord de ce vaisseau qui connaîtra le contenu de ce briefing. Et non, ça ne veut pas dire que nous allons quelque part, l'agent Ringsted et moi.

Il remit la seringue dans son étui, et l'étui dans sa poche, qu'il tapota gentiment.

— Si vous nous revoyez à bord, après ce briefing, traitez-nous comme tous les autres passagers. Inutile de nous poser des questions supplémentaires. Nous ne nous souviendrons littéralement pas de vous, au sens propre du terme.

— Nous allons commencer par les principes de base, fit Ringsted. Lumière, s'il vous plaît, agent Molinella.

Molinella se leva et baissa la lumière dans la cabine.

— Ça devient très intime…, commença Auger.

Mais elle avait à peine ouvert la bouche que des schémas lumineux apparurent sur un mur nu de la cabine. Elle remonta à la source des rayons : une bague ornée d'un rubis que Molinella portait au doigt.

Les schémas lumineux formèrent ce qu'elle présuma être le sceau du Bureau des Contingences, accompagné par un avertissement aux termes duquel les informations subséquentes étaient couvertes par un niveau de sécurité tellement élevé qu'elle n'en avait jamais entendu parler.

— Nous ne sommes pas censés avoir signé quelque chose, maintenant ? demanda-t-elle.

Ringsted et Molinella se regardèrent et se mirent à rire.

— Ouvrez les yeux, c'est tout, dit la femme. Et gardez vos questions pour plus tard.

Le sceau disparut, remplacé par une perspective de la Voie lactée, vue de dessus.

Et puis un homme apparut, en surimpression sur l'image de la galaxie. On devinait ses muscles sous son costume gris aux poignets rouges. Il était très beau, avait l'air très sûr de lui, et Auger le reconnut avec une secousse.

C'était Peter.

« Salut, Verity, dit-il en écartant les mains devant lui dans une attitude d'excuse légèrement teintée d'embarras. J'imagine ta surprise. Tout ce que je peux dire, c'est que je suis désolé pour toutes ces cachotteries, et que j'espère que tu ne m'en voudras pas… que tu nous pardonneras à tous, en fait, ces manigances hélas nécessaires. »

Elle ouvrait la bouche pour intervenir, mais Peter leva une main et poursuivit, avec un sourire éclatant :

« Non, ne dis rien. Il va falloir que tu écoutes ce que j'ai à te dire, et combler les vides toute seule. Je ferai de mon mieux pour ne rien oublier d'important. »

— Peter, dit-elle, incapable de se retenir. Qu'est-ce que…

Mais l'enregistrement se poursuivait, indifférent à son interruption :

« Evacuons tout de suite les choses évidentes, d'accord ? Tout ce que tu crois savoir de moi est exact. Je suis dans les services diplomatiques, et je viens de rentrer d'une vaste tournée dans les Etats fédérés, qui s'est achevée par un périple dans l'hyperweb. C'est l'histoire officielle, et tout est vrai. Mais ce n'est pas toute la vérité. J'ai aussi agi en tant qu'agent infiltré, collectant des renseignements tout en jouant le rôle du diplomate beau parleur. Je dois dire, ajouta-t-il avec un nouveau sourire, comme s'il anticipait la réaction de son ex-femme, que j'ai pris des risques considérables tant pour moi que pour mes amis parmi les Slashers. La situation devient très sérieuse, et les espions ne sont pas très bien vus. La conjoncture étant ce qu'elle est, j'ai probablement épuisé mon capital de ce côté-là. C'est dommage, parce que j'avais vraiment apprécié d'être un fantôme. »

La voix mesurée, très théâtrale, semblait venir d'un point situé dans la cabine et non pas de l'anneau de projection.

« Enfin, tu dois te demander où je veux en venir. Eh bien, assez inévitablement, c'est de l'hyperweb proprement dit qu'il s'agit. »

Peter se retourna, balaya la Voie lactée de l'ample geste du semeur, et un réseau de lignes rouges apparut sur la spirale, puis l'ensemble bascula, offrant une perspective en trois dimensions.

« Voici le réseau hyperweb tel que les explorateurs slashers l'ont cartographié, dit-il. C'est à ce jour la meilleure estimation de son étendue. Il est à peu près impossible d'en dresser la carte. Quand les explorateurs débouchent par un portail, à moins de se retrouver à portée d'un point de repère reconnaissable sans ambiguïté, comme les restes d'une supernova ou une étoile supermassive en train de dégazer, ils n'ont aucun moyen de calculer leur position avec précision. Ils ne peuvent que la fixer à l'aide de points de référence, et pour cela les pulsars se révèlent plutôt plus utiles que les étoiles. »

— Qui a fait ça ? marmonna Auger, tout bas. C'est tout ce qui nous intéresse, au fond.

Une lueur pétilla dans l'œil de Peter alors qu'il se retournait vers la caméra. Comme il la connaissait bien, se dit-elle, malgré tout ce qui s'était passé entre eux.

« Nous ignorons qui a construit ce réseau. Et nos amis fédérés n'en savent pas plus que nous. Evidemment, il y a beaucoup d'hypothèses, certaines assez séduisantes. Le système paraît être d'origine non humaine, mais ceux qui l'ont construit – et manifestement utilisé – ne sont apparemment plus dans le coin en ce moment. »

Peter avait l'air de bien s'amuser, se dit Auger. Le diplomate évaporé beau parleur, devenu espion évaporé beau parleur : il n'avait pas eu beaucoup de chemin à faire. Puis elle s'en voulut de cette vilaine pensée, se dit que Peter aurait probablement été exécuté (ou pire encore) si ses hôtes slashers avaient deviné qu'il jouait un double jeu.

Elle éprouva une étincelle d'admiration. Ce qui ne lui ressemblait guère, surtout quand son ex-mari était concerné.

« Voilà ce que nous pensons, poursuivait Peter. Le système est ancien. Il existe depuis des centaines de millions d'années, au minimum. Il se peut qu'il soit presque aussi vieux que le système solaire. La plupart des portails que les explorateurs ont trouvés sont ancrés à des corps solides : des planètes de type terrestre, des lunes, de gros planétoïdes. Le portail de Sedna en est un exemple type, et pour ce qu'en savent les Slashers c'est le seul portail actif dans notre système. »

Elle sentit ses cheveux se dresser sur la tête. C'était la façon dont il avait prononcé les mots « pour ce qu'en savent les Slashers ».

Peter revint à la représentation de la Voie lactée en se caressant pensivement le menton.

« Nous n'avons encore aucune idée de la façon dont ce satané truc fonctionne. Même les Slashers sont dans le brouillard sur ce plan, en dépit de tous leurs efforts pour nous convaincre du contraire. Ils ont des théories sur l'ingénierie métrique, les solutions triples dans l'hypervide aux équations de Krasnikov, ce genre de chose. En réalité, pour être honnête, c'est comme s'ils crachaient en l'air. Enfin, poursuivit-il en se tapotant la lèvre avec le doigt, il faut reconnaître qu'ils ont trouvé un moyen d'utiliser le réseau. Ils ont greffé une partie de leur technologie sur les mécanismes du portail et réussi à manipuler la géométrie de l'embouchure de façon à pouvoir y faire entrer un vaisseau en un seul morceau, plus ou moins. On ne peut pas faire autrement que de les admirer pour ça. Que ça nous plaise ou non, ils sont bien en avance sur nous. »

Peter croisa ses mains dans son dos, debout, les jambes légèrement écartées.

« Maintenant, parlons grands nombres. Jusqu'où sont-ils allés ? Qu'ont-ils trouvé, en réalité, là-bas ? »

Auger se pencha légèrement en avant, sentant qu'il arrivait à une sorte de point culminant.

« Nous ne savons pas encore exactement quand ils ont trouvé le portail de Sedna, continuait Peter. On estime que ça a dû se produire il y a une cinquantaine d'années, entre 2210 et 2215 environ. Depuis, ils ont étudié – ou au moins ils ont visité – entre cinquante et soixante mille systèmes solaires. Assez impressionnant à tout point de vue. Il n'y a qu'un petit problème obsédant : en réalité, ils n'ont rien trouvé qui justifie tous ces efforts. »

Auger hocha la tête, intérieurement ; elle ne s'était guère intéressée au problème de l'hyperweb, mais quand même une constatation s'imposait : c'était une amère déception.

« Ou du moins, poursuivait Peter, rien qu'ils veuillent que nous sachions. En réalité, ils sont dans une situation compliquée : ils veulent avoir accès à la Terre, et tout ce qu'ils ont à nous offrir – en dehors d'un accès au compte-gouttes à la pan-AC et autres petits jouets dangereux –, c'est la permission d'utiliser l'hyperweb moyennant un péage. Ils essaient donc de rhabiller la vérité brutale de ce qu'ils ont trouvé là-bas, qui n'est qu'un catalogue de rocs morts, inhabitables, et de géantes glacées, écrasantes. Cela dit, ce qu'il y a de marrant, c'est que même s'ils avaient trouvé quelque chose là-bas, il est probable qu'ils ne nous le diraient pas non plus. »

Peter enleva ses mains de son dos et se pencha vers la caméra dans une attitude de conspirateur.

— Venons-en au fait, dit Auger, comme s'il pouvait l'entendre.

« L'illusion selon laquelle l'hyperweb n'a rien révélé d'intéressant est entretenue même dans les cercles slashers, à des niveaux de sécurité proprement incroyables. C'est une vieille idée reçue. »

Derrière lui, l'image changea, zooma sur l'un des bras de la galaxie, un grouillement d'étoiles. Une masse surgit des ténèbres, sous ses yeux : un monde bleu-gris si lisse que c'en était surnaturel, un croissant souligné de rouge orangé par un soleil hors champ, ou un amas d'étoiles. L'autre bord était d'un bleu glacial, de la couleur de la neige au clair de lune. La sphère grandit dans l'image jusqu'à ce qu'elle soit beaucoup plus grande que Peter. A ce grossissement extrême, on distinguait certains détails de la surface. Ça n'avait rien à voir avec la texture et les érosions de la croûte d'une planète.

Elle était constituée d'innombrables plaques minutieusement reliées entre elles, disposées selon un schéma d'une régularité hallucinante. On aurait moins dit une planète qu'une molécule ou un virus cristallin.

« Indiquons maintenant l'échelle », dit Peter.

Un cadre entourait la sphère. Des nombres apparurent sur les axes, indiquant son diamètre : une dizaine d'unités environ, quelle que puisse être l'unité.

— Qu'est-ce que…, commença Auger.

« L'unité est la seconde-lumière, dit Peter comme s'il l'avait entendue. La sphère fait près de dix secondes-lumière de diamètre. Pour remettre les choses en perspective, le soleil tiendrait dans cet objet, et il y aurait encore de la marge. On ne pourrait pas y faire tenir la Terre, parce qu'elle décrit autour de son soleil une orbite dont le diamètre est de huit minutes-lumière, c'est-à-dire cinquante fois trop grande pour entrer dans la sphère. Mais si on mettait la Terre au milieu, la Lune y tiendrait largement. »

— Excusez-moi, fit Auger, mais c'est moi, ou il vient d'appeler ça « un objet » ?

Les agents l'ignorèrent, et elle ramena son attention vers l'enregistrement.

« Enfin, nous ne devrions pas être tellement étonnés d'avoir bel et bien trouvé un artefact indiscutablement non humain, continuait Peter. Après tout, nous avons toujours su qu'il y en avait quelque part. L'hyperweb en est une preuve suffisante. Cela dit, je pense que personne ne s'attendait à trouver quelque chose d'aussi énorme. La première grande question qui se pose à nous est évidemment : de quoi peut-il bien s'agir ? Et la seconde : quelles peuvent être les implications pour nous ? »

La sphère diminua, diminua, diminua, se réduisit à un point et finit par disparaître. Puis ils retrouvèrent la vue de la galaxie, sur laquelle les lignes compliquées de l'hyperweb étaient superposées comme des vecteurs luisants.

« Maintenant, la surprise numéro deux : les Slashers n'ont pas trouvé un seul de ces objets, mais une vingtaine, répartis un peu partout dans la galaxie. »

Peter claqua des doigts et des sphères bleu-gris grosses comme des balles de golf se mirent en place sur la carte.

« On ne peut pas les voir à cette échelle, alors il va falloir que tu me croies sur parole : aucun de ces objets n'apparaît dans un endroit significatif, si ce n'est qu'ils sont toujours à distance commode d'un portail. Les Slashers les appellent des OVA, des objets volumineux anormaux. Ça sonne bien, hein ? Et s'ils en ont trouvé une vingtaine en si peu de temps, compte tenu du fait que l'hyperweb est beaucoup plus extensif que les connexions cartographiées ne pourraient le laisser penser, on peut estimer qu'il y en a des milliers, peut-être des dizaines de milliers, grouillant entre les étoiles, prêts à éclore comme des œufs… Ou des bombes à retardement », ajouta Peter.

L'image changea à nouveau, recadra un OVA avec une qualité schématique, nette et détaillée. L'ombrage sphérique s'estompa, ne laissant qu'un anneau de matière très fine.

« C'est la vue en coupe, reprit Peter. Les Slashers ont cartographié l'intérieur à l'aide de la tomographie par émission de neutrinos. Ils ont installé un laser à neutrinos de cinquante kilowatts sur un vaisseau et l'ont braqué vers la paroi de l'OVA. Puis ils ont amené un autre vaisseau, transportant un détecteur de neutrinos correspondant – un réseau de cristaux de saphir hyper-rigide conçu pour détecter les vibrations au passage des neutrinos. Le vaisseau émetteur modifiait le trajet de son rayon à travers l'OVA tandis que le vaisseau récepteur traquait le rayon le long du chemin prévu, mesurant les variations du flux de neutrinos alors que le rayon traversait l'OVA selon différents angles. Résultat : ils ont détecté une coque dure, mince, de composition inconnue, d'un kilomètre d'épaisseur environ. Ils ont aussi décelé une concentration significative de masse au niveau du noyau : une sphère intérieure de quelques milliers de kilomètres de rayon. En d'autres termes, de la taille d'une planète, avec juste le profil de densité qu'on pourrait attendre d'un gros corps céleste typique comme Vénus ou la Terre. Le reste de la sphère semble être un vide poussé, à la limite du balayage des neutrinos. »

Auger se tourna vers Ringsted et Molinella.

— C'est stupéfiant, aucun doute. Le seul fait que vous me racontiez tout ça me fait peur ; mais ce que je ne comprends toujours pas, c'est ce que j'ai à voir là-dedans, procès ou non.

— Vous allez comprendre, dit la femme.

Peter parlait toujours, sans tenir compte de son interruption :

« ... Slashers ont déduit de tous ces indices que les objets volumineux anormaux étaient des coques contenant des planètes, qui semblaient même parfois entourées de leurs lunes. C'est l'indice d'une technologie très avancée, du niveau de l'hyperweb lui-même. Mais pourquoi faire ça ? Pourquoi emprisonner des mondes dans des sphères noires, les isoler du reste de l'univers ? Eh bien, peut-être qu'il ne fait pas tout noir à l'intérieur. Personne n'en sait rien. Et peut-être que ça ne ressemble à une prison que du dehors. Il se pourrait que la matière enfermée dans ces coques soit extrêmement bizarre. Ces planètes ont-elles été mises en quarantaine à cause d'un crime terrible, ou d'un cataclysme biologique ? S'agit-il de mondes d'antimatière qui auraient dérivé dans notre galaxie, et devraient être préservés de tout contact extérieur lors de leur transition ? Ou pire encore ? D'après nos renseignements, les Slashers n'en ont aucune idée en dépit de toutes leurs recherches. Ils n'ont que des quantités d'hypothèses. »

Peter regarda la caméra, les yeux brillants, et s'autorisa un infime sourire d'autosatisfaction, un imperceptible retroussis des commissures des lèvres.

« Eh bien, il se trouve que nous pensons le savoir. Tu comprends, nous avons trouvé un moyen d'entrer dans l'une de ces sphères. Un moyen que les Slashers ignorent. Et c'est toi, Verity, qui vas aller faire un petit tour à l'intérieur. »

7

La sonnerie du téléphone réveilla Floyd juste après huit heures du matin. Il n'avait pas cessé de pleuvoir depuis qu'il était rentré de Montparnasse. La pluie balafrait les vitres de diagonales brutales et le vent les faisait trembler dans leurs encadrements. Custine sifflait joyeusement en se rasant, dans la salle de bains. Floyd fit la grimace. Il y avait deux choses qu'il détestait le matin : les coups de téléphone et les gens trop en forme.

Il se tira tant bien que mal du lit où il s'était allongé à moitié habillé et alla décrocher.

— Floyd, annonça-t-il d'une voix pâteuse. Comment allez-vous, monsieur Blanchard ?

Ce qui parut impressionner son interlocuteur :

— Comment saviez-vous que c'était moi ?

— Disons que j'ai eu une intuition.

— Je ne vous dérange pas, j'espère ?

— Pas du tout, monsieur Blanchard, répondit Floyd en se frottant les yeux. Je suis debout depuis des heures, à travailler sur votre affaire.

— Vraiment ? Eh bien, dans ce cas, vous avez peut-être des nouvelles ?

— C'est encore un peu tôt, répondit Floyd en étouf-
fant un bâillement. Nous n'avons pas encore tiré toutes
les informations des documents que vous nous avez
remis l'autre jour.

— Je présume que vous avez déjà quelques pistes ?

— Une ou deux.

Un Custine en tablier à fleurs fit irruption dans la
pièce et fourra une chope de café noir dans la main
libre de Floyd.

— Qui c'est ? demanda-t-il dans un chuchotement
théâtral.

— Devine, articula silencieusement Floyd.

— Alors, ces pistes ? insista Blanchard.

— Il est un peu trop tôt pour dire où elles vont
mener, répondit Floyd, qui décida soudain de se jeter à
l'eau : A vrai dire, j'ai déjà mis un spécialiste sur les
documents de la boîte.

— Un spécialiste ? Vous voulez dire quelqu'un qui
parle allemand ?

— Oui, admit faiblement Floyd.

Il plongea ses lèvres dans le café – si fort qu'on aurait
pu poser une enclume dessus – et invoqua le ciel pour
que Blanchard et le monde en général lui fichent la paix
cinq minutes. Custine s'assit au bord du lit pliant de
Floyd, les mains dans les poches de son tablier.

— Très bien, fit Blanchard. Je suppose qu'il serait
naïf d'attendre des progrès concrets si tôt au début de
l'enquête…

— Oui, en effet. Ce ne serait pas très raisonnable.

— Dans ce cas, je me permettrai de vous rappeler
ultérieurement. J'ai hâte de savoir ce que votre spécialiste aura à dire sur les papiers de Mlle White.

— J'attends moi-même avec impatience.

— Eh bien, bonne journée.

Floyd entendit un déclic très satisfaisant signifiant que Blanchard avait raccroché et regarda Custine.

— J'espère que tu as déniché quelque chose d'utile hier soir, après mon départ.

— Probablement pas autant que tu le souhaiterais. Comment ça s'est passé avec Greta ?

— Moins bien que je ne l'espérais.

Custine le regarda d'un air compatissant.

— Je déduis de cette conversation avec Blanchard que tu vas la revoir ?

— Plus tard dans la journée.

— Bon, c'est toujours une occasion d'essayer de raccrocher les wagons.

Custine se leva et dénoua la ceinture de son tablier.

— Je descends chercher du pain. Prépare-toi et on pourra parler de l'avancement de notre enquête en prenant notre petit déjeuner.

— Je croyais t'avoir entendu dire que tu n'avais pas beaucoup avancé…

— Je n'en suis pas sûr. Au moins, rien sur quoi je miserais ma tête. Mais je ne suis pas revenu tout à fait bredouille. Le voisin de Mlle White a fait une observation.

— Oh oh. Et quel genre d'observation ?

— Je te dirai ça tout à l'heure. Et toi, tu me raconteras où tu en es avec Greta.

Pendant que Custine allait chercher le pain, Floyd ouvrit le journal. La une titrait sur une histoire de meurtre. Il parcourut les pages en diagonale jusqu'à ce qu'un nom familier lui saute aux yeux, en troisième page. Il était question de Maillol, l'inspecteur qui avait donné le nom de Floyd à Blanchard. Maillol était une bonne pomme dans un tonneau de plus en plus pourri ; il avait choisi de prendre un peu ses distances plutôt que d'adhérer au programme politique que Châtelier imposait à la police. Quand Floyd l'avait connu, Maillol était une étoile montante de la brigade criminelle. Il traitait des affaires sensibles, celles qui faisaient les gros titres. Cette époque était depuis longtemps révolue. Il faisait maintenant les sales boulots, traitait les affaires dont personne ne voulait, dont il n'y avait aucun prestige à retirer, comme la lutte contre la contrefaçon. D'après l'article, Maillol avait découvert un trafic de disques pirates du côté de Montrouge. L'enquête était « en cours ». La police suivait un certain nombre de pistes menant à d'autres activités criminelles qui avaient eu lieu dans le même complexe de bâtiments abandonnés. La nouvelle déprima Floyd. Il se réjouissait à la perspective de pouvoir retourner chez les disquaires sans avoir à craindre qu'une œuvre apparemment inestimable de l'histoire du jazz – disons, un enregistrement de Louis Armstrong pour Gennett daté de 1923 – puisse en réalité avoir été pressée une semaine plus tôt, mais trouvait démoralisant qu'un type formidable comme Maillol en soit réduit à de si piètres exploits alors qu'on n'enquêtait même pas sur des morts suspectes.

Il alla dans la salle de bains et se doucha avec l'eau tiède rougie distribuée par l'antique tuyauterie rouillée de l'immeuble. Il avait un mauvais goût dans la bouche, qui n'était dû ni à l'eau de la douche ni au souvenir du Grand Marnier pris avec Greta. Il se séchait quand il entendit Custine qui rentrait. Il mit une chemise blanche, propre, ses bretelles et un gilet, laissant le choix de la cravate pour le moment où il devrait affronter le monde extérieur. Il alla en chaussettes dans la minuscule cuisine où planait une odeur de pain chaud. Custine étalait déjà de la confiture sur une tartine beurrée.

— Tiens, dit le Français. Mange ça. Tu auras peut-être l'air moins lamentable.

— Je me passerais volontiers de ces coups de fil à huit heures du matin.

Floyd tira une chaise et s'affala en face de Custine.

— Tu sais, André, je ne sais pas trop quoi penser de cette affaire. Je commence à me dire qu'on devrait laisser tomber sans plus attendre.

Custine remplit leurs tasses de café. Son veston était noir de pluie, mais en dehors de ça il avait l'œil vif et généralement fière allure : les joues et le menton rasés de près, la moustache soigneusement taillée et gominée.

— Il y a eu un moment, hier, où j'aurais été d'accord avec toi.

— Et maintenant ?

— Maintenant, je commence à me dire qu'il pourrait y avoir quelque chose là-dedans, après tout. C'est ce truc que m'a raconté le voisin… Il y a anguille sous roche, c'est certain.

Floyd attaqua sa tartine.

— Et qu'est-ce qu'il t'a dit, ce fameux voisin ?

Custine fourra le coin de sa serviette dans son col.

— J'ai parlé à tous les occupants de l'immeuble qui étaient chez eux hier soir. Blanchard pensait qu'ils seraient tous au bercail, mais il y en avait deux qui étaient sortis quand nous avons commencé nos investigations. Nous les interrogerons plus tard. Au moins, ça nous donnera un prétexte pour faire durer les choses.

— Le voisin, insista Floyd.

Custine mordit dans sa tartine de confiture et se tapota délicatement les lèvres avec sa serviette.

— Un jeune homme, étudiant en droit. Un type assez coopératif. En réalité, ils se sont tous montrés coopératifs une fois qu'ils ont compris que nous n'avions rien à voir avec la police officielle. Et un meurtre, qu'est-ce que tu veux…, fit-il en agitant sa tartine avec emphase. A partir du moment où les gens se fourrent dans la tête qu'ils pourraient être des témoins capitaux dans une affaire de meurtre, on ne peut plus les faire taire…

— Alors, cet étudiant en droit ? Qu'est-ce qu'il t'a raconté ?

— Il ne la connaissait pas vraiment, il a dit qu'elle avait des horaires vraiment bizarres et qu'ils ne se croisaient pas souvent. Ils se saluaient quand ils se voyaient, ce genre de choses…

— Il en pinçait pour elle ?

— Le type avait déjà une fiancée, si j'ai bien compris.

— Bon, donc il connaissait à peine Susan White. Qu'est-ce qu'il a bien pu te dire de si intéressant ?

— C'est ce qu'il a entendu, répondit Custine. Tu sais comment sont ces maisons : des murs en feuille de papier à cigarette. Quand elle était chez elle, il le savait : elle ne pouvait pas faire un pas sans faire craquer le parquet.

— C'est tout ?

— Non. Il a entendu des bruits, des bruits bizarres, reprit Custine. Comme si quelqu'un jouait toujours la même note, tout bas, avec une flûte ou un enregistreur, et recommençait, encore et encore.

Floyd se gratta le crâne.

— Blanchard dit qu'il ne l'a jamais entendue jouer de la musique, ni à la radio ni sur ce vieux phono. Mais il a parlé de bruits, lui aussi…

— C'est ça. Et si elle avait eu un instrument de musique dans sa chambre, il l'aurait remarqué, non ?

— Alors ce n'était pas un instrument. Mais qu'est-ce que ça aurait pu être d'autre ? s'interrogea rêveusement Floyd.

— Quoi que ce soit, ça ne pouvait venir que de la radio. D'après la description de l'étudiant, les notes évoquaient plutôt une sorte de code. Il entendait des notes brèves et des notes longues, et il distinguait parfois des répétitions, comme si on rabâchait un message particulier.

Pour la première fois, ce matin-là, Floyd eut l'impression d'être sur le point de se réveiller.

— Comme une sorte de morse, tu veux dire ?

— Tires-en tes propres conclusions. Evidemment, l'étudiant n'a pas eu la présence d'esprit d'enregistrer ces sons lorsqu'il les entendait. Il n'y a réfléchi qu'après la mort de White et, même alors, il n'y a pas attaché d'importance particulière.

— Non ?

— Il y a trois ans qu'il est étudiant, et il a loué près d'une douzaine de chambres un peu partout. Il n'a pas eu un seul voisin qui n'avait pas au minimum une manie bizarre. Au bout d'un moment, il dit qu'on cesse d'y faire attention. Il a reconnu devant moi qu'il adorait se gargariser quand il se lavait les dents, et qu'au moins un de ses colocataires lui avait fait remarquer que ça faisait plutôt bizarre à deux heures du matin…

Floyd finit son pain et son café.

— Il va falloir qu'on retourne examiner sa chambre à fond, cette fois.

— Je suis sûr que Blanchard sera heureux de nous aider s'il a l'impression que ça peut faire avancer l'affaire.

Floyd se leva en se grattant le menton et prit note, mentalement, de se raser avant de sortir.

— Peut-être. Mais je préfère qu'on n'en parle pas pour le moment. Je ne veux pas qu'il s'excite à l'idée qu'elle pourrait avoir été une espionne.

Custine le regarda avec un pétillement entendu dans le regard.

— Mais tu l'envisages, toi aussi, c'est ça ? Au moins, tu n'exclus pas cette possibilité ?

— Tenons-nous-en aux indices matériels, c'est-à-dire aux témoignages visuels. Et les autres voisins ? Tu en as tiré des informations ?

— Rien d'utile. Un voisin a dit qu'il avait vu une drôle de petite fille rôder dans les environs le jour de l'accident.

— Drôle ? Comment ça, drôle ?

— Il a dit qu'elle n'avait pas l'air en bonne santé.

— Eh bien, fit Floyd avec un ample geste de la main, il va falloir interroger les enfants à la santé fragile. C'est noté.

Mais le souvenir de la petite fille qui sortait de chez Blanchard quand ils étaient arrivés, la veille au soir, lui trottait dans la tête.

— Il ne peut pas y avoir de rapport, de toute façon, si ?

— Le gars essayait juste de nous aider, répondit Custine, sur la défensive. Enfin, les occupants ont tous ta carte, maintenant, et tous ceux à qui j'ai parlé ont promis de nous appeler s'il leur revenait quelque chose. Personne n'a entendu parler d'une quelconque sœur. Voilà, fit-il en se beurrant une autre tartine. C'étaient mes nouvelles. A toi.

Comme toujours, quand il pleuvait, la circulation était impossible, ce jeudi matin-là. Les caniveaux débordaient sur la chaussée et les roues de la Mathis soulevaient des gerbes d'eau, mais la pluie tombait moins fort, et le soleil brillait timidement sur les pavés luisants et les lampadaires en fer forgé, faisant resplendir les statues et les bouches de métro Art nouveau. Floyd aimait Paris sous la pluie. A ses yeux – petits pour l'heure, parce qu'il n'avait vraiment pas beaucoup dormi –, la ville ressemblait à un tableau à l'huile qui aurait eu besoin de quelques jours de séchage supplémentaires.

— Alors, Greta ? Raconte ! fit Custine, assis à côté de lui. Tu ne pourras pas y couper éternellement. On avait un accord.

— Quel accord ?

— Je te parlais du résultat de mes investigations, et tu me parlais de Greta.

Floyd crispa les mains sur le volant.

— Elle n'est pas vraiment revenue. Elle ne rejoindra pas la formation.

— Et il n'y a aucun espoir de l'en convaincre ?

— Absolument aucun.

— Alors, pourquoi est-elle revenue sinon pour te torturer à l'idée de ce qui aurait pu être ? Je savais notre petite *Fräulein* impérieuse et cruelle, mais pas à ce point-là.

— Sa tante est mourante, répondit Floyd. Elle veut être auprès d'elle pour le temps qui lui reste à vivre. Enfin, ça fait partie du truc.

— Et le reste ?

Floyd résista à la tentation de dire à Custine de s'occuper de ses oignons. Mais Custine méritait mieux que ça – son avenir était en jeu, là, tout autant que celui de Floyd. Et il ne le savait même pas.

— Elle ne repartira pas non plus en tournée avec son nouvel orchestre.

— Ils se sont engueulés ?

— Apparemment pas, c'est juste qu'elle avait l'impression qu'ils n'iraient nulle part, en tout cas, pas assez loin pour elle, si elle restait avec eux. Alors elle s'est fourré une idée dans la tête…

— Elle entreprend une carrière solo ?

Floyd secoua la tête.

— Plus ambitieux que ça. La télévision, prononça-t-il comme si c'était une obscénité. Elle veut en être.

— On ne peut pas le lui reprocher, répondit Custine en haussant les épaules. Elle a du talent, et elle a vraiment du chien. Tant mieux pour elle, je dirais. Tu devrais te réjouir pour elle, non ?

Floyd fit un écart pour éviter un trou dans la chaussée auprès duquel des ouvriers en tenue de chantier échangeaient des blagues, ne témoignant d'aucun signe d'activité en dehors de cela.

— Il s'agit de télévision en Amérique, poursuivit-il. A Los Angeles, évidemment.

Custine ne répondit pas tout de suite. Floyd franchit quelques carrefours en silence. Il entendait d'ici les rouages tourner dans la tête de son associé tandis qu'il envisageait les conséquences possibles. Ils s'arrêtèrent enfin à un feu rouge.

— Elle t'a demandé de partir avec elle, c'est ça ? risqua Custine.

— Pas précisément demandé, dit Floyd. Je dirais plutôt qu'elle m'a lancé un ultimatum. Je pars avec elle, il y a une chance qu'on fasse un bout de chemin ensemble, et on verra bien comment ça marche. Sinon, elle sort de ma vie et je n'entendrai plus jamais parler d'elle.

Le feu passa au vert et il redémarra.

— Ouais. Sacré ultimatum, commenta Custine. Enfin, ça se comprend, de son point de vue. Ça pourrait être utile d'avoir un petit ami américain costaud dans les parages pour éloigner les requins.

— Je suis français.

— Tu es français quand ça t'arrange. Et tu redeviens américain tout aussi facilement quand ça t'arrange.

— Je ne peux pas partir. J'ai une vie, ici. J'ai ce boulot, et un partenaire qui compte sur moi pour son casse-croûte.

— On dirait quelqu'un qui essaie à tout prix de se convaincre de quelque chose. Tu veux mon avis ?

— Mon petit doigt me dit que tu me le donneras, de toute façon.

— Tu devrais partir avec elle ; prends le bateau, l'avion ou je ne sais quoi et retourne en Amérique. Occupe-toi d'elle à Hollywood, ou là où ces gens de la télévision ont leur empire. Donne-toi deux ans. Si ça ne marche pas, Greta pourra toujours revenir ici, et faire une carrière très correcte.

— Et moi ?

— Si elle gagne bien sa vie, tu seras peut-être à l'abri du besoin.

— Je ne sais pas, André.

Custine martela le tableau de bord avec frustration.

— Qu'est-ce que tu as à perdre ? On est peut-être sur une affaire, en ce moment, mais la plupart du temps c'est tout juste si on a vingt balles en poche. On est complètement excités, tout de suite, mais si cette affaire de meurtre ne débouche sur rien, on se retrouvera exactement au même point qu'hier, à cette heure-ci : à frapper aux portes des boîtes de jazz dans le Marais. Sauf qu'on n'a plus de contrebasse.

— On trouvera toujours du boulot comme détectives.

— Sûrement. Mais s'il y a une chose que j'ai apprise à ton service, Floyd, c'est que la fortune qu'on peut faire en suivant des femmes adultères et des chats perdus est des plus limitées…

— Que ferais-tu à ma place ? demanda Floyd.

— Ce que j'ai toujours fait, répondit Custine. Je suivrais mon instinct et ma conscience.

— Si on en arrive là, je te céderai l'affaire, évidemment.

— Je vois que tu es allé assez loin dans la réflexion. J'en suis heureux, Floyd. Ça prouve que tu raisonnes sainement, pour une fois dans ta vie.

— Je passe les options en revue. C'est tout.

Floyd tourna dans la rue où habitait Blanchard.

— Il ne se passera rien tant que nous n'aurons pas résolu l'affaire.

— Une percée inattendue ? demanda Blanchard en s'effaçant pour les laisser entrer.

Si faible était la lumière qui réussissait à filtrer du dehors que l'escalier et les couloirs de l'immeuble semblaient plongés dans la même atmosphère nocturne que la veille au soir.

— Vous voyez, beaucoup de choses peuvent changer en une heure.

— Je vous ai dit que nous avions certaines pistes, rectifia Floyd. Entre-temps, nous voudrions retourner dans l'appartement de Mlle White.

— Vous pensez qu'un indice important aurait pu vous échapper la première fois ?

— Ce n'était qu'un coup d'œil, pas une enquête. Cette fois, nous sommes venus faire le travail à fond, fit Floyd avec un mouvement de menton en direction de la trousse à outils que Custine avait apportée avec lui.

— Eh bien, je vais vous rouvrir la porte.

Ils attendirent un moment que Blanchard ait boutonné un cardigan et soit allé chercher ses clés. Floyd et Custine le suivirent dans l'escalier qui menait à la chambre de Susan White, au quatrième.

— Pour confirmation : personne, en dehors de vous, n'est entré dans cette pièce depuis hier ? demanda Floyd.

— Absolument personne.

— Se pourrait-il que quelqu'un y soit entré sans que vous le sachiez ?

— Il faudrait qu'il ait la clé, répondit Blanchard. J'ai récupéré celle de Mlle White. Elle l'avait sur elle, quand elle est morte ; la police me l'a rendue.

— Quelqu'un aurait pu en faire une copie ? insista Floyd.

— C'est toujours possible, évidemment, mais ce sont des clés numérotées. Aucun serrurier honnête n'en ferait un double sans l'accord du propriétaire.

Blanchard les laissa entrer dans la pièce. A la lumière du jour, elle avait l'air plus grande et plus poussiéreuse, mais en dehors de cela elle était conforme au souvenir que Floyd en avait conservé : pleine de livres, de journaux, de disques et de magazines. La porte-fenêtre qui donnait sur le balcon avait été refermée à l'espagnolette pour laisser passer deux centimètres d'air dans la pièce, et le voilage blanc qui pendait devant oscillait doucement dans la brise.

— Nous voudrions rester un peu seuls, annonça Floyd. Ne nous en veuillez pas, monsieur, mais nous travaillons mieux sans spectateurs.

Le vieil homme resta planté devant la porte, et l'espace d'un instant Floyd se demanda s'ils arriveraient jamais à s'en débarrasser.

— Eh bien, je vais m'en aller, dit-il enfin. Je vous serais reconnaissant de tout laisser en l'état.

— Comptez sur nous, lui promit Custine.

Il attendit que la porte se soit refermée derrière Blanchard et demanda :

— Floyd, qu'est-ce qu'on cherche, au juste ?

— Je voudrais savoir ce qu'elle écoutait à la radio. Tu pourrais vérifier que le vieux n'a pas l'oreille collée à la porte ?

Custine retourna auprès de la porte, l'entrouvrit discrètement et jeta un coup d'œil dans le couloir.

— C'est bon, je l'entends qui descend l'escalier. Tu veux que je vérifie chez les voisins aussi ?

— Pas la peine. Ils sont probablement au travail.

Floyd s'agenouilla et commença à tripoter l'antique et vénérable meuble radio. Il avait vérifié sur son calepin qu'il était toujours réglé sur la même longueur d'onde que la veille au soir. La pâle lueur de la bande de fréquences s'éclaira alors que les lampes chauffaient, et il y eut les craquements habituels alors qu'il tournait le bouton et faisait glisser le curseur de station en station. Il n'y eut ni musique, ni voix, ni bruits codés.

— Peut-être que le voisin a tout imaginé, avança Custine.

— Blanchard a aussi mentionné qu'il avait entendu des bruits. Je ne pense pas qu'ils aient pu imaginer la même chose, chacun de son côté.

— Alors, le poste doit être détraqué.

— Ça se pourrait bien. Regarde ça.

Custine s'agenouilla à côté de Floyd et regarda ce que lui indiquait son partenaire.

— C'est un tapis, Floyd. C'est un élément de décor étonnamment commun dans les maisons.

— Je te parle des traces, là, idiot, fit affectueusement Floyd en indiquant deux traînées sur le tapis, écartées de la largeur approximative du meuble radio. Impossible de dire si c'est récent ou non, mais je les avais déjà remarquées hier soir, et le tapis était replié, d'ailleurs. Mais je n'avais pas additionné deux et deux sur le coup.

— Et qu'est-ce que tu penses ?

— Je dirais que ça a été provoqué par quelqu'un qui aurait écarté le poste du mur.

— Pour saloper le boulot comme ça, il fallait qu'ils soient pressés.

— C'est exactement mon avis, convint Floyd en tapotant son acolyte dans le dos. Si on regardait ça de plus près ?

— Ça ne peut pas faire de mal.

— Vérifie que la porte est bien fermée. Je ne voudrais pas que le vieux revienne et nous trouve en train de bidouiller le poste. Ça risquerait de lui mettre de mauvaises idées dans la tête.

— Tout va bien, fit Custine après avoir vérifié la porte.

Ils soulevèrent le meuble radio pour l'éloigner du mur, en prenant garde à ne pas rajouter de marques sur le tapis. Il valait mieux s'y mettre à deux, et Floyd se dit qu'il aurait eu du mal à le faire tout seul, si Custine n'avait pas été là.

— Regarde, dit-il lorsque le meuble fut à une bonne cinquantaine de centimètres du mur. De la sciure de bois, et trois vis par terre, qui donnent l'impression d'avoir été prélevées au dos de l'appareil, pour une raison ou une autre.

Custine jeta un coup d'œil par-dessus son épaule, en mettant son mouchoir sur son visage pour se protéger de la poussière.

— Quelqu'un l'a trafiqué, dit-il.

— Et en vitesse, encore !

Floyd écarta la plaque en contreplaqué, qui ne tenait plus que par une vis, du dos du poste.

— Il n'aurait pas fallu cinq minutes pour dévisser le dos, mais celui qui a fait ça n'a apparemment pas eu le temps de chercher un tournevis. Il a dû glisser quelque chose dessous et faire lever pour soulever la plaque juste assez pour atteindre l'intérieur.

— Eh bien, c'est une chance que moi j'aie un tournevis, dit Custine en allant chercher sa mallette.

Il avait toujours un attirail de serrurier à portée de main, quelle que soit l'affaire sur laquelle ils travaillaient.

Il enleva la vis restante et la plaque de contreplaqué tomba, révélant les entrailles du poste.

— Ça, c'est… intéressant, commenta Floyd.

— Allez, dit Custine, on va le tourner vers la lumière. Je voudrais voir ça de plus près.

Ils tournèrent le dos de l'appareil vers le balcon. La lumière matinale entrant par la porte-fenêtre tombait sur le cœur à nu du poste de radio, révélant un nid de fils, de lampes de verre et de pièces de métal émaillé. Le volume intérieur du meuble en bois était bourré de composants électroniques qui formaient une pelote inextricable.

— Ça ne ressemble à aucun des postes de radio qu'il m'ait jamais été donné de voir, constata Custine.

On dirait plutôt une dinguerie d'art moderne, le genre de truc où on engloutit du bel et bon argent pour rester debout devant à se frotter pensivement le menton, tu vois ce que je veux dire.

— Peut-être que c'était une espionne, après tout, rétorqua Floyd.

— Mais qu'est-ce que c'est que ça ? Qu'est-ce qu'elle fabriquait ?

Floyd éteignit l'appareil et tendit un index précautionneux vers la tripaille de fils en prenant bien garde à ne pas les déranger. Certains, remarqua-t-il, avaient été arrachés : le rayon de soleil où dansaient des grains de poussière en suspension faisait briller leurs extrémités dénudées, et il voyait des petites bosses de soudure aux endroits où ils étaient autrefois reliés aux pièces électroniques.

— Moi, ça me paraît dingue, dit-il. Mais tu en sais plus long que moi sur ces machins. Tu y comprends quelque chose, toi ?

— Ça dépend de ce que tu veux dire par « comprendre », rétorqua Custine. Je reconnais la plupart de ces pièces. Là, tu vois, ce sont des condensateurs de filtrage, là, deux condensateurs de découplage… et là, des condensateurs variables à deux cages. C'est du matériel banal, franchement ; ce qui est bizarre, c'est d'en voir autant dans un espace aussi restreint. Mais elle n'aurait pas eu besoin de faire appel à un fournisseur spécialisé ; il lui aurait suffi de quelques dizaines de postes de TSF pour avoir tout ce qu'il lui fallait. En plus, évidemment, ajouta-t-il dans un sourire, d'un diplôme d'ingénieur électricien et d'une main très sûre pour manier le fer à souder…

— Peut-être que ce n'était pas un problème pour elle. Après tout, si tu peux entraîner un espion à apprendre un code, tu peux lui apprendre à fabriquer son matériel.

— Alors tu penses sérieusement que c'est Susan White qui aurait bidouillé cet appareil ?

Floyd regarda son associé.

— Elle, ou un complice. Je ne vois pas d'autre explication.

— Mais pourquoi le fabriquer elle-même ? Si c'était une espionne, elle aurait pu apporter son propre matériel, non ?

La question troublait Floyd, aussi, mais il n'avait pas de réponse satisfaisante.

— Peut-être qu'elle avait peur de se faire pincer, suggéra-t-il. Si elle est entrée dans ce pays par les canaux officiels, elle devait passer la douane.

— Mais normalement les espions ont des bagages à double fond, des trucs comme ça, non ?

— C'était encore courir un trop grand risque. Mieux valait avoir une sorte de liste de courses codée avec les pièces détachées et les instructions de montage.

— D'accord.

Custine se releva et s'appuya au mur, se tapotant la moustache avec le doigt.

— La seule chose claire dans cette histoire, c'est que tout n'est pas clair. Enfin, essayons d'imaginer ce qui a pu se passer ici. Susan White, espionne étrangère, arrive à Paris. Elle trouve un appartement où s'installer. Maintenant, il faut qu'elle entre en contact avec ses compatriotes, quels qu'ils soient.

— A moins qu'elle n'ait besoin d'écouter les messages des autres, dit Floyd.

Custine accorda ce point à Floyd en levant le doigt.

— C'est encore une possibilité. Pour quelque raison que ce soit, elle monte ce récepteur, en partant d'un simple poste de radio. Peut-être même qu'elle s'en servait quand elle a été dérangée. L'intrus la tue en la poussant par-dessus le balcon, comme le soupçonne Blanchard. Puis le type remarque le poste de radio, ou bien il l'a surprise en train de s'en servir. Il veut le détruire, mais il ne peut pas le faire sortir de la pièce sans attirer l'attention. Et peut-être qu'il a très peu de temps avant de vider les lieux. Après tout, il y a un cadavre sur le trottoir...

— Et une machine à écrire pulvérisée, ajouta Floyd.

— Oui, convint Custine, l'air moins assuré. Je ne suis pas tout à fait sûr de comprendre comment tout ça se raccorde. Peut-être qu'ils s'en sont servis pour l'assommer.

— Supposons, pour le moment, que le tueur était pressé, fit Floyd.

— Bon, il a tout juste eu le temps d'écarter le poste du mur, d'ouvrir le dos et de fourrer les mains dedans. Il a fait les dégâts qu'il pouvait dans l'espoir de le rendre inutilisable. Sûrement que s'il avait eu plus de temps devant lui il aurait fait un travail plus abouti, mais il s'est apparemment contenté d'arracher quelques fils avant de s'enfuir.

Floyd écarta un écheveau de fils, en regrettant de ne pas avoir de lampe de poche.

— Il faut qu'on le refasse marcher, dit-il.

— Ce qu'il faut qu'on fasse, dit Custine, c'est remettre toute l'affaire entre les mains des autorités compétentes.

— Tu crois que c'est parce qu'on a un poste de TSF en panne à leur montrer qu'ils vont prendre l'affaire plus au sérieux ? Il faut voir la vérité en face, André : tout ça est encore hypothétique.

Délicatement, Floyd prit l'un des fils à l'extrémité dénudée et chercha où il pouvait bien se connecter.

— Si on pouvait réparer ça...

— On ne sait même pas si le ou les meurtriers n'ont pas enlevé quelque chose...

— Je propose qu'on parte du principe qu'ils étaient trop pressés pour ça, et qu'ils ne voulaient pas être pincés avec, sur eux, un objet qui aurait pu les relier à cette pièce.

— Ça ne te ressemble pas d'être aussi optimiste, fit Custine en fronçant les sourcils.

Il retourna vers la porte et colla son oreille au panneau.

— Attention ! quelqu'un monte l'escalier.

— Remettons ce truc-là contre le mur. Vite !

Floyd maintint vaguement le dos en place pendant que Custine le faisait tenir avec quelques tours de vis. Les autres devraient attendre. Derrière eux, quelqu'un secoua la poignée de la porte en essayant de l'ouvrir.

— Blanchard, siffla Custine.

— Un instant, monsieur ! lança Floyd alors qu'ils remettaient le lourd meuble en place, en le traînant sur le tapis.

Le propriétaire frappa sur la porte.

— Ouvrez-moi, s'il vous plaît !

— Un instant ! répéta Floyd.

Custine alla ouvrir la porte pendant que Floyd esquissait une sorte de danse sur le tapis pour le lisser et le remettre en place avec le talon de sa chaussure.

— Nous avons pensé qu'il valait mieux fermer la porte à clé, dit Floyd. Nous ne tenons pas à ce que les voisins mettent leur nez ici.

— Et alors ? demanda Blanchard en entrant dans la pièce. Vous avez trouvé quelque chose ?

— Il y a cinq minutes que nous sommes là, à peine, fit Floyd avec un ample geste englobant le décor, en regrettant d'être resté si près du meuble radio. Il y a beaucoup de choses à examiner. Cette Mlle White était un petit hamster qui aimait bien accumuler les objets.

— Mmm, fit Blanchard en plissant les paupières. Cela, monsieur Floyd, je l'avais déjà déduit de mes propres observations. C'est une vision nouvelle des faits que j'attends de vous, pas des déductions que j'ai déjà faites tout seul.

Floyd s'éloigna de l'appareil.

— En réalité, j'ai une question à vous poser. L'avez-vous vue ici avec quelqu'un ?

— Je ne l'ai jamais vue avec personne pendant tout le temps où je l'ai connue.

— Jamais ? insista Floyd.

— Même quand je l'ai suivie vers la station de métro, je n'ai pas assisté à l'échange.

Floyd se rappela que Blanchard leur avait raconté avoir vu Susan White traîner une valise pleine vers une station de métro. Floyd avait oublié ce détail. Il l'avait noté dans son calepin, pourtant. Maintenant qu'il la soupçonnait d'avoir été en contact avec des agents ou des complices (à moins, comme il l'avait suggéré à Custine, qu'elle n'ait utilisé la radio pour intercepter les émissions de quelqu'un d'autre), il commençait à se faire une vague idée de ses activités. Elle était un agent étranger dans une ville étrangère, et la plupart du temps elle agissait seule. Peut-être recevait-elle des ordres et des renseignements par l'intermédiaire du poste modifié. Mais si elle avait été complètement seule à Paris, les échanges dans le métro n'auraient pas pu avoir lieu. Il devait donc y avoir d'autres agents dans les parages, des agents du même camp : un petit réseau informel, disséminé dans Paris, qui restait en contact grâce à des émissions radio codées. Et à moins que les émissions radio ne viennent de très loin, il devait y avoir quelqu'un dans la zone qui envoyait les ordres.

Floyd éprouva un curieux vertige : un mélange d'appréhension et d'excitation auquel il savait ne pas pouvoir résister, qui ne manquerait pas de l'attirer dans une spirale de plus en plus rapide, que ça lui plaise ou non.

— Vous pensez qu'elle a été tuée, n'est-ce pas ? lui demanda Blanchard.

— Je commence à me faire à cette idée. Mais je ne suis pas encore sûr que nous arriverons à savoir exactement qui a fait le coup.

— Vous avez avancé, avec les documents ? insista Blanchard.

Floyd avait laissé un mot à Greta, la veille au soir, disant qu'il passerait la voir plus tard, dans la journée.

— Il se peut qu'il y ait quelque chose là-dedans, dit-il. Mais écoutez, monsieur Blanchard. Si elle vous a donné ces papiers pour que vous les mettiez en sécurité, c'est qu'elle devait se sentir menacée...

— C'est exactement ce que je vous dis depuis le début !

— Le truc, c'est que, si le crime a été prémédité, il a pu être minutieusement exécuté : pas d'indices, rien qui permette de remonter jusqu'au tueur. Ne croyez pas ces romans à deux sous : les assassins ne commettent pas toujours d'erreurs.

— Si c'est ce que vous croyez vraiment, alors autant faire une croix tout de suite sur notre contrat !

— C'est trop tôt, dit Floyd. Tout ce que je vous dis, c'est qu'il se pourrait que nous soyons obligés de renoncer, à un moment ou un autre.

— Laisser tomber, ou battre en retraite en cas de danger ?

Custine toussota avant que Floyd ait eu le temps de faire une réponse qu'il pourrait regretter.

— Ecoutez, monsieur Blanchard, nous ne voudrions vraiment pas vous prendre trop de temps ce matin, dit-il d'un ton égal. Nous avons encore beaucoup à faire dans cette pièce, sans parler des pistes que nous devons suivre en parallèle.

Blanchard parut réfléchir un instant et hocha poliment la tête.

— Très bien. Monsieur Floyd, au moins votre associé semble toujours considérer que l'affaire pourrait être résolue.

L'espace d'un moment, son attention parut attirée vers la région du tapis chiffonné devant le poste de TSF, et une étincelle de compréhension illumina son visage. Puis il se retourna et les laissa seuls dans l'appartement.

— Je ne peux pas m'empêcher d'avoir une certaine sympathie pour ce vieil idiot. Mais je voudrais bien qu'on ne l'ait pas constamment dans les pattes…

— C'est son argent. Il veut juste s'assurer qu'il ne le jette pas par la fenêtre.

Custine s'interrompit et fouilla à nouveau dans sa trousse à outils, puis il secoua la tête.

— J'espérais trouver là-dedans de quoi refaire les épissures, mais je n'ai rien. Il faut que je repasse par le bureau.

— Tu crois que tu arriveras à le réparer ?

— Je peux toujours essayer. Je vais partir du principe qu'on n'en a rien ôté, et faire comme si le seul problème consistait à reconnecter les fils arrachés.

— Pour moi, ils se ressemblent tous, dit Floyd.

Il écarta discrètement les rideaux de la fenêtre. Quatre étages plus bas, le soleil du milieu de la matinée avait changé les trottoirs luisants de pluie en un miroir étincelant. Il regardait les passants marcher en évitant les flaques lorsqu'un détail attira son attention.

— Bien sûr qu'ils sont tous pareils, était en train de dire Custine. Mais les permutations possibles devraient être limitées. Si je n'arrive à rien d'ici la fin de l'après-midi, je doute que ça nous avance beaucoup d'y passer plus de temps… Floyd ? fit Custine au bout d'un instant. Tu as entendu ce que je viens de dire ?

Floyd se détourna de la fenêtre.

— Excuse-moi.

— Tu pensais encore à Greta, hein ?

— En réalité, dit Floyd, je pensais à cette petite fille debout de l'autre côté de la rue.

— Je n'ai pas vu de petite fille quand on est arrivés.

— C'est parce qu'elle n'était pas là. Mais maintenant on dirait qu'elle regarde par ici.

Il laissa retomber le rideau. Il lui avait suffi d'un coup d'œil pour voir que ce n'était probablement pas la même petite fille que celle qu'ils avaient vue sortir de chez Blanchard la veille au soir. Mais la façon dont la lumière tombait sur son visage lui avait instantanément donné envie de regarder ailleurs.

— Tu ne penses pas sérieusement qu'une petite fille puisse être mêlée à cette histoire de meurtre, quand même ? demanda Custine.

— Bien sûr que non, répondit Floyd.

Ils redescendirent l'escalier pour aller récupérer la Mathis. Le temps qu'ils se retrouvent dans la rue, la petite curieuse avait disparu.

8

La navette d'Auger mit le cap vers Mars, laissant le *Vingtième-Siècle-SA* derrière elle. Elle colla son visage au hublot, sentit la vibration dans ses os alors que les réacteurs directionnels bredouillaient en séquences rapides, saccadées. Elle n'avait pas une idée très précise de l'endroit où on l'emmenait, ni de la façon dont sa mission s'intégrait dans l'histoire que Peter lui avait racontée, mais c'était un soulagement de quitter le vieux vaisseau spatial exigu. Au bout de cinq jours, le charme s'en était dangereusement estompé, même après une visite guidée des entrailles de l'appareil afin d'observer le dernier moteur à antimatière encore en fonctionnement dans le système solaire, visite qui ne lui avait valu qu'une heure de distraction, ou plutôt d'une diversion franchement terrifiante. Mars, au moins, était pleine de possibilités, et elle éprouva un picotement d'anticipation en voyant le disque couleur caramel de la planète commencer à grossir dans le hublot. Ce n'était pas seulement le manque de financement qui l'avait empêchée d'aller sur Mars avant cela. Elle croyait reconnaître une sorte d'avidité monstrueuse chez les touristes qui faisaient le voyage, une curiosité morbide pour ce qui était arrivé à cette planète. Mais elle était là en mission, et elle aurait eu du mal à ne pas ouvrir de grands yeux.

La Zone Eradiquée partait du sud d'Hellas Planitia et remontait au nord jusqu'à Cydonia, en englobant Arabia Terra et ses cratères. D'un pôle à l'autre, Mars était saupoudrée d'une poussière bleu-vert, crayeuse : de vastes étendues de végétation génétiquement modifiée, tenace, ensemencées plus de cent ans auparavant. Des canaux rectilignes, taillés au laser, brillaient au soleil comme des rubans de soie noire. Aux points d'intersection du réseau d'irrigation, Auger distinguait les étendues beigeasses de villes et de cités, les égratignures des routes et les lignes des dirigeables amarrés. Il y avait même quelques traînées plumeuses de nuages, et une poignée de lacs hexagonaux, regroupés comme des alvéoles dans une ruche.

Mais entre Hellas Planitia et Cydonia rien ne poussait, rien ne subsistait, rien ne vivait ni ne bougeait. Même les nuages, indifférents, évitaient la région comme s'ils s'en méfiaient. Il en était ainsi depuis vingt-trois ans, depuis la fin de la brève mais âpre guerre qui avait éclaté entre les Slashers et les Threshers concernant les droits d'accès à la Terre.

Auger se souvenait à peine de la guerre. Elle était petite, et le pire lui avait été épargné. En réalité, ce n'était pas si loin, et on voyait bien que certains comptes n'avaient pas encore été apurés. Elle pensa à Caliskan, qui avait perdu un frère, tué par les Slashers dans la bataille pour récupérer Phobos. Pour lui, c'était probablement comme si la guerre c'était hier. Comment pouvait-il accepter de si bon gré l'ingérence slasher sur la Terre après ce deuil atroce ? Comment pouvait-il être si froid, si politique ?

Une autre série de manœuvres se succédèrent, plus enchaînées, et puis la vue de la Zone Eradiquée fut obstruée par les parois illuminées d'un quai couvert de machines, qui défilait lentement. Derrière le quai, Auger entrevit, l'espace d'un instant, un horizon incurvé de roche très noire, offerte au vide de l'espace.

On lui avait raconté des histoires. Mars n'avait jamais été sa destination.

De l'autre côté du sas l'attendait un groupe de huit personnes en uniforme de l'armée des EUPT, accompagnées de deux cyberserpents.

Le plus grand et le plus mince des hommes du groupe observait Auger avec ses yeux gris pâle, couleur d'aluminium. Il prit la parole d'une voix abîmée, une sorte de lent râle parcheminé, et elle dut tendre l'oreille pour le comprendre.

— Je m'appelle Aveling, dit-il. C'est de moi que vous recevrez vos ordres et vos instructions pendant toute la durée de votre mission. Si ça vous pose le moindre problème, je vous suggère de le surmonter tout de suite.

— Et si je ne le surmonte pas ? demanda-t-elle.

— Nous vous remettrons à bord du premier vaisseau pour Tanglewood, et ce désagréable petit tribunal devant lequel vous devez comparaître.

— Avec la moitié de la mémoire effacée, dit-elle.

— Exactement.

— Si ça vous va, je vais essayer le premier truc : accepter vos ordres pour le moment. On verra bien ce que ça donne.

— Bon, fit Aveling.

Ça paraissait être un vrai salopard, coriace, d'autant plus intimidant qu'il avait l'air intelligent et cultivé.

On ne pouvait pas faire autrement que de se dire, en le regardant, qu'il aurait pu tuer tous les gens présents dans la pièce avant qu'ils aient eu le temps de dire ouf. Elle sut instantanément, sans qu'on ait besoin de le lui dire, que c'était un vétéran de la guerre, et qu'il avait probablement tué plus de Slashers qu'elle n'en avait rencontré de toute sa vie, et que ça ne lui avait probablement jamais valu la moindre nuit blanche.

Le groupe s'éloigna de la navette, les deux cyberserpents ondulant derrière eux.

— J'aimerais quand même bien qu'on me dise ce que je fais sur Phobos, dit Auger.

— Que savez-vous de Phobos ? demanda Aveling.

Sa boîte vocale donnait l'impression d'avoir été rafistolée à partir de pièces cannibalisées, recollées comme un document déchiré.

— Qu'il vaut mieux s'en tenir à l'écart. Et pas grand-chose à part ça. Mars est fondamentalement civile, mais les militaires... *vous* avez bien verrouillé les lunes.

— Les lunes constituent la plate-forme stratégique idéale pour défendre la planète contre les incursions slashers. Compte tenu des mesures de sécurité déjà en vigueur, elles constituent aussi un endroit parfait pour mener les affaires sensibles susceptibles de se présenter.

— Est-ce que je constitue une affaire sensible ?

— Non, Auger. Vous constituez un emmerdement. S'il y a une chose que je déteste plus que les civils, c'est d'être obligé d'être aimable avec eux.

— Vous voulez dire que, là, vous êtes aimable ? !

Ils conduisirent Auger vers une petite pièce sans fenêtres, juste quelques portes fermées, trois sièges, une table basse et une bouteille d'eau avec deux verres.

Une paroi était occupée par un grand placard bourré de bandes magnétiques dans des boîtiers en plastique blanc, et une boîte d'arrivée de p-mails.

Ils la laissèrent seule. Pour s'occuper, Auger se versa un verre d'eau. Elle en avait bu la moitié quand l'une des portes s'ouvrit devant une petite femme à l'air pas commode. Ses cheveux couleur de paille, coupés au carré, encadraient un visage qui aurait pu être agréable sans l'air renfrogné qui semblait indissociable de sa personne. Elle portait une combinaison avec plein de poches et de fermetures éclair, dont le haut, ouvert, révélait un tee-shirt blanc, crasseux. Des yeux intelligents, rapides, jaugèrent Auger. La femme ôta son mégot de cigarette de sa bouche et le balança dans un coin de la pièce.

— Verity, c'est ça ?

— Oui, répondit-elle, sur la défensive.

La femme se pencha, se frotta la main sur sa cuisse et la tendit à Auger.

— Maurya Skellsgard. Ces trous du cul vous ont bien traitée ?

— Eh bien…, commença Auger, soudain à court de mots.

Skellsgard s'assit sur l'un des sièges et se servit de l'eau.

— Ce qu'il faut que vous compreniez sur ces gens, et croyez-moi j'ai mis un moment à l'intégrer, c'est qu'on s'en sort mieux avec eux que sans eux. Aveling est un fils de pute totalement dépourvu de sensibilité, mais c'est *notre* fils de pute totalement dépourvu de sensibilité.

— Vous êtes une militaire ? demanda Auger.

Skellsgard vida son verre d'eau d'une gorgée et le remplit à nouveau.

— Oh que non ! Je ne suis qu'une emmerdeuse d'universitaire. Il y a un an à peine, je vaquais joyeusement à mes occupations, qui consistaient à essayer de trouver un traitement mathématique à un problème pathologique. D'après les équations normales de la mécanique des trous de ver, poursuivit-elle, anticipant la question d'Auger, il faut une chose appelée « matière exotique » pour élargir et stabiliser l'embouchure des trous de ver. C'est de la matière avec une densité d'énergie négative – un truc déjà assez bizarre. Mais dès qu'on en a su un peu plus sur l'hyperweb, il est devenu clair que ce n'était pas vraiment des trous de ver classiques. Nous avons vite compris qu'il fallait un élément sensiblement plus bizarre que de la matière exotique pour maintenir la cohésion de l'ensemble. D'où… la matière pathologique. Nous ne sommes que des physiciens, dit-elle avec un haussement d'épaules. Il faut nous laisser nos petites blagues, même si elles sont lamentables.

— Ça me va, dit Auger. Vous devriez entendre certaines des blagues qui font rigoler les archéologues…

— Je suppose que nous sommes dans le même bateau, alors : deux bêcheuses d'expertes civiles, avec lesquelles Aveling est bien obligé de composer parce qu'il n'a pas le choix.

— Ce type adore les civils, hein ? fit Auger avec un sourire.

Skellsgard vida son deuxième verre. Elle avait les jointures à vif et les ongles en deuil – des ongles pourtant coupés très court.

— Ça oui ! Il nous adore. J'ai entendu parler du procès qu'on voulait vous faire. On dirait qu'ils vous tiennent très fortement par les couilles, si j'ose ainsi m'exprimer.

— Je ne l'ai pas volé. J'ai failli faire tuer un gamin.

Skellsgard écarta sa remarque d'un geste.

— Ils vont le remettre sur pied, si sa famille est aussi riche et influente qu'on le dit.

— Ouais, enfin, espérons-le. C'est un bon gamin.

— Et vous ? Il paraît que vous êtes la femme de Peter Auger.

— Ex-femme, rectifia Auger.

— Pitié, ne m'ôtez pas toutes mes illusions ! Ne me dites pas qu'une fois les portes fermées le Mâle Idéal est un vrai porc.

— Non, répondit Auger avec lassitude. C'est plutôt un type bien. Pas parfait, mais... pas mauvais non plus. Le problème était de mon côté. Je me suis laissé envahir par mon travail.

— J'espère que ça en valait la peine. Quoi d'autre ? Des enfants ?

— Un garçon et une fille que j'aime de tout mon cœur. Mais à qui je ne consacre pas assez de temps.

Skellsgard la regarda avec sympathie.

— Finalement, quand Caliskan vous a fait sa belle petite proposition, ça a dû vous faciliter la tâche.

— Ils m'auraient envoyée pourrir dans la Vénus Profonde et ils auraient jeté la clé, dit Auger en se tortillant sur son siège, gênée de discuter de sa vie privée. Le temps que je revienne, c'est tout juste si mes enfants m'auraient reconnue. Au moins, comme ça, j'ai une chance de m'en sortir sans trop de dégâts. Evidemment, ça irait peut-être mieux si je savais ce qu'on attend de moi.

Skellsgard la regarda d'un air rusé.

— Qu'est-ce qu'on vous a raconté, jusqu'à maintenant ?

— On m'a parlé des renseignements slashers sur les objets volumineux anormaux, les OVA, répondit Auger.

— Bon, c'est déjà un début.

— On m'a dit qu'on avait trouvé le moyen d'entrer dans l'un d'eux. Et aussi que c'était moi qui étais censée y aller. Je suppose que Phobos a un rapport avec ça.

— Plus qu'un peu ! Il y a deux ans environ, les EUPT ont trouvé un portail inactif ici même, sur Phobos, enfoui à des kilomètres de profondeur dans le sol. C'est là que j'ai été réquisitionnée pour faire partie de l'équipe. Je suis ce qui ressemble le plus à une experte sur le voyage dans l'hyperweb en dehors de la Fédération. Ce qui ne veut pas dire grand-chose, je vous le concède. Enfin, au moins, ça nous fait un vrai trou de ver avec lequel faire joujou.

— Vous avez réussi à le faire marcher ?

— Tant que ça ne vous dérange pas d'être un peu secouée…

— Et les Slashers n'en savent toujours rien ? Comment se fait-il qu'ils ne s'en soient pas rendu compte quand ils dirigeaient Phobos ?

— Ils n'ont pas regardé assez profond. Nous sommes tombés dessus accidentellement, en faisant des fouilles à la recherche d'une autre chambre de vie.

Auger se sentit soudain très réveillée, et très en forme.

— Je veux voir ça.

— Super. C'était plus ou moins l'idée quand on vous a fait venir ici.

Skellsgard remonta sa manche élimée et jeta un coup d'œil à sa montre.

— On ferait mieux d'y aller. Il y a un module qui arrive d'une minute à l'autre.

— Je ne vois toujours pas le rapport avec Paris.

— Ça va venir, lui assura Skellsgard.

C'était une vaste chambre pratiquement sphérique. Les parois incurvées avaient été évidées à la dynamite dans le matériau noir comme du charbon qui constituait le cœur de Phobos, et tapissées avec une sorte de plastique auquel avaient été fixés des plates-formes, des appareils d'éclairage et des coursives. Une sphère de verre occupait près de la moitié de l'espace intérieur. Elle était supportée par un berceau complexe d'étais rayés comme des guêpes et de vérins amortisseurs. Des passerelles, des échelles entourées de barreaux, des tuyaux et des conduites formaient autour de la sphère un magma de métal et de plastique. Des techniciens en blouse blanche perchés un peu partout fixaient du matériel sur des ports d'accès. Avec leurs gros écouteurs, leurs grosses lunettes de protection et leurs gros gants, on aurait dit des perceurs de coffre-fort engagés dans le casse du siècle.

— Nous arrivons juste à temps, dit Skellsgard en consultant un panneau bourré d'instruments accolé aux barreaux d'une cage d'observation. Le module n'est pas encore là, mais on capte déjà les distorsions d'ondes de choc qui le précèdent.

Sur le panneau, les aiguilles d'une forêt de cadrans analogiques entraient dans le rouge.

— On dirait que le passage a été rude. J'espère qu'ils n'avaient pas oublié les sacs à vomi…

Les techniciens avaient dégagé la zone autour de la bulle de réception. Des machines se mettaient en place. Auger remarqua trois cyberserpents, dressés comme des cobras prêts à frapper.

— Ils s'attendent à ce que ça se passe mal ? demanda-t-elle.

— Ce n'est qu'une précaution, répondit Skellsgard. A partir du moment où le vaisseau est dans le tuyau, on ne peut plus communiquer avec, pas plus qu'avec le portail T2, à l'autre bout. C'est le black-out total pendant trente heures. C'est très stressant.

— Et pourquoi ça ?

— Théoriquement, même s'ils en connaissaient l'existence, les Slashers ne pourraient pas se connecter à cette partie de l'hyperweb. Mais les théories sont faites pour être démenties. Et puis nous luttons aussi contre la possibilité que le portail T2 puisse être mis en danger par ce que les militaires appellent des « indigènes hostiles ».

Les aiguilles des cadrans analogiques étaient maintenant toutes bloquées dans le rouge. D'un endroit situé au-delà de la bulle et brillant à travers avec l'intensité des rayons X leur parvenait une lumière bleue intense, cruelle, plus brutale que le soleil. Auger se détourna, une main plaquée sur les yeux. Et distingua les ombres schématiques, anatomiques, des os de ses doigts. Aussi vite qu'elle était arrivée, la lumière disparut, abandonnant des images rémanentes, roses, sur ses rétines. Les yeux douloureux, Auger distingua la bulle entre ses paupières étrécies, juste à temps pour entrevoir le mouvement flou qui annonçait l'arrivée du module. Le vaisseau se rua dans la nacelle comme un piston. La nacelle tangua, amortissant la décélération. Tout cela se produisit dans un silence absolu. Puis le balancement de la nacelle s'atténua et la bulle de verre s'enfla visiblement, comprimant ses énormes supports pneumatiques dans un gigantesque gémissement métallique, suivi par un lent soupir de détente accompagnant le retour à sa position d'origine.

— Vous parlez toujours de T2, fit Auger. Est-ce que ça devrait avoir un sens pour moi ?

— La Terre Deux, répondit Skellsgard sans un battement de cils.

Quelque part, l'intégrité de la bulle avait été violée. De l'air se ruait dans le vide en hurlant et Auger eut l'impression que le courant d'air allait lui arracher les cheveux. Des sirènes d'alarme et des flashes se mirent à se manifester dans tous les sens de façon affolante. Les mains d'Auger se crispèrent sur la rambarde de la cage. Les techniciens en combinaison blanche regagnaient déjà précipitamment leurs postes.

— On dirait qu'ils ont été rudement secoués, remarqua Auger.

— Bah, ils survivront, répondit Skellsgard.

— Il est arrivé qu'ils ne survivent pas ?

— Une fois, alors que nous étions encore en train de lisser les failles du système… Ce n'était pas joli-joli. Mais nous avons appris deux ou trois trucs, depuis.

Le module amorça sa descente, passa dans une sorte de structure fermée, logée à la base de la bulle.

— Allez, fit Skellsgard. On va voir ça de plus près.

Auger la suivit dans un labyrinthe d'échelles encagées, vers le niveau inférieur. La bulle de verre les dominait de son énorme masse. Elle avait été réparée et rafistolée en de nombreux endroits. Des étoilures récentes avaient été repérées et datées à la peinture fluorescente.

— Tout ça a été construit en une année ?

— Le portail a été découvert il y a deux ans, répondit Skellsgard. Il faut reconnaître que les militaires ont fait un sacré boulot avant que j'intègre l'équipe. Même si ça consistait principalement à sonder le portail avec une série de bâtons de plus en plus gros.

— Quand même... Je suis rudement impressionnée.

— Il n'y a pas de quoi. On a déployé des trésors d'ingéniosité, mais rien n'aurait été possible sans le savoir-faire slasher. Et je ne parle pas seulement du genre de renseignements que Peter nous a procurés.

— Il y en a d'un autre genre ?

— Une assistance technique, répondit Skellsgard. Des technologies clandestines. Des systèmes évidents comme les cyberserpents et le matériel de contrôle cybernétique, mais aussi des nanotechnologies et généralement tout le fourbi nécessaire pour faire l'interface avec les éléments de matière pathologique du portail de départ.

— Comment peut-on voler des choses pareilles ?

— Nous ne les avons pas volées. Nous les avons demandées gentiment, et on nous les a données.

Sous la bulle, le module qui venait d'arriver émergea de la structure du sas sur une plate-forme abaissée par des vérins. C'était une capsule cylindrique en forme d'obus, couleur d'étain, et sa surface était un lacis baroque de mécanismes complexes, qui avaient visiblement beaucoup souffert. Des batteries de machines greffées autour du cylindre avaient été gravement endommagées, ou complètement arrachées, laissant apparaître des plaques de métal brillant. Des panneaux et des écoutilles détachés exposaient des viscères à nu, une tripaille de tubulures et de câbles eux-mêmes détériorés. Le tout sentait le chaud et l'huile de machine.

— Je vous avais dit que la traversée n'était pas de tout repos, fit Skellsgard. Mais le module devrait être bon pour un autre trajet, une fois rabiboché.

— Combien de trajets lui faut-il pour se retrouver dans cet état ?

— Un seul. Enfin, d'habitude, c'est quand même moins moche.

La capsule glissa latéralement sur sa plate-forme. Deux des trois cyberserpents s'enroulèrent autour, des outils et des capteurs jaillissant de leurs têtes sphériques. Une bande de techniciens en combinaison blanche s'activaient déjà sur l'engin, branchant des appareils et communiquant par gestes circonspects. L'un d'eux projeta le rayon d'une torche dans une tache sombre : l'une des vitres de la cabine. Pendant ce temps, l'un des quatre modules intacts glissa de son étagère, guidé par d'autres techniciens. Auger le regarda monter dans le sas, disparaître et réapparaître à l'intérieur de la bulle de récupération, le nez pointé vers la paroi opposée. L'étanchéité avait déjà été rétablie, et la plupart des sirènes s'étaient tues. Pourtant, l'impression de travail frénétique était toujours aussi intense.

— Qu'est-ce qui va se passer, maintenant ? demanda Auger.

— Ils vont procéder à toutes sortes de tests, vérifier le module et les conditions météo dans le lien. Si tout va bien, l'insertion devrait être envisageable d'ici six heures.

— L'insertion, répéta pensivement Auger en regardant l'engin au nez émoussé et le conduit vers lequel il était braqué. Tout ça est très phallique, hein ?

— Absolument, répondit Skellsgard sur le ton de la confidence. Mais qu'est-ce que vous voulez ? Il faut bien que les garçons s'amusent…

Elle ouvrit un placard et en tira deux blouses blanches. Elle en tendit une à Auger, enfila l'autre et referma soigneusement les Velcros.

— On va voir comment ils s'en sortent, d'accord ?

Pendant que les cyberserpents poursuivaient le monitoring des événements, les techniciens ouvraient le sas du module à l'aide d'une batterie d'instruments lourds. L'écoutille finit par céder dans un hoquet dû à l'égalisation de la pression atmosphérique, puis elle s'ouvrit d'un coup et bascula latéralement sur un système de charnières complexe. Une lumière rouge, chaude, se déversa de l'intérieur de l'engin. L'un des techniciens entra dans l'habitacle et reparut quelques minutes plus tard, accompagné par une femme aux cheveux coupés très court, vêtue de ce qui ressemblait à la couche intérieure d'un scaphandre environnemental. La femme soutenait l'un de ses bras comme si elle se l'était cassé. Un homme émergea derrière elle, le visage pâle, les traits tirés, creusés par une fatigue insondable. Skellsgard se fraya un chemin à travers l'essaim de techniciens, adressa quelques paroles aux deux passagers et les serra sur son cœur dans une attitude réconfortante. Une équipe médicale fit son apparition et commença à s'occuper des deux arrivants.

— Ils ont passé un sale quart d'heure, dit Skellsgard en revenant auprès d'Auger. Ils ont rencontré des turbulences sévères lors de l'insertion dans l'embouchure, au niveau de l'autre terminal. Enfin, ils s'en sont sortis, et c'est tout ce qui compte.

— Je pensais que le voyage dans l'hyperweb était pure routine ?

— Ça l'est. Quand on a l'expérience des Slashers. Mais nous, il n'y a qu'un an que nous le faisons. Ils peuvent faire passer un paquebot par leurs portails sans toucher les bords. Pour nous, c'est un vrai casse-tête rien que pour faire transiter un de ces petits modules rudimentaires en un seul morceau.

— Vous avez parlé, à l'instant, de la technologie slasher, mais comment pouvez-vous dire que les Slashers sont impliqués là-dedans alors qu'ils ne connaissent même pas cet endroit ?

— Nous avons des sympathisants parmi les Slashers modérés, des gens qui pensent que l'expansionnisme agressif exige une influence modératrice.

— Des traîtres et des lâcheurs, fit Auger d'un ton méprisant.

— Des traîtres et des lâcheurs comme moi, dit une voix d'homme, dans leur dos.

Auger se retourna et se retrouva devant un individu mince, noueux et musclé, d'un âge incertain. Il était environné d'un nuage métallisé de micromachines qui scintillaient à la limite du champ de vision. Auger eut un mouvement de recul instinctif, mais l'homme leva une main dans une attitude apaisante et ferma les yeux. Le nuage de machines diminua, aspiré dans ses pores comme le film d'une explosion passé à l'envers, au ralenti.

Ce qui lui donna tout à coup l'air presque humain.

Les Slashers de la dernière génération – ainsi qu'Auger l'avait appris à ses dépens avec Cassandra – étaient souvent impossibles à différencier des enfants. Cette tendance à la néoténie était une question d'optimisation des ressources : les individus plus petits consommaient moins d'énergie, et leur déplacement était plus économique, or c'était un paramètre important, même compte tenu de la puissance presque illimitée de l'extra-drive slasher. Ce Slasher avait l'air à la fois complètement adulte et juvénile. Soit il était d'une génération antérieure aux néotènes (et à leurs

177

prototypes instables, les bébés de guerre), soit il appartenait à l'une des factions qui conservaient un lien nostalgique avec l'humanité à l'ancienne.

Il avait la peau lisse, couleur de miel, et des yeux bruns, liquides, un peu tristes et en même temps pétillants, comme sous l'effet d'un enthousiasme modéré. Auger trouvait la salle trop fraîche pour être vraiment agréable, et pourtant l'homme portait des vêtements légers : un pantalon blanc, simple, et une chemise blanche assez large au niveau de la poitrine.

— C'est Niagara, dit Skellsgard. Citoyen des Etats fédérés, comme vous l'avez peut-être compris.

— Tout va bien, dit Niagara. Vous pouvez dire Slasher, je n'en serai pas le moins du monde offensé, même si vous considérez probablement ce terme comme une insulte.

— Ce n'est pas le cas ? demanda Auger, surprise.

— Seulement si vous le proférez dans cette intention.

Niagara esquissa un geste circonspect, comme une bénédiction religieuse : un mouvement en diagonale à travers la poitrine, et un coup de poignard au niveau du cœur.

— La barre oblique et le point, dit-il. Je doute que ça éveille beaucoup d'échos pour vous, mais c'était jadis la marque d'une alliance de penseurs progressistes liés par l'un des premiers réseaux informatiques. L'existence de la Fédération remonte à ce fragile collectif, né dans les premières décennies du Siècle du Vide. C'est moins un stigmate qu'une marque d'appartenance communautaire.

— Et la communauté compte pour vous ? demanda Auger.

— Au sens large, oui. Mais je n'hésiterais pas à la trahir si je pensais que son intérêt à long terme serait mieux défendu de cette façon. Que savez-vous des tensions actuelles qui agitent la Fédération ?

— J'en sais suffisamment.

— Eh bien, permettez-moi de vous rappeler les grandes lignes du conflit. Il y a maintenant deux factions opposées au sein de la Fédération : les faucons et les colombes. Les deux camps poursuivent dans l'ensemble le même but : réhabiliter la Terre. Là où leurs objectifs divergent, c'est sur leur approche des EUPT. Les modérés – les colombes – préconisent de négocier l'accès à la Terre sous la base d'accords de réciprocité : l'accès à l'hyperweb, l'usage sous licence de l'extra-drive et les technologies pan-AC, etc.

— Eve s'était laissé tenter par une modeste pomme, dit Auger. Les EUPT n'ont pas oublié ce que vos brillantes machines ont fait à notre planète.

— N'empêche que l'offre est sur la table. Comme vous l'avez peut-être déduit de vos rapports avec Cassandra, c'est ce que les modérés proposent sérieusement.

— Et les faucons ?

— Pour eux, les EUPT ne signeront jamais un accord avec les colombes. Il y a trop de gens qui pensent comme vous, Verity. Alors pourquoi attendre quelque chose qui n'arrivera jamais ? Pourquoi ne pas prendre plutôt la Terre maintenant, de force ?

— Ils ne feraient pas ça.

— Ils pourraient le faire, et ils le feront. Tout ce qui les retient, c'est la crainte que les Threshers ne préfèrent détruire la Terre plutôt que de la laisser tomber entre les mains des Slashers. Une politique de la « Terre brûlée », au sens propre du terme. Tanglewood

179

n'est pas qu'une simple communauté en orbite ; elle est truffée de mégatonnes ciblées pour faire de la Terre une boule de braises ardentes.

— Alors, qu'est-ce qui a changé ?

— Tout, répondit Niagara. D'abord, les programmateurs militaires pensent qu'ils pourraient prendre Tanglewood assez vite pour empêcher le déploiement massif des ogives nucléaires. Et même s'ils n'y arrivent pas, les nouveaux modèles de réhabilitation de la Terre suggèrent que les frappes pourraient être… tolérées. Le problème de radioactivité pourrait être pallié grâce aux zones de subduction continentale. Et lors du repeuplement de la planète, les organismes réintroduits pourraient être modifiés afin de supporter un niveau accru de radiations.

Auger frémit en imaginant le genre de réorganisation tectonique que cela impliquerait pour ses villes bien-aimées.

— Conclusion, l'invasion est inévitable ?

— Tout ce que je dis, c'est qu'elle est plus vraisemblable aujourd'hui qu'il y a six mois ; c'est pourquoi certains d'entre nous – les modérés – prônent depuis longtemps un renforcement de la position thresher. A titre de dissuasion.

— Et ce serait si simple ? Vous voudriez nous aider à faire le sale boulot non humain de telle sorte que nous ayons une chance de résister à votre propre peuple quand ça va chier ?

— Ça vous aiderait si je vous donnais l'impression que c'est plus compliqué que ça ne l'est en réalité ?

— Excusez-moi si je ne prends pas vos paroles pour argent comptant, mais je n'ai rencontré que deux Slashers dans ma vie, et l'un des deux était une petite pute merdeuse.

— Si ça peut vous consoler, dit-il, Cassandra est l'une des modérées les plus ferventes de tout le mouvement. Si vous avez jamais eu besoin d'une amie au sein de la Fédération, c'est elle qu'il vous faut.

Skellsgard s'interposa entre Auger et le Slasher, les mains levées comme pour interrompre un combat.

— Je sais que ça va vous faire un choc, dit-elle à Auger, mais les Slashers ne sont pas tous des méchants acharnés à nous rayer de la carte.

— Croyez bien que je comprends votre position, reprit Niagara. Je sais que la terraformation de la Terre effacerait le travail de toute votre vie. Je suis tout simplement d'avis que la fin justifierait les moyens.

— C'est ce que vous croyez, Niagara ? Vous croyez vraiment que la fin justifie toujours les moyens ? demanda Auger.

— La plupart du temps. Et on dirait, à en juger par votre propre trajectoire, que vous partagez un peu la même philosophie.

— Plutôt crever.

— Ou faire crever un gamin ? Non, pardon, fit-il en secouant la tête. C'était idiot. Mais le fait est que vous avez toujours mis en œuvre les moyens nécessaires pour atteindre votre but. Je vous admire pour ça, Verity. Je pense que vous avez toutes les chances de mener cette mission à bien.

— Ah, nous y voilà enfin, dit-elle. Que savez-vous au juste de cette histoire ?

— Je sais qu'un élément stratégique a disparu à l'autre bout de ce lien hyperweb, et que vous avez tout ce qu'il faut pour le récupérer.

— Et pourquoi ne le faites-vous pas vous-même ?

— Parce que personne au sein de notre organisation ne connaît le territoire comme vous. La seule personne qui le connaissait assez bien était Susan White, et elle est morte.

— C'est un détail que Caliskan n'a pas jugé bon de me communiquer.

— Ça aurait changé quelque chose à votre décision ?

— Ça aurait pu.

— Alors il a bien fait de ne pas vous le dire. Mais vous n'avez peut-être pas compris tout ce que recouvre ma réponse. Je ne connais pas le territoire, mais ce n'est pas tout ; je ne peux même pas y pénétrer – je mourrais si j'essayais.

— Et moi ?

— Ce ne sera pas un problème pour vous, ainsi que vous le constaterez.

Niagara se tourna vers le module qui venait d'être chargé dans la bulle. Les techniciens continuaient à vibrionner autour, mais leur attitude suggérait que tout se passait conformément à leurs plans.

— Vous voulez que j'entre dans ce truc, c'est ça ? Sans savoir ce qui m'attend à l'autre bout ?

— C'est un voyage de trente heures, reprit Niagara. Vous aurez le temps d'apprendre tout ce qu'il faut en cours de route.

— Je peux faire marche arrière ?

— C'est un peu tard, vous ne pensez pas ?

Sans attendre la réponse d'Auger, il se tourna vers Skellsgard.

— Elle est prête pour son cours de langue ?

— Aveling a dit de le faire tout de suite. Comme ça, elle aura le temps que ça rentre avant d'arriver à T2.

— Quoi ? Quel cours de langue ? demanda Auger.

Niagara leva la main. Un brouillard de machines argentées, scintillantes, sortit de la paume de sa main et fila vers la tête d'Auger. Elle sentit les prémices d'une migraine fulgurante, comme si son crâne était une forteresse assiégée par une armée cuirassée de chrome étincelant, et puis elle ne sentit plus rien du tout.

Elle se retrouva avec un mal de tête à tout casser, une sensation de chute, et dans les oreilles une voix qui parlait une langue qu'elle ne comprenait pas.

— *Wie heißt du ?*

— *Ich heiße Auger... Verity Auger.*

Les mots coulaient hors de sa bouche avec une fluidité grotesque.

— Bon, poursuivit la voix, en anglais cette fois. Vraiment excellent. Elle s'y est bien mise.

C'était Maurya Skellsgard qui parlait, assise à sa gauche dans l'espace restreint de ce qu'elle pensa être le module de transit hyperweb. Le troisième siège, de l'autre côté d'Auger, était occupé par Aveling.

Ils étaient en chute libre.

— Que se passe-t-il ? demanda Auger.

— Oh, vous parliez allemand, c'est tout, répondit Aveling. Les petites machines de Niagara ont recâblé votre centre du langage.

— Vous parlez aussi français, ajouta Skellsgard.

— Je parlais déjà français, répondit aigrement Auger.

— Vous aviez une connaissance théorique du français écrit, et plus précisément de la fin du Siècle du Vide, rectifia Skellsgard. Alors que maintenant vous pouvez *vraiment* le parler.

Le mal de tête d'Auger s'intensifia, comme si quelqu'un lui avait posé un minuscule diapason sur le crâne et le faisait tinter.

— Je n'aurais jamais accepté d'avoir ce... cette infamie en moi, s'entendit-elle dire en se demandant où elle était allée chercher ça.

« Infamie » ! En réalité, c'est « saloperie » qu'elle pensait, mais le mot était resté coincé quelque part entre son cerveau et sa boîte vocale.

— C'était soit ça, soit devoir annuler la mission, poursuivit Aveling. D'ici trente heures, vous serez à Paris, livrée à vous-même, et vous ne pourrez compter que sur vos facultés intellectuelles. Pas d'armes, pas de moyen de communication. Pas d'intelligence artificielle pour vous épauler. La seule aide que nous pouvons vous donner, c'est le langage.

— Je ne veux pas de machines dans ma tête.

— Eh bien, c'est votre jour de chance, dit Skellsgard. Elle ont déjà été éliminées, ne laissant que les structures neurales qu'elles ont créées. L'inconvénient, c'est que ces structures ne dureront pas éternellement – deux, peut-être trois jours à partir du moment où vous serez à Paris. Et puis elles commenceront à s'éroder.

— Pourquoi ne pas les laisser, si ça ne change rien ? demanda Auger, la curiosité l'emportant sur la répugnance.

— Pour la même raison que Niagara ne peut pas nous accompagner, répondit Skellsgard. La censure ne les laisserait pas passer.

— *La censure ?*

— Vous comprendrez en temps utile, dit Aveling. Ne vous mettez pas martel en tête, vous avez une bien trop jolie petite caboche. C'est notre boulot.

Auger éprouvait le genre de lucidité vibrante, un peu précaire, que provoquait l'excès de caféine ou une période de travail intense. Une fois, il y avait une quinzaine d'années de cela, elle bûchait si fébrilement ses maths qu'après une soirée passée à manipuler des équations complexes, à simplifier des fractions et à extraire des dénominateurs communs son esprit s'était mis à appliquer les mêmes règles au langage parlé, comme si les termes d'une phrase pouvaient être mis en facteur, résolus comme les équations du second degré qui traduisaient la dégradation des isotopes. Elle ressentait exactement la même chose en cet instant : elle n'avait qu'à regarder une couleur ou une forme pour que ses nouvelles structures langagières hurlent allègrement le mot correspondant dans sa tête, en une cacophonie d'allemand, de français et d'anglais.

— Je pourrais décider de très mal le prendre...

— Ou vous pourriez vous faire une raison et accepter ce qui devait être fait, lâcha platement Skellsgard. Je vous promets qu'il n'y aura pas d'effets secondaires.

Auger savait que ça n'avait pas de sens de protester. Les machines étaient déjà en elle et avaient fait leur œuvre. Et si on lui avait proposé l'alternative, elle aurait encore privilégié cette solution plutôt que le procès.

Et tant pis si ça faisait d'elle une renégate, prête à accepter la science slasher quand ça l'arrangeait.

— Je suis désolée que vous vous sentiez agressée, dit Skellsgard avec sympathie. Mais nous n'avions vraiment pas le temps de nous asseoir autour d'une table et d'en débattre. Il faut que nous récupérions le plus vite possible un objet qui est tombé entre de mauvaises mains.

Auger s'obligea à se calmer.

— J'en déduis que nous sommes en route ?

— L'insertion a réussi, dit Aveling.

Ils étaient assis tous les trois de front, entourés par des instruments, des panneaux de contrôle et des commandes. La technologie était un étrange assemblage de robustesse rudimentaire et de ce qu'il y avait de plus fragile et de plus moderne, et notamment des systèmes d'origine évidemment slasher. Le tout était maintenu par des boulons, des cerclages en nylon et des faisceaux gainés de choses qui ressemblaient à des crachats d'époxy coriace. Aveling avait la main sur un joystick monté sur un panneau rétractable. Au-dessus du panneau, un écran plat affichait une série de lignes concentriques irrégulières qui suintaient lentement vers les bords. On aurait dit une toile d'araignée tissée par un arachnide ivre. Une sorte de système de navigation, devina Auger, figurant leur vol à travers l'hyperweb. De l'extérieur, on ne voyait rien, car les hublots du module étaient hermétiquement fermés par des volets blindés.

C'était à peu près aussi excitant qu'un trajet en ascenseur.

— Eh bien, maintenant que nous sommes tous dans le bain, dit-elle, vous pouvez peut-être me dire de quoi il retourne ?

— L'expérience prouve qu'il est généralement plus facile de montrer les choses que de les expliquer, dit Skellsgard. Ça permet de couper court aux « Vous ne croyez tout de même pas que je vais gober ces salades ? ».

— Et si je vous promets de ne pas mettre vos propos en doute ? Après tout, j'ai vu les artefacts dans le bureau de Caliskan. Je suis à peu près sûre que ce n'étaient pas des faux.

— Non. Ils étaient tous authentiques.

— Conclusion : ils ont bien été fabriqués quelque part. Caliskan a dit qu'ils n'avaient pas été restaurés, et pourtant ils semblaient venir de l'année 1959 environ.

— Ce qui voudrait dire… commença Skellsgard.

— Que vous avez trouvé un moyen de remonter en 1959. Ou du moins, rectifia-t-elle en choisissant ses paroles avec soin, quelque chose qui ressemble beaucoup à 1959, à quelques détails près. Je suis loin de la vérité ?

— Non, assez près, en réalité.

— Et cette version de 1959 se trouve à l'intérieur de l'objet volumineux anormal dont parlait Peter… L'OVA dans lequel vous avez trouvé le moyen de pénétrer.

— On nous avait bien dit que vous étiez brillante, constata Skellsgard.

— Alors, qu'est-ce que Paris vient faire là-dedans ?

— Au bout de cet hyperweb, il y a un endroit qui y ressemble beaucoup. Vous allez y entrer, et prendre contact avec un individu appelé Blanchard.

— Un autre membre de l'équipe, comme White ? demanda Auger d'un ton calme, comme si elle s'efforçait de prendre les problèmes l'un après l'autre.

— Non, répondit Skellsgard avec un coup d'œil à Aveling. Un habitant de T2. Il y est né, il y a grandi et il n'a pas idée qu'il ne vit pas dans le vrai Paris, sur la vraie Terre, dans le vrai vingtième siècle.

Auger se sentit parcourue par un frisson glacé.

— Il y en a beaucoup comme lui ?

— Environ trois milliards. Mais il ne faut pas que ça vous inquiète.

— Tout ce que vous aurez à faire, dit Aveling, c'est trouver Blanchard et récupérer une chose que Susan

White lui a confiée. Ce ne sera pas difficile. Nous vous donnerons une adresse située non loin de votre point d'entrée. Blanchard est prévenu de votre arrivée.

— Je croyais vous avoir entendu dire que…

— Vous vous ferez passer pour la sœur de Susan White, coupa Aveling. Elle lui avait déjà dit de vous remettre les objets si vous vous présentiez. En dehors de toute autre considération, c'est pour ça que nous avions besoin d'une femme.

Auger réfléchit un bref instant. Ça faisait beaucoup d'informations à assimiler, toutes plus surprenantes les unes que les autres, et les questions se bousculaient dans son esprit, mais elle décida rapidement que, bien qu'elle ait formidablement envie de connaître tous les détails de la mission, il valait mieux commencer par le commencement :

— Et la nature de cet objet perdu ?

— Juste des documents dans une boîte en fer, répondit Aveling. Ils ne veulent rien dire pour Blanchard, mais ils ont une extrême importance pour nous. Vous persuadez Blanchard de vous donner la boîte, vous vérifiez que les documents sont dedans, vous revenez nous trouver avec les documents, nous vous remettons à bord du premier module, et vous rentrez chez vous.

— Vu comme ça, ça a l'air très simple.

— Ça l'est.

— Alors pourquoi est-ce que j'ai l'impression obsédante qu'il doit y avoir un piège ?

— Parce qu'il y en a un, répondit Skellsgard. Nous ne savons pas avec certitude ce qui est arrivé à Susan, mais nous savons qu'elle se sentait menacée, et qu'elle a confié ces documents au dénommé Blanchard pour les mettre en sûreté. Il y a une forte probabilité qu'elle ait été assassinée.

Aveling détourna son attention des lignes suintantes de l'écran de navigation et foudroya Skellsgard du regard.

— Rien ne prouve qu'il y ait eu meurtre. Et elle n'avait pas besoin de le savoir, dit-il.

— Il me semble que si, répondit Skellsgard avec un haussement d'épaules.

— Alors, fit Auger, c'était un meurtre, oui ou non ?

— Elle est tombée, répondit Aveling. C'est tout ce que nous savons.

— Ou on l'a poussée, ajouta Skellsgard d'un ton funèbre.

— J'aimerais bien savoir ce qui s'est passé, insista Auger.

— Ça n'a pas d'importance, dit Aveling. Tout ce que vous avez besoin de savoir, c'est que T2 est un territoire hostile – ce que White avait oublié, apparemment. Elle avait été prudente, au début. Ils le sont tous. Et puis elle a pris sa mission trop à cœur, elle a pris des risques, et elle a fini par mourir.

— Quel genre de risques ?

Avant qu'Aveling ait eu le temps de l'interrompre, Skellsgard dit :

— Susan a senti qu'elle tenait quelque chose d'important, d'énorme. Elle n'a pas voulu retourner vers le portail, et nous n'avons reçu d'elle que des messages énigmatiques, griffonnés sur des cartes postales. Si elle avait au moins pris le temps de construire un émetteur radio, ou de rejoindre la base, elle aurait pu nous transmettre des informations plus concrètes. Mais elle était trop occupée à courir plusieurs lièvres à la fois, et en fin de compte ça lui a coûté la vie.

— Des suppositions, dit Aveling.

— Si nous ne pensions pas qu'elle était sur une piste, dit Skellsgard, nous ne serions pas tellement pressés de récupérer ces papiers. Si nous y tenons tant, c'est bien parce que nous croyons qu'ils recèlent peut-être des informations importantes, non ?

— C'est parce que nous ne pouvons risquer la contamination culturelle, rectifia Aveling. Analysés sous le bon éclairage, les papiers pourraient révéler l'origine de White. Nous craignons qu'elle n'ait abandonné des informations inopportunes. Et tant que nous n'aurons pas récupéré les papiers, nous serons dans le brouillard.

Skellsgard regarda Auger.

— Ecoutez, tout ce que je peux vous dire, c'est de faire attention, là-bas, d'accord ? Vous y allez, vous faites le boulot, point final. Nous voulons vous récupérer en un seul morceau.

— Vraiment ? demanda Auger.

— Oui, bien sûr. Vous imaginez une seconde ce que serait le voyage de retour pour moi, si je me retrouvais seule avec Aveling ?

9

Le temps que Floyd ramène Custine, lesté d'une
grosse caisse à outils, devant chez Susan White, la
matinée était déjà bien avancée. Décidément, Custine
savait tout faire : il pouvait réparer la Mathis, rafistoler
la plomberie dans leur appartement ou tenter de
remettre en état un récepteur improvisé par une
espionne morte. Floyd savait un peu bricoler les
bateaux, mais ses compétences s'arrêtaient là. Il avait
demandé à Custine, une fois, d'où il tenait tous ces
dons, et il lui avait répondu laconiquement que les
connaissances en électricité et en soudure étaient très
utiles pour interroger des clients à la brigade criminelle.

Floyd n'avait pas cherché à en savoir davantage.

Il attendit cinq minutes dans la voiture en tapotant
sur le volant, le temps que Custine entre dans
l'immeuble et que sa silhouette s'encadre dans la
fenêtre du quatrième étage. Il ne pensait pas obtenir de
résultat avant le milieu de l'après-midi, mais ils
avaient prévu de se téléphoner quand même à deux
heures. .

Floyd démarra et repartit pour Montparnasse en prenant des petites rues. De jour, la maison où il avait

laissé Greta, la veille au soir, paraissait un peu plus chaleureuse. Enfin, juste un peu. Greta lui ouvrit et le conduisit dans la cuisine aux placards déserts que Sophie, la locataire, lui avait montrée la veille au soir.

— J'ai appelé la compagnie du téléphone, dit Floyd. La ligne devrait être rétablie, maintenant.

— C'est vrai, dit Greta, surprise. Quelqu'un a téléphoné, il n'y a pas plus d'une heure, mais j'avais la tête ailleurs, et j'avoue que je n'y ai pas vraiment prêté attention. Comment les as-tu convaincus de rebrancher la ligne ? Elle ne peut pas se permettre de payer la note, tu sais.

— Je leur ai dit de débiter mon compte.

— Vraiment ? fit-elle en inclinant la tête sur le côté. C'est incroyablement gentil de ta part. Tu ne roules pas spécialement sur l'or, toi non plus.

— Ne t'inquiète pas pour ça. De toute façon…

Il n'acheva pas sa phrase.

— De toute façon, ça ne durera pas éternellement ? finit-elle pour lui. Non. Tu as raison. Il n'y en a plus pour longtemps.

— Ecoute, je ne voulais pas dire ça comme ça…

— Pas de problème. Je m'en prends à tout le monde, en ce moment, poursuivit-elle sur un ton d'excuse. Tu ne mérites pas ça.

— Ne t'inquiète pas. Je trouve que c'est rudement bien, ce que tu fais. Comment va Marguerite, aujourd'hui ?

Greta étendit du miel sur un toast beurré.

— A peu près comme hier, d'après Sophie. Le docteur est déjà passé lui faire son injection de morphine. Je ne comprends pas pourquoi ils ne la lui font pas un peu plus tard. Au moins, elle passerait une bonne nuit.

— Peut-être qu'ils ont peur qu'elle dorme trop bien, justement, rétorqua Floyd.

— Ce ne serait pas une si mauvaise chose, dit tout bas Greta.

Elle était tout de blanc vêtue, ce jour-là, ses cheveux noirs retenus par un nœud blanc qui semblait briller d'une lumière intérieure, comme dans les publicités pour des lessives. Greta lui passa le toast et se lécha les doigts en faisant des petits bruits, comme une gamine.

— Wendell, je voulais te remercier d'être resté avec moi, hier soir, dit-elle. C'était vraiment adorable.

— Tu avais besoin de compagnie.

Il mordit dans le toast en l'inclinant afin de ne pas faire couler le miel sur sa chemise.

— Et Marguerite... Tu crois que je pourrais aller lui dire bonjour ? Je sais ce que tu m'as dit hier soir, mais je voudrais vraiment qu'elle sache combien elle compte pour moi.

— Elle ne se souvient peut-être même pas de toi.

— Ça ne fait rien.

— Alors d'accord, acquiesça Greta. Elle est réveillée, là, mais ne reste pas trop longtemps, hein ? Elle se fatigue tellement vite...

— Promis.

Il finit son toast dans l'escalier aux marches grinçantes. Greta ouvrit la porte de la chambre, entra et dit quelques mots, très doucement, à Marguerite. Floyd l'entendit répondre en français. Elle ne parlait aucune autre langue, même pas l'allemand. Floyd se souvenait que Greta lui avait raconté qu'elle était née en Alsace et avait épousé un ébéniste allemand qui était mort dans les années 30. Chez eux, ils ne parlaient que français.

Greta était juive du côté de sa mère, et quand la situation avait commencé à dégénérer en Allemagne sa famille l'avait envoyée vivre avec Marguerite. Elle était arrivée à Paris pendant l'été 39, alors qu'elle avait neuf ans. Il y avait vingt ans de ça, et elle y avait pratiquement toujours vécu. Le sentiment anti-allemand était très vif, après l'invasion ratée de 40, mais Greta s'en était bien sortie ; elle parlait français avec un accent parigot qui ne laissait rien deviner de ses véritables origines. Lorsqu'il l'avait rencontrée, Floyd n'aurait jamais imaginé qu'elle était allemande. La révélation de ce secret avait été un premier témoignage d'intimité comme il y en avait tellement eu entre eux, tous chargés d'un petit frisson poignant de confiance mutuelle.

Elle l'appela de l'intérieur de la chambre :

— Tu peux venir, Floyd.

La porte s'ouvrit, et Sophie ressortit avec un plateau. Il s'effaça pour la laisser passer et entra dans le silence de la chambre aux volets clos. On devinait des carrés et des rectangles plus clairs sur les murs, aux endroits où des tableaux, des photos ou des miroirs avaient été décrochés. Les couvertures avaient été soigneusement tendues sur le corps de la malade, sans doute en prévision de la visite du docteur, et elle était assise presque toute droite, adossée à trois ou quatre gros oreillers. Elle portait une chemise de nuit à fleurs, à manches longues et col montant, qui semblait tout droit sortie du dix-neuvième siècle. Ses cheveux blancs étaient peignés en arrière, et ses joues avaient été légèrement rosies au blush. Floyd distinguait à peine son visage dans la lumière crépusculaire, mais ce qu'il vit n'était qu'une pâle et frêle esquisse de la femme qu'il avait connue. Il pensa que ç'aurait été plus facile si elle avait été méconnaissable, mais c'était bien elle, et elle avait les yeux étonnamment clairs et brillants, ce qui était d'autant plus pénible.

— C'est Wendell, dit gentiment Greta. Tu te souviens de Wendell, n'est-ce pas, ma tante ?

Floyd s'avança, tenant son chapeau mou à deux mains comme une offrande.

— Bien sûr que je me souviens de lui, répondit Marguerite. Comment allez-vous, Floyd ? Vous préféreriez qu'on vous appelle Floyd, plutôt que Wendell, n'est-ce pas ?

— Je... ça va très bien, répondit-il en se dandinant d'un pied sur l'autre. Comment vous sentez-vous ?

— Tout de suite, ça va, répondit-elle d'une voix réduite à un souffle rauque.

Il devait tendre l'oreille pour comprendre ses paroles.

— Ce sont les nuits qui sont pénibles. Je n'aurais jamais pensé que dormir puisse exiger autant d'énergie, et je ne suis pas sûre d'en avoir encore beaucoup de reste.

— Vous êtes une femme forte, dit-il. Je suis sûr que vous avez beaucoup plus d'énergie que vous ne pensez.

Elle posa ses mains décharnées, pareilles à des pattes d'oiseau, l'une sur l'autre, au-dessus du journal ouvert sur les faits divers, étalé sur son ventre comme un châle.

— Je voudrais bien que ce soit vrai.

Elle sait, pensa Floyd. C'était un petit bout de femme frêle et elle n'avait peut-être pas toujours été très en prise avec ce qui se passait autour d'elle, mais elle savait qu'elle était très malade, et qu'elle ne quitterait plus sa chambre.

— Comment c'est, dehors, Floyd ? demanda Marguerite. J'ai écouté la pluie tomber toute la nuit.

— Ça s'éclaircit un peu, répondit-il. Le soleil s'est montré et...

Soudain, il se sentit la bouche sèche. Quelle mouche l'avait piqué d'insister pour la voir ? Il n'avait rien à lui dire qu'elle n'ait déjà entendu cent fois, dans la bouche de visiteurs tous aussi bien intentionnés. Il se rendit compte, avec un spasme de honte, qu'il n'était pas venu pour lui faire plaisir, mais pour lui. Il allait rester planté devant elle en évitant soigneusement de faire allusion au fait qu'elle était au stade terminal, un peu comme s'il y avait un éléphant dans la pièce et que personne ne voulait le reconnaître.

— Eh bien, dit-il en cherchant ses mots. La ville est vraiment belle quand le soleil revient. On dirait qu'ils viennent de la repeindre.

— Les couleurs doivent être magnifiques... J'ai toujours aimé le printemps. C'est presque aussi exaltant que l'automne.

— Je pense qu'il n'y a pas un moment de l'année où je n'aime cette ville, reprit Floyd. A part, peut-être, le mois de janvier.

— Greta m'a lu le journal, dit Marguerite en effleurant les pages étalées devant elle. Elle voudrait ne me lire que les bonnes nouvelles, mais je veux tout savoir. Le mauvais comme le bon. Je ne vous envie pas, vous autres, les jeunes.

Floyd eut un sourire et essaya de se rappeler quand on l'avait, pour la dernière fois, considéré comme un « jeune ».

— La situation ne me paraît pas si mauvaise, à moi, dit-il.

— Vous n'étiez pas là dans les années 30, n'est-ce pas ?

— Non. Je n'étais pas là.

— Alors, je ne voudrais pas vous contredire, mais vous ne pouvez pas imaginer ce que c'était.

Greta lui jeta un coup d'œil d'avertissement, mais Floyd eut un haussement d'épaules bon enfant.

— Non. Je n'en ai aucune idée.

— Ce n'était pas si mal, par bien des côtés, poursuivit Marguerite. On sortait de la Dépression. On avait tous plus d'argent. On mangeait mieux. On était mieux habillés. Et la musique... C'était de la musique sur laquelle on pouvait danser. On pouvait se payer une voiture, et des vacances à la campagne une fois par an. Un poste de TSF, un gramophone, et même un réfrigérateur. Enfin, ce n'était pas tout rose, à l'époque, on sentait aussi le mal, un courant qui fermentait sous la surface. C'est la haine qui a fait venir Greta à Paris.

Elle tourna la tête vers sa nièce.

— Les fascistes n'ont eu que ce qu'ils méritaient, dit Floyd.

— Mon mari a vécu juste le temps de voir ces monstres prendre le pouvoir. Il voyait clair dans leurs mensonges et leurs promesses, il savait qu'ils s'adressaient à ce qu'il y a de plus répugnant dans l'esprit humain. Quelque chose qui est en chacun de nous. On ne peut pas s'empêcher de haïr ceux qui ne sont pas comme nous. Il nous suffit d'un prétexte, de quelqu'un qui nous chuchote à l'oreille.

— Pas tout le monde.

— C'est ce que beaucoup de braves gens disaient dans les années 30, rétorqua Marguerite. Que le message de haine ne serait entendu que par les ignares et ceux qui étaient déjà pleins de noirceur. Mais ce n'est pas ce qui s'est passé. Il fallait beaucoup de force mentale pour ne pas se laisser empoisonner par ces discours mensongers, et tout le monde n'avait pas cette force. Quant à ceux qui avaient le courage de résister, de tenir tête aux fomenteurs de haine, ils n'étaient vraiment pas nombreux.

— Votre mari faisait partie de ces braves gens ? demanda Floyd.

— Non, répondit-elle. Il n'était pas de ceux-là. Il faisait partie des millions qui ne faisaient rien. C'est comme ça qu'il s'est retrouvé dans la tombe.

Floyd ne savait que dire. Il regardait la vieille femme alitée et sentait la force de l'histoire qui coulait à travers elle comme un fleuve.

— Tout ce que je dis, poursuivit-elle, c'est que le message est séduisant. Mon mari disait qu'à moins que ces fomenteurs de haine ne soient annihilés, effacés de la surface de la Terre, avec leur poison, ils reviendraient toujours, comme des mauvaises herbes. Les mauvaises herbes reviennent toujours, Floyd. On a tondu la pelouse en 40, mais on n'a pas répandu de désherbant. Et vingt ans plus tard ils sont de retour.

Elle tapota faiblement le journal d'un doigt à l'ongle effilé.

— Je sais qu'il y a beaucoup de gens qui tiennent des discours immondes, répondit Floyd. Mais personne ne les prend au sérieux.

— Personne ne les prenait au sérieux dans les années 20, contra-t-elle.

— Il y a des lois, maintenant. Des lois contre la haine.

— Qui ne sont pas appliquées. Regardez cet article : un jeune homme a été battu à mort, hier, parce qu'il avait osé s'élever contre les fomenteurs de haine.

— Un jeune homme ? fit Floyd d'une voix soudain aussi faible que celle de Marguerite.

— Près de la gare. Ils ont retrouvé son corps cette nuit.

— Non !

Greta le tira par la manche.

— Il faut qu'on y aille, maintenant, Floyd.

Il ne trouva rien à dire.

Marguerite replia le journal et le poussa à bas du lit.

— Je ne voulais pas vous faire un sermon, dit-elle avec une gentillesse qui l'atteignit en plein cœur. Je voulais juste vous dire que je ne vous envie pas. Floyd, il y a vingt ans, on voyait des nuages d'orage approcher à l'horizon, et ils s'amoncellent à nouveau. Enfin, il n'est pas trop tard pour réagir, à condition que vous soyez assez nombreux à résister. Je me demande combien de gens sont passés auprès de ce pauvre jeune homme, hier soir, quand il avait besoin d'aide…

Greta l'éloigna du lit.

— Floyd doit s'en aller, maintenant, tante Marguerite.

— C'était gentil de venir me voir, dit-elle en tendant la main vers lui. Vous reviendrez, n'est-ce pas ?

— Evidemment, dit Floyd en s'obligeant à sourire pour dissimuler son malaise.

— Vous m'apporterez des fraises, s'il vous plaît ? Cette pièce aurait bien besoin d'une touche de gaieté.

— Je vous apporterai des fraises, promit-il.

Greta le conduisit au rez-de-chaussée sans lui lâcher le bras.

— Tu vois comment elle est, maintenant, dit-elle lorsqu'ils furent hors de portée de voix. Elle est drôlement pointue sur l'actualité, mais elle ne sait même pas en quelle saison on est. Tu peux t'estimer heureux

199

qu'elle se soit souvenue de toi. Espérons seulement qu'elle ne se rappellera pas qu'elle t'a demandé des fraises.

— J'arriverai bien à lui en trouver.

— En octobre ? Ne t'en fais pas pour ça, Floyd. Il est plus que probable qu'elle aura oublié, la prochaine fois que tu reviendras.

Ils se rassirent dans la cuisine. Un pigeon roucoulait sur l'appui de fenêtre. Greta prit un quignon de pain rassis et le lança contre la vitre, effrayant le volatile qui s'envola dans un tourbillon de plumes grises.

— Ce n'est peut-être pas le même jeune homme, dit-elle en devinant ce que ruminait Floyd. Je ne sais pas si tu lis les journaux, mais il y a des tas de gens qui se font casser la figure, ces temps-ci.

— On sait tous les deux que c'était lui. Pourquoi prétendre le contraire ?

— On en a parlé hier soir. Si tu avais tenté quoi que ce soit, tu te serais fait larder de coups de couteau.

— Celui que j'étais autrefois aurait essayé d'intervenir.

— Celui que tu étais autrefois aurait eu trop de bon sens pour ça.

— Tu dis ça pour me déculpabiliser.

Floyd leva les yeux au plafond, repensant à la chambre dont il venait de sortir, les meubles bien à leur place, l'immobilité de son occupante.

— Il se peut qu'elle perde un peu les pédales pour ce qui est de la date, mais elle sait bien ce qui se passe.

— Ce n'est sûrement pas aussi terrible qu'elle le redoute. Les personnes âgées pensent toujours que le monde court au désastre. C'est leur boulot.

— Elles n'ont peut-être pas tort, rétorqua Floyd.

Greta se pencha pour ramasser le pain qu'elle venait de lancer au pigeon.

— Peut-être. Et c'est peut-être une aussi bonne raison que bien d'autres de penser à quitter Paris.

— Habile transition… !

— Je n'ose espérer que tu as réfléchi à ce dont nous avons parlé ?

— J'en ai parlé à Custine, répondit Floyd.

— Comment a-t-il pris ça ?

— Comme tout le reste : bien.

— André est un type bien, dit Greta. Je suis sûre qu'il s'en sortira parfaitement à la tête de l'agence.

— Il est probable que Paris lui mangera dans la main dans moins d'un an.

— Alors, pourquoi ne pas lui laisser sa chance ?

— Il y a vingt ans que je suis là, répondit Floyd. Si je partais maintenant, ce serait comme si les vingt dernières années de ma vie avaient été une erreur.

— Seulement si tu veux les voir sous cet éclairage.

— Je ne suis pas sûr qu'il y ait une autre façon de les prendre.

— Ce n'est plus la ville où tu es arrivé, dit Greta. Elle a bien changé, et pas toujours en mieux. Ce ne serait pas un aveu d'échec. Quel âge as-tu maintenant, Floyd ? trente-neuf ans, quarante ? Ce n'est pas la fin du monde. A moins que tu ne décides de le prendre comme ça.

— Tu as eu le temps de regarder les papiers qui sont dans la boîte ?

— Habile transition de ta part à toi aussi, dit-elle en lui faisant l'aumône d'un sourire indulgent. Bon. On en reparlera plus tard. Oui, j'ai regardé ce qu'il y avait dans la boîte.

— Et ça t'inspire quoi ?

— On ne pourrait pas en parler ailleurs ? demanda Greta. Cet endroit commence à me peser. Sophie reste là, ce matin. Je voudrais prendre l'air.

Floyd récupéra son chapeau.

— Eh bien, allons faire un tour.

Floyd laissa la Mathis dans la rue de Rivoli, près du Louvre. La pluie avaient momentanément cessé, mais les nuages en approche avaient une couleur d'encre annonciatrice d'orage. En attendant, le temps était assez agréable sur la rive droite, et le soleil s'efforçait bravement de sécher les trottoirs et de faire un peu reculer la morte-saison pour les marchands de glaces. C'était l'une de ces journées d'automne qui laissaient Floyd pensif : il craignait toujours qu'il n'y en ait pas d'autre avant que l'hiver ne s'installe sournoisement.

— Eh bien, dit-il, sentant son humeur s'améliorer. Qu'est-ce que tu préfères ? La culture, ou une balade aux Tuileries ?

— La culture ? ! Tu ne reconnaîtrais pas la culture si elle te mordait le nez ! Et puis de toute façon j'ai dit que je voulais prendre l'air. Les tableaux attendront. Ils sont là depuis assez longtemps, ils ne vont pas s'en aller.

— Ça me va. Plus d'une demi-heure dans un musée et je commence à avoir l'impression d'être l'une des œuvres exposées...

Greta, qui avait embarqué la boîte en fer, la prit sous son bras et ils entrèrent dans les Tuileries. Floyd regarda comme s'il ne les avait jamais vus les jardins à la française qui prolongeaient le musée du Louvre d'un élégant ruban jeté le long de la rive droite de la Seine. L'idée que ces espaces verts géométriques avaient résisté à tous les changements que Paris avait subis depuis Catherine de Médicis, quatre cents ans auparavant, l'avait toujours impressionné. C'était l'un de ses endroits préférés, surtout par une matinée tranquille du milieu de la semaine.

Des chaises longues avaient été disposées autour du grand bassin octogonal, du côté de la place de la Concorde. Greta et Floyd trouvèrent deux chaises côte à côte et commencèrent à émietter un bout de pain rassis qu'elle avait pris dans la cuisine.

— Je ne sais pas ce que tu veux que je fasse de ça, dit Greta en tapotant la boîte. Je veux dire, si tu cherches un truc étrange ou inhabituel, tu es à peu près sûr de le trouver.

— Dis-moi ce que tu as. C'est à moi de voir si ça a un sens.

— Comment s'appelait la femme, rappelle-moi ? Susan comment, déjà ? J'ai son prénom sur la carte postale, c'est tout.

— Susan White, répondit Floyd. Si c'était son vrai nom.

— Tu sembles croire qu'elle mijotait quelque chose…

— Plus que je ne le pensais hier. Custine est en train d'essayer de comprendre ce qu'elle a fait au poste de TSF de sa chambre.

— Eh bien, fit Greta, je reconnais que c'est une aussi bonne façon qu'une autre de me changer les idées.

— Si ça peut t'aider, fit Floyd en prenant un bout de pain rassis et en le lançant à un aréopage de canards qui cancanaient avidement. Alors vas-y, qu'est-ce que tu as pour moi ?

— Pour ce qui est des cartes et des croquis, je ne peux pas t'aider, mais je peux peut-être jeter un éclairage là-dessus…

Elle pêcha dans la boîte la lettre tapée sur le papier à en-tête.

— La lettre de l'aciérie de Berlin ? demanda Floyd.

— Kaspar Metals, oui.

— Alors, de quoi ça parle ?

— Je n'ai que cette lettre comme point de départ, reprit Greta, alors évidemment j'en suis réduite aux conjectures, mais pour moi Susan White avait eu vent d'un contrat que Kaspar Metals avait accepté.

— Dans lequel elle avait un rôle ?

— Non. Apparemment, il y avait bien une troisième partie en cause. A en juger par les termes de la lettre, White avait déterré suffisamment d'informations à propos de ce contrat pour ne pas avoir l'air d'être complètement en dehors du coup.

Un petit groupe organisé approchait du bassin : huit ou neuf hommes en costume et chapeau mou entouraient une infirmière corpulente qui poussait un vieil homme dans un fauteuil roulant.

— Parle-moi du contrat, poursuivit Floyd.

— Eh bien, c'est assez vague. Je suppose que les détails avaient été précisés dans les courriers précédents. Enfin, apparemment, la firme allemande devait mouler une grosse masse d'aluminium massif. Trois grosses masses, en fait, et la lettre évoque le coût de fabrication de l'outillage sphérique nécessaire.

Floyd regarda le vieillard en fauteuil roulant lancer du pain dans le bassin avec ses mains tremblantes, et les canards changer aussitôt de camp.

— Il y avait un schéma, dans la boîte, dit-il. Un objet rond. Ça devait faire partie du même lot.

— Tu as l'air déçu, remarqua-t-elle.

— Seulement parce que je pensais qu'on avait peut-être mis la main sur quelque chose d'important, le plan d'une bombe, par exemple. Mais s'il s'agit de sphères massives…

Il eut un haussement d'épaules.

— Il était question que les objets fassent partie d'une installation artistique, mais c'était peut-être une façon de noyer le poisson.

— Tout ça n'a aucun sens, dit Floyd. Pourquoi une espionne américaine aurait-elle fait appel à une entreprise allemande pour fabriquer des pièces pareilles, quel que puisse être leur usage ? Il doit bien y avoir une centaine de boîtes américaines qui auraient pu les lui fabriquer.

— Mettons que ce soit une espionne, reprit Greta. Que font les espions, à part fouiner partout ? Ils tiennent les autres espions à l'œil, d'accord ?

— D'accord, convint Floyd. Mais…

— Et si elle avait été envoyée là pour surveiller une autre opération ? White lève un lièvre : le contrat allemand. Elle ne sait pas de quoi il retourne, mais elle sait qu'elle doit creuser la question. Alors elle prend contact avec Kaspar Metals en prétendant avoir un rapport avec l'organisation qui a passé la commande d'origine.

— Possible, admit Floyd.

Greta lança quelques bouts de pain dans le bassin.

— En réalité, il y a un autre détail intéressant : la lettre fait allusion au coût du transport et de la livraison des pièces commandées. Eh bien, figure-toi que les frais sont divisés entre trois lieux de facturation, Berlin, Paris et Milan.

— Je ne me rappelle pas avoir vu que le courrier mentionnait des adresses…

— Non. La question avait probablement été abordée avant.

— Sauf que nous, nous n'avons pas cette information. Nous n'avons que quelques lignes tracées sur une carte d'Europe, dit-il en songeant aux deux barres du *L*, soigneusement mesurées, réunissant les trois villes. Et je ne vois toujours pas ce que les indications portées sur cette carte peuvent bien signifier, mais je suppose qu'elles ont un rapport avec la commande passée à cette usine, de quoi qu'il puisse s'agir.

— Encore un truc, reprit Greta. Le billet de train. Elle avait réservé un compartiment-couchette dans l'express de nuit pour Berlin, et elle ne l'a pas utilisé.

— Il y avait une date dessus ?

— Il avait été émis le 15 septembre pour un départ de la gare du Nord le 21.

— Elle est morte le 20, dit Floyd, en repensant aux détails qu'il avait notés dans son calepin. D'après Blanchard, elle lui avait donné la boîte le 15 ou le 16 – il n'était plus très sûr. Elle n'a donc jamais utilisé le billet.

— Je me demande pourquoi elle n'a pas tout simplement pris le premier train pour Berlin, au lieu de réserver une place pour quatre ou cinq jours plus tard…

— Peut-être qu'elle avait des affaires à régler avant, à moins qu'elle n'ait pris rendez-vous pour visiter l'usine à une date donnée. D'une façon ou d'une autre, elle savait qu'elle ne prendrait pas ce train avant quelques jours, mais aussi qu'elle courait un danger, et que la boîte pouvait tomber entre de mauvaises mains.

— Dis, Floyd, tu as pensé que, si elle s'était fait tuer à cause de cette boîte et de ce qu'il y avait dedans, le meurtrier pourrait avoir envie de remettre ça ?

Les roues du fauteuil firent crisser le gravier de l'allée. Le groupe qui entourait le vieil homme s'éloignait du bassin et se dirigeait vers l'Orangerie. Derrière eux, au-dessus des arbres, la vaste toiture grise, trempée de pluie, de la gare d'Orsay brillait au soleil, sur la rive gauche de la Seine. On disait toujours « la gare d'Orsay », mais il y avait des années que ce n'était plus une gare. Il avait été vaguement question d'en faire un musée, et puis la municipalité avait préféré transformer la vaste et vénérable bâtisse en prison politique pour les détenus sensibles. La vue de la prison lui rappela quelque chose, un vague souvenir sur lequel il n'arriva pas à mettre le doigt.

Il balança les dernières miettes de pain aux canards qui leur étaient restés fidèles.

— Je sais qu'il y a des risques, mais je ne vais pas laisser tomber l'affaire parce que certaines personnes n'ont pas envie que je l'élucide.

Greta le regarda attentivement.

— J'ai comme l'impression que cette détermination n'est pas étrangère à la conversation que tu viens d'avoir avec Marguerite. Je me trompe ?

— Hé, fit Floyd, sur la défensive. Ce n'est qu'une affaire confiée par un client. Et une affaire juteuse, même, si tu veux tout savoir.

— Alors, ça se résume à ça : une histoire d'argent ?

— D'argent, et de curiosité, admit-il.

— Aucune fortune au monde ne te rafistolera si tu te casses le cou. Prends les éléments dont tu disposes et va trouver les flics. Donne-leur tous les indices, et laisse-les en tirer les conclusions.

— J'ai l'impression d'entendre parler Custine…

— Peut-être qu'il n'a pas tort. Réfléchis, Floyd. Ne te mouille pas trop. Tu es un grand garçon, mais tu n'es pas si bon nageur.

— Je sais quand je n'ai plus pied, répondit-il.

Greta secoua la tête.

— Je te connais trop. Tu ne sauras que tu n'as plus pied que quand tu commenceras à te noyer. Enfin, à quoi bon discuter ? J'ai faim. Il y a une bonne crêperie, sur les Champs-Elysées. Tu pourrais m'offrir une glace, en cours de route, et puis après tu me ramèneras à Montparnasse.

Floyd rendit les armes et lui offrit son bras. Ils prirent la direction des Champs-Elysées.

— Comment marche l'orchestre ? demanda Greta.

— L'orchestre a cessé d'exister le jour où tu es partie, dit Floyd en regardant le vent arracher le parapluie d'un passant, au loin. Depuis, on ne nous a pas précisément déroulé le tapis rouge.

— Je n'en ai jamais été qu'un élément.

— Tu es une sacrée bonne chanteuse, et tu es encore meilleure à la guitare. Tu as laissé un trou énorme.

— Vous êtes bons musiciens aussi, Custine et toi.

— Il ne suffit pas d'être bon.

— Eh bien, disons que vous êtes très bons.

— Custine, peut-être.

— Allez, tu n'es pas le plus mauvais joueur de contrebasse de la planète non plus. Tu sais que tu pourrais y arriver si tu le voulais vraiment.

— Je fais ce que je peux. Je sais maintenir un rythme assez régulier.

— A t'entendre, on dirait que ce n'est rien. Ecoute, Floyd, il y a une centaine d'orchestres, à Nice, qui seraient bien contents d'engager un contrebassiste comme toi.

— Mais je ne sais rien faire qu'on n'ait déjà entendu cent fois. Je n'apporte rien de neuf.

— Tout le monde n'a pas envie d'entendre du neuf.

— C'est tout le problème. Je me contente de jouer encore et toujours les mêmes vieux standards du swing, sans y changer une note. J'en ai marre. Custine n'arrive même plus à sortir son saxo.

— Eh bien, change de répertoire. Joue autre chose.

— Custine n'y a pas renoncé. Tu te souviens comment il essayait toujours de nous faire jouer ce truc rapide, sur un rythme à huit temps, quand tout ce qu'on demandait, c'était de continuer à jouer en quatre-quatre, à la papa ?

— Peut-être qu'il tenait le bon bout, là.

— Il avait entendu un type jouer ici, il y a quelques années, poursuivit Floyd. Un camé à l'héroïne de Kansas City. On lui aurait donné soixante ans alors qu'il avait à peu près mon âge. Il s'appelait Yard-hound, ou Yard-dog, je ne sais plus quoi. Il jouait toujours ce truc d'impro dingue, comme si c'était le son du futur. Mais personne ne voulait entendre ça.

— Sauf Custine.

— Il disait que c'était la musique qu'il avait toujours dans la tête.

— Alors trouve une façon de l'aider à la jouer.

— Trop rapide pour moi, dit Floyd. Et de toute façon, même si ça ne l'était pas, personne n'a envie de l'entendre. Ce n'est pas le genre de truc sur lequel on peut danser.

— Tu ne devrais pas renoncer aussi facilement, fit Greta sur un ton de reproche.

— C'est trop tard. Personne n'a même plus envie de jazz classique. La moitié des clubs où on a joué l'an dernier sont fermés, aujourd'hui. Peut-être que c'est différent aux Etats-Unis, mais…

— Il y a des gens qui ne l'accepteront jamais, dit Greta. Ils ne veulent pas voir les Blancs et les Noirs s'entendre, et ils veulent encore moins les voir jouer la même musique. Tu comprends, il y a toujours un risque que le monde devienne un endroit meilleur grâce à ça.

— Ce qui veut dire ? demanda Floyd avec un sourire.

— Que ceux d'entre nous qui y attachent de l'importance ne devraient pas renoncer si facilement. On ferait peut-être bien de relever la tête, de temps en temps.

— Je ne tiens pas à me faire couper le cou pour qui que ce soit.

— Même pas pour la musique que tu aimes ?

— Il y a peut-être eu un moment où je pensais que le jazz pouvait sauver le monde, répondit Floyd. Mais j'ai grandi, et je sais à quoi m'en tenir, maintenant.

Ils reprirent l'allée de gravier. Ils dépassaient le groupe avec le vieil homme lorsque ça fit tilt dans la tête de Floyd. Etait-ce la conversation qu'il avait eue avec Marguerite ou la juxtaposition de l'homme et de la prison politique, de l'autre côté du fleuve ? En tout cas, Floyd le reconnut brusquement. Le vieux bringuebalait dans son fauteuil roulant, la mâchoire tombante, un ver de salive argentée serpentant sur son menton, la peau parcheminée, plaquée sur le crâne. Ses mains tremblaient comme s'il avait une maladie nerveuse. On disait que, sous la couverture, les médecins en avaient plus retiré qu'ils n'en avaient laissé, et que ce qui coulait dans ses veines relevait plus de la chimie que du sang ; mais il avait survécu aux cancers, exactement comme il s'était sorti de la tentative d'assassinat de mai 40, après la débâcle des Ardennes. La petite moustache démodée qui lui donnait l'air bégueule était encore reconnaissable, de même que la mèche de cheveux étique, jadis noire et maintenant complètement blanche. Il y avait près de vingt ans qu'il avait vu ses ambitions disparaître en fumée, au cours de cet été désastreux. Dans le carnaval de monstres que le vingtième siècle avait engendrés, il n'était qu'un spécimen parmi tant d'autres. Il tenait des discours de haine, à l'époque – mais il n'était pas le seul. Tout, en ce temps-là, était motivé par la haine. C'était le levier qui faisait bouger les choses. Ça ne voulait pas forcément dire qu'il y croyait, ou qu'il aurait été plus mauvais pour la France que n'importe lequel de ceux qui lui avaient succédé. Qui pouvait lui reprocher de flâner un matin aux Tuileries, après toutes ces années passées dans une cellule de la gare d'Orsay ? Ce n'était plus qu'un triste vieillard, maintenant, un personnage qui inspirait moins la répulsion que la pitié.

Qu'il donne donc à manger à ses canards.

— Floyd ?

— Oui ?

— Tu étais à des kilomètres.

— Des années, rectifia-t-il. Ce n'est pas tout à fait pareil.

Elle le cornaqua vers une baraque de glacier. Floyd fouilla dans ses poches à la recherche de quelques pièces.

10

Auger fut réveillée par le *pop-pop-pop* rapide, métallique, des propulseurs. On aurait dit le bruit d'un pistolet à riveter. La première idée qui lui passa par la tête, c'était qu'il devait y avoir un problème, mais Aveling et Skellsgard avaient l'air attentifs et concentrés plutôt qu'inquiets, comme s'ils avaient déjà vécu tout ça.

— Que se passe-t-il ? demanda-t-elle pâteusement.

— Rendormez-vous, dit Aveling.

— Non, je veux savoir ce qui se passe.

— Nous rencontrons des irrégularités dans le tunnel, répondit Skellsgard.

Elle avait pris les commandes pendant qu'Aveling se reposait. Elle indiqua, de sa main libre, les tracés qui ondoyaient sur l'écran, devant son joystick. Les lignes paraissaient plissées, comme si on avait froissé la feuille sur laquelle elles étaient dessinées.

— Les parois sont assez lisses sur l'essentiel du trajet, mais de temps en temps on tombe sur une sorte de structure, et il faut l'esquiver.

— Des structures ? Dans un trou de ver ?

— Ce n'est pas un trou de ver, rectifia Skellsgard. C'est…

— Je sais : un quasi-pseudo-para-je ne sais quoi. Quoi qu'il en soit, comment peut-il y avoir des structures dans un milieu pareil ? L'espace-temps n'est pas lisse d'un bout à l'autre ?

— Ça, c'est ce qu'on pourrait croire.

— Écoutez, c'est vous la théoricienne. Alors, expliquez-moi.

— En réalité, une bonne partie de nos connaissances sont basées sur des suppositions. Les Slashers ne nous ont pas tout dit, et il est probable qu'ils n'ont pas toutes les réponses eux-mêmes.

— Alors, quelle est l'hypothèse la plus probable ?

— D'accord. Théorie numéro un... vous voyez ces graphes qui représentent l'énergie de contrainte ? Ils mesurent les variations de la géométrie locale du tunnel, devant nous.

— Comment la détectez-vous ? Au radar ?

Skellsgard secoua la tête.

— Non. Les radars, comme tous les systèmes de détection qui reposent sur l'électromagnétisme, d'ailleurs, ne marchent pas très bien dans l'hyperweb. Les photons sont absorbés par les parois, ou dispersés de façon chaotique par interaction avec la matière pathologique, et regarder vers l'avant revient à tenter de distinguer des taches solaires à l'œil nu. Les neutrinos ou les capteurs d'ondes gravifiques marcheraient mieux, mais il n'y a pas assez de place pour les embarquer dans le module. Il ne reste que le sonar.

— Quoi, vous vous guidez au son ? s'étonna Auger. Mais nous nous déplaçons dans un vide presque parfait, non ?

— Aussi près du vide absolu qu'on peut l'être, en effet. Mais on peut amener une sorte de signal acoustique à se propager dans le revêtement des parois.

C'est comme l'onde de compression sur laquelle le module surfe, en un milliard de fois plus rapide. Elle se propage à travers une strate moins flexible, une phase différente, plus rigide, de la matière pathologique. Ça nous permet d'envoyer des signaux dans le tuyau, et de communiquer avec le portail, à l'extrémité T2. L'ennui, c'est que ça ne marche pas quand il y a un vaisseau dedans : le module se comporte comme une sorte de miroir, et les signaux rebondissent dans leur direction d'origine. Mais nous pouvons envoyer des signaux le long de la ligne. Ils ne sont pas assez forts pour aller jusqu'au portail de destination, mais ils font office de palpeurs, détectant les obstructions et les irrégularités des parois.

— Ça ne me dit toujours pas ce qui provoque ces irrégularités.

— Tenez, vous voyez ça ? fit Skellsgard en indiquant un méli-mélo de courbes de niveau qui apparaissait sur l'écran. C'est le profil estimé par l'ordinateur d'une irrégularité en approche dans les parois du tunnel, d'après les échos renvoyés par le sonar. Si les courbes se rapprochaient symétriquement, on constaterait un resserrement, un rétrécissement du tunnel, mais ce n'est pas ce qu'on voit ici. Il y a des endroits où la peau du tunnel donne l'impression de s'effacer, et des endroits où elle fait un ventre vers l'intérieur. D'après la théorie numéro un, c'est symptomatique d'une dégradation du lien, du matériau dont il est constitué, dégradation due soit au manque d'entretien, soit au fait qu'il n'est pas assez utilisé.

— Par manque de modules ?

— Il se pourrait que le passage des vaisseaux ait pour effet de le réparer. C'est ce que nous appelons « l'hypothèse du nettoyeur de tuyau ».

— Bon. Et la théorie numéro deux ?

— Là, ça devient sérieusement spéculatif. Certains spécialistes ont réalisé des enregistrements de nombreux transits, et notamment les données concernant ces irrégularités. Il va de soi qu'elles sont noyées sous le bruit de fond, et subordonnées aux interprétations capricieuses du système de navigation. Bref, ils ont fait traiter ces enregistrements par un logiciel d'entropie maximale afin de décrypter la structure latente. Puis ils ont fait retraiter le résultat par un autre ensemble de programmes conçus pour détecter le langage latent. C'est une façon de traiter l'information selon la loi de Zipf, qui consiste à calculer la fréquence logarithmique des occurrences des divers schémas observés dans les parois. Les données aléatoires ont une dérivée égale à zéro, alors que la dérivée Zipf du schéma du tunnel est très proche de moins un. Ça veut dire que les signaux de ces parois sont plus significatifs que, par exemple, les appels des singes-écureuils, qui ne descendent que jusqu'à moins zéro virgule six selon le graphe de Zipf.

— Mais ça ne permet pas de tirer des conclusions.

— Non, mais les chercheurs ne s'arrêtent pas là. Il y a une autre loi statistique connue sous le nom d'entropie de Shannon, qui exprime la richesse de la communication. Les langues humaines – l'anglais, ou le russe, par exemple – ont des entropies de Shannon de huitième ou neuvième grandeur : si je prononce huit ou neuf mots dans l'une de ces langues, vous auriez d'assez bonnes chances de deviner le dixième. Les cris des dauphins ont des entropies de Shannon de troisième ou quatrième grandeur, alors que les graffitis du tunnel montent jusqu'à sept ou huit.

— Moins complexes que le langage humain, donc.

— En effet, convint Skellsgard. Mais leur véritable complexité pourrait être gommée par les erreurs introduites au niveau du décodage des images sonar. A moins que les messages eux-mêmes ne soient brouillés par l'érosion ou un autre processus que nous ne comprenons pas.

— Si je comprends bien, d'après la théorie numéro deux, les schémas seraient des messages délibérés.

— Oui. Des messages peut-être analogues aux panneaux autoroutiers : des limitations de vitesse, des obstructions momentanées, ce genre-là.

— Vous voulez rire ? !

— Vous n'avez encore rien entendu, Auger. Vous voulez entendre la théorie numéro trois ? Je vous avertis que ce n'est pas la version généralement acceptée, et de loin. Enfin, d'après la théorie numéro trois, les schémas du tunnel seraient des espèces de réclames…

Auger ouvrit la bouche comme si elle s'apprêtait à intervenir, mais Skellsgard poursuivit :

— Non, attendez. Ecoutez-moi jusqu'au bout. Dans le fond, quand on y réfléchit, ça pourrait avoir un sens, même tiré par les cheveux. Pourquoi une supercivilisation galactique ne ferait-elle pas de publicité ? Ça paraît assez intégré à notre civilisation, après tout.

— Quand même, de la pub…

Auger avait du mal à garder son sérieux.

— Réfléchissez. Ceux qui empruntent ces liens forment un public captif, idéal. Ils sont enfermés ici, prêts à gober n'importe quoi. Ils n'ont nulle part où aller, pas de paysage à contempler. Quel meilleur endroit pour faire de la réclame ? Personnellement, je ne sais pas ce que je donnerais pour savoir ce qu'ils peuvent bien vendre ! Des services de construction de planètes, peut-être, ou de maintenance stellaire… « Procédez à l'échange standard de votre vieux trou noir » !

Auger eut un sourire.

— « Les supernovae ne préviennent pas. Vérifiez que votre système solaire est bien assuré »…

— Et pourquoi pas : « Vous en avez assez de la Voie lactée ? Venez jeter un coup d'œil à nos magnifiques propriétés dans les Grands Nuages de Magellan. Vue imprenable sur l'amas local – et encore à distance de transfert du noyau galactique ! »

Auger eut un petit ricanement. Elle commençait à comprendre.

— « Les primates expansionnistes infestent votre voisinage stellaire ? Nous avons les meilleures solutions de déparasitage pour vous en débarrasser ! »

— « Votre vieux Dieu ne fait plus le poids ? Emulez votre divinité en faisant le 3615 Dieux-à-Gogo… »

— C'est vrai. Pour un peu, on commencerait à y croire, hein ?

— Presque, répondit Skellsgard. Et je préfère définitivement cette théorie à la théorie numéro quatre, selon laquelle les parois seraient couvertes de graffitis.

— Dieux du ciel !

Dieux du ciel… Avait-elle vraiment dit « Dieux du ciel » ? Auger secoua la tête, comme si elle s'apprêtait à éternuer.

— Vous voudriez me faire croire que des gens sont payés pour imaginer des choses pareilles ?

— Oui. Et apparemment ce serait cohérent avec les entropies de Shannon. Quand on regarde les graffitis humains…

— Ça suffit, Skellsgard. Je n'ai pas envie d'entendre parler de graffitis, humains ou non.

— C'est un peu déprimant, non ?

— C'est le moins qu'on puisse dire.

— Enfin, ne vous inquiétez pas, reprit Skellsgard en agitant la main comme pour chasser une fumée. Très peu de gens prennent cette idée vraiment au sérieux. Il y a un petit problème, vous comprenez : les schémas du tunnel ont la manie de fluctuer, selon les conditions de stabilité. Evidemment, il se pourrait que ce soient des graffitis très intelligents...

— Il y a une théorie numéro cinq ?

— Pas encore. Mais vous pouvez être sûre qu'il y a des gens qui y travaillent.

Auger éclata de rire. Elle en savait assez long sur la communauté scientifique pour le croire. Skellsgard se mit à pouffer à son tour. Elles venaient à peine de se reprendre, vidées, pantelantes d'avoir trop ri, les yeux encore humides de larmes, lorsque Aveling ouvrit les siens et les regarda, le visage impassible, comme toujours.

— Ah, ces civils !

A la vingt-neuvième heure, un changement se produisit dans la lente reptation des graphes qui représentaient l'énergie de contrainte : les contours commencèrent à s'organiser selon un schéma systématique et complexe, tout à fait différent du regroupement asymétrique et de l'étirement provoqués par les marques du tunnel.

— Tenez, vous devriez jeter un coup d'œil là-dessus, annonça Skellsgard.

— Il y a un problème ? demanda Auger.

— Non. Nous approchons d'une anomalie, c'est tout. Nous tombons toujours dessus quelque part entre la vingt-huitième et la vingt-neuvième heure, mais jamais tout à fait au même endroit d'une fois sur l'autre.

— D'autres graffitis, ou des turbulences dans le tunnel ?

— Non. Beaucoup trop stable pour ça.

Auger relâcha sa ceinture de sécurité et se pencha en avant.

— Alors, qu'est-ce qu'on regarde ? demanda-t-elle tout bas.

Aveling s'était rendormi. Il ronflotait, et elle n'avait pas particulièrement envie de le réveiller.

— Nous approchons d'un élargissement dans le matériau du tunnel. Une sorte de bulle, un peu étirée dans l'axe du déplacement.

Skellsgard procéda à quelques micro-ajustements dans la direction du vol, qui se traduisirent par une rafale rythmée de la part des propulseurs.

— Au début, nous ne savions pas quoi en penser.

Auger essaya de comprendre quelque chose à la lente reptation des courbes de niveau, puis elle se dit qu'il devait falloir des semaines de pratique pour démêler les informations et en déduire quoi que ce fût qui ressemblât à une image en trois dimensions de leur environnement.

— Et maintenant ? demanda-t-elle.

— Nous appelons ça « la caverne d'échange », répondit Skellsgard. A notre connaissance, les Slashers n'ont jamais rien retrouvé de pareil au cours de leurs voyages. Tous les liens qu'ils ont cartographiés sont des lignes qui vont d'un point à un autre. Et même dans le cas d'amas de portails situés les uns près des autres dans l'espace, on n'a jamais trouvé de jonctions dans les brins d'hyperweb proprement dits. Ce lien est manifestement un peu spécial, parce qu'il débouche au cœur d'un OVA. Nous pensons que la caverne d'inter-connexion permet un accès sélectif à différents points dans la croûte de la planète captive.

D'un ongle émoussé, elle tapota certaines caractéristiques des courbes de niveau.

— Il y a, à notre connaissance, dix-neuf itinéraires possibles qui mènent hors de la caverne, sans compter celui par où nous sommes arrivés. L'ennui, c'est que notre contrôle de trajectoire est assez rudimentaire et ne nous permet que de bifurquer à temps pour atteindre six des sorties. Reste treize brins. Nous avons réussi à larguer des packages d'instruments légers dans quatre d'entre eux, mais nous n'avons jamais eu de réaction en retour. Il est probable qu'ils ne sont même pas arrivés au bout de leurs brins.

— Et les six sorties que vous pouvez atteindre ?

— Nous ressortons toujours dans le sous-sol, à quelques centaines de mètres de la surface, et cinq de ces six sorties ne servent à rien. Avec le temps, nous pourrions nous frayer un chemin vers l'extérieur, mais ça prendrait des années, et comme chaque kilo de roche extrait devrait être évacué par le réseau…

— Il y a un truc qui m'échappe, dit Auger. Qu'y a-t-il de si compliqué dans le fait de forer la roche ? Vous avez bien évidé la moitié de Phobos, que je sache ?

— L'ennui, c'est que nos outils ne marchent pas sur T2. Nous devons nous frayer un chemin à main nue.

Auger posa la question qui s'imposait :

— Attendez… Si vous ne pouvez pas atteindre la surface, comment savez-vous que c'est la même planète ? Et si les brins menaient dans un tout autre endroit ?

— La gravité est l'indice principal. Elle est identique, à un ou deux pour cent près, quel que soit l'endroit où nous ressortons. La géochimie varie un peu, aussi, mais pas assez pour nous amener à penser que nous sommes chaque fois dans une planète différente. Nous pourrions comparer ces coordonnées à ce que nous connaissons de T1, et procéder à une estimation de notre position – à un continent près, ou quelque chose dans ce goût-là –, mais il n'y a qu'une sortie qui nous permet d'atteindre la surface.

— Parce qu'elle en est plus proche ? demanda Auger.

— Non, parce qu'il y a un autre tunnel juste à côté. Nous n'avons eu qu'à traverser quelques dizaines de mètres de roche avant de tomber sur un puits préexistant. Sans cela... Eh bien, Susan serait encore vivante, et vous vous seriez retrouvée devant un tribunal, acheva Skellsgard avec philosophie.

— Merci de me le rappeler.

— Pardon.

Le module traversa la caverne d'interconnexion sans incident. Moins d'une heure plus tard, les capteurs commencèrent à détecter les reflets de l'embouchure approchante : le faible écho du même genre de l'onde de choc qui avait signalé l'arrivée de l'autre module dans la caverne de Phobos. Aveling dit à Skellsgard et Auger de s'attacher en prévision de l'arrivée, ce qui voulait dire boucler toutes sortes de ceintures de sécurité, de baudriers et de filets tendus au point d'en être inconfortables. Auger se rappela la brutalité de l'arrivée du module, sur Phobos, et se prépara au pire.

Lorsqu'il arriva, ce fut miséricordieusement rapide. Elle venait d'enregistrer le fait que le vaisseau ralentissait lorsqu'elle sentit la nacelle d'arrêt qui se clampait autour de la coque. Le module fut projeté en avant, s'immobilisa, fut renvoyé en arrière alors que les pistons encaissaient le recul, et puis, tout à coup, tout fut très calme, et Aveling leva le bras au-dessus de sa tête pour actionner des interrupteurs et couper l'énergie dans des systèmes vitaux.

C'est alors que quelqu'un frappa à la porte.

— Ça doit être Barton, dit Aveling.

Barton se révéla être une version d'Aveling plus jeune, et un tantinet plus chaleureuse envers les civils. Il les fit sortir du module par un sas de connexion puis dans une caverne sphérique, creusée dans la roche, qu'ils reconnurent comme une contre-partie beaucoup plus petite de celle de Phobos. La bulle de récupération était entourée par une quantité de matériel, mais il n'y avait aucun moyen de troquer le module existant pour un autre, réhabilité. Malgré les dégâts qu'il avait subis au cours du transit – et qu'Aveling qualifia de légers – l'engin serait simplement retourné de cent quatre-vingts degrés et renvoyé à son point de départ.

Auger fut présentée aux deux autres personnes présentes dans la salle : une femme à l'air coriace dénommée Ariano, spécialiste militaire de son état, et un technicien civil appelé Rasht, un petit homme félin au teint jaunâtre. Ils n'avaient pas l'air d'être des Slashers, et ils donnaient l'impression de ne pas avoir beaucoup dormi depuis au moins une semaine.

— Des nouvelles des autres ? demanda Aveling.

— Aucune, répondit Ariano. Nous émettons toujours sur les fréquences habituelles, mais personne n'a rappelé à la maison.

Auger s'appuya à une rambarde peinte en rouge. Elle tenait à peine debout.

— Quels autres ?

— Nos autres agents infiltrés, répondit Ariano. Ils sont huit, en immersion un peu partout, certains jusqu'aux Etats-Unis. Nous leur avons envoyé l'ordre de revenir.

— A cause de ce qui est arrivé à White ?

— En partie. Et puis le lien donne des signes d'instabilité, et nous ne voudrions pas qu'ils restent échoués ici.

— C'est la première fois que j'entends parler d'une instabilité, fit Auger, mal à l'aise.

— Il tiendra assez longtemps pour que vous meniez votre mission à bien, répondit Skellsgard.

— Nous sommes aussi préoccupés par la situation politique chez nous, poursuivit Ariano. Nous savons que ça commence à chauffer, là-bas. On parle d'une invasion slasher. Si ça devait arriver, nous risquerions de perdre Phobos. Et dans ce cas nous ne pouvons pas nous permettre d'abandonner qui que ce soit ici.

— Raison de plus pour nous dépêcher. Préparez le module pour le trajet de retour, ordonna Aveling en claquant des doigts. Vous avez du fret, j'imagine ?

Rasht était debout à côté d'une pile de cartons à l'air incongru. La boîte du haut était pleine de livres, de magazines, de journaux et de disques de gramophone.

— Cinq cents kilos. Encore quelques trajets et nous aurons rapatrié tout ce que Susan nous a envoyé.

— Parfait, répondit Aveling. Chargez tout ça et amarrez-le. Vous pourrez partir dès que vous serez prêt.

— Attendez, intervint Auger. Le module repart sans moi ?

— Il y en aura un autre soixante heures après celui-là, répondit Aveling d'une voix onctueuse. Ça vous laisse plus de deux jours et demi pour mener votre mission à bien. Si vous revenez avec la boîte avant ce délai, vous n'aurez qu'à rester tranquillement ici, en attendant le prochain module.

— Je n'aime pas du tout cette idée…

— C'est comme ça que ça se passera, Auger, alors autant vous faire une raison, répondit Aveling avec une douceur sarcastique.

Il mit fin à la conversation en tournant les talons.

Skellsgard et Auger lui emboîtèrent le pas le long de la passerelle, laissant Barton, Ariano et Rasht charger l'appareil en prévision du vol de retour. Ils arrivèrent à une passerelle qui faisait le tour de la salle. Des abris préfabriqués, des vestiaires et des consoles de commande étaient dispatchés tout autour. Dans la fosse profonde située sous la bulle, de puissants générateurs ronflaient tranquillement, et des cordons ombilicaux serpentaient sur le sol tels des tentacules artistiquement drapés.

Elle se rendit compte que tout ce qu'elle voyait était forcément arrivé par le lien – même la bulle proprement dite. Les premiers voyages avaient dû être terriblement intéressants. Peut-être même *mortellement*.

— Vous devez avoir envie de vous rafraîchir, dit Skellsgard en conduisant Auger vers l'un des cubes en préfabriqué. Il y a une douche et des toilettes, là-dedans, et une garde-robe pleine de vêtements locaux. Choisissez des choses dans lesquelles vous serez à l'aise.

— Je suis parfaitement à l'aise avec ce que j'ai sur le dos.

— Et vous vous ferez repérer comme un panaris dès que vous mettrez le nez dehors à Paris. L'idée est de passer inaperçue, dans toute la mesure du possible. Au moindre indice d'étrangeté, Blanchard pourrait se raviser et refuser de vous restituer les documents.

Auger prit une bonne douche afin d'éliminer l'odeur de renfermé du voyage. Elle se sentait dans un état de lucidité particulier. Au cours des trente dernières heures, elle avait dormi par intermittence, mais l'originalité de sa situation lui permettait de résister à la fatigue.

Comme Skellsgard l'avait promis, la garde-robe était bien fournie en vêtements de l'époque des artefacts de T2 qu'il lui avait été donné d'examiner. En essayant diverses tenues, elle ne put faire autrement que de penser à la somptueuse soirée costumée à laquelle elle avait assisté sur le *Vingtième-Siècle-SA*, dans une tentative désespérée pour chasser l'ennui. Bref, rien ne prouvait qu'elle les associait avec goût – c'était moins facile qu'elle ne l'aurait imaginé –, mais, au moins, les vêtements venaient tous de la même période. Ces temps-ci, à Tanglewood, la mode était plutôt au pratique et à l'utilitaire, et Auger n'avait pas l'habitude des jupes et des robes, des bas et des chaussures à talons. Même dans le genre de réunions officielles où tout le monde faisait un effort d'élégance, elle mettait un point d'honneur à se montrer en combinaison de travail maculée de cambouis. Et voilà qu'on lui demandait de se faire passer pour une créature du milieu du vingtième siècle, une période où le port du pantalon était encore rare chez les femmes.

Après une demi-heure de tergiversation, elle finit par opter pour un ensemble qui ne lui faisait pas l'impression d'être exagérément décalé, et – plus important – avec lequel elle pourrait aller et venir sans avoir l'air d'une femme soûle. Elle choisit les chaussures aux talons les plus plats qu'elle put trouver – malgré tout plus hauts qu'elle n'aurait voulu. Y ajouta une jupe au genou, bleu marine, avec de fines rayures argentées, qui semblait permettre de faire de grandes enjambées, une veste assortie, un chemisier bleu ciel et des bas noirs. En fouillant au fond de la garde-robe, elle trouva un chapeau qui pouvait aller avec l'ensemble. Elle tirailla par-ci, tortilla les épaules par-là, afin de mettre en place les vêtements si peu familiers, puis elle se planta devant le miroir et joua avec l'inclinaison du chapeau, essayant de se voir comme une femme anonyme et pas comme une Verity Auger déguisée. Une seule question importait : si elle était tombée sur une photo d'elle prise avant le Siècle du Vide, aurait-elle trouvé qu'elle tranchait avec les autres ?

Elle était incapable de le dire. Le résultat ne devait pas être trop catastrophique, mais elle n'était pas sûre non plus d'arriver à se fondre dans une foule, ni de pouvoir se faire passer pour une autre.

— Vous êtes prête, là-dedans ? appela Skellsgard.

Auger haussa les épaules et sortit. Elle constata avec surprise que Skellsgard s'était aussi habillée à la mode de T2. Ses vêtements lui allaient à peu près aussi bien qu'à Auger.

— Alors ? demanda Auger en effectuant maladroitement un petit tour sur elle-même.

Skellsgard inclina la tête et parcourut sa tenue d'un œil appréciateur.

— Ça devrait aller, déclara-t-elle. Le principal est de ne pas trop y penser. Ayez l'air sûre de vous, comme si vous saviez que vous étiez à votre place, et personne ne fera attention à vous. Vous avez faim ?

Ils avaient mangé des rations pendant le trajet, mais l'apesanteur ne lui avait pas coupé l'appétit, bien au contraire.

— Un peu, décida-t-elle.

— Barton nous a préparé un en-cas. Nous vous dirons, en mangeant, tout ce que vous avez besoin de savoir. Mais d'abord il va falloir que vous passiez la censure.

— Je me demandais quand nous allions y arriver.

11

Après le repas, Floyd laissa Greta fumer une cigarette pendant qu'il amadouait le barman afin qu'il lui laisse utiliser le téléphone. Il pêcha son calepin, composa le numéro de Blanchard et attendit qu'il décroche.

— Je voudrais parler à M. Custine, dit Floyd lorsqu'ils eurent échangé les civilités d'usage. Il attend mon appel.

Sans rien ajouter, Blanchard passa le combiné à Custine.

— Floyd ! dit aussitôt celui-ci. Je suis content que tu appelles.

Floyd se fourra un nouveau cure-dents dans le bec.

— Tu as trouvé quelque chose ?

— Ça se pourrait.

— Débrouille-toi pour éloigner le vieux. Je ne veux pas qu'il entende tes nouvelles hypothèses.

Floyd tournait le dos au bar, mais il voyait les clients dans la glace. Il les regarda distraitement tout en écoutant Custine et Blanchard discuter avec animation à l'autre bout du fil. Puis il entendit le déclic d'une porte qui se refermait.

— Ça va, je suis tranquille, annonça Custine. Mais il ne me laissera pas plus d'une minute.

— Eh bien, ne perdons pas de temps. Tu as réussi à réparer la TSF ?

— Oui. A ma grande surprise, d'ailleurs.

— Et à la mienne, donc ! Comment as-tu fait ton coup ?

— En tâtonnant, Floyd. J'ai identifié les fils coupés et ceux auxquels il fallait les ressouder. Après, ce n'était plus qu'une question de méthode et d'adresse : j'ai essayé toutes les permutations, les unes après les autres, jusqu'à ce que ça marche. Un coup de bol que celui ou ceux qui ont saboté le poste aient été pressés, parce qu'ils auraient pu faire beaucoup plus de dégâts.

— Eh bien ! Je suis officiellement impressionné. Considère-toi comme sur les rangs pour une promotion la prochaine fois qu'un poste se libérera.

— Très drôle, Floyd, compte tenu du fait que je suis ton seul employé. Je dois t'avouer que je suis un peu impressionné moi-même, si tu veux tout savoir. Enfin, ce qui est vraiment intéressant, c'est que l'appareil ne captait aucun des postes habituels.

— Donc, il ne marche pas.

— Ce n'est pas tout à fait ça. Je l'ai réglé sur la longueur d'onde que tu avais trouvée lors de notre première visite, et j'ai procédé par tâtonnements autour de cette position. J'ai fini par trouver un signal. Faible, mais l'appareil avait peut-être été plus endommagé que je ne le pensais. Et puis j'ai déplacé le curseur sur toute la bande, mais je n'ai trouvé que ça : un seul poste.

— Et qu'est-ce qu'il émettait ?

— Des bruits, Floyd. Que des bruits. Des notes courtes et longues, selon une sorte de code morse.

— J'espère que tu les as notées.

— J'ai fait de mon mieux ; et puis je me suis rendu compte que le schéma se répétait, après une minute de silence à peu près entre deux transmissions. J'ai tenté de noter la séquence de notes, mais je n'ai pas eu le temps de toutes les saisir avant que le poste ne cesse d'émettre.

— Alors il a cessé d'émettre pour de bon ?

— C'est ce qu'on dirait. Ça doit être un pur hasard si je suis tombé sur la fin d'une séquence de transmissions.

— Bon. Vois ce que tu peux en tirer d'autre, sans trop éveiller les soupçons de Blanchard.

— Tu penses que c'est important ?

— Ça pourrait, répondit Floyd. Greta a trouvé quelque chose d'intéressant dans ces paperasses. Tu penses en avoir encore pour combien de temps ? demanda-t-il en regardant sa montre.

— Disons jusqu'à quatre heures. Ça devrait suffire.

— Très bien. On se retrouve là-bas. J'ai quelques questions complémentaires à poser aux occupants. Entre-temps, pas un mot sur ce que tu viens de me dire.

Custine baissa la voix.

— Il faudra bien qu'on le mette au courant à un moment ou à un autre.

— Je sais, répondit Floyd. Mais avant je voudrais qu'on ait une idée claire de ce qu'elle mijotait.

Floyd raccrocha, s'attirant un regard glacial du barman. Il retourna s'asseoir à la table où il avait laissé Greta, claqua des doigts pour appeler le garçon et régla l'addition, en ajoutant un modeste pourboire.

— Je te ramène chez ta tante, dit-il.

Greta prit ses gants.

— Que t'a dit Custine ?

— Il n'aura pas volé sa prime de Noël…

Ils récupérèrent la Mathis. Floyd arracha un tract politique glissé sous l'essuie-glace et ramena Greta à Montparnasse en s'arrêtant en cours de route pour lui permettre de faire quelques courses.

— Transmets mon bonjour à Marguerite, dit-il alors que Greta descendait de voiture et récupérait ses provisions.

— Je n'y manquerai pas.

— Je voudrais qu'on se revoie. Ce serait possible, ce soir ?

— Floyd, on ne peut pas continuer à tourner autour du pot. Si c'est pour éluder le sujet précis dont tu ne veux pas parler…

— Eh bien, parlons-en ce soir.

— Tu vas encore te défiler.

— S'il te plaît…

Elle ferma les yeux avec un mélange de lassitude et de résignation.

— Rappelle-moi tout à l'heure. Je vais voir comment ça se passe avec Marguerite.

Floyd hocha la tête : tout valait mieux qu'un rejet pur et simple.

— Je t'appelle ce soir.

— Floyd… Fais bien attention à toi, d'accord ?

— T'inquiète pas.

Elle tira une pomme du sac de courses et la lui lança. Il la rattrapa, la mit dans sa poche, redémarra et retourna rue des Peupliers. Il s'annonça auprès de Blanchard, qui le fit entrer, monta au quatrième et frappa à la porte de l'appartement de Susan White.

— C'est moi, Floyd, annonça-t-il.

Custine ouvrit prudemment la porte et le laissa entrer. Il avait repoussé le poste de radio contre le mur, et rien n'indiquait qu'il ait jamais été bidouillé ; même ses outils étaient remballés.

— Du nouveau ? demanda Floyd.

— Rien du tout. Celui qui envoyait ces signaux a cessé d'émettre.

Custine tourna légèrement le bouton du poste. Il était assis en tailleur, sur un oreiller, devant le meuble, ses chaussures délacées soigneusement rangées à côté de lui.

— Je continue à essayer.

— Très bien. Pendant ce temps-là, il faut que j'aille discuter avec le gars dont tu m'as parlé ; celui qui avait vu une gamine rôder par ici.

— La petite fille ? Floyd, tu ne penses pas sérieusement…

— Je n'exclus rien.

— Eh bien, vas-y. C'est le monsieur du premier. La porte à côté du placard à balais. Mais il ne te dira rien qu'il ne m'ait déjà dit.

— Je pourrai peut-être raviver ses souvenirs.

Floyd regarda son ami avec une pointe de culpabilité. Custine était là, à trimer, pendant qu'il se baladait dans des jardins en mangeant des glaces.

— Tu n'as besoin de rien ? Je peux aller te chercher un café, si tu veux.

— Ça va, merci.

— Tu as mangé ?

— Rien depuis ce matin.

Floyd fouilla dans sa poche.

— Tiens, permets-moi de t'offrir cette pomme.

Floyd redescendit au premier. Le palier était recouvert d'un lino à carreaux. Il frappa à la porte à côté du placard à balais, attendit quelques instants et frappa à nouveau. Il colla son oreille au panneau de la porte, à l'affût du moindre bruit, mais on n'entendait rien à l'intérieur. Il essaya de tourner la poignée, en vain ; la porte était verrouillée. Floyd haussa les épaules : au beau milieu de la journée, il était très probable que l'occupant était dehors, en train de gagner sa croûte. Il avait été le seul à parler à Custine de l'étrange enfant, mais ça ne voulait pas dire que les autres n'avaient rien vu. Peut-être avaient-ils juste besoin qu'on leur pose les bonnes questions.

Floyd ouvrit son calepin à une page vierge et frappa à la porte de l'appartement voisin. Au bout d'un moment, il entendit un frottement de pantoufles sur le parquet, puis un cliquetis de serrures et de chaînes. Une femme d'un certain âge, en blouse à fleurs, apparut à la porte, l'entrouvrant juste assez pour le zyeuter avec la méfiance automatique que Floyd réservait normalement aux démarcheurs.

— Pardon de vous déranger, madame, dit-il. Je m'appelle Floyd et j'enquête sur la mort de la jeune Américaine qui est tombée par la fenêtre, il y a trois semaines. Je crois que mon partenaire, M. Custine, vous a déjà rendu visite… ?

— Oui, répondit la femme, sur ses gardes.

— Il n'y a pas de quoi s'inquiéter. C'est juste que l'un des autres occupants de l'immeuble a fait une remarque anodine sur le coup, mais qui pourrait maintenant se révéler avoir une certaine importance…

Elle n'avait apparemment pas l'intention de le faire entrer chez elle.

— J'ai dit à votre collègue tout ce que je pouvais au sujet de l'Américaine. C'est tout juste si je la connaissais.

Floyd ne prit pas la peine de lui demander son nom – Custine l'avait probablement déjà noté.

— Ce n'est pas vraiment de la jeune Américaine qu'il est question. Mais quand même, vous lui avez parlé ?

— Pas un seul mot. Nous nous croisions parfois dans l'escalier. Je n'ai pas spécialement cherché à l'éviter, mais à mon âge...

Son expression sembla s'adoucir. C'était comme si une brèche s'ouvrait dans sa méfiance, même si elle se dressait dans l'entrebâillement de sa porte tel un dragon gardant une forteresse.

— Il y a bien des années que je vis dans cet immeuble, monsieur. Il fut un temps où je mettais un point d'honneur à faire la connaissance de tous les locataires. Mais aujourd'hui les jeunes arrivent et repartent si vite que c'est à peine si ça vaut le coup d'apprendre leur nom.

— Je comprends, dit Floyd d'un ton compatissant. J'habite un immeuble tout à fait du même genre, dans le cinquième. C'est exactement pareil : les gens arrivent et repartent à la vitesse de l'éclair.

— Quand même, un jeune homme comme vous... Vous auriez probablement retenu son nom. Elle était très jolie.

— J'ai cru comprendre que c'était une charmante jeune femme, en effet. C'est pourquoi il est d'autant plus important que nous sachions ce qui lui est arrivé.

— La police dit qu'elle est tombée.

— Ça, c'est sûr. La question est : est-ce qu'on l'a poussée ?

— Il paraît que ce n'était qu'une touriste. Pourquoi quelqu'un aurait-il voulu du mal à une personne comme ça ?

— C'est bien ce que j'espère découvrir.

— Vous avez parlé au veuf, à l'étage au-dessus ?

— M. Blanchard ? Oui, nous avons discuté. Il nous a beaucoup aidés.

— Il la connaissait mieux qu'aucun de nous…

La femme se pencha vers Floyd en baissant la voix :

— Si vous voulez que je vous dise, à mon avis, il y avait du pas net là-dessous.

— Oh, je pense que c'était parfaitement clair, répondit Floyd. L'Américaine aimait jouer aux courses. M. Blanchard l'aidait à miser sur les chevaux.

La femme fit la moue, manifestement peu convaincue par les arguments de Floyd.

— Je pense quand même qu'un homme de son âge… enfin, passons. Qui suis-je pour juger ? Que puis-je vous dire d'autre, monsieur ?

— Un dernier détail : il y a des enfants qui vivent dans cet immeuble ?

— Il y avait un jeune couple avec un bébé, au quatrième, mais ils sont partis pour Toulouse, l'an dernier.

— Et depuis ?

— Pas d'enfants.

— Vous n'avez jamais vu d'enfants dans l'immeuble ?

— Il y a parfois des gens qui viennent voir des locataires avec leurs enfants.

Floyd tapota son stylo sur le calepin.

— Et des enfants non accompagnés ?

— De temps en temps. M. Charles, qui habitait au cinquième, avait une fille qui venait le voir le dimanche.

— Elle est venue récemment ?

— Pas depuis qu'on a enterré son père, au cimetière d'Ivry.

— Et depuis ? D'autres enfants ?

— Pas à ma connaissance, non.

— Réfléchissez bien, madame. Vous n'avez jamais vu une petite fille dans ce bâtiment, plus spécialement ces dernières semaines ?

— Je crois que je m'en souviendrais, monsieur ; ç'aurait été assez inhabituel.

Floyd referma son calepin avec un claquement. Il n'y avait pas noté un mot.

— Merci de m'avoir consacré du temps, madame.

— Je regrette de ne pas avoir pu vous aider davantage.

— Vous avez été très utile.

Floyd porta un doigt au bord de son chapeau et s'éloigna tandis que la femme refermait sa porte. Il l'entendit boucler d'innombrables chaînes et verrous.

Il n'y avait pas d'autres occupants sur le palier, aussi Floyd reprit-il l'escalier. Il était à mi-chemin du deuxième étage lorsqu'il entendit la femme déverrouiller précipitamment ses serrures et rouvrir sa porte. Il s'arrêta, une main sur la rampe, et se pencha.

— Oui, madame ?

— Je viens de me rappeler..., dit-elle d'une voix tremblante. J'ai bien vu un enfant.

— Une petite fille ?

— Oui, mais très bizarre. Je l'ai croisée dans l'escalier, tard, un soir, en rentrant chez moi.

— Où étiez-vous allée, si je puis me permettre cette question ?

— Nulle part. J'ai parfois des crises de somnambulisme, et il m'arrive de sortir de chez moi et de me réveiller au pied de l'escalier. C'était quand ? Il y a trois ou quatre semaines. J'ai regardé son visage et...

Elle eut un frémissement.

— Qu'est-il arrivé ?

— Quand je me suis réveillée, le lendemain matin, je me suis dit que j'avais dû rêver.

— C'est peut-être ça, répondit Floyd.

— Je l'espère bien, monsieur, parce que, quand j'ai regardé son visage, j'ai vu la face du mal, comme si le diable en personne était entré dans cet immeuble, incarné dans une petite fille. Et le pire, c'est que, quand elle m'a regardée, j'ai vu qu'elle savait exactement ce que je pensais.

— Vous pourriez la décrire ?

— Huit ou neuf ans environ. Peut-être un peu plus. Ses vêtements étaient sales, en haillons. Elle était très maigre. J'ai vu son bras sur la rampe – on aurait dit une patte de poulet, maigre et squelettique. Ses cheveux étaient trop noirs, comme si on les avait teints. Mais le pire, c'était son visage. On aurait dit un masque de sorcière, ou je ne sais pas, une sorte de crabe qu'on aurait laissé pourrir au soleil...

— Je vais vous rassurer, dit Floyd en souriant. Vous avez dû faire un cauchemar.

— Comment pouvez-vous en être si sûr ?

— Parce que ce n'est pas la petite fille que j'espérais que vous aviez vue, et qui aurait pu être un témoin utile.

— Vous en êtes sûr ?

— La petite fille que je cherche aurait un visage d'ange. Des petites nattes et les joues roses.

— Dieu soit loué ! fit la femme. C'était donc un cauchemar, finalement. C'est juste que, quand vous avez parlé d'une petite fille...

— Je comprends très bien. J'ai fait un affreux cauchemar, moi aussi, l'autre nuit. Quand je me suis réveillé, il m'a fallu un moment pour me rendre compte que ce n'était pas la réalité. Mais ne vous en faites pas, madame. Elle ne reviendra pas, ne vous inquiétez pas pour ça ; je suis désolé de vous avoir amenée à y repenser.

— Ce n'est pas votre faute.

— Je vous assure, essayez de ne plus y penser. Je vous suis très reconnaissant de votre aide. Mon partenaire vous a-t-il laissé une carte, au cas où quelque chose vous reviendrait ? demanda-t-il en fouillant dans sa poche.

— Oui, j'ai sa carte.

— N'hésitez pas à nous appeler.

Elle referma sa porte. Floyd espérait avoir réussi à la rassurer – la dernière chose dont il avait envie, c'était de fiche la trouille aux gens –, mais en s'éloignant il l'entendit refermer au moins deux fois plus de verrous et de chaînes que la première fois.

— Ce n'est pas nous qui avons construit tout ce fourbi, dit Skellsgard. Nous nous sommes contentés d'en hériter. Malheureusement, ça veut dire que nous sommes obligés de suivre leur règle du jeu, et pas la nôtre. Or leur règle du jeu prohibe l'introduction d'objets dangereux dans Paris.

Ils étaient debout à côté d'une porte circulaire de deux mètres de haut, montée sur des gonds et défendue par une rambarde capitonnée. Le mur, tout autour, disparaissait sous les rubans zébrés, jaune et noir, et les mises en garde peintes au pochoir indiquant sans ambiguïté que ce qui se trouvait derrière ne valait rien pour la santé.

— Quels objets dangereux ? demanda Auger. Vous voulez dire des bombes, des armes, ce genre de trucs ?

— Je veux dire, tout ce que les gens de T2 ne devraient pas avoir. La censure ne laisse passer à peu près aucun objet fabriqué chez nous. Non seulement les choses évidemment dangereuses, mais aussi tout ce qui risquerait de foutre le bordel dans le monde de l'autre côté du portail. Ce qui veut dire, pratiquement tous les artefacts de T1.

Skellsgard tira sur un levier, mettant en branle un mécanisme compliqué qui écarta la porte blindée du mur.

Auger n'aurait su dire à quoi elle s'attendait – une autre caverne, peut-être. A la place, il n'y avait qu'une membrane luisante, jaune électrique, tendue comme une peau de tambour sur toute la surface de l'ouverture, et qui émettait une lumière vacillante, trémulante, tel le reflet d'une piscine. La pièce en était éclaboussée d'ombres étranges, et Auger éprouva un vague vertige. On ne voyait pas à travers, et en même temps on avait, en la regardant, une subtile impression de profondeur et de perspective. C'était très étrange.

— C'est la censure ? risqua-t-elle nerveusement.

— Oui. Et avant que vous ne nous le demandiez, nous ne savons pas comment ça fonctionne. Tout ce que nous savons, c'est que nous ne pouvons faire passer que certains objets à travers. Le reste est... soit rejeté, soit détruit, selon son humeur du moment.

Auger examina le cadre encastré dans la roche. Il était clair que c'était un rajout humain, boulonné sur la paroi préexistante. Le portail avait probablement été installé en même temps que la connexion hyperweb, bien avant que les gens de Skellsgard ne la rouvrent.

— Qu'y a-t-il de l'autre côté ? demanda-t-elle.

— Le reste du monde. Une autre chambre, en fait. Directement reliée aux tunnels, sous Paris.

— On ne peut pas tout simplement court-circuiter la censure ? Percer à travers la roche, de l'autre côté ?

— Ça ne marche pas, répondit Skellsgard. On a tout essayé, en vain : on ne peut pas sortir de cette chambre. On a tenté de percer à côté du portail, avec des explosifs, même, mais autant essayer de mâcher du diamant. Les constructeurs ont dû renforcer cette chambre pour cette raison même : pour que tout le monde emprunte le portail.

— Vous avez tout de même réussi à traverser. Vous avez réussi à passer la censure.

— Nous, vous et moi, nous y arrivons, répondit Skellsgard. Mais quelqu'un comme Niagara ne pourrait jamais la franchir. Il est tellement truffé de machines que la censure le rôtirait vivant. La nanotechnologie est radicalement proscrite. Quoi qu'on fasse pour essayer de la dissimuler, la censure la détecte toujours, et la grille chaque fois.

— Aucune arme à nanotechnologie ne peut donc arriver à Paris. Eh bien, tant mieux, si ça veut dire que les Slashers ne peuvent pas passer.

— Certes, mais ça ne s'arrête pas à la nanotechnologie. Tout objet manufacturé complexe est bloqué, même s'il est d'une totale innocuité. Ce qui veut dire pas d'armes. Pas d'engins de communication, de mécanismes d'horlogerie, montres ou pendules. Pas de caméras, de capteurs ou de matériel médical.

— Qu'est-ce qui reste, en réalité ?

— A peu près rien, à part les vêtements. Le papier. Les outils rudimentaires, comme les tournevis et les bêches. A la base, tout ce qu'elle considère comme sûr. En réalité, nous avons réussi à la blouser une fois, d'une façon très triviale. Elle intercepte toutes les armes, et même les fac-similés d'armes du vingtième siècle, mais nous avons réussi à en démonter une et à passer les composants un par un. Ça a marché. Mais à quoi bon ? Autant trouver un vrai pistolet sur T2 ; c'est moins compliqué.

Auger tendit la main vers la surface jaune, attirante.

— Je peux la toucher ?

— Oh oui. Vous pouvez passer la main à travers. Il va bien falloir que vous passiez tout votre corps à travers, de toute façon, alors je vous en prie...

Auger tendit le doigt à travers la membrane jaune, inquiétante. Son doigt mit plus longtemps qu'elle ne s'y attendait à rencontrer une surface. Puis elle éprouva un picotement au bout du doigt. Elle continua à pousser, et la surface jaune commença à se déformer visiblement, formant un nombril à partir du point de contact. Ça lui rappela la tension de surface sur l'eau, la façon dont elle formait une peau qui résistait à une douce pression. Un coloration brunâtre, comme un point de rouille, apparut dans le jaune, autour de son doigt.

— Vous êtes absolument sûre qu'il n'y a rien à craindre ? demanda-t-elle à nouveau.

— Nous avons fait ça des centaines de fois, répondit Skellsgard. Le corps ne pose aucun problème. La censure fait assez bien la différence entre les processus biologiques complexes et la nanotechnologie.

— Assez bien ?

— Poussez, c'est tout.

Auger accrut la pression. Il y eut comme un claquement, et tout à coup sa main se retrouva dans le jaune jusqu'au poignet. La surface s'était refermée autour. Elle n'éprouvait aucune douleur, juste un picotement et une sensation de fraîcheur. Elle remua les doigts. Ils semblaient tous là, et n'avaient apparemment pas souffert. Elle retira sa main et la regarda : intacte.

— Vous voyez, c'est simple, dit Skellsgard.

— Quand même, ça ne me plaît pas.

— Ça n'a pas besoin de vous plaire. Je vais vous montrer à quel point c'est sûr. Il y a un truc, alors regardez bien comment je fais. Quand je serai passée, vous pourrez me tendre votre chapeau.

Auger recula un peu. Skellsgard leva les bras et empoigna fermement la barre horizontale au-dessus de la censure. Avec une fluidité de gymnaste, elle se souleva du sol et s'élança vers la surface jaune. Elle avait acquis un élan suffisant pour passer à travers d'un seul mouvement. La surface fit un ventre, puis l'avala avec un claquement. La dernière vision qu'Auger eut d'elle fut l'arrière de sa tête qui disparaissait dans la censure.

Un instant plus tard, une main repassa à travers et claqua des doigts. Auger reconnut les ongles noirs. Elle enleva son chapeau, le tendit vers la main, qui disparut avec.

Auger leva les bras, saisit la barre et se hissa, l'effort inaccoutumé faisant hurler ses muscles. Elle leva les jambes aussi haut qu'elle put et s'élança dans le jaune. Le mouvement était probablement moins élégant que celui qu'avait effectué Skellsgard, mais elle se dit qu'il fallait un début à tout.

Le moment de transition, le passage à travers le jaune, lui fit l'effet d'un choc électrique, la douleur en moins. Ce fut comme si tous les atomes de son corps étaient scannés par une lumière intense, inquisitrice. Elle se sentit scrutée, fouillée, tournée en tous sens comme une pierre taillée. Ça dura l'éternité d'un instant – ou un instant d'éternité.

Puis ce fut fini. Elle se retrouva en tas par terre, le bas de sa jupe remonté au niveau de la taille, et elle avait perdu une de ses chaussures. Quelqu'un avait judicieusement posé un matelas de l'autre côté de la censure.

— Tenez, votre chapeau, dit Skellsgard. Bienvenue à Paris.

Auger se releva tant bien que mal, remit de l'ordre dans sa tenue et son chapeau sur sa tête. La chambre dans laquelle elles étaient arrivées était beaucoup plus petite que la précédente, mais elle était bourrée d'un assortiment de machines et de vestiaires tout aussi étonnant. Sauf que le contenu n'avait pas l'air aussi perfectionné : pour autant qu'Auger pouvait en juger, presque tout à cet endroit avait dû être envoyé par petits paquets puis remonté (ce qui excluait évidemment tout mécanisme trop compliqué) ou, plus vraisemblablement, avait été récupéré dans le monde extérieur de T2 et adapté pour servir à de nouvelles fonctions. Il y avait beaucoup de matériel électrique, des choses qui bourdonnaient dans des armoires métalliques grises ou vertes, laides et fonctionnelles, reliées par un magma de câbles enrobés de caoutchouc ; des écrans monochromes vacillants sur lesquels défilaient des tracés d'ondes ; des choses noires qui ressemblaient à des machines à écrire, mais qui étaient manifestement plus compliquées que ça. Un générateur hoquetait dans un coin.

— Ça va ? demanda Skellsgard.

— Plus ou moins. Ça ne devrait pas ?

— Il y avait un petit risque que les nanomachines de Niagara n'aient pas été complètement éliminées avant votre passage. Mais je ne voyais pas l'utilité de vous alarmer sans nécessité.

— Je vois, fit Auger, entre ses dents.

— Ce n'est pas tout. Généralement, quand on traverse, on ne sent rien. Ça ne prend qu'un instant et c'est fini. Mais de temps en temps, une fois sur cent, il arrive que ça se passe autrement.

— Comment ça ? C'est plus pénible ?

— Non, non. Pas du tout. On a juste l'impression que ça prend plus longtemps. Beaucoup plus longtemps. Comme si on restait toute sa vie dans ces limbes jaunes. On apprend et on ressent des choses inexprimables. En ressortant, on a l'impression de se rappeler à quoi ça ressemblait. Comme si on se cramponnait aux lambeaux évanescents d'un beau rêve. La trace des esprits qui ont construit cet endroit est palpable. C'est comme s'ils voyaient à travers nous, immenses, antiques, morts depuis des temps immémoriaux et en même temps encore conscients, et curieux de savoir ce qu'on comprend de leur création.

— Vous avez... ça vous est...

— Une fois, répondit Skellsgard. Et ça m'a suffi. C'est pour ça que je ne m'impose plus cette épreuve que contrainte et forcée.

— Oh, putain ! fit Auger en secouant la tête. Vous auriez pu me le dire quand j'étais de l'autre côté. Maintenant, je n'ai pas le choix, il va falloir que je repasse dans l'autre sens.

— Je voulais juste que vous sachiez que... si ça vous arrive, ce qui ne sera probablement pas le cas, n'ayez pas peur. Il ne vous arrivera rien de mal, vous en ressortirez en un seul morceau. C'est juste que c'en est parfois trop pour certains d'entre nous.

— A quoi ressemblaient ces esprits ? demanda Auger, la curiosité prenant, malgré elle, le pas sur la révolte.

Skellsgard secoua la tête comme pour essayer de rompre un sort mental.

— Distants, énormes et immuables, comme une chaîne de montagnes, répondit-elle avec un sourire emprunté. Ça ne s'est jamais reproduit. J'ai surmonté ça. Nous avons tous un boulot à faire ici. A propos, comment trouvez-vous le décor ? C'est le centre nerveux des opérations de T2. C'est de là que nous communiquons avec tous les agents de terrain.

Barton, qui regardait le café et le casse-croûte disposés sur une table pliante, releva les yeux vers elles.

— Montrez-lui l'Enigma.

— D'après son profil de mission, on n'a pas besoin de la mettre au courant de ça, répondit Skellsgard.

— Montrez-la-lui quand même.

Skellsgard haussa les épaules et conduisit Auger vers des rayonnages métalliques où étaient rangées une dizaine de machines à écrire noires.

— Vous connaissez ces machines ?

— Pas vraiment. On dirait des machines à écrire, mais je suis sûre que c'est plus compliqué que ça.

— Ce sont des machines Enigma, répondit Skellsgard. Du matériel de cryptage commercial.

— Fabriquées sur place ?

— Oui. A usage militaire, mais tout le monde peut acheter un modèle du commerce, pour son usage personnel. Nous les utilisons pour crypter les messages adressés à nos agents de terrain.

— Comme Susan ?

— Exactement. Avant qu'elle ne parte d'ici, nous lui avons donné l'une de ces machines, et les instructions pour modifier un poste de radio lambda afin de recevoir les signaux émis sur des fréquences choisies par nous. Une fois installée, elle devait transformer le poste à l'aide d'outils et de pièces achetés sur place. De notre côté, nous avons crypté des signaux à l'aide d'une machine Enigma dont les rotors étaient réglés en fonction de la date. Susan avait la liste des codes correspondants pour régler sa propre machine Enigma. Les messages chiffrés lui arrivaient par radio en code morse standard. Ils auraient été rigoureusement incompréhensibles à moins d'avoir une Enigma pour les déchiffrer et les traduire en texte lisible.

— Maintenant que vous m'y faites penser, ça me dit quelque chose, fit Auger en levant la main. Ces machines ont joué un rôle au cours de la Seconde Guerre mondiale, non ? Dans la guerre sous-marine ?

— C'est ça, répondit Skellsgard. Mais le code Enigma a fini par être craqué, grâce à plusieurs percées dans le domaine de la cryptoanalyse et de la computation électromécanique. En réalité, c'est ce qui a plus ou moins accéléré la révolution informatique. Mais rien de tout ça n'est arrivé ici : il n'y a pas eu de Seconde Guerre mondiale sur T2.

— C'est ce que j'avais plus ou moins déduit de la carte que Caliskan m'a envoyée, mais je ne savais pas quoi en penser.

— Pensez-en ce que vous voudrez. Le fait est que la ligne temporelle de T2 diverge de façon significative de notre histoire. Sur T2, la guerre a fait flop en 1940. Il y a eu une brève avancée dans les Ardennes, et c'est tout. L'invasion allemande s'est arrêtée là. Les dirigeants ont été renversés par un coup d'Etat – auquel avaient participé Rommel et Stauffenberg –, et en deux ans le parti nazi s'est effondré de l'intérieur. Les gens d'ici ne parlent que de la Grande Guerre, parce qu'il n'y en a jamais eu une deuxième pour lui faire de la concurrence. Pas de Seconde Guerre mondiale, donc, et pas de tentative massive pour craquer Enigma. Ici, la technologie en est restée au même point que dans les années 1930, c'est-à-dire, pour ce qu'on en sait, plus ou moins comme en 1830. Ce qui est un bien et un mal. Le côté négatif, c'est que nous ne pouvons pas nous procurer de matériel informatique ou de composants électroniques un tant soit peu élaborés. Il n'y a pas de transistors, de circuits intégrés ni de microprocesseurs. D'un autre côté, l'avantage, c'est qu'on peut être sûrs que personne, sur T2, ne déchiffrera nos messages cryptés à l'aide de la machine Enigma.

— Vous l'utilisiez donc pour communiquer avec Susan…

— Oui, répondit Skellsgard. Mais c'était une communication à sens unique. C'est une chose de construire un récepteur radio ; c'en est une autre, beaucoup plus compliquée, de construire un émetteur avec la portée nécessaire, et c'est encore une autre paire de manches de le faire fonctionner sans attirer l'attention. Avec le temps, elle aurait pu y arriver, mais elle était plus intéressée par la poursuite de ses investigations.

— Celles qui lui ont valu de se faire tuer…

— Je connaissais Susan. Elle n'aurait pas pris de risques si elle n'avait pas eu l'impression que le jeu en valait la chandelle.

— Elle avait donc mis le doigt sur une information importante. Mais d'après Aveling…

Auger regarda dans la direction de Barton, qui venait de lever la tête, sans doute en entendant prononcer le nom d'Aveling. Elle baissa la voix :

— D'après Aveling, Caliskan veut récupérer ces papiers uniquement pour éviter que les gens d'ici mettent la main dessus.

— Il ne faut pas sous-estimer le risque, dit Skellsgard. Il suffirait qu'on les mette sur la voie pour qu'ils se rendent compte qu'ils sont dans un OVA. L'illusion est bonne, mais elle n'est pas sans défaut.

— Et pourtant vous ne pensez pas que c'est la seule raison, hein ? Apparemment, tout le monde a une haute opinion de Susan. Si elle a dit qu'elle avait fait une découverte…

— Alors, c'était peut-être le cas. Mais nous ne saurons ce que c'est que le jour où nous aurons récupéré ces papiers. En espérant qu'ils recèlent suffisamment d'indices.

— Quand même, poursuivit Auger, toujours à voix basse, ce que je ne comprends pas, c'est pourquoi *moi* ? Vous connaissez bien le territoire ; vous auriez pu vous faire passer pour sa sœur au lieu de me faire traverser la moitié de la galaxie, non ?

— Il y avait un petit problème, dit Skellsgard.

— Encore un ? Ben voyons ! Vous savez, je commence à me dire que je devrais démarrer une collection.

— Susan avait ses raisons pour vouloir que vous vous fassiez passer pour sa sœur. C'est ce que dit la dernière carte postale que nous avons reçue d'elle.

Auger fronça les sourcils. Elle n'avait jamais eu que des relations professionnelles distantes avec Susan White. Toute rivalité académique mise à part, elle ne l'aimait ni ne la détestait, mais surtout elle la connaissait très peu.

— Je n'y comprends rien, dit-elle.

— Nous non plus.

— L'une de vous n'aurait pas pu se faire passer pour sa sœur ? Un nom est un nom, après tout.

— Oui, mais il y avait autre chose. Elle pouvait vous décrire à Blanchard. Elle vous connaissait de vue, non ?

— Oui, admit Auger, se rappelant les conférences où elles avaient eu l'occasion de se rencontrer. Et il est vrai que nous nous ressemblions vaguement, maintenant que j'y pense.

— Nous ne pouvons prendre le risque d'envoyer quelqu'un qui ne ressemblerait pas à celle que Blanchard attend. S'il a des soupçons, s'il pense que c'est un coup monté, il se pourrait que nous ne revoyions jamais ces papiers ; c'est pour ça que nous avons besoin de vous.

— Caliskan m'a donc raconté des histoires. Il n'y a jamais eu qu'une seule candidate sur sa liste.

— Il faut croire qu'il vous a raconté ça pour piquer votre vanité, dit Skellsgard.

— Eh bien, il faut croire aussi que ça a marché.

12

Floyd poursuivit sa tournée de l'immeuble de la rue des Peupliers en frappant à toutes les portes, méthodiquement, patiemment, faisant du charme lorsqu'il le fallait, obtenant parfois une réponse. Il ressortit de son enquête de voisinage qu'au moins deux autres locataires avaient vu la petite fille traîner dans l'escalier de l'immeuble. Ils ne pouvaient pas préciser la date, mais toujours au cours des trois ou quatre dernières semaines, ce qui laissait entrevoir l'éventualité d'un lien avec l'affaire White. Les témoins qui avaient aperçu la petite fille ne l'avaient généralement pas revue. Un autre occupant avait vu un enfant bizarre dehors, dans la rue, mais il était formel : ce n'était pas une fille, mais un garçon. Floyd et Custine avaient vu une drôle de fillette quitter l'immeuble de Blanchard la veille au soir, et Floyd pensait en avoir vu une autre regarder les fenêtres de White depuis le trottoir d'en face, plus tôt dans la journée. Il n'avait pas encore parlé au témoin du premier étage, celui qui avait parlé d'une enfant à Custine, la veille.

Floyd n'avait pas idée de ce qu'il fallait penser de tout ça. C'était la première fois que d'étranges enfants jouaient un rôle de premier plan dans une de ses enquêtes. Peut-être qu'il se cramponnait au premier détail insolite venu dans l'espoir de décoincer l'affaire. Peut-être que s'il avait fait le tour de n'importe quel immeuble parisien en posant les mêmes questions, il aurait obtenu des réponses du même genre.

A seize heures, il avait fini. Il regagna l'appartement de Susan White et frappa à la porte. Il baignait dans son jus à force de monter et de descendre l'escalier.

— Tu arrives à quelque chose, grand chef ? demanda-t-il à Custine qui lui ouvrait la porte.

Custine le laissa entrer et referma derrière lui.

— Non. Il n'y a pas eu d'autre émission. J'ai rouvert le derrière de l'appareil en me disant qu'une de mes soudures avait peut-être lâché, mais tout va bien de ce côté-là. La station a apparemment cessé d'émettre.

— Peut-être qu'ils ont purement et simplement disparu.

— Peut-être, convint Custine. Enfin, je réessaierai demain ; il se peut qu'ils n'émettent qu'à certains moments de la journée.

— Tu ne vas pas passer le restant de tes jours ici...

— Juste une journée, c'est tout.

Floyd s'agenouilla à côté de Custine.

— Montre-moi ce que tu as reçu.

— C'est incomplet.

— Je voudrais le voir quand même.

Custine prit, sur le haut de l'appareil, une feuille de papier où il avait noté, en caractères bien nets, une séquence de points et de traits.

— Tu vois les parties manquantes, là et là. Evidemment, rien ne prouve que le message de demain sera le même que celui d'aujourd'hui. Mais au moins je serai prêt pour l'émission de demain, et je devrais pouvoir te remettre une transcription précise.

— Si tu n'as rien reçu demain, on laisse tomber cette piste.

— Il y a quelque chose qui se trame de ce côté-là, que tu le veuilles ou non.

— Peut-être, mais on ne peut pas gaspiller l'argent de Blanchard en restant assis sur notre cul, en attendant une émission qui pourrait ne jamais avoir lieu alors qu'il y a d'autres pistes qui mériteraient d'être explorées.

— Des pistes découlant des documents que Greta a examinés ?

— Entre autres.

Il parla rapidement à Custine des papiers de la boîte, et de ce que Greta en avait déduit.

— Il y a un lien avec Berlin : une sorte de contrat pour du matériel industriel lourd, et ce qui ressemble à un croquis ou un plan.

— Le plan de quoi ?

— On ne sait pas encore, mais quoi que ce soit, il y en a trois.

— J'espère que tu en sais un peu plus long que ça.

— Trois grosses pièces d'aluminium, précisa Floyd. De grosses sphères massives.

— Grosses comment ?

— Il se peut que j'aie mal interprété le plan, mais je dirais qu'elles font au moins trois mètres de diamètre.

— C'est gros, convint Custine.

— Il semblerait qu'elles doivent être suspendues à une sorte de potence. L'une des sphères doit être expédiée à Paris, la deuxième à Milan, et la troisième resterait à Berlin.

— C'est bizarre, convint Custine en se caressant la moustache. Qu'est-ce que cette Américaine pouvait bien avoir à faire avec un contrat comme ça ?

— On en a parlé, Greta et moi. Ce n'était peut-être pas son contrat, mais un contrat auquel elle s'était intéressée pour une raison ou une autre.

— En d'autres termes, retour à la case départ : la théorie de l'espionne.

— Désolé, répondit Floyd. Mais on dirait que tous les chemins mènent bel et bien à Rome.

— Et d'où penses-tu repartir, maintenant ? La boîte t'a suggéré d'autres pistes ?

— Nous avons l'adresse et le numéro de téléphone de l'aciérie, à Berlin.

— Tu les as appelés ?

— Pas encore, mais je prévois de le faire dès que je repasserai au bureau.

— Fais attention, Floyd. Si c'est une histoire d'espionnage, il n'est peut-être pas très judicieux de fourrer le nez là-dedans…

— Et à ton avis, qu'est-ce que tu as fait tout l'après-midi ?

— Ce n'est pas pareil, fit Custine d'un ton définitif. Je me contente d'essayer d'intercepter un signal radio.

— Et personne ne le saura, c'est ça ?

— Bien sûr que non, confirma Custine avec une assurance qu'il aurait bien voulu éprouver. Ecoute, je me donne encore une matinée, puis je remettrai l'appareil exactement dans l'état où je l'ai trouvé, et je m'en irai.

— Tout ce que je dis…

— Je sais. Et je comprends. Je pense qu'on est tous les deux convaincus qu'il y a anguille sous roche, hein ?

— Je pense que Blanchard avait raison depuis le début, dit Floyd en se levant et en se dérouillant les jambes.

— Tu lui as reparlé, aujourd'hui ?

— Pas encore, mais j'en ai l'intention. On pourrait déjà lui dire qu'on avance, plus ou moins.

— Tu as parlé d'une autre piste…

Floyd se dandina d'un pied sur l'autre, l'air incertain.

— Ecoute, je ne voudrais pas que tu me prennes pour un illuminé, mais j'ai remarqué que d'étranges petites filles n'arrêtaient pas d'apparaître dans cette affaire. Il y a celle qu'on a vue…

— Je sais, je sais, convint Custine en agitant la main. Et celle que le locataire du premier a mentionnée, plus celle que tu as vue en bas. Des détails anecdotiques, Floyd : rien de plus.

— Comment peux-tu en être sûr ?

— Je ne suis sûr de rien. Mais les années que j'ai passées à la PJ m'ont appris que les petits enfants n'étaient généralement pas les suspects numéro un dans les affaires d'homicide.

— Peut-être que ce n'est pas une affaire d'homicide classique, répliqua Floyd.

— Quoi, tu penses sérieusement que Susan White aurait pu être tuée par une gamine ? !

— Si elle était appuyée à la rambarde du balcon, il n'aurait pas fallu un énorme effort pour la faire basculer. Ça n'exige pas une force démesurée.

— Si elle était déjà légèrement déséquilibrée, il est tout à fait possible qu'elle ait complètement perdu l'équilibre.

— André, tu sais aussi bien que moi qu'on l'a poussée.

— Je me contente de jouer l'avocat du diable, Floyd. Même si tu pouvais présenter un dossier à la PJ, il faudrait arriver à convaincre le magistrat instructeur pour que la police poursuive l'enquête. Et ton hypothèse d'enfant assassin pose un autre problème...

Custine récupéra le papier sur lequel il avait pris le signal radio en note, le plia en quatre et le mit dans la poche de sa chemise.

— Lequel ?

— On sait que la personne qui a tué Susan White a saboté son poste de TSF. En dehors de l'effort qu'exige le fait de retirer le panneau du fond, il aurait fallu que l'assassin ait aussi la force d'écarter le meuble du mur et de l'y remettre.

— Tu as bien réussi à le faire tout seul.

— J'avais tout le temps, répondit Custine. Et tu oublies un petit détail : je ne suis pas un enfant. Je ne peux pas juger avec précision de la force nécessaire, mais je doute que ç'ait été dans les moyens d'une gamine de ce gabarit.

— Alors elle avait un complice adulte.

— Dans ce cas, poursuivit patiemment Custine, on aurait meilleur compte de supposer que le complice adulte était le meurtrier.

— Je pense quand même que la présence de ces gamines est significative.

— Floyd, tu sais que j'ai infiniment d'estime pour toi, mais l'une des autres leçons importantes que j'ai apprises à la PJ, à l'époque où la résolution des homicides était ma principale activité plutôt que la poursuite des ennemis de l'Etat, c'est qu'il est tout aussi important d'ignorer certains détails d'une enquête que d'en suivre d'autres.

— Tu veux dire que je cours après le mauvais lièvre ?

— Le mauvais lièvre, le mauvais coin de bois, peut-être même la mauvaise forêt tout entière.

— Je n'aime pas l'idée d'éliminer complètement une option.

— Très bien : n'élimine rien. Mais ne te laisse pas égarer par des théories ridicules. Pas alors que nous avons des pistes concrètes.

Floyd poussa un soupir. Une lueur venait de faire irruption dans ses pensées. Custine avait raison, bien sûr. Floyd avait parfois l'habitude de poursuivre en trompetant des pistes invraisemblables. Il arrivait de temps à autre – même quand ils enquêtaient sur une affaire mineure d'infidélité conjugale – qu'elles mènent à une piste qui se révélait cruciale. Mais il avait souvent besoin d'un gentil rappel de Custine pour revenir à l'approche orthodoxe, et il n'était pas rare que des méthodes scientifiques solides, éprouvées, soient exactement ce que nécessitait l'affaire.

Et Floyd venait de prendre conscience qu'il en était exactement là.

— Tu as raison, dit-il. Si une seule de ces étranges gamines s'était montrée, j'imagine que je n'y aurais pas prêté attention.

— Le défaut central de l'esprit humain, dit Custine, c'est cette malheureuse habitude de voir des schémas là où il n'y en a pas. Evidemment, c'est aussi son atout principal.

— Mais il arrive que ce soit très dangereux.

Custine se leva et s'essuya les mains sur son pantalon.

— Il ne faut pas t'en vouloir, Floyd. Ça arrive aux meilleurs d'entre nous. Et il n'y a pas de mal à poser des questions, jamais.

Custine rassembla son matériel, son chapeau, son pardessus, puis ils redescendirent les deux étages et allèrent frapper à la porte de Blanchard. Floyd lui livra une version édulcorée des événements : oui, il paraissait vraisemblable que Susan White avait été assassinée ; il semblait même probable qu'elle n'était pas l'innocente touriste américaine qu'elle avait l'air d'être.

— Une espionne ? risqua Blanchard.

— C'est trop tôt pour le dire, répondit Floyd. Nous avons encore des pistes à explorer. Mais vous aurez des nouvelles de nous dès que nous aurons du concret.

— J'ai parlé à l'un des autres locataires. Il semblerait que vous ayez posé des questions au sujet d'une petite fille.

— Juste pour exclure les témoins possibles, répondit Floyd.

— Et qu'est-ce qu'une petite fille pourrait bien avoir à faire dans cette histoire ?

— Probablement rien du tout, répondit Custine avant que Floyd ne se laisse aller à exposer ses théories abracadabrantes à leur client.

— Très bien, dit celui-ci en les regardant. Vous savez combien je tiens à ce que vous retrouviez l'assassin de Susan. J'ai l'impression qu'elle ne reposera pas en paix tant que l'affaire ne sera pas résolue.

A la façon dont il avait dit cela, on aurait pu croire qu'il parlait de Susan White, mais la photo qu'il regardait était celle de sa défunte femme.

Ils repartirent dans les embouteillages du jeudi soir, prirent l'avenue de Choisy à partir de la place d'Italie et suivirent un labyrinthe de petites rues jusqu'au boulevard Raspail. Floyd tourna le bouton de la radio, à la recherche d'une émission de jazz, mais il n'eut droit qu'à de l'accordéon. C'était la grande mode, en ce moment. La tradition française faisait son come-back ; le jazz était out. Châtelier avait qualifié le jazz de poison mental, comme si la musique était une sorte de drogue qui devait être éradiquée des rues.

Floyd éteignit le poste. L'accordéon lui donnait toujours le mal de mer.

— J'ai une question à te poser, dit Custine.

— Vas-y.

— Il y a une possibilité que nous n'avons pas évoquée. Concernant le vieux monsieur.

— Je t'écoute.

— Bon, eh bien… Tu crois qu'il aurait pu la tuer ?

Floyd réfléchit un instant et secoua la tête.

— Ça ne tient pas debout, André. La police avait refermé le dossier ; pourquoi aurait-il pris le risque de rouvrir la boîte de Pandore ?

— La nature humaine étant ce qu'elle est, tout est possible. Et s'il avait secrètement besoin d'être découvert ? A partir du moment où la police avait abandonné l'enquête, il n'avait pas d'autre solution que de faire appel à des détectives privés.

— Aucun des indices que nous avons recueillis jusque-là ne mène à Blanchard.

— Mais nous savons qu'il avait accès à son appartement. Il est le seul à avoir la clé de tous les logements. Et si elle avait un amant, et si Blanchard l'avait découvert ?

— Ça expliquerait la TSF, la machine à écrire en mille morceaux et la boîte de documents…

— Peut-être qu'il joue un double jeu avec nous, semant sur notre chemin des indices fabriqués de toutes pièces pour nous envoyer sur une fausse piste, tout en espérant que nous aurons assez de bon sens pour y voir clair, et...

— C'est comme ça qu'on t'a appris à raisonner, à la PJ ?

— Tout ce que je dis, c'est qu'on ne peut pas exclure cette hypothèse. Il a l'air d'un brave vieux monsieur, mais on peut dire ça de certains des plus affreux criminels.

— André, je pense que tu es resté assis trop long-temps dans cette pièce...

— Peut-être. Quand même, un peu de méfiance ne peut pas nuire dans ce genre d'affaire.

Floyd prit le boulevard Saint-Germain.

— Je t'accorde que nous ne pouvons l'exclure, malgré tous les indices contraires. Je t'avouerai que cette pensée m'avait aussi effleuré.

— Eh bien, alors...

— Mais quand même je ne crois pas que ce soit lui qui ait fait le coup. Cela dit, si tu te sens obligé d'explorer cette piste... Eh bien, je compte sur toi pour faire le tour du problème avec le maximum de tact. Reparle-lui du fait que la police a refusé d'étudier l'affaire. Demande-lui s'il connaît quelqu'un qui aurait pu être jaloux du temps qu'il passait avec la fille.

— Je serai un modèle de tact et de délicatesse, répondit Custine.

— Tu as intérêt. S'il s'énerve et nous retire l'affaire, on n'aura plus qu'à chercher un local moins reluisant dans un quartier encore plus miteux de la ville.

— Je ne pensais pas qu'il pouvait y avoir un quartier plus miteux dans cette ville.

— Tu as très bien compris ce que je voulais dire, répondit Floyd.

Il gara la Mathis. Rien de neuf dans la boîte aux lettres ; ni factures ni mystérieuses missives de petites amies depuis longtemps oubliées. Ce qu'il crut pouvoir considérer comme une sorte de bon présage.

Mais l'ascenseur était de nouveau en panne, coincé au troisième étage. Le technicien de la compagnie d'ascenseurs lisait un journal de courses en fumant une cigarette, assis au pied de l'escalier. C'était un petit bonhomme à la tête de fouine et aux cheveux pommadés, qui sentait le savon de Marseille. Il salua Floyd et Custine d'un hochement de tête alors qu'ils passaient auprès de lui en montant l'escalier à pied.

— En plein boum, Maurice, fit aimablement Floyd.

— Ah, m'sieur Floyd, j'attends une pièce détachée que la boîte m'a envoyée, répondit-il avec un haussement d'épaules désabusé. Mais ça roule tellement mal que j'suis pas sûr qu'elle arrive avant c'soir.

— Vous foulez pas, en attendant, renvoya Floyd.

Maurice replongea le nez dans son journal avec un bon sourire.

Dans son bureau, Custine posa sa trousse à outils, se passa le visage à l'eau, changea de chemise et fit du thé. Floyd s'assit à son bureau, décrocha le téléphone, demanda à l'opératrice de l'international un numéro à Berlin – celui de Kaspar Metals, qu'il avait relevé sur la lettre à en-tête – et attendit que la communication soit établie.

Au bout d'un moment, la voix de l'opératrice se fit entendre à nouveau :

— Je suis désolée, monsieur, mais le numéro que vous demandez n'est pas attribué.

Floyd lui répéta le numéro, mais il n'y avait pas d'erreur.

— Vous voulez dire que personne ne décroche ?

— Non, répondit-elle. Il n'y a pas de tonalité.

Floyd la remercia et raccrocha. Encore une piste qui menait dans un cul-de-sac, donc. Il tambourina sur son bureau et composa le numéro de Marguerite à Montparnasse.

— Ah, Floyd…, fit Greta.

— Comment ça va ?

— Elle se repose.

— On peut se voir, ce soir ?

— Je pense que oui.

— Eh ben, cache ta joie, fillette !

— Pardon, Floyd, soupira-t-elle. C'est juste que je suis un peu déprimée en ce moment.

— Eh bien, ça ne te fera pas de mal de te changer les idées.

— Et tu es volontaire pour essayer, je suppose.

— On a travaillé d'arrache-pied sur l'affaire, Custine et moi. Je pense qu'on n'aurait pas volé un petit break, ce soir. Si je vous emmenais dîner, tous les deux, et on pourrait finir la soirée au Perroquet Pourpre ?

— Ça devrait pouvoir se faire, répondit-elle, pas très sûre d'elle. Sophie est là, ce soir. Elle a du travail. Alors je pourrais lui demander de rester avec Marguerite…

— C'est bien, ça. Je passerai te chercher d'ici une heure. Fais-toi belle – on va être sous les feux des projecteurs, ce soir.

— Je ferai de mon mieux, répondit-elle.

Custine et Floyd discutèrent de l'affaire en buvant leur thé. Ils échangèrent leurs observations et comparèrent leurs notes sur les entretiens qu'ils avaient eus avec les occupants de l'immeuble pendant qu'un vieux disque RCA Bluebird craquait sur le phono, *Blues in Thirds*, de Sidney Bechet.

— Au fond, conclut Custine, tout ce qu'on a, c'est une drôle d'Américaine qui aime bidouiller la TSF, à supposer que ce soit elle qui ait fait ça, et pas un des précédents occupants.

— On a un peu plus que ça, rectifia Floyd. On sait qu'elle s'intéressait à un énigmatique contrat de fabrication passé avec une boîte à Berlin. On sait que, quand elle est morte, sa machine à écrire a été détruite avec elle. On sait qu'elle avait l'habitude d'accumuler les livres et des trucs de toutes sortes...

— Des observations inhabituelles, prises ensemble, mais toutes parfaitement explicables individuellement.

— Mais additionnées les unes aux autres...

— Pas de quoi étayer de façon convaincante une accusation d'espionnage.

— Et les petites filles ?

Custine jeta à Floyd un regard de reproche.

— J'espérais que tu n'en reparlerais pas.

— Je n'ai toujours pas réussi à parler à l'autre locataire qui l'a vraiment bien vue.

— Je repasserai le voir demain, si ça peut te faire plaisir. Entre-temps, puis-je te suggérer de nous en tenir aux éléments tangibles ?

Floyd réfléchit un instant, ses pensées suivant les méandres du saxophone de Bechet. C'était un vieux disque rayé, crachotant, et la musique était presque noyée dans une tempête de sifflements et de craquements. Il aurait pu racheter, le lendemain, un disque pirate bon marché, dont le son aurait été aussi clair et net qu'un sifflet de métal blanc, seulement ça n'aurait pas été la bonne espèce de netteté. La copie aurait pu abuser quatre-vingt-dix-neuf pour cent des gens, mais le vieil enregistrement de gomme-laque endommagé avait quelque chose de cru, de sincère, qui avait traversé trente années et transparaissait à travers le bruit de fond comme un clairon.

— La piste berlinoise s'interrompt net, dit-il. Et nous ne savons pas ce qu'elle faisait des livres et des revues.

— Et des disques, lui rappela Custine. En dehors du fait, bien sûr, que Blanchard l'a vue entrer dans la station de métro Cardinal-Lemoine avec une valise pleine, et réapparaître avec une valise vide.

— Comme si elle avait échangé le contenu avec un autre espion.

— Exactement. Enfin, encore une fois, c'est anecdotique. Elle aurait tout aussi bien pu remettre le contenu à un expéditeur.

— C'est ça qui n'a pas de sens, dit Floyd.

Anticipant une rayure du disque qui faisait achopper l'aiguille sur une phrase particulière, il programma un battement de pied sur le parquet pour lui faire sauter le sillon. Il effectua le mouvement avec une telle précision que le saut fut à peine perceptible.

— Que ça tienne le coup ou non devant un tribunal, nous avons plus qu'assez d'indices du fait qu'elle se livrait à des activités d'espionnage. Mais que faisait-elle avec les bouquins et tous ces trucs ? Qu'est-ce que tout ça a à voir là-dedans ?

— Ça faisait partie de sa couverture en tant que touriste ?

— Peut-être. Mais dans ce cas pourquoi ne pas se comporter comme une respectable touriste plutôt que comme un hamster culturel, en bourrant des malles et des malles de ce fatras ?

— A moins qu'une information vitale ne soit enfouie dans tout ce matériel, dit Custine. Dommage que nous ne sachions pas ce qu'il y avait dans la valise.

— On sait ce qu'elle a laissé dans sa chambre, et tout porte à croire qu'elle l'aurait expédié aussi si elle n'en avait pas été empêchée.

— Certes. Mais apparemment rien de ce que nous avons vu ne justifiait qu'une espionne s'y intéresse. Des livres, des magazines, des journaux, des disques… qu'on aurait pu trouver aux Etats-Unis, plus ou moins facilement.

— Il faut croire, malgré tout, qu'ils recelaient une certaine importance à ses yeux, dit Floyd. Et puis il y a cette allusion à la « pluie d'argent ».

— « Pluie d'argent » ?

— Ça te dit quelque chose ?

— Pas vraiment.

— Susan White avait soigneusement souligné ces mots sur une carte postale qu'elle n'a jamais réussi à envoyer.

— Ce qui pourrait vouloir dire n'importe quoi. Ou rien du tout, ajouta Custine en haussant les épaules.

— Pour moi, ça ressemble à un code. Un nom de code qui dissimulerait je ne sais quoi de désagréable.

— Ben voyons, fit Custine avec un sourire. Tout ça c'est parce que tu es axé sur les histoires d'espionnage.

— Et puis il y a la question de la machine à écrire.

— Oui, ça, c'est marrant ; j'y ai réfléchi, et il se peut que ça non plus, ce ne soit pas si simple. Blanchard nous a montré la boîte dans laquelle elle était arrivée, tu te souviens ?

— Il a dit que c'était une marque allemande, ajouta Floyd.

— Oui. Et quand il nous a montré la boîte – et cité la marque –, ça m'a rappelé quelque chose ; l'ennui, c'est que je ne vois vraiment pas ce que ça viendrait faire là-dedans.

— Et à quoi ça t'a fait penser ?

— Une pièce sans fenêtres, au quai des Orfèvres, dans la section où on procédait aux interrogatoires : une cellule éclairée par une unique ampoule. Du carrelage par terre et sur les murs, parce que c'est plus facile à nettoyer. Le problème, c'est que j'ai du mal à voir ce qu'une machine à écrire aurait bien pu faire dans un endroit de ce genre.

— Pour enregistrer les entretiens ?

— Ce qui se passait dans ces pièces, Floyd, n'était pas du genre à se retrouver consigné par écrit.

— Alors, pourquoi la machine à écrire ?

— Je n'en sais rien. Peut-être que ça me reviendra, quand j'aurai la tête ailleurs.

Ils n'en dirent pas plus jusqu'à la fin du disque. Ils restèrent ainsi, à écouter les chuintements et les grattouillis de l'aiguille sur le sillon, comme s'ils espéraient capter un message dans les bruits parasites, un indice murmuré qui éluciderait l'affaire. Mais il n'arriva rien.

Floyd se leva, remit le disque dans sa pochette. Ils quittèrent le bureau et descendirent l'escalier en contournant l'employé de la boîte de maintenance, qui était toujours assis là, avec son journal de courses, attendant la pièce détachée qui venait de l'autre bout de Paris à une allure de tortue. Ils se rendirent à Montparnasse en voiture, Custine attendant dans la Mathis pendant que Floyd allait chercher Greta.

Elle sortit dans le crépuscule, mince, angulaire et toute en noir, tel un dessin de mode échappé des pages de *Vogue*. Elle portait une étole de fourrure noire et un chapeau tambourin noir avec une voilette à plumetis.

Elle passa sous un réverbère. Elle avait une allure fantastique. Et puis elle approcha. Alors elle lui parut triste, fatiguée, au bord de quelque chose qu'elle ne pouvait pas affronter.

— Allons manger, dit gentiment Floyd. Et puis on ira écouter de la vraie musique.

Ils allèrent en voiture jusqu'à un petit restaurant espagnol que Floyd connaissait sur le quai Saint-Michel. Il commanda une bonne bouteille de champagne, un Veuve Clicquot de 1926, écartant les objections des deux autres qui se récriaient que c'était de la folie. Ce n'était pas faux, mais Custine avait travaillé dur, et Greta méritait de passer une bonne soirée, une occasion d'oublier Marguerite pendant quelques heures. La cuisine était aussi bonne que dans les souvenirs de Floyd, et même Greta fut obligée d'admettre que le guitariste, un beau jeune homme en chemise noire, était moins mauvais que beaucoup d'autres qu'il lui avait été donné d'entendre. Pendant que Floyd payait l'addition, Greta et le guitariste parlèrent tonalités et doigtés. Le jeune homme tendit sa guitare à Greta, et elle joua timidement quelques notes, avant de la lui rendre en secouant la tête avec un sourire embarrassé. Le guitariste prononça quelques paroles aimables en repassant la courroie de son instrument par-dessus son épaule. Floyd eut un sourire, lui aussi : Greta avait fait en sorte de ne pas l'écraser. Le jeunot venait sûrement d'arriver en ville.

Ils reprirent la voiture jusqu'au Perroquet Pourpre, une boîte de la rue Dauphine. Quelques années plus tôt à peine, il y en avait six ou sept, toutes pareilles, en enfilade, mais elles avaient presque toutes fermé, leur devanture condamnée avec des planches, ou bien elles avaient laissé la place à des bars quelconques avec des juke-box et des postes de télévision vacillants dressés comme des autels dans un coin de la salle. Le Perroquet était toujours en activité, et c'était l'un des rares endroits qui laissaient encore Floyd et Custine jouer, depuis le départ de Greta. Les murs étaient couverts de photos de musiciens de jazz, de Jelly Roll à Satchmo, en passant par Duke et Beiderbecke, Coleman Hawkins et Django. Certains avaient même joué là, rue Dauphine. Le propriétaire, un Breton jovial, barbu, appelé Michel, les vit entrer et leur fit signe de le rejoindre au bar. Il demanda à Greta comment marchait sa tournée, et l'écouta raconter un pieux mensonge selon lequel elle avait déserté l'orchestre pour quelques jours, parce que sa tante n'allait pas bien. Floyd demanda à Michel comment marchaient les affaires, et Michel répondit de son haussement d'épaules désabusé habituel, le même depuis dix-neuf ans.

— Les jeunes n'ont rien contre la bonne musique, dit-il. L'ennui, c'est qu'ils n'ont plus beaucoup d'occasions d'en entendre. Le jazz est une musique politique – il l'a toujours été, et ça ne changera jamais. C'est pour ça qu'il y en a qui préféreraient le voir mort.

— Si ça continue, ils vont bientôt être exaucés, dit Floyd.

— En tout cas, vous êtes toujours les bienvenus ici. Je regrette seulement de ne pas pouvoir me permettre de vous faire jouer plus souvent.

— On prend ce qu'on nous donne, répondit Floyd.

— Vous seriez disponibles un samedi du milieu du mois prochain ? Je viens d'avoir une annulation.

— Ça devrait pouvoir se faire.

— Greta ?

— Non, dit-elle en baissant des yeux déjà ombrés derrière sa voilette. Je ne pense pas pouvoir.

— Dommage. Enfin, Floyd et Custine font toujours un bon numéro… Mais vous pourriez peut-être embaucher une pianiste à titre temporaire ?

— On va y réfléchir, répondit Floyd.

— Tant que ça reste agréablement mélodieux, les gars. Et pas trop rapide, que les clients puissent battre la mesure avec le pied. Pas sur ce rythme à huit temps imbitable que tu essaies toujours d'introduire, fit-il en foudroyant Custine du regard.

— Peut-être que les jeunes seraient contents d'entendre du neuf, pour changer, dit Custine.

— Ils veulent entendre du neuf, mais pas un truc qui fait penser à un taureau lâché dans un magasin de porcelaine.

— On essaiera de bien se tenir, lui promit Floyd tout en tapotant le bras de Custine dans une attitude consolatrice.

Michel leur servit à boire : de la bière pour Greta et Custine, du vin pour Floyd, qui voulait garder les idées claires pour ramener tout le monde à Montparnasse. Accoudé au bar, s'éloignant occasionnellement pour abreuver un autre client, Michel les alimenta en nouvelles sur le milieu musical : qui était in, qui était out, qui était hot, qui ne l'était pas, qui couchait avec qui. Floyd feignait un intérêt poli. Il n'appréciait pas particulièrement les potins, mais c'était bon de se changer un peu les idées et d'oublier pour un temps cette histoire de meurtre et tous ses autres problèmes. Il remarqua que Custine et Greta commençaient à rire un peu plus fort, ce qui lui fit du bien, et peu après ils se régalaient d'être ensemble, de la musique, et de voir comment Michel veillait à ce que leurs verres soient toujours pleins. A onze heures, l'orchestre arriva et enchaîna une douzaine de swings, des partitions pour grands orchestres transcrites pour quatre musiciens. Floyd avait entendu mieux, mais il y avait pire, et de toute façon ça n'avait pas d'importance. Il était avec ses amis, au chaud, et il était bien, là, dans l'atmosphère enfumée de la cave du Perroquet. Les grands maîtres placardés sur les murs semblaient le regarder avec bienveillance, et pendant quelques heures il fut en paix avec le monde entier.

Skellsgard et Auger avançaient, le dos rond, dans un tunnel obscur, bas de plafond, en s'efforçant de ne pas trop se salir contre les parois. Elles avaient mangé et un peu amélioré leur accoutrement. Le sac à main tout neuf d'Auger était bourré de plans et d'argent – une partie en fausse monnaie, l'autre volée. Elles avaient quitté la salle de la censure par une lourde porte blindée, qui donnait sur une galerie creusée dans la roche. Skellsgard avait une lampe torche, une chose fuselée, en argent, avec un interrupteur coulissant, manifestement fabriquée sur T2. Elle la braqua nerveusement d'un côté puis de l'autre du boyau, comme si elle craignait quelque chose, et prit à droite. En direction, expliqua-t-elle à Auger, d'une ancienne galerie creusée par les ingénieurs du métro.

— C'est vous qui avez creusé tout ça vous-mêmes ? demanda Auger.

— Pour l'essentiel. On a eu de la chance de tomber sur ce tunnel. Ça nous a bien facilité la tâche.

— Ça a dû être un sacré boulot.

— En effet. Et puis on s'est rendu compte qu'on pouvait faire passer un tuyau d'air comprimé à travers la censure. On avait un compresseur. On a fait venir un simple marteau pneumatique en pièces détachées, on l'a remonté de ce côté, et on l'a alimenté en air grâce au tuyau qui passait par la censure. Ça nous a quand même un peu aidés, bien que la censure soit parfois capricieuse.

— Et l'électricité ? Vous pouvez la faire passer à travers, aussi ?

— Oui, répondit Skellsgard. Mais on n'a jamais réussi à faire marcher quoi que ce soit. Même une simple torche s'est révélée trop difficile à diviser en composants élémentaires. La censure n'a jamais voulu laisser passer ne serait-ce qu'une lampe à incandescence en un seul morceau. On a dû se contenter de faire passer du gaz. Eh oui, au début, on s'éclairait au gaz, comme les mineurs de charbon du dix-neuvième siècle.

— Ça a dû être infernal.

— C'est le grondement des trains qui nous a permis de continuer. On savait qu'on se rapprochait de la civilisation. Dans aucun des autres portails on n'entend de bruit de fond artificiel. Au moins, ici, on savait qu'on n'avait que quelques dizaines de mètres de terre à forer avant de rencontrer le tunnel du train.

— Et maintenant il va falloir que je me faufile entre les trains ?

— Seulement en cas d'urgence. On peut couper l'alimentation électrique des rails, pour de courtes périodes. La station est fermée pour le moment, alors les trains ne circulent pas.

— Pourquoi ? Quelle heure est-il ?

— Quatre heures et demie du matin. On est en octobre ; un vendredi du mois d'octobre.

— Je ne l'aurais jamais cru.

— Normal. Tout le monde perd la notion du temps.

Elles arrivèrent bientôt devant une porte de bois étroitement ajustée, manifestement ancienne. Skellsgard balaya le tour de la porte avec sa torche jusqu'à ce qu'elle trouve une poignée discrètement dissimulée. Elle dut s'arc-bouter pour tirer dessus. Juste au moment où il semblait qu'elle ne réussirait jamais à l'ouvrir, la porte pivota lentement sur ses charnières.

Elle donnait sur un autre tunnel tout aussi sombre, mais où leurs voix éveillaient des échos différents. Il était beaucoup plus large, et il y planait une odeur d'égouts, de limaille de fer et d'huile de machine chaude. La torche de Skellsgard fit briller sur le sol huit lignes parallèles de métal poli qui couraient vers la droite et la gauche : deux ensembles de rails parallèles, comportant chacun deux rails conducteurs.

Skellsgard partit vers la droite, en restant tout près du mur, Auger sur ses talons.

— Nous ne sommes pas loin de Cardinal-Lemoine. Normalement, d'ici, vous devriez voir la lumière de la station.

— J'ai peur, dit Auger. Je ne suis pas sûre d'arriver à supporter ça.

— C'est bien d'avoir peur. C'est une saine réaction.

La station était encore plongée dans l'obscurité quand elles sortirent du tunnel et montèrent sur le quai. Où que tombe le rayon de la torche de Skellsgard, Auger voyait des carreaux de céramique bien propres, vert clair et jaune pâle, des publicités et des pancartes des années 1950 en grosses lettres bâtons. Etrangement, ça ne paraissait pas particulièrement bizarre ni irréel. Elle avait visité de nombreuses stations de métro parisiennes, que la glace avait conservées plus ou moins intactes, et elle n'avait pas de mal à imaginer qu'elle était en train d'explorer la cité des fantômes.

Skellsgard lui indiqua un recoin entre deux armoires électriques, au bout du quai, et s'accroupit à côté d'elle.

— Vous y arriverez, Auger. Je le sais, et Susan devait le savoir aussi, ou elle ne vous aurait pas désignée pour ça.

— Je suppose que je devrais lui en être reconnaissante, fit Auger d'un ton dubitatif. Sans elle, je n'aurais jamais vu tout ça.

— J'espère que ça vous plaît autant qu'à elle. C'étaient les chevaux que Susan voulait voir, pardessus tout.

— Les chevaux ?

— Elle s'était toujours demandé de quoi ils pouvaient bien avoir l'air, en chair et en os, pas sous forme de reconstitutions arthritiques, titubantes.

— Elle a réalisé son rêve ?

— Oui, répondit Skellsgard. Je crois que oui.

L'heure de pointe du matin arriva comme prévu. Depuis sa cachette, Auger vit les appareils d'éclairage s'allumer dans un crachotement. Elle entendit la vibration des générateurs qui montaient en charge et, au loin, le sifflet mélancolique d'un travailleur isolé. Il y eut un cliquetis de clés et des portes qui claquaient, puis dix minutes ou un quart d'heure de calme, et les premiers voyageurs arrivèrent sur le quai. Même en tenant compte de l'éclairage fluorescent qui délavait les couleurs comme sur une photo passée, elle fut frappée par la tristesse des gens, les bruns automnaux, les gris et les verts de leurs vêtements et de leurs accessoires. La plupart des voyageurs étaient des hommes. Ils avaient le teint jaunâtre, malsain. Personne ne souriait ou ne riait, et très rares étaient ceux qui parlaient entre eux.

— On dirait des zombies, dit-elle tout bas.

— Il ne faut pas leur en vouloir, dit Skellsgard. Il est cinq heures du matin.

Un train entra dans la station, accompagné par un couinement de freins. Les portes s'ouvrirent et des passagers montèrent dans la rame ou en descendirent.

— Maintenant ?

Skellsgard lui mit la main sur l'épaule.

— Attendez. Il y aura plus de monde dans la prochaine rame.

— J'en déduis que vous avez déjà fait ça ?

— Je ne suis pas encore très à l'aise.

Quelques minutes plus tard, un autre train arriva et Skellsgard lui fit signe de plonger dans le courant des voyageurs qui descendaient de la rame. Tout à coup, elles n'étaient plus des spectatrices détachées, mais des figurantes immergées dans une marée humaine et ballottées en tous sens. Auger fut frappée par l'odeur des gens, surtout le tabac et les eaux de Cologne bon marché. Ça ne sentait pas mauvais, mais tout paraissait instantanément plus réel. Dans ses rêves éveillés, elle s'était souvent vue en train de dériver dans la vieille cité comme un fantôme, observant sans participer. Son imagination avait toujours négligé de remplir la ville d'odeurs, comme si elle voyait la réalité à travers une feuille de verre impénétrable. Et voilà : elle était bel et bien là, en chair et en os, et elle encaissait un choc viscéral.

Elle regardait les gens qui l'entouraient, se comparait à eux. Le tailleur qu'elle avait choisi lui paraissait maintenant trop chic, trop voyant. Elle n'arrivait pas à marcher d'une façon naturelle, ou à trouver quoi faire avec ses mains. Elle n'arrêtait pas de tripoter son sac à main et de le laisser retomber.

— Auger ! siffla Skellsgard. Cessez de vous tortiller.

— Désolée.

— Marchez droit, et c'est tout. Ne vous en faites pas. Vous vous en sortez très bien.

Elles suivirent le flux des voyageurs dans une succession affolante de couloirs carrelés, puis elles passèrent devant un employé indifférent. Skellsgard la cornaqua vers la sortie du métro, et elles échappèrent à la meute des voyageurs pour émerger dans la lumière d'acier du début de la matinée. A cette heure-là, les rues étaient encore relativement désertes. Les voitures et les taxis occasionnels filaient dans un grondement continu. Une balayeuse municipale blanche passa lentement en teuf-teufant de l'autre côté de la rue. Des fenêtres étaient éclairées sur les façades des immeubles de trois ou quatre étages, et par la fente des rideaux et des volets Auger distinguait des silhouettes mouvantes : des gens qui se préparaient pour aller au travail.

— Ça a l'air tellement réel…, observa-t-elle.

— C'est réel. Il faut vous y faire. Si vous commencez à vous dire que c'est une espèce de jeu, ou de simulation, c'est là que vous risquez de vous prendre les pieds dans le tapis.

— Et maintenant ?

— On se calme. Il y a un café, au coin, qui reste ouvert toute la nuit. Ça vous dit ?

— Je voudrais me rouler en boule dans un coin et sucer mon pouce.

— Vous vous y ferez. On finit toujours par s'y faire.

Skellsgard lui fit descendre la rue Monge et prendre le boulevard Saint-Germain. Au loin, des enseignes au néon superposées formaient des hiéroglyphes lumineux. Elles passèrent devant un kiosque à journaux – une profusion de journaux comme Auger n'en avait jamais vu, à portée de main –, puis devant une ruelle entre deux immeubles, où un homme urinait avec un naturel confondant. Un peu plus loin, une femme maquillée comme une voiture volée, la jupe remontée au-dessus du genou, exhibait un bout de cuisse gainée de nylon dans l'entrée d'un hôtel miteux. Auger croisa furtivement le regard de la femme. Elle hésita, une partie d'elle-même regrettant de ne pas pouvoir s'approcher pour lui demander ses impressions de personnage d'un tableau vivant. Skellsgard l'entraîna doucement. Du soupirail d'un sous-sol enfumé montait une musique discordante, cuivrée, qui se répandait dans la rue.

— Je sais quel effet ça vous fait, dit Skellsgard. Vous mourez d'envie de leur parler, de leur poser des questions, de les pousser dans leurs retranchements. Pour voir à quel point ils sont réellement humains et ce qu'ils savent vraiment.

— Vous ne pouvez pas m'en vouloir de ma curiosité.

— Non, mais moins vous aurez d'interaction avec ces gens et mieux vous vous porterez. En réalité, moins vous penserez à eux en tant qu'individus, mieux ça vaudra.

— Tout à l'heure, vous m'avez reproché de dire qu'ils avaient de faux airs de zombies.

— Je vous ai seulement dit que vous aviez intérêt à trouver un moyen d'atteindre une sorte de détachement.

— C'est ce que Susan White éprouvait ?

— Non, répondit Skellsgard. Justement. Elle les avait approchés de trop près. Ce fut sa grosse erreur.

Skellsgard poussa la porte d'un café, en bas d'un immeuble décrépi, sur le boulevard Saint-Germain, au milieu de constructions de la période du Directoire, qui n'avaient pas résisté au Siècle du Vide.

— Asseyez-vous là, dit Skellsgard en lui indiquant une banquette près de la vitre. Qu'est-ce que je vous prends ? Un café au lait ?

Auger hocha la tête. Elle se sentait vaguement étourdie. Elle parcourut la salle du regard, observant les autres clients, se comparant à eux. Les murs étaient ornés de photos monochromes : de vagues scènes de rue annotées d'une plume minutieuse. Derrière le comptoir, des serveurs aux cheveux brillantinés, en chemise et tablier d'une blancheur irréprochable, s'affairaient autour des appareils rutilants, gargouillants. A la table voisine, deux hommes d'un certain âge coiffés d'une casquette commentaient un article en dernière page du journal. Derrière eux, une femme attendait que son café refroidisse en s'occupant de ses ongles, ses gants blancs posés en croix sur la table devant elle.

Skellsgard revint avec leurs tasses.

— Ça va mieux ?

— Non.

Elle prit quand même la tasse et se réchauffa les mains sur la porcelaine brûlante.

— Skellsgard, dit-elle tout bas en anglais, je voudrais savoir... Quelle part de tout ça est vraiment vraie ?

— Nous en avons déjà parlé.

— Non, nous n'en avons pas parlé. A vous entendre, tout ça serait vrai. Et ça paraît assez réel. Mais qu'est-ce qu'on en sait, au fond ?

— Qu'est-ce qui vous amène à poser cette question ? La censure ?

— Oui, répondit Auger. Quand nous avons franchi cet écran, notre continuité avec le monde réel s'est trouvée rompue. Vous avez évacué le problème comme si nous nous contentions de traverser un rideau, mais c'est peut-être plus compliqué. Et si la réalité se terminait de l'autre côté de la censure, et si tout ça, tout ce que nous voyons là, autour de nous, était précisément ce que vous m'avez assuré que ce n'était pas : une sorte de simulation ?

— Quelle importance ?

La question n'était pas aussi anodine qu'il y paraissait. Skellsgard l'observait très attentivement.

— Si c'est une simulation, alors rien de ce que nous pouvons faire ici ne peut avoir de conséquences possibles sur le monde extérieur. Toute cette ville – ce monde entier, pour le même prix – pourrait n'être qu'une représentation à l'intérieur d'un ordinateur non humain.

— Sacré ordinateur, dans ce cas.

— Mais ça voudrait quand même dire que ces gens…, poursuivit Auger d'une voix réduite à un murmure, que ces gens ne seraient pas des gens. Ce seraient juste des éléments interactifs d'un programme supercomplexe. Ce qui pourrait leur arriver n'aurait aucune importance puisque ce ne seraient que des marionnettes…

— Vous vous sentez manipulée ?

— Ce que je ressens importe peu. Je suis entrée dans le programme de l'extérieur. Ce que je ne vois pas, c'est comment vous pouvez être tellement sûrs que nous sommes dans un OVA et pas dans un environnement informatique d'une espèce ou d'une autre…

— Je vous ai dit que nous avions fait entrer un tuyau d'air comprimé à travers la censure.

— Ça ne prouve rien. Pour une bonne simulation, rien de plus facile que de traiter un détail de ce genre. Tout ce que je vous demande, c'est si vous avez envisagé cette possibilité.

Elle plongea ses lèvres dans son café, tiqua en le trouvant amer et décida qu'elle avait bu pire. Skellsgard touillait son café pour faire fondre tout le sucre qu'elle y avait déversé.

— Bien sûr que nous l'avons envisagé. Mais la pénible vérité, c'est que nous n'avons aucune certitude. Nous ne sommes encore sûrs de rien. Et nous ne le serons peut-être jamais.

— Je ne vous suis pas. S'il s'agit d'un environnement généré par ordinateur, il doit avoir des limites…

— Vous pensez d'une façon beaucoup trop dogmatique, Auger. Cet environnement n'a pas obligatoirement de limites.

— Et la physique ?

Auger prit un des dessous de verre en carton posés sur la table et le tint entre le pouce et l'index.

— Ça, ça me paraît réel, mais si je le regardais dans un microscope à effet tunnel, ou si je le passais au spectromètre de masse… qu'est-ce que je trouverais ?

— Rien d'extraordinaire, je suppose. Ça aurait l'air d'être exactement comme ça doit être.

— Parce que cet environnement est simulé jusqu'au niveau de granulométrie atomique ?

— Non, répondit Skellsgard. Pas forcément. Mais si la machine qui simulait l'environnement était assez intelligente, elle se débrouillerait pour que votre microscope ou votre spectromètre vous montre ce qu'il pense que vous attendez. Rappelez-vous : tous les instruments que vous pourriez appliquer à l'étude du problème feraient eux-mêmes partie du problème.

Auger se cala au dossier de son siège.

— Je n'y avais pas réfléchi.

— De toute façon, c'est purement théorique. Il n'y a pas de microscope à effet tunnel qui attend ici que vous l'utilisiez.

— Alors, vous n'avez jamais effectué ce genre de test ?

— Nous avons fait ce que nous pouvions, compte tenu des instruments très limités sur lesquels nous avons réussi à mettre la main. Et aucune de nos expériences n'a mis en évidence une autre physique que celle à laquelle on pouvait s'attendre.

— Mais le fait que vous ne puissiez vous procurer ces instruments ne prouve pas qu'il n'y en a pas quelque part.

— Vous voudriez que nous entrions par effraction dans des labos de physique ?

— Non, rien d'aussi radical. Juste suivre leurs publications. C'est le vingtième siècle, Skellsgard. Le siècle d'Einstein et de Heisenberg. Ces hommes ne peuvent pas être en train de roupiller.

— Eh bien, là, il y a un problème ; la recherche fondamentale est loin d'être aussi avancée ici que dans nos propres années 1950. Rappelez-vous : je vous ai dit qu'il n'y avait pas eu de Seconde Guerre mondiale, ici.

— Oui.

— Eh bien, cela a eu des conséquences profondes : la révolution informatique n'a pas eu lieu, et il n'y a pas eu de projet Manhattan. Personne n'a la bombe A, ici. Sans bombe A, à quoi bon développer un programme de missiles balistiques ? Et sans programme de missiles balistiques, il n'y a pas de course à l'espace, pas d'énormes agences de recherches financées par le gouvernement…

— Il doit bien y avoir une recherche scientifique, quand même. D'autres recherches, d'autres applications ?

— Des bribes disparates, insuffisamment financées, et peu populaires auprès du public.

Auger réussit à se fabriquer un demi-sourire.

— De ce point de vue, au moins, rien n'a changé.

— Ce que je veux dire, c'est que c'est presque comme si…

Skellsgard eut un haussement d'épaules et une sorte de moue.

— Presque comme si quoi ? insista Auger.

— Eh bien, j'allais dire… On dirait que quelqu'un tient délibérément tout ça sous le boisseau.

— Et qui pourrait bien avoir intérêt à faire une chose pareille ?

— Eh bien, hasarda Skellsgard, un individu qui ne voudrait pas que le peuple sache à quoi le monde ressemble en réalité.

13

Floyd se gara dans la rue des Peupliers en faisant crisser les pneus de la Mathis contre la bordure du trottoir. Il avait la tête qui sonnait comme une cloche fêlée – trop de vin, trop de musique –, et la gorge en feu parce qu'il avait trop forcé sa voix pour se faire entendre au Perroquet Pourpre. Le litre de café qu'il avait ingurgité avant de partir n'avait rien arrangé. Il se sentait l'esprit en éveil… et en même temps vulnérable.

— Vas-y mollo avec Blanchard, dit-il alors que Custine descendait de voiture, sa trousse à outils à la main. Pas question de lui laisser penser que nous le soupçonnons d'avoir fait le coup.

— Je ne soupçonne personne, rectifia Custine. Je voudrais seulement pouvoir éliminer cette éventualité.

— Ouais, fais attention à ne pas éliminer tout le dossier du même coup.

— Fais-moi confiance, Floyd. Dans ce domaine, j'ai au moins autant d'expérience que toi.

— Et à propos de cette machine à écrire de la PJ ? Tu as retrouvé ce que tu cherchais ?

— Je revois cette cellule comme si c'était hier. Mais c'est tout. Enfin, je suis sûr que ça me reviendra.

Floyd retourna au bureau en voiture. Au moins, l'ascenseur était enfin réparé. Il monta au deuxième dans la cabine grinçante et gémissante et réintégra son antre. Il se versa une tasse de café tiède, décrocha le téléphone et essaya à nouveau d'appeler le numéro à Berlin. Avec le même résultat : pas de tonalité. L'opératrice ne put lui dire si c'était un mauvais numéro ou si la ligne était simplement en dérangement. Il tripota la lettre de Kaspar Metals, réticent à l'idée de renoncer à ce qui lui paraissait être leur meilleure piste dans toute l'affaire.

Il ne laissa pas refroidir le téléphone. Il chercha dans son répertoire le numéro d'une vieille accointance de la porte d'Asnières : un ancien ouvrier métallurgiste qui avait été renvoyé de l'usine Citroën après un accident du travail, et travaillait maintenant chez lui. Il ne jouait d'aucun instrument lui-même, mais gagnait modestement sa vie en réparant des instruments à vent.

L'homme décrocha au bout de la septième sonnerie.

— Basso.

— C'est Floyd. Comment ça va ?

— Wendell ! Quelle bonne surprise ! Tu as quelque chose à m'apporter ? Un trombone sur lequel quelqu'un se serait assis ?

— Pas aujourd'hui, répondit Floyd. On ne s'est pas assez produits, Custine et moi, pour malmener nos instruments bien comme il faut. J'espérais juste que tu pourrais répondre à une ou deux questions qui me turlupinent…

— Sur la réparation des instruments de musique ?

— Sur l'industrie métallurgique. On est tombés sur un truc, au cours d'une affaire, et je ne sais pas quoi en penser.

Il entendit Basso s'asseoir dans son fauteuil.

— Raconte-moi ça.

— J'ai une sorte de croquis, et une lettre qui fait allusion à un contrat avec une aciérie de Berlin. Mais je ne vois pas de quel genre de contrat il peut s'agir.

— De quels éléments disposes-tu ?

— On dirait que la commande porte sur le moulage de trois grosses sphères d'aluminium massif.

— De grosses sphères d'aluminium massif…, fit Basso, méditatif. Grosses comment ?

— Trois mètres, peut-être trois mètres cinquante de diamètre, si j'ai bien lu le plan.

— C'est vraiment gros, dis donc.

— Tu as une idée de ce que ça pourrait être ?

— Il faudrait que je voie le dessin, Wendell. Et là, j'aurais peut-être une idée. Tu as dit que c'était de l'aluminium massif ?

— Il me semble.

— La première idée qui me vient à l'esprit, c'est que ça pourrait être des cloches. Et si tu m'apportais le croquis ? Je serais peut-être plus inspiré de visu.

— Ce matin ?

— Il ne faut jamais remettre au lendemain…

Floyd accepta et raccrocha. Cinq minutes plus tard, il était au volant et mettait le cap vers le dix-septième arrondissement, le saxo de Custine sur le siège passager, à côté de lui.

Le temps qu'Auger et Skellsgard quittent le café du boulevard Saint-Germain, le ciel s'était dégagé. Il y avait davantage de fenêtres ouvertes dans les façades des immeubles, de voitures et de piétons dans les rues. La cité s'éveillait.

— Regardez un peu par ici, dit Skellsgard. Nous n'avons aucune raison de soupçonner que ce soit une simulation, au moins pas tant que la science, ici, restera bloquée au niveau des années 1930. Mais il y a une autre façon d'aborder le problème : mettons que tout ce que nous voyons est réel, fait de matière normale, à peu de choses près. Et si quelqu'un – une entité – avait créé cet endroit comme une espèce de photo, une copie de sauvegarde de la vraie Terre ? Intentionnellement ou non, cette copie de sauvegarde vit sa vie, avance dans le temps depuis le moment de sa création. C'est donc une vraie planète, peuplée par de vrais gens. La physique marche impeccablement. La seule chose qui n'est pas réelle, c'est le ciel.

— Parce que nous sommes dans une sphère OVA ?

— Exactement. Quelle que soit la finalité de cette sphère, son but consiste probablement à fournir un fond convaincant au monde qu'elle contient.

Le soleil commençait à se lever au-dessus des toits, de l'autre côté de la Seine.

— Et ça, alors ? Ce serait quoi ? demanda Auger.

— Un faux soleil. Une source de lumière et de chaleur, rien de plus. On sait qu'il n'y a pas la place de loger un vrai soleil dans une OVA. Pas avec une planète en orbite autour. Alors, quoi que ce soit, ça doit être peint sur la surface intérieure de la sphère.

— Ça m'a l'air assez réel, à moi.

— Bien sûr, mais vous êtes coincée sur la surface de cette planète avec un point de vue fixe – comme tout le monde, ici.

— Et la lune ? Elle est réelle ?

— Nous ne savons pas. Elle en a l'air, et d'après les services de renseignement slashers certains des mondes contenus dans des OVA ont leurs propres lunes.

Mais comme personne n'est allé vérifier sur place, pour ce que nous en savons elle pourrait tout aussi bien être faite de fromage vert… Enfin, il y a tout de même une force qui provoque des marées lunaires, et la composante solaire est criante de vérité. Les détails visibles sont vraiment réalistes. L'illusion est parfaite.

— Et les détails non visibles ?

— C'est là que l'astronomie entre en jeu. Compte tenu des limites inévitables, il paraît assez difficile de maintenir éternellement l'illusion. On peut toujours faire un faux soleil, une fausse lune et imiter les étoiles dans le ciel nocturne. On peut même simuler les mouvements des étoiles et la parallaxe, donner vraiment l'illusion que la Terre tourne autour du Soleil, fabriquer de fausses éclipses, et bien d'autres phénomènes. Mais il y a forcément une limite. La coque pourrait supporter l'examen par le genre d'astronomes qu'ils ont probablement ici, mais il n'y a pas de radio-astronomes, pas de télescopes spatiaux. Si l'une de ces technologies pointait le bout de son nez, je ne crois pas que l'illusion tiendrait le coup très longtemps.

— Mais la radio-astronomie était connue, chez nous, au milieu du vingtième siècle…

— Encore un produit dérivé de la Seconde Guerre mondiale. Nous avions aussi des télescopes et des sondes interplanétaires, ou du moins nous les avons eus une dizaine d'années plus tard. N'importe laquelle de ces disciplines pourrait servir de déclic.

— Et si les gens d'ici découvraient l'illusion…

— Qui sait ce qui pourrait arriver ? La nouvelle pourrait provoquer la désagrégation subite de la société. Ou déclencher une révolution technologique qui leur permettrait de mettre au point les outils nécessaires pour briser la sphère. Dans ce cas, je doute que ça leur prenne plus d'une ou deux générations.

— Ils pourraient même nous rattraper, dit Auger.

— Ça aussi. En tout cas, en relativement peu de temps, ils pourraient avoir les moyens de s'interroger sur les caractéristiques de l'OVA. Imaginons qu'ils découvrent une erreur – un détail qui ne collerait pas avec le reste –, alors ce serait la preuve qu'il ne s'agit pas d'une simulation, parce qu'une simulation pourrait être aussi parfaite que ses créateurs le souhaitent. Nous saurions aussi, finalement, que ce n'est pas le vrai passé, la vraie année 1959.

Auger regarda sa compagne.

— Comme s'il y avait le moindre risque... Les cartes nous disent déjà que ce n'est pas une tranche d'histoire de notre propre passé.

— Mais nous ne pouvons absolument pas en être sûrs, objecta Skellsgard. Vous émettez un jugement basé sur vos connaissances historiques, mais les connaissances en question ne sont qu'une construction échafaudée à partir des ruines du Nanocauste. Elles sont incomplètes, et il est tout à fait possible que certaines données importantes soient erronées.

— Des erreurs sans portée...

— Peut-être, mais pas forcément. Ç'aurait été le moment idéal pour bidouiller les archives, modifier notre vision du passé conformément à certains besoins.

— Ce qui me fait étrangement penser à une vision paranoïaque du monde du type « théorie du complot ».

— Tout ce que je dis, c'est que lorsque nous portons des jugements sur la ligne temporelle de cet endroit, en 1959, il ne faut pas perdre de vue que nos connaissances historiques sont incomplètes, et peut-être entachées d'erreur.

— Quand même… Vous ne pensez pas sérieusement avoir réussi à ouvrir une fenêtre sur le passé. Si ?

— C'était un problème, dit Skellsgard. Un vrai problème, parce que s'il y avait une chose que nous ne voulions pas, c'était bien fricoter avec notre propre ligne temporelle. C'est précisément pour ça que nous avons fait appel à Susan White. Son job consistait à trier les preuves, à fouiner un peu partout et à comparer l'environnement à nos connaissances historiques. Et elle a bel et bien trouvé un certain nombre de cas où cette version de Paris contredisait radicalement ce que nous avons mis au jour sur T1 – notre Terre. Par exemple, des structures qui ont été démolies ici, et qui existaient encore à l'époque du Nanocauste. La conclusion préliminaire de Susan était que, quoi que puisse être cet endroit, ce n'était pas une fenêtre sur notre propre passé.

— Je me réjouis que vous soyez au moins arrivés à cette conclusion.

— Susan était censée réunir toutes les preuves et faire un compte rendu définitif. Et puis elle s'est laissé entraîner sur une fausse piste…

— Et elle s'est fait tuer, dit sombrement Auger.

— Oui.

Auger ralentit le pas.

— Cette boîte de documents que je suis censée retrouver… Vous pensez qu'elle a un rapport avec tout ce que vous venez de me raconter ?

— Nous ne pourrons pas le savoir tant que nous ne l'aurons pas retrouvée.

— A mon avis, Susan n'a pas dû mettre longtemps à se forger une opinion sur cette ligne temporelle, dit Auger. Il n'a pas dû lui falloir longtemps pour comprendre que ce n'était pas notre année 1959. Alors, à quoi s'intéressait-elle en particulier ?

— Elle poursuivait ses investigations. Elle n'était pas du genre à rendre son rapport et à laisser tomber ses recherches. Elle voulait des réponses à ses questions : qui avait fait cet endroit, et pourquoi. Elle voulait découvrir à quel moment sa ligne temporelle avait divergé de la nôtre, et pourquoi. Etait-ce une accumulation chaotique de petits changements – l'effet battement d'aile du papillon, boule de neige – ou bien était-ce une intervention délibérée qui avait changé l'histoire ? Dans ce cas, qui en avait pris l'initiative ? Et dans cette hypothèse, le manipulateur était-il toujours dans les coulisses, à tirer les ficelles ?

— Ce qui nous amène à votre théorie du développement arrêté.

— Le fait est que s'il y a quelqu'un dans la coulisse – pourquoi ? ça reste à découvrir –, il est probable qu'il n'aurait pas apprécié de voir Susan fouiner comme elle l'a fait.

— Elle était archéologue, dit Auger. Les archéologues, ça fouine.

— Là, je ne peux pas dire le contraire, convint Skellsgard.

Elles s'engouffrèrent dans le métro à Saint-Germain-des-Prés, prirent la ligne 4 jusqu'à Montparnasse-Bienvenüe et changèrent pour la ligne 6 : le métro aérien qui allait vers Dupleix en passant entre les toits. La rame était pleine de gens en pardessus gris qui allaient au travail, absorbés dans la lecture des journaux du matin. Personne ne faisait très attention à la vue qui défilait derrière les vitres, mais Auger ne pouvait s'empêcher de contempler, bouche bée, le paysage urbain méticuleusement représenté dans les moindres détails. C'était à la fois exactement comme elle l'avait imaginé et totalement différent. Les vieilles photos ne pouvaient montrer qu'un certain aspect de la réalité. Elles étaient tout simplement dépourvues de texture humaine ; c'était comme les couleurs d'un tirage monochrome. Partout où portait son regard, dans les rues adjacentes, articulées selon des angles bizarres, elle voyait des gens vaquer à leurs affaires, et c'était à la fois magnifique et inquiétant de penser qu'ils avaient une vie personnelle, des rêves, des regrets, et qu'ils ignoraient complètement ce qu'ils étaient en réalité. Auger éprouvait une excitation honteuse, l'excitation du voyeur, et détournait les yeux dès qu'elle sentait que quelqu'un risquait de croiser son regard.

A Dupleix, elles sortirent du métro et prirent un escalier métallique qui descendait au niveau de la rue. Elles empruntèrent la rue de Lourmel, puis l'avenue Emile-Zola jusqu'à un bâtiment de quatre étages, en pierre de taille : l'hôtel Royal.

— Nous vous avons réservé une chambre pour trois jours, annonça Skellsgard. Il est probable que vous repartirez avant, mais si vous deviez rester plus longtemps, vous auriez largement assez d'argent pour couvrir vos dépenses.

Elles entrèrent dans un vaste hall au sol couvert de moquette. A la réception, le concierge s'occupait d'un couple qui avait dû arriver par le train de nuit. Ils étaient déconcertés, et semblaient discuter d'un détail de leur réservation.

— Je voudrais que vous me fassiez une promesse, dit Auger.

— Je ne promets jamais rien, mais dites toujours.

— Si ça marche, si votre précieuse boîte de documents retombe dans de bonnes mains, permettez-moi de rester un peu ici toute seule.

— Je ne suis pas sûre…

— Je suis déjà là, Maurya. Quel mal pourrais-je faire ?

— Ça risque de ne pas plaire à Aveling.

— Son accord, Aveling peut se le fourrer là où je pense. Le moins qu'il puisse faire pour moi est de m'accorder un peu de temps pour jouer les touristes.

— Il vous répondrait que le deal qu'on avait, c'était pas de procès, un point c'est tout.

Le couple quitta le comptoir, se dirigea vers l'ascenseur qui était déjà au niveau du rez-de-chaussée, et le concierge se tourna vers Auger et Skellsgard avec un sourire. Auger changea, mentalement, de registre, s'obligeant à parler français. Les mots coulèrent avec une fluidité surprenante, comme si une partie rouillée de son esprit avait été soudain affûtée et lubrifiée.

— Je m'appelle Auger, dit-elle. J'ai réservé une chambre pour trois nuits.

— Certainement, madame. Vos bagages sont déjà arrivés. J'espère que vous avez fait bon voyage ?

— Très bon, merci.

Il lui tendit la clé de sa chambre.

— La 27. Je fais monter vos bagages tout de suite.

— Il y a le téléphone dans la chambre ?

— Bien sûr, madame. Nous disposons de toutes les commodités du confort moderne.

Auger prit la clé et se tourna vers Skellsgard.

— Je suppose que je suis livrée à moi-même, maintenant ?

— Vous avez le numéro de téléphone de la cache sécurisée près de la station de métro. Il y aura quelqu'un vingt-quatre heures sur vingt-quatre. Appelez-nous pour nous tenir au courant de l'avancement de vos démarches pendant les jours à venir. Et pensez à nous prévenir à l'avance quand vous regagnerez le tunnel, que nous puissions procéder aux préparatifs.

— Je devrais réussir à m'en souvenir.

— Et allez-y doucement avec Blanchard. S'il ne vous rend pas la boîte du premier coup, ne lui mettez pas la pression. Nous ne voulons pas qu'il ait l'impression que les documents ont plus de valeur qu'ils n'en ont l'air, ce qui pourrait le conduire à avoir un mauvais réflexe.

— Je ferai de mon mieux.

— Je sais, Auger. Faites attention à vous, hein ? dit Skellsgard en se penchant pour l'embrasser comme une sœur.

— Quoi qu'il puisse arriver, dit Auger, je m'estime déjà heureuse d'avoir vu tout ça.

— Je vais essayer de convaincre Aveling de vous accorder un peu de temps pour faire du tourisme. Mais je ne vous promets rien. D'accord ?

— D'accord.

Il y eut un *ding !* dans le dos d'Auger, et la porte de l'ascenseur s'ouvrit.

Le téléphone était une antiquité, mais elle avait déjà vu des spécimens de cette espèce dans son musée, amoureusement restaurés et connectés au réseau. Elle composa le numéro – un numéro à Paris –, attendant après chaque chiffre que le cadran revienne lentement à sa position d'origine avec un *whirr* musical. Lent, mais apaisant. En ce temps-là, le fait de composer un numéro laissait le temps de réfléchir. Ou de se raviser.

Un Slasher habitué aux communications quasi instantanées aurait considéré que le téléphone à cadran rotatif ne constituait pas un énorme progrès par rapport au sémaphore. Alors que pour un Thresher le matériel électromécanique avait quelque chose de profondément fiable et rassurant. Il ne pouvait mentir, ou déformer l'information qu'il transportait. Il ne pouvait envahir l'esprit, ou la chair.

A l'autre bout de la ligne, un téléphone identique se mit à sonner. Auger résista à l'impulsion de raccrocher avant que Blanchard ne réponde, convaincue qu'elle n'était pas prête. Sa paume moite glissait sur le combiné ; mais elle s'obligea à rester en ligne, et au bout de quelques instants quelqu'un décrocha.

— Blanchard, fit une voix d'homme, manifestement âgé.

— Bonjour, monsieur, répondit-elle en français. Je m'appelle Verity Auger. Je ne sais pas si mon nom vous dit quelque chose, mais…

— Verity ? Vous êtes la sœur de Mlle Susan White ?

— Oui, dit-elle. Je vous appelle pour…

Par courtoisie, ou dans un désir malavisé de frimer, il répondit en anglais. Avec un accent français à couper au couteau, mais un anglais néanmoins compréhensible.

— Mademoiselle Auger, je ne sais pas si vous avez appris la nouvelle. Sinon, il vaudrait peut-être mieux…

— Je vous en prie, monsieur, trancha-t-elle, en anglais. Je sais ce qui est arrivé à ma sœur.

Elle l'entendit reprendre son souffle : le soulagement, peut-être, de ne pas être obligé de lui annoncer lui-même cette nouvelle entre toutes.

— Je suis vraiment, vraiment désolé de ce qui lui est arrivé. J'ai eu la chance de bien connaître votre sœur. C'était vraiment une charmante jeune femme.

— Susan m'a aussi beaucoup parlé de vous, monsieur. Il est évident qu'elle pensait pouvoir vous faire confiance.

— Vous voulez parler de ses affaires ?

— Oui, répondit Auger, heureuse qu'il ait abordé le sujet. J'ai en effet cru comprendre que ma sœur vous avait laissé des objets personnels…

— Oh, une simple boîte remplie de documents, en fait, rien qui ait de la valeur, dit-il très vite, comme s'il craignait qu'elle ne s'attende aux bijoux de la couronne.

— Je n'ai jamais pensé qu'il puisse y avoir quoi que ce soit de valeur, monsieur. Quand même, quoi qu'elle ait pu laisser, c'est précieux pour nous… pour sa famille, je veux dire.

— Evidemment. Je peux vous demander d'où vous m'appelez, mademoiselle Auger ?

— De Paris. D'un hôtel dans le quinzième.

— Alors vous n'êtes pas très loin. Vous pouvez prendre la ligne 6 jusqu'à Place d'Italie, et venir à pied. Voulez-vous que nous prenions rendez-vous ?

Elle savait qu'elle ne devait pas avoir l'air trop surprise qu'il ait accepté si facilement de lui rendre la boîte.

— Quand vous voudrez, monsieur.

— La boîte n'est plus chez moi, là, tout de suite. Je l'ai confiée à un détective privé qui enquête sur les circonstances de la mort de Susan.

— Les circonstances ?

— Il se peut qu'elle ne soit pas morte accidentellement, articula-t-il.

293

La main d'Auger se crispa sur le téléphone. On ne lui avait pas dit qu'un détective privé avait fourré son nez dans l'affaire. Ça devait être tout récent, Aveling et les autres n'étaient probablement pas encore au courant.

— C'est vraiment gentil de vous en soucier, monsieur. Ce détective…

— Oh, ça ne doit pas être un problème. Il a sûrement eu le loisir d'examiner les affaires de Susan, depuis le temps.

— Alors, quand voulez-vous que…

— Un collègue de ce détective est ici, en ce moment même. Je peux lui demander de faire en sorte de me rapporter les objets… disons, d'ici la fin de l'après-midi ?

— La fin de l'après-midi ? Aujourd'hui, monsieur ?

— C'est un problème ?

— Pas du tout, monsieur. Absolument pas, répondit-elle, le cœur battant à se rompre.

— Donnez-moi le nom de votre hôtel et votre numéro de téléphone. Disons quatre heures, 23, rue des Peupliers, sauf contrordre. Il y a un interphone. Je suis au deuxième.

— C'est parfait, monsieur.

— Mademoiselle Auger, je me réjouis à l'avance de faire votre connaissance.

— J'ai hâte de vous rencontrer, répondit-elle.

Basso ouvrit la porte de son petit appartement de la porte d'Asnières et huma l'air comme un chien policier.

— Wendell ! dit-il. Je n'aurais jamais cru que tu te rappellerais le chemin. C'est un patient que tu as avec toi ?

Floyd lui tendit l'étui du saxophone.

— Il apprécierait sûrement que tu t'occupes un peu de lui.

— J'avais cru comprendre que tu n'avais rien à me faire réparer.

— C'est ce que je t'ai dit, en effet, confirma Floyd, mais je suis sûr que tu lui trouveras bien un petit truc à arranger.

Basso prit l'étui et le posa sur la table, à côté de son porte-parapluie.

— Tu es trop bon. Je suis sûr qu'il marche à la perfection, ce saxo. Mais je ne refuse jamais un patient. Tu conduis toujours cette vieille relique ? demanda-t-il avec un coup d'œil par-dessus l'épaule de Floyd.

— C'est difficile de loger une contrebasse dans un modèle plus petit.

Basso secoua la tête avec amusement.

— Tu diras encore ça quand la voiture aura quarante ans. Allez, viens, je vais faire du thé.

Floyd enleva son chapeau.

— En réalité, je préférerais un café. Le plus fort possible.

— Oh oh, je vois le genre…

Basso fit entrer Floyd dans son salon, une pièce sombre où tictaquaient et bourdonnaient un nombre invraisemblable de pendules, fixées au mur, posées sur des étagères ou sur la longue cheminée de marbre. Appuyé sur une canne, Basso s'approcha en traînant la patte d'une horloge, ouvrit le boîtier et procéda à des ajustements minutieux avec un outil qu'il avait dans sa poche.

— J'ai réfléchi à ce que tu m'as dit à propos de ces sphères, dit Floyd. Au fait que ça pourrait être des cloches.

Basso s'aventura dans sa cuisine et répondit en haussant la voix :

— Et alors ?

— Ecoute, je ne vois pas comment ça pourrait être ça. Je n'ai jamais entendu parler de cloches sphériques. Comment voudrais-tu qu'elles sonnent ?

— Je ne parlais pas de ce genre de cloche, vieux clown. Je parlais de cloches de plongée. Du genre dans lequel on entre. La taille semble à peu près correcte.

— Oui, mais elles sont… massives.

Basso revint peu après avec une tasse de café. Le breuvage avait la consistance et la couleur du goudron. Juste ce qu'il fallait à Floyd.

— Par « massif », je ne pensais pas que tu voulais dire complètement massif, c'est-à-dire plein. Je pensais que tu voulais dire que les coques devaient être moulées d'une seule pièce, sans soudures ni rivets.

— Je suis à peu près sûr qu'il s'agit de sphères pleines.

— Laisse-moi voir les plans.

Floyd lui passa le papier et resta assis, à siroter le breuvage, pendant que Basso tournait le plan dans tous les sens en fronçant les sourcils. Quelques secondes avant onze heures, des mécanismes se mirent en branle, les pendules émirent une série de cliquetis et de bruits d'échappement quasi simultanés, et à l'heure pile les horloges assemblées produisirent une cacophonie de carillons et de sonneries qui dura près d'une minute. Minute pendant laquelle Basso continua à étudier le document comme si de rien n'était.

Lorsque le silence se fut rétabli, il regarda Floyd et dit :

— Eh bien, tu as raison. C'est massif, et ça paraît faire la taille que tu disais. Là, on dirait une sorte de support, pour suspendre la sphère, dit-il en suivant du bout de l'index des lignes tracées sur le papier. Mais pourquoi ces petits câbles, je me demande...

Il déplaça à nouveau le doigt.

— Ecoute, on dirait une vue en coupe d'un récipient, ou d'une cuve. Comme ça, je dirais que la sphère doit être plongée dans la cuve en question.

— En attendant, c'est toi qui me parais plongé dans la perplexité...

— Je n'ai jamais rien vu qui ressemble à ça. Tu as d'autres informations ?

Floyd lui tendit la lettre de Berlin.

— Ça, et c'est tout.

— Voyons..., fit Basso en articulant silencieusement le texte de la lettre en allemand. Trois sphères en alliage de cuivre et d'aluminium, avec des tolérances extrêmement précises. Là, il est question du dispositif de soutien. Et d'isolation acoustique, si je ne me trompe.

— Qu'est-ce que ça veut dire ?

— C'est un dispositif conçu pour absorber la transmission des vibrations.

— Et comment ça marche ? Selon quel principe ?

— Ça dépend de l'application. Imagine que ta sphère soit une source de vibrations, comme le moteur d'un sous-marin, il faudrait l'isoler pour que ces vibrations ne se transmettent pas à la coque et à l'eau environnante, où les sonars ennemis risqueraient de les capter.

— Je n'ai pas l'impression que ça ressemble à un engin sous-marin, dit Floyd.

— Non. En effet. Maintenant, il y a une autre possibilité : c'est que ce soit elle qui doive être protégée des vibrations.

— A quoi penses-tu ?

— Ça pourrait être à peu près n'importe quoi, répondit Basso. N'importe quel appareil scientifique, ou même un matériel sensible, pourrait avoir besoin d'une protection de ce genre.

— J'imagine que ça réduit légèrement le champ des possibilités, dit Floyd. On s'est demandé un moment si ça ne pourrait pas être une espèce de bombe.

— Non, je ne crois pas que ce soit ça. L'aspect apparemment massif, dit-il pensivement en indiquant les points clés, les cotes et la précision requise, l'amortissement nécessaire, et toutes ces spécifications semblent indiquer qu'il pourrait s'agir d'une sorte d'appareil de mesure. Mais de quoi, je n'en ai aucune idée. Evidemment, fit-il en rendant le papier à Floyd, je suis peut-être complètement à côté de la plaque.

— Mais il se pourrait que tu aies raison.

Floyd finit son café noir, de plus en plus épais, lui sembla-t-il, à mesure qu'il refroidissait. Il aurait aussi bien pu se déverser du kérosène dans le gosier.

— Merci, Basso. Tu m'as bien aidé.

— Sauf que ça ne valait probablement pas le coup que tu fasses tout ce chemin pour venir ici.

— Pas grave, dit Floyd. Il fallait bien que j'apporte le malade avec moi, non ?

— Bon, si on y jetait un coup d'œil ? fit l'autre en se frottant les mains.

Floyd s'arrêta en route pour faire quelques courses et avaler un morceau dans un café près du Trocadéro. A deux heures, il était rentré au bureau, prenait son calepin et cherchait le numéro de Blanchard. Il n'avait pas prévu d'appeler Custine aussi tôt, mais il avait hâte de savoir s'il avait avancé avec le poste de TSF.

Floyd laissa sonner pendant trente longues secondes, raccrocha, attendit une minute ou deux et rappela, sans plus de succès. Il en conclut que Blanchard était sorti, à moins qu'il ne soit monté chez Susan White. Il essaya à nouveau cinq minutes plus tard, sans plus de succès.

En raccrochant, Floyd remarqua un bout de papier qui dépassait sous le lourd socle noir du téléphone. C'était une feuille pliée en quatre, qui ne s'y trouvait pas le matin même. Il reconnut l'écriture nette, minutieuse, de Custine :

Cher Floyd,

J'espère que tu trouveras ce mot à temps. J'aurais pu le mettre en évidence sur ton bureau, ou dans ton casier à courrier, mais, pour des raisons que tu vas bientôt comprendre, je pense que ç'aurait été extrêmement imprudent.

Je viens de rentrer en taxi de la rue des Peupliers. J'ai de gros ennuis. Je ne t'en dis pas plus long, parce que moins tu en sauras, moins il y a de risques que mes amis de la PJ trouvent un moyen de t'impliquer. De toute façon, ils ne vont probablement pas tarder à prendre contact avec toi. Entre-temps, je vais essayer de me faire oublier. Il se peut que je sois obligé de quitter Paris. Ce serait plus sûr. J'essaierai de reprendre contact avec toi, mais pour notre sécurité à tous les deux je te conseille de ne pas essayer de me retrouver.

Maintenant, détruis ce message. Et fais bien attention à toi.

Ton ami et collègue,

AC

P-S : Je ne crois pas que Heimsoth et Reinke fassent des machines à écrire.

Floyd se laissa aller contre le dossier de son fauteuil, assommé. Il relut le message dans l'espoir qu'il avait rêvé, mais c'était bien ce qu'il lui semblait. Il était arrivé un drame, et Custine était en cavale.

Il avait besoin d'un coup de fouet. Il prit la bouteille de cognac, la reposa sur la table sans la déboucher. Une voix silencieuse, détachée, lui disait que ce dont il avait le plus besoin tout de suite, c'était d'une parfaite clarté d'esprit.

L'affaire avançait en douceur. C'était une grosse affaire, énorme même – il en était de plus en plus persuadé –, mais rien ne l'avait préparé à ce soudain et dramatique revirement de situation. Qu'avait-il bien pu arriver ? Il repassa mentalement le déroulement des événements, repensa aux projets de Custine pour la journée. Tout était normal, quand il l'avait laissé avec ses outils devant chez Blanchard, un peu plus tôt dans la matinée. Custine prévoyait d'écouter la radio, en espérant réentendre les fameux signaux en morse. Il avait aussi l'intention d'interroger le locataire absent du premier étage et d'aborder la question délicate de l'implication possible de Blanchard dans le meurtre. Le vieil homme aurait eu de quoi s'offusquer si Custine avait lâché le morceau ou l'avait interrogé de façon trop abrupte, mais ce n'était pas le genre d'André. Son expérience à la PJ avait fait de lui un interrogateur doté d'infiniment plus de tact et de diplomatie que Floyd.

Alors, au nom du ciel, qu'avait-il bien pu se passer ?

Floyd avait les mains qui tremblaient.

Reprends-toi, se dit-il fermement.

Custine n'avait vraiment pas besoin qu'il perde les pédales. Et le seul moyen d'éviter de craquer, c'était d'agir, de continuer à avancer.

Il résista à l'impulsion de foncer rue des Peupliers. Il n'avait pas prévu d'y retourner avant la fin de l'après-midi, et il ne voulait rien faire qui puisse laisser supposer que Custine avait pris contact avec lui. D'un autre côté, il avait essayé d'appeler Blanchard, qui n'avait pas répondu. Ça justifierait peut-être qu'il retraverse toute la ville avec la Mathis, même s'il n'avait pas vu le mot de Custine. Mais il ne lui serait peut-être jamais venu à l'esprit qu'il puisse y avoir un problème.

Remue-toi les fesses, se dit-il.

Il relut la lettre une troisième fois. Aucun indice de ce que Custine avait l'intention de faire. Floyd n'aurait donc pas besoin de raconter des histoires si quelqu'un l'interrogeait. Il avait quand même un petit soupçon... Mais il le chassa de son esprit. Il valait mieux pour tous les deux qu'il ne cherche pas à savoir où Custine pouvait être terré.

Il relut encore une fois le message en réprimant le tremblement de ses mains. L'allusion à la machine à écrire : qu'est-ce que ça pouvait bien vouloir dire ? Custine aurait-il retrouvé le souvenir qui lui échappait ?

Remue-toi les fesses !

Floyd prit les pages jaunes de l'annuaire sur une étagère. Il les ouvrit à la lettre H, parcourut les colonnes à la recherche de Heimsoth et Reinke... et découvrit, non sans étonnement, qu'il y avait bien une entreprise de ce nom, Heimsoth und Reinke, dans la région parisienne.

Il composa rapidement le numéro.

— Heimsoth und Reinke, fit une voix de femme, efficace. Puis-je vous aider ?

— Voilà, j'ai une machine à écrire électrique qui ne marche pas, et je voudrais savoir si vous pouvez vous charger de la réparation, ou si vous connaissez quelqu'un à Paris qui pourrait s'en occuper ?

— Une machine à écrire ? répéta-t-elle.

Elle a l'air surprise, se dit Floyd, qui insista :

— C'est une Heimsoth et Reinke. Je l'ai retrouvée parmi les affaires dont j'ai hérité à la mort de ma tante. J'ai l'impression qu'elle est en panne, mais ça a l'air d'une bonne machine, assez coûteuse, et je me suis dit que ça vaudrait peut-être la peine de la faire réparer avant de la vendre.

— Vous devez faire erreur. Nous ne fabriquons pas de machines à écrire, et nous ne les réparons assurément pas.

— Mais sur la boîte de la machine il y a…

Il comprit, au ton de sa voix, que la femme commençait à perdre patience :

— Heimsoth und Reinke ne fait pas des machines à écrire mais de cryptage. Notre modèle le plus populaire est l'Enigma, qu'il est possible, en effet, de confondre avec une machine à écrire…

Sous-entendu : à condition toutefois d'être bête à manger du foin.

— Mais qu'est-ce que ma tante aurait fait d'une machine à crypter ? demanda Floyd. Je pensais que ce matériel était plutôt réservé aux militaires et aux espions…

— C'est une erreur fréquente. Au cours des trente dernières années, nous avons vendu des milliers et des milliers de machines Enigma à toutes sortes de professionnels, notamment à des entreprises et des banques soucieuses de protéger leurs activités des éventuelles indiscrétions. Evidemment, les modèles militaires sont plus compliqués, mais il n'y a pas de loi qui interdit à un individu de posséder une machine Enigma. Souhaitez-vous toujours la faire réparer, à supposer qu'elle soit bien en panne ?

— Je vais y réfléchir, répondit Floyd. Enfin, en attendant, je vous remercie de votre amabilité.

A la seconde où Floyd raccrochait, on frappa à la porte. Sauf que ça ne fit pas le bruit habituel, un peu comme si le visiteur était déjà entré. Floyd n'était pas plus tôt arrivé à cette conclusion qu'il aperçut trois hommes dans la pièce voisine, deux policiers en tenue et un troisième, d'une jeunesse et d'une minceur inquiétantes, qui portait un long imperméable noir ouvert sur le costume sombre des inspecteurs en civil. Les policiers en tenue gardèrent leur chapeau, mais l'inspecteur en civil avait déjà enlevé son melon.

— Que puis-je pour vous, messieurs ? demanda Floyd.

Les trois hommes vinrent se planter devant son bureau, et l'homme en civil prit la parole :

— Je suis vraiment content de vous trouver au bercail, monsieur Floyd. Vous étiez au téléphone, apparemment. J'espère que nous n'avons pas interrompu une conversation importante.

14

— Je n'ai pas idée de ce que vous pouvez bien me vouloir, dit Floyd, mais là d'où je viens, d'habitude, on frappe avant d'entrer.

— Mais c'est ce qu'on a fait, répondit le jeune inspecteur d'un ton suave.

— Je veux dire, on frappe, et puis on attend qu'on nous invite à entrer. En réalité, on peut même essayer d'appeler avant, pour prendre rendez-vous. C'est ce qu'on appelle la plus élémentaire courtoisie…

— C'est ce que nous avons fait, répéta l'inspecteur avec le sourire. Malheureusement, chaque fois que nous avons essayé, la ligne était occupée. Ce qui nous a permis de penser qu'il y avait quelqu'un, bien sûr, sans quoi nous serions passés plus tard, dans l'après-midi.

— Et le but de cette visite… ?

— Toutes mes excuses, fit le jeune homme en civil. Inspecteur Belliard, police criminelle.

Il vint se planter devant le bureau de Floyd et prit, sur un tas de papiers tapés à la machine et de copies carbone, un presse-papiers en porcelaine noire représentant un cheval.

— Belle pièce. Et ancienne, dit Belliard. Ça ferait un magnifique instrument contondant.

Il lança l'objet à l'un de ses acolytes qui réussit à ne pas le rattraper et le laissa tomber par terre, où il explosa en une dizaine de morceaux.

Floyd fit un effort sur lui-même pour garder son calme. Il était trop évident qu'ils cherchaient à le faire sortir de ses gonds.

— Pour un peu, on dirait qu'il l'a fait exprès, dit-il. Mais nous savons tous les deux que c'était pure maladresse, bien sûr.

— Je vais vous faire un reçu. Vous pourrez vous faire rembourser par la PJ.

— Pendant que vous y êtes... vous avez aussi des reçus pour les brûlures par électrocution ? Il se pourrait que j'en aie bientôt besoin.

— Quelle drôle de question, fit Belliard avec un fin sourire.

Il s'approcha de la fenêtre et écarta les lamelles du store pour jeter un coup d'œil au-dehors. Remarquant que ni Belliard ni ses hommes ne regardaient en direction de son bureau, Floyd mit cet instant à profit pour glisser le mot de Custine sous le téléphone, en espérant qu'ils ne repéreraient ni son mouvement ni le léger bruit produit lorsqu'il reposa l'appareil sur son support.

— J'imagine que vous êtes venu persécuter mon associé, fit Floyd.

Belliard se détourna de la fenêtre et souffla ostensiblement sur ses doigts pour en chasser la poussière.

— Persécuter votre associé, monsieur Floyd ? Et pourquoi, grands dieux, ferions-nous une chose pareille ?

— Pour ne pas perdre les bonnes habitudes, peut-être ?

Le jeune homme se gratta le bout du nez. Il avait un visage en lame de couteau, presque imberbe, comme les mannequins qu'on voyait dans les vitrines des tailleurs. Même ses sourcils paraissaient avoir été tracés au pinceau.

— C'est drôle que vous parliez de votre associé, dit l'homme. Parce que c'est avec lui que nous espérions avoir une petite conversation, en effet.

— Vos « petites conversations », je connais, dit Floyd. Elles se terminent généralement par une descente très rapide de l'escalier…

— Vous êtes beaucoup trop cynique, monsieur Floyd, fit Belliard du ton qu'on emploie pour gronder un enfant. Ça ne vous va pas.

— Au contraire, ça me va de mieux en mieux. Une vraie paire de vieilles pantoufles !

— Ce sont des temps nouveaux, un nouveau Paris…

Floyd prit un stylo et le fit rouler entre ses doigts.

— Je pense que je préférais l'ancien. Ça puait moins.

— Alors vous devriez peut-être aérer un peu, fit Belliard en ouvrant la fenêtre.

Un violent courant d'air envoya les papiers voltiger sur le tapis et fit claquer la porte du bureau. Belliard tourna le dos à la fenêtre et se rapprocha de Floyd en marchant sur les papiers et les dossiers répandus à terre.

— Là. C'est déjà mieux. Ce n'était pas la ville qui sentait mauvais, c'était ce local.

— Si vous le dites.

— Bon, si on cessait de jouer à ce petit jeu ?

Belliard revint se poster devant le bureau, posa les mains au bord et regarda Floyd droit dans les yeux.

— Quelqu'un a été assassiné dans l'immeuble de Blanchard.

— Je sais, fit Floyd. Je suis le pauvre type qui enquête sur le meurtre.

— Pas celui-là. Je parle de celui qui s'est produit il y a trois heures.

— Je ne suis pas au courant.

— Blanchard est mort. On l'a retrouvé sur le trottoir, en bas de son balcon, exactement comme la pauvre Mlle White.

Belliard ajouta, regardant l'un de ses hommes :

— Vous savez, peut-être qu'il y avait du louche dans cette affaire, tout compte fait.

Sincèrement choqué malgré la lettre de Custine qui aurait dû le préparer à une nouvelle de ce genre, Floyd réussit à articuler :

— Quoi, Blan… chard est vraiment mort ? Assassiné ?

Belliard le dévisageait de ses yeux pâles, scrutateurs, comme s'il essayait d'apprécier le degré exact de surprise de Floyd.

— Oui.

Ses lèvres fines, exsangues, remuaient, mais le son parvenait à Floyd avec retard, comme s'il devait franchir un gigantesque gouffre.

— Et l'ennui, c'est que la dernière personne qu'on a vue en sa présence est votre associé, Custine. En réalité, on l'a vu quitter l'immeuble, comment dire ? précipitamment.

— Ce n'est pas Custine qui a fait ça, dit machinalement Floyd.

— Vous en avez l'air étonnamment sûr. Comment pouvez-vous le savoir, à moins qu'il ne vous ait lui-même fourni une explication, ou un alibi ?

— Je le connais. Custine. Je sais que ce n'est pas lui qui a pu faire ça.

Floyd avait soudain la gorge sèche. Sans demander l'autorisation, il se versa un fond de cognac et se l'envoya derrière la cravate.

— Comment pouvez-vous en être si sûr ? Vous lisez dans ses pensées ?

— Comme dans un livre, rétorqua Floyd. Et de toute façon, peu importe, parce que ça n'a aucun sens. Blanchard nous a embauchés pour enquêter sur cette affaire d'homicide. Pourquoi l'un de nous deux enverrait-il le client *ad patres* ?

— Il avait peut-être un motif caché, avança Belliard. Ou bien il a agi sous l'emprise d'une colère subite, aveugle, absolument imprévisible.

— Pas Custine, dit Floyd.

Son regard se porta vers le téléphone, du socle duquel dépassait encore un bout de papier blanc, malgré sa tentative pour le dissimuler. Belliard ne pouvait pas le voir de l'endroit où il se trouvait, mais s'il le remarquait... Floyd sentit une nausée le parcourir, comme si les chutes du Niagara s'étaient déversées sur lui.

— Peu importe ce qu'il a pu vous dire, André Custine est un homme violent, reprit Belliard, d'un ton presque amical. Un suspect est mort en garde à vue, alors qu'il procédait à son interrogatoire. Vous le saviez, non ? Il se trouve que le suspect était innocent. Espérons que ça lui a été d'une grande consolation pendant que Custine lui brisait les doigts, l'un après l'autre...

— Non ! fit Floyd, estomaqué.

— Je déduis de votre surprise qu'il ne vous l'avait pas dit. Quel dommage. Tout cela aurait pu être évité.

Se sentant détaché de lui-même, tel un ballon invisible rebondissant au-dessus de son corps, Floyd articula :

— Que voulez-vous dire ?

— Simplement que Blanchard pourrait être encore en vie. Il est évident que Custine a de nouveau pété les plombs. On ne peut pas savoir ce qui déclenche ces crises de folie, ajouta Belliard avec une moue réprobatrice, comme si on venait de lâcher une incongruité devant lui.

— Vous ne comprenez donc rien ? s'écria Floyd. La mort de Susan White était un homicide, et il vient de s'en produire un second. N'essayez pas de coller ça sur le dos de Custine parce que vous avez une dent contre lui. Vous courez après le mauvais bonhomme, et le coupable va s'en tirer, une fois de plus !

— Jolie théorie, fit Belliard, et je serais peut-être tenté d'y prêter un peu d'attention s'il n'y avait un petit détail qui cloche…

Floyd referma l'annuaire en s'efforçant de faire paraître le mouvement aussi normal et machinal que possible.

— Ah bon, et lequel ?

— Si votre bonhomme, Custine, est innocent du meurtre – s'il était juste au mauvais endroit au mauvais moment –, alors pourquoi était-il tellement pressé de quitter la scène du crime ?

— Je n'en sais rien, répondit Floyd. Vous n'aurez qu'à le lui demander vous-même. Ou plutôt, si, je le sais : Custine n'est pas un imbécile. Il savait parfaitement que vous essaieriez de lui faire porter le chapeau, en souvenir du bon vieux temps.

— Alors vous reconnaissez qu'il a peut-être fui le lieu du crime.

— Je ne reconnais rien du tout, répondit Floyd.

— Quand l'avez-vous vu pour la dernière fois ?

— Ce matin. Je l'ai déposé chez Blanchard pendant que j'allais enquêter ailleurs.

Floyd remarqua que l'un des inspecteurs prenait des notes dans un carnet à spirale, avec un stylo à plume noir, marbré.

— « Enquêter ailleurs », répéta Belliard d'un ton railleur. Ça paraît très professionnel, dit comme ça. Et que faisait notre Custine, pendant ce temps-là ?

Floyd haussa les épaules : à ce stade, il ne voyait pas l'utilité de raconter des histoires.

— Il y avait des détails dans l'affaire White qui nous intriguaient. Custine devait jeter un coup d'œil au poste de TSF de sa chambre.

— Et quand l'avez-vous vu ou avez-vous eu de ses nouvelles pour la dernière fois ?

— J'essayais d'appeler chez Blanchard juste avant que vous arriviez. Personne n'a répondu.

Belliard regarda Floyd avec une lueur amusée dans le regard.

— Ça ne répond pas tout à fait à ma question.

Floyd se rappela que la dernière chose à faire avec les types de la police était de perdre son calme. Il s'obligea donc à répondre paisiblement, et poliment, comme un homme qui n'a rien à cacher :

— C'est le dernier contact que j'aie eu avec Custine.

— Très bien, répondit Belliard. Et y a-t-il la moindre indication du fait que Custine serait repassé ici en votre absence ? J'imagine que votre associé a la clé du bureau…

— Rien ne laisse supposer qu'il soit repassé.

— Rien n'a bougé, rien n'a disparu, pas de message ?

— Rien de tout ça, répondit Floyd avec toute la lassitude dont il osait faire preuve.

Belliard fit signe à l'autre inspecteur de refermer son carnet.

— Bon, je pense qu'on a fini ici. Maintenant, à mon tour, dit-il en prenant une carte de visite dans la poche de son veston. Nous avons trouvé une de vos cartes sur le corps de Blanchard, et une autre chez le témoin qui a vu Custine quitter précipitamment la scène de crime. A titre de réciprocité, voici la mienne.

Floyd la prit.

— J'aurais une raison particulière d'en avoir besoin ?

— Custine peut essayer de prendre contact avec vous. Ce sont des choses qui arrivent, quand un individu est en cavale, surtout au début. Il peut avoir besoin d'affaires personnelles, d'argent ; il peut vouloir raconter sa version de l'histoire à un ami.

— Dans ce cas, vous serez le premier prévenu.

— Je n'en doute pas.

Belliard fit mine de porter la main à son chapeau et arrêta son geste.

— J'allais oublier : j'ai un petit service à vous demander.

— Je suis tout ouïe.

— Je souhaiterais utiliser votre téléphone. Nous avons encore une équipe sur le lieu du crime et j'aimerais les appeler avant de repartir, juste au cas où ils auraient du nouveau. Nous avons la radio, dans la voiture, mais je ne pourrais pas appeler directement l'appartement de Blanchard.

— Je vous en prie, fit Floyd, sentant la température de son sang, dans ses veines, chuter de dix degrés. J'espère que vous noterez que nous avons coopéré avec la police dans le cadre de cette enquête.

Belliard décrocha et commença à composer le numéro.

— Absolument. Et n'oubliez pas de me rappeler de vous signer un reçu pour ce cheval avant de partir.

Le bord du message de Custine narguait Floyd tel un étendard blanc, flamboyant, dépassant de sous le socle du téléphone. S'ils trouvaient ce mot, se disait Floyd, ils étaient morts, Custine et lui. Ils emmèneraient Floyd à la PJ et lui feraient subir toutes sortes de choses désagréables jusqu'à ce qu'il leur lâche une piste qui les mènerait à Custine. Et s'il mourait avant d'avoir craché le morceau, ils mettraient assez de monde sur l'affaire pour explorer toutes les pistes possibles et imaginables. Ils avaient senti le sang, maintenant : l'occasion de faire payer à Custine la façon dont il les avait trahis – en esprit sinon dans la lettre – avant sa retraite forcée. Ça lui pendait au nez depuis longtemps et ils ne feraient sûrement pas preuve de mansuétude.

Belliard se mit à parler, presque trop vite et dans un langage trop particulier, entrelardé de jargon policier, pour que Floyd le suive. L'inspecteur s'appuya contre le bureau et commença à tirer le téléphone vers lui, centimètre par centimètre, exposant graduellement une surface de plus en plus grande du message.

Il va le voir, maintenant, d'une seconde à l'autre, se disait Floyd, et il ne va pas pouvoir s'empêcher d'y jeter un coup d'œil. C'est ce que tout le monde ferait, dans les mêmes circonstances.

A cet instant, quelqu'un essaya d'ouvrir la porte palière et, la trouvant fermée à clé, appela, avec un fort accent paysan. Sans cesser de discourir, Belliard fit signe à un de ses gars d'aller ouvrir. Floyd saisit des bribes de la conversation, du côté de Belliard : le poste de TSF avait été lui aussi balancé par la fenêtre et s'était écrasé sur le trottoir, à côté de Blanchard ; et il était évident qu'il s'agissait d'une mort violente : cette fois, rien n'avait été fait pour dissimuler le fait qu'il s'agissait d'un meurtre.

Le deuxième flic arriva à la porte palière et l'ouvrit. Il l'entrebâilla, et Floyd vit un autre inspecteur, debout, derrière. Sans doute un des sbires qui attendaient dans la voiture, en bas. Floyd n'eut qu'un instant pour enregistrer la scène, puis la porte fut violemment arrachée à la poigne de l'inspecteur par un nouveau coup de vent qui balaya l'appartement, faisant voltiger les derniers papiers qui n'avaient pas encore atterri par terre. Dans ce tourbillon de papier, Floyd vit la note de Custine voltiger, arrachée au socle du téléphone, traverser la pièce et passer par la fenêtre ouverte, tel un papillon emporté par le vent.

Belliard coupa court à sa communication et raccrocha.

— Je n'aurais peut-être pas dû ouvrir la fenêtre, tout compte fait, susurra-t-il en regardant le tapis de papiers épars. Il va vous falloir un mois, en bossant tous les dimanches, pour remettre de l'ordre dans tout ça.

— Aucune importance, fit Floyd en se demandant si son soulagement n'était pas trop évident. Il était temps de faire un peu de rangement, de toute façon.

Belliard pêcha un carnet de reçus dans la poche de sa veste.

— Combien pour le cheval ?

— Vous en faites pas pour ça, dit Floyd. J'allais justement m'en débarrasser.

Après avoir refermé à clé derrière les hommes de la PJ, Floyd se précipita vers la fenêtre restée ouverte et écarta les lames poussiéreuses du store. Il regarda la voiture noire de la police s'éloigner, en bas, dans un grondement de moteur. Il parcourut la rue du Dragon du regard et nota la position et les marques des autres véhicules garés le long des trottoirs, s'intéressant particulièrement à ceux qu'il ne connaissait pas, ou qui avaient l'air déplacés dans la ruelle modeste, avec ses ornières et ses caniveaux encore pleins d'eau. Là, à trois portes cochères de la sienne – cette voiture noire... Il ne voyait pas ce que c'était, de l'endroit où il se trouvait, mais elle ressemblait étrangement à la voiture de police qu'il venait de voir partir – probablement un véhicule banalisé. Derrière la lueur huileuse du pare-brise, il distingua un homme assis, les mains sur les cuisses.

Floyd devait leur reconnaître ça : moins de quatre heures s'étaient écoulées depuis le meurtre, mais les efficaces garçons du quai des Orfèvres avaient déjà mis une équipe de pros de la Criminelle sur l'affaire. D'accord, ils n'avaient pas eu à chercher très loin une piste, Floyd et Custine ayant généreusement distribué les cartes de visite dans l'immeuble. Mais ils avaient quand même organisé une planque, et peut-être davantage. Floyd avait une idée de la façon dont la PJ fonctionnait : si vous pensiez qu'un homme vous surveillait, alors il y en avait probablement un deuxième ou un troisième dont vous ne soupçonniez pas la présence.

Floyd laissa retomber le store. Il se sentait vidé, comme s'il venait de prendre un direct dans l'estomac. Toutes ses perspectives avaient changé depuis qu'il était entré dans son bureau, son sac d'épicerie dans les bras et plutôt moins d'ennuis qu'il ne le croyait à cet instant. Pourquoi les problèmes n'étaient-ils jamais remis en perspective par des bonnes nouvelles mais par d'autres problèmes ? Pourquoi n'était-ce jamais « une bonne nouvelle chasse l'autre » mais « un problème chasse l'autre » ?

Il s'assit derrière son bureau et essaya de mettre de l'ordre dans ses idées. Les fondamentaux de l'enquête restaient inchangés, mais maintenant c'était une affaire de double homicide, et la police avait décidé tardivement de s'y intéresser. Ou – plus probablement – ils avaient profité de la mort de Blanchard pour faire accuser Custine. On n'avait pas vraiment l'impression qu'ils étaient passionnés par le premier homicide.

En attendant, bien que le mot de Custine ait disparu, il lui avait quand même donné un indice vital. La machine à écrire était en fait une machine de cryptage sophistiquée. Plusieurs éléments prenaient subitement un sens – et ils appuyaient tous l'hypothèse selon laquelle Susan White était une espionne.

Elle avait trafiqué son poste de TSF afin d'envoyer des messages cryptés. Les points et les traits ressemblaient beaucoup à du morse, et c'en était peut-être une variante, mais ce n'était que le début de l'encodage. Le morse, ainsi que Floyd l'avait expérimenté à l'époque où il faisait de la voile au large de Galveston, n'était qu'un moyen d'envoyer par ondes radio des textes écrits. N'importe quel individu muni d'un code morse pouvait déchiffrer ce genre de message même s'il n'en avait aucune connaissance préalable, ce qui était parfait pour jouer à des jeux de salon mais absolument pas assez sûr pour des espions. C'est là que la machine Enigma entrait en jeu. Les signaux captés par le poste de TSF avaient été brouillés par l'émetteur, quel qu'il soit ; White avait utilisé la machine Enigma désormais pulvérisée pour en réaliser une transcription lisible.

Ce qui voulait donc dire qu'elle était bel et bien une espionne. Aucun doute, maintenant. Et ça voulait dire aussi qu'ils n'avaient plus aucun espoir de découvrir ce qu'il y avait dans ces messages en morse.

Floyd s'arracha à ses pensées vagabondes et regarda l'heure : trois heures et demie. S'obligeant à entrer dans la peau du rôle – le parfait innocent qui n'a eu aucun contact avec son partenaire –, il décida que la mesure la plus vraisemblable à prendre consistait à se rendre sur le lieu du crime, et à se faire une idée de l'affaire par lui-même. Il but près d'un litre d'eau, prit son manteau et son chapeau, et il s'apprêtait à laisser la boîte de Susan White à l'endroit où elle était, sur son bureau, lorsqu'une pensée lui effleura l'esprit : celui qui avait assassiné Blanchard cherchait probablement les documents. D'abord, Susan White avait été assassinée, et voilà que c'était le tour du propriétaire de son appartement. Le coupable du deuxième homicide savait probablement, à l'heure qu'il était, que les documents n'étaient pas chez lui. Et avec toutes ces cartes de visite qui traînaient un peu partout il ne lui faudrait pas longtemps pour faire le lien avec Floyd.

Il prit la boîte. A partir de maintenant, il n'irait plus nulle part sans elle.

Floyd prit la rue des Peupliers et ralentit en voyant trois voitures de police garées près du 23. Dans le rétroviseur, il vit la conduite intérieure noire qu'il avait repérée de sa fenêtre le dépasser en ralentissant, le temps que le chauffeur repère bien où il s'était arrêté, puis aller jusqu'au carrefour avec la rue de Tolbiac. Le gamin qui conduisait était un amateur, et Floyd s'était bien gardé d'essayer de le semer en se rendant chez Blanchard. Il y avait sûrement quelqu'un de plus expérimenté derrière lui, en renfort.

Floyd se gara vers le milieu de la rue, coupa le contact et observa la scène en silence pendant quelques instants. Le meurtre avait eu lieu au moins cinq heures plus tôt, et probablement plus près de six, mais il y avait encore un bon paquet de curieux sur le trottoir, sous le balcon. Les ombres commençaient à s'allonger dans la lumière de l'après-midi. Pendant un morbide instant, Floyd se demanda si le corps était encore là, écrasé, défiguré par la chute. Enfin, ça paraissait bien peu vraisemblable, et plus Floyd regardait, plus il lui semblait évident que les spectateurs étaient massés devant l'entrée de l'immeuble dans l'espoir de glaner des bribes d'informations scabreuses de la bouche même des policiers – plantons et inspecteurs – qui continuaient probablement à aller et venir sur le lieu du crime.

Floyd se repeigna avec ses doigts, mit son chapeau et descendit de voiture. Il s'approcha des badauds, n'en reconnut aucun. Deux flics en tenue montaient la garde devant l'entrée de l'immeuble et palabraient avec la foule. Doucement, Floyd se fraya un chemin entre les curieux jusqu'à ce qu'il arrive en vue des policiers.

— Je peux vous aider, monsieur ? demanda le plus âgé des deux.

Floyd lui montra ses papiers et sa carte professionnelle.

— Je suis détective privé, dit-il. Il se trouve que M. Blanchard – feu M. Blanchard – était mon client.

— Ben, vous arrivez un peu tard, non ? répondit le policier.

Son collègue eut un ricanement complice.

Floyd essaya de prendre l'air aussi détaché qu'eux.

— M. Blanchard m'avait demandé d'enquêter sur un incident qui s'était produit dans l'immeuble, répliqua-t-il. Vu ce qui vient de se passer, je ne peux m'empêcher de me demander si les deux affaires ne sont pas liées.

— Votre client est mort, dit le plus vieux des deux policiers, qui avait une mauvaise haleine et un problème de rasage. Ça veut dire qu'il n'y a plus personne pour vous payer, maintenant, hein ?

— Il m'avait donné une généreuse avance, dit Floyd. Et puis je suis pour ainsi dire personnellement impliqué dans l'affaire. Il se trouve que mon associé est le principal suspect.

— Comment le savez-vous ? demanda le policier.

— J'ai reçu la visite de l'inspecteur Belliard. C'est lui qui m'a mis au courant. Vous avez parlé à ces gens ? demanda-t-il, un ton plus bas.

— Ce ne sont pas les habitants de l'immeuble. Les entretiens avec les occupants ont lieu à l'intérieur.

— Quand même. Ils auraient pu voir quelque chose.

— Ils n'ont rien vu. Autrement, ils l'auraient dit.

Floyd se tourna vers les gens qui l'entouraient. L'attention générale s'était détournée de la vilaine tache sombre, sur le trottoir, pour se concentrer sur lui.

— C'est mon affaire autant que la leur, dit-il en s'adressant à la foule, regardant dans les yeux le plus grand nombre de personnes possible. Une femme a été assassinée ici, il y a trois semaines, et ces brillants jeunes représentants de la police judiciaire n'ont pas pris la peine de s'intéresser à l'affaire. Maintenant, il y a une autre mort suspecte.

Floyd prit des cartes de visite dans sa poche.

— Si l'un de vous souhaite empêcher un troisième homicide, c'est l'occasion ou jamais. Réfléchissez à ce qui s'est passé au cours des derniers jours, des dernières semaines, même, si vous voulez, et essayez de vous rappeler tout ce qui aurait pu vous paraître inhabituel : quelqu'un que vous ne connaissiez pas et qui traînait dans le coin. Peut-être même un enfant. A mon avis, celui qui a provoqué le premier meurtre a quelque chose à voir avec le second.

Une femme d'un certain âge, avec un chapeau informe, s'approcha et lui prit une carte.

— Moi, j'ai vu quelque chose, dit-elle. J'ai essayé d'en parler à ces messieurs, mais ça ne les intéressait pas.

— Appelez-moi, et on en parlera, dit Floyd.

— Je peux vous le dire tout de suite. Il y avait un homme, grand, comme un lutteur. Très bien habillé, mais il transpirait et il était essoufflé. Il est descendu dans la rue en courant et il a essayé de héler un taxi. Il y a eu une discussion : quelqu'un d'autre attendait déjà le taxi, et ça n'a pas plu au grand type. Ils ont failli en venir aux mains.

— Vous avez vu tout ça ? demanda Floyd.

— Je l'ai entendu.

— A quel moment ?

La femme regarda, derrière les badauds, un type portant une casquette à carreaux et une moustache fine comme un trait de crayon.

— C'était quand, tout ce raffut ?

— J'ai regardé ma montre, dit le gars en ôtant le mégot qu'il avait aux lèvres. Ça s'est passé exactement…

— Ce n'est pas à vous que je le demandais, c'est à madame. Vous avez vraiment assisté à la scène ? demanda Floyd en se tournant vers la femme.

— J'ai dit que je l'avais entendue, répéta-t-elle. Du boucan dans la rue, des voitures qui klaxonnaient, des cris…

— Mais vous n'avez pas vraiment vu l'homme vous-même ? insista-t-il.

— Pas de mes propres yeux, non, dit-elle, comme si ce n'était que du pinaillage. Mais lui, si, fit-elle en indiquant le type à la casquette, et avec tout le boucan que ça faisait…

— C'est une rue, en plein Paris, dit Floyd. Vous auriez du mal à trouver une seule demi-heure où il n'y a pas un peu de vacarme, d'une sorte ou d'une autre.

— Je sais ce que j'ai vu, dit le traîne-savates à la casquette avant de recoincer son mégot entre ses lèvres.

— Cette bagarre pour le taxi, reprit Floyd. Vous avez remarqué autre chose à ce moment-là ?

L'homme parcourut les badauds qui l'entouraient d'un regard méfiant, comme s'il craignait un piège.

— Non, dit-il après mûre réflexion.

— Eh bien, c'est drôle, dit Floyd. Parce que, selon toute probabilité, il aurait dû y avoir un corps sur le trottoir.

— Eh bien, il y avait…, commença la femme, d'une voix traînante.

— Bon, c'était avant, la bagarre pour le taxi ? Ou juste après ? Réfléchissez bien, c'est important.

Tout en parlant, Floyd remarqua une femme plus jeune qui le regardait, derrière les badauds. Elle ouvrait et refermait la bouche comme si elle s'apprêtait à intervenir, mais les autres n'arrêtaient pas de lui couper la parole.

Un homme en tablier de boucher leva la main.

— Pourquoi avez-vous parlé d'un enfant, là, tout de suite ?

— Pour ne rien exclure.

— J'ai vu un enfant. Un petit garçon. A l'air très vilain, qui traînait par ici.

Avant que Floyd ait pu tirer profit de l'information, une nouvelle voix se fit entendre du côté de l'entrée de l'immeuble :

— Faites-le entrer. Il faut que je lui parle.

Floyd finit de distribuer ses cartes de visite tout en incitant les témoins à prendre contact avec lui si la mémoire leur revenait. Il regarda quelqu'un donner une carte à la femme, derrière la foule. Puis il passa entre les deux policiers dans l'entrée sombre, qui sentait le renfermé.

— Salut, Floyd. Je constate que vous distribuez les cartes de visite comme un politicien les poignées de main, ces temps-ci, dit le nouveau venu, encore debout dans l'ombre.

— La dernière fois que j'ai vérifié, ce n'était pas interdit par la loi.

— Vous avez raison de formuler ça comme ça, répondit l'autre. Ces temps-ci, on n'est jamais trop prudent, surtout en ce qui concerne les lois. Allez, refermez la porte derrière vous.

Floyd se retrouva en train de faire ce qu'on lui disait. La voix de l'homme était à la fois autoritaire et rassurante. C'était aussi une voix connue.

— Inspecteur Maillol...

— Ça fait un bail, hein ? Combien d'années depuis l'affaire du parc Monceau ? Six ?

— Au moins.

— Une sale histoire, en tout cas. Je ne suis pas encore persuadé qu'on a arrêté le vrai coupable.

Floyd avait été impliqué dans l'affaire par la bande – l'un de ses clients du moment était lié à la victime –, et ça avait suffi pour le mettre en contact avec les hommes de la Grande Maison. Maillol lui avait dit assez poliment d'arrêter de marcher sur leurs chaussures cloutées. Floyd avait saisi l'allusion.

— Je suppose que vous avez déjà eu une petite conversation avec Belliard, mon collègue ?

— Il m'a effectivement exposé son point de vue, dit Floyd.

— Il a ses méthodes, j'ai les miennes.

Maillol ressemblait de façon caricaturale au méchant flic des interrogatoires : un visage émacié, un crâne d'œuf à la peau si tendue sur les os qu'elle semblait sur le point de craquer, une petite bouche cruelle et des petits yeux encore plus cruels derrière des lunettes sans monture. Les cinq ou six dernières années n'avaient rien fait pour adoucir ses traits. Il enleva son chapeau mou et se gratta le crâne.

— Votre ami a de graves ennuis, reprit Maillol, sans ambages. Surtout maintenant que Belliard s'intéresse à l'affaire.

— J'ai eu l'impression que je n'étais pas spécialement hors de cause non plus.

— Belliard est l'un de nos jeunes espoirs. Le costume qui va bien, le chapeau qu'il faut, la bonne
voiture, la femme pour aller avec. Il a même les
bonnes relations politiques.

— Châtelier ?

— Qui d'autre ?

Son intonation, la façon dont il avait prononcé ces
syllabes, mit Floyd à l'aise.

— J'en déduis que vous n'êtes pas tout à fait sur la
même longueur d'onde.

— Ce sont des temps nouveaux, un nouveau Paris.

— Marrant. C'est exactement ce que Belliard a dit.

— Sauf que de son point de vue c'est sûrement
positif. Je ne plaisante pas, au sujet de Belliard : ce
n'est pas le genre d'homme dont il convient de se faire
un ennemi.

Maillol remit son chapeau et appuya bien dessus. Le
bord crissa contre les poils raides qui hérissaient le
haut de ses oreilles.

— Vous êtes son supérieur.

— Théoriquement, précisa Maillol. L'ennui, c'est
que je n'ai ni son ambition ni ses relations. Floyd,
vous lisez les journaux ?

— J'essaie de m'y retrouver dans la page des
bandes dessinées.

— Je ne devrais pas m'occuper de cette affaire.
Officiellement, je ne suis même pas là. Je suis censé
enquêter sur les trafics de Montrouge.

— J'ai lu ça dans le journal, en effet. J'ai aussi
entendu dire que c'est vous qui avez soufflé mon nom
à Blanchard quand il cherchait un détective privé.

— Vous étiez le candidat idéal. Je n'étais pas satisfait, à propos de la mort de l'Américaine. Il y avait quelque chose qui clochait. Mais le juge d'instruction avait l'air de se contenter du verdict de mort accidentelle, et je ne pouvais pas aller contre.

— Mais la police va sûrement rouvrir le dossier, maintenant ?

— Oui, mais pour résoudre l'une et l'autre des deux affaires, ou seulement l'une d'entre elles ?

— Belliard avait l'air de tenir à obtenir des résultats.

— Ah, mais quel genre de résultats ? Il avait eu tort de refermer le premier dossier, il tenait là une bonne occasion de trouver un bouc émissaire dans une minorité toute désignée pour ça. Mais maintenant il a Custine dans le collimateur, et il ne va sûrement pas le louper...

— Il l'a dans le nez à ce point ?

— Tout le monde le déteste.

— Et vous ? demanda Floyd.

Maillol prit, dans la poche intérieure de son veston, un étui à cigarettes sur lequel était gravée une sirène. Il le proposa à Floyd, qui refusa, et s'alluma une cigarette avec un petit briquet incrusté d'ivoire.

— Je connaissais Custine. On avait travaillé ensemble, il y a dix ans, dans le dix-septième. C'était un bon inspecteur. Pas commode, mais on pouvait compter sur lui.

— Alors vous savez qu'il n'a pas pu faire ça.

— Dans ce cas, pourquoi a-t-il pris la fuite ?

— S'il a quitté le lieu du crime, répondit Floyd, c'est probablement parce qu'il avait assez de bon sens pour ne pas traîner dans le coin. Ce n'est pas lui qui a poussé Blanchard dans le vide.

— Il y a bien quelqu'un qui a fait le coup, pourtant, dit Maillol en tapotant sa cigarette pour en faire tomber la cendre par terre. Votre ami fait un suspect idéal.

— Il semblerait que Custine était déjà dans un taxi quand le corps est tombé dans la rue.

— Ce qui ne suffira pas à le mettre hors de cause. Nous ne le saurons pas avant d'avoir le rapport du médecin légiste, mais il aurait très bien pu tuer Blanchard quand même.

— Ah oui ? Expliquez-moi ça.

— Il aurait pu poignarder le vieux ou lui tirer dessus sans réussir à le tuer sur le coup. Il l'aurait laissé pour mort et serait descendu précipitamment prendre un taxi. Pendant ce temps-là, en haut, Blanchard aurait trouvé la force de tituber jusqu'au balcon et serait tombé par-dessus la rambarde. Ce n'est qu'un scénario, bien sûr, poursuivit Maillol en levant la main pour prévenir l'objection de Floyd. Il y en a d'autres. Ce qui est sûr, c'est que la séquence des événements telle qu'on l'a observée ne disculpe pas forcément votre ami. Croyez-moi, j'ai enquêté sur des affaires beaucoup plus étranges.

— Vous devez avoir une imagination surdéveloppée, répliqua Floyd. Que dites-vous de cette autre hypothèse : Custine était là-haut avec Blanchard, dans la même pièce ou pas loin. Il avait absolument le droit d'être là. Après tout, Blanchard avait fait appel à nous pour enquêter sur l'affaire White.

— Et le détail, insignifiant je vous l'accorde, de la mort de Blanchard ?

— C'est quelqu'un d'autre qui a fait le coup, tout simplement. Custine a assisté au meurtre, ou il est arrivé trop tard pour l'empêcher. Et il a pris la fuite, naturellement. N'importe quel homme sain d'esprit, placé dans les mêmes conditions, en aurait fait autant.

— N'empêche que la loi ne voit pas les choses de la même façon.

— Enfin, vous me comprenez sûrement, dit Floyd. Connaissant Custine comme vous le connaissez, ses relations avec ses anciens collègues… Que vouliez-vous qu'il fît ?

Maillol en convint, ce qu'il exprima d'un mouvement de la main qui tenait sa cigarette.

— Le fait que je connaisse le passé de Custine, ou que j'aurais pu agir comme lui à sa place, ne change rien.

— Ce n'est pas lui qui a fait le coup, insista Floyd.

— Mais vous ne pouvez pas le prouver.

— Et si je pouvais ?

Derrière ses lunettes, Maillol élargit imperceptiblement ses yeux pâles, cruels.

— Vous êtes sur une piste ?

— Pas encore. Mais je suis tout proche d'arriver à réunir suffisamment…

— Il faudra un peu plus que des présomptions, même fortes, pour le tirer des griffes de Belliard.

— Eh bien, je trouverai ce qu'il faut.

Maillol tira longuement sur sa cigarette avant de répondre.

— Vous êtes un homme sensé, Floyd. Je m'en suis rendu compte quand nos chemins se sont croisés, lors de l'affaire du parc Monceau. Je vous avais dit de rester en dehors, et vous l'avez fait. J'avais apprécié. Et je sais que vous ne voulez que du bien à votre partenaire. Si ça peut vous être utile, je doute que Custine ait fait le coup. Mais une seule chose peut le dédouaner : un autre suspect.

— Eh bien, je vous en trouverai un.

— Comme ça ?

— Je vous l'ai dit, je ferai ce qu'il faut.

— Vous avez quelqu'un en vue ? Parce que, dans ce cas, il faut me le dire tout de suite. Sinon, ce serait faire obstruction à la justice…

— Je n'ai personne en vue pour le moment, convint Floyd.

— Je préférerais que vous me mentiez, pour le bien de Custine. Malheureusement, je crois plutôt que vous dites la vérité.

Il envoya valser son mégot par terre et l'écrasa sous sa semelle. Floyd remarqua qu'il avait de vieilles chaussures éculées.

— Je ne suis sur l'affaire que depuis deux ou trois jours.

— Il n'y a plus d'affaire, maintenant, dit Maillol. Votre client est mort. Écoutez, vous vous en faites pour Custine. Il se peut même que vous sachiez où il est. Mais c'est un combat que vous ne pouvez gagner ni l'un ni l'autre. Si Custine veut s'en sortir, sa seule chance, c'est de quitter Paris. C'est ce que je ferais.

— Il n'y a que les hommes comme Custine pour se dresser entre cette ville et les loups.

— Alors, on devrait peut-être tous penser à partir, rétorqua Maillol.

15

Quand Floyd ouvrit la porte de son bureau de la rue du Dragon, le téléphone sonnait. Il décrocha avec un picotement d'excitation, pensant que ça pouvait être Custine, et espérant en même temps qu'il aurait assez de jugeote pour ne pas l'appeler sur un numéro que la PJ avait plus que vraisemblablement mis sur écoute.

— Allô ? dit-il en s'asseyant à son bureau.

— C'est bien Floyd, Enquêtes et Filatures ? demanda une femme, à l'autre bout du fil, en français, mais avec un accent qu'il n'arrivait pas à situer. Je m'appelle Verity Auger. J'appelle à propos de ma sœur.

Floyd se redressa d'un bond, ouvrit son calepin et fit des arabesques avec la plume de son stylo jusqu'à ce que l'encre coule.

— Votre sœur ? demanda-t-il.

— Susan White. Je pense que vous enquêtez sur sa mort.

— En effet, répondit Floyd. Vous pouvez aussi parler anglais, si c'est plus facile. J'ai l'impression que vous parlez très bien français, mais si nous sommes tous les deux américains…

— Je pensais bien que vous deviez être américain, dit-elle en anglais. Mais ça paraissait un peu malpoli de faire des suppositions.

— Comment avez-vous eu mes coordonnées ?

— J'étais dans la foule, rue des Peupliers, quand vous avez donné votre carte de visite. Et puis j'ai parlé à certains habitants de l'immeuble, et ils ont dit que vous les aviez interrogés à propos de Susan. J'aurais dû me présenter à ce moment-là, mais l'affaire est délicate, et je ne voulais pas en parler devant tous ces gens.

— Et de quelle affaire délicate voulez-vous parler ?

— Je vous appelle à propos des affaires de ma sœur. J'ai compris que le pauvre M. Blanchard vous les avait confiées avant de…

— Je les ai, confirma Floyd. Ce n'est qu'une boîte contenant des papiers, mais si vous les voulez, je les tiens à votre disposition. Vous avez mon adresse sur la carte, n'est-ce pas ?

— Rue du Dragon, en effet.

— Vous voulez que je vous indique…

— Je devrais arriver à trouver. Je pourrais être chez vous d'ici moins d'une heure. Est-ce que ça vous conviendrait ? Ou bien on peut se voir plus tard, dans la journée, si vous préférez…

Floyd était sur le point d'accepter de la recevoir immédiatement, et puis il se ravisa. Il allait lui remettre la boîte, bien sûr, ça ne faisait aucun doute, mais il avait aussi envie de savoir ce qu'elle en ferait lorsqu'elle quitterait son bureau. N'ayant plus Custine sous la main, la faire filer risquait d'être compliqué. Greta ne pouvait s'en sortir toute seule, même s'il arrivait à la faire venir de Montparnasse sans préavis.

Il commençait à échafauder un plan, mais ce n'était pas le genre de chose qu'il pouvait mettre sur pied en une heure ou deux.

— Ecoutez, dit-il très vite, avant que son hésitation ne donne des soupçons à son interlocutrice, aujourd'hui, ça risque de me poser un petit problème. Je dois sortir à cause d'une autre affaire.

— Vous êtes un homme occupé, monsieur Floyd.

Il ne pouvait dire si c'était de l'ironie, ou si elle était sincèrement impressionnée.

— Oh, rien de très excitant. Mais ce serait plus pratique pour moi si on pouvait se voir demain matin, en début de matinée. Si ça vous va, bien sûr.

— Ça me va parfaitement.

— Eh bien, disons neuf heures, alors.

— Demain matin, neuf heures, monsieur Floyd.

Ils raccrochèrent. Floyd regarda la feuille de papier sur laquelle il avait griffonné sans rien écrire d'utile. Puis il feuilleta son répertoire à la recherche du numéro de Maurice Dicot, le technicien qui faisait l'entretien de l'ascenseur.

— Il n'est pas à nouveau en panne, j'espère, monsieur Floyd ?

— Pas exactement, dit Floyd, mais j'aurais un petit service à vous demander.

— Je ne sais pas si…

— Vous pourriez être là à huit heures et demie, demain matin ?

— Huit heures et demie, un samedi matin ?

— Je vous expliquerai tout, dit Floyd. Et je veillerai à ce que vous ne veniez pas pour rien.

Une heure plus tard, il était à Montparnasse, dans la cuisine de Marguerite. Greta feuilletait un magazine de cinéma tout en grillant une cigarette. Elle leva les yeux. Elle avait un regard fatigué et son mascara avait coulé.

— Je ne t'attendais pas si tôt.

Floyd referma la porte derrière lui.

— Il y a du nouveau. Du très sérieux.

— Assieds-toi.

Elle ferma le magazine et le poussa sur la table. La couverture reproduisait l'affiche d'un film policier particulièrement noir.

— C'est Custine, dit Floyd.

Il tira une chaise et s'assit en face d'elle, à la table de la cuisine.

— Qu'est-ce qu'il a ?

— Il est en cavale.

— Ecoute, si c'est une blague…

— J'ai l'air de blaguer ? dit-il sèchement. Blanchard est mort.

— Qui ça ?

— Le propriétaire de l'immeuble de la rue des Peupliers, le vieil homme à qui Susan White avait confié la boîte de documents. Et qui avait fait appel à nous pour prouver qu'elle avait été assassinée. Il s'est écrasé sur le trottoir, ce matin.

— Non, dit-elle doucement.

— Si. Et à ce moment-là Custine était dans l'immeuble.

— Tu ne crois pas qu'il est mouillé là-dedans ?

Floyd se prit la tête à deux mains.

— Je voudrais croire que non. Tout ce que je croyais savoir à son sujet dit qu'il en aurait été incapable.

— Alors…

— Alors, il était censé discuter avec le propriétaire pour écarter la possibilité qu'il ait tué Susan White. Sans l'accuser directement. Juste le cuisiner en douceur, pour en avoir le cœur net.

— Tu crois sérieusement…

— Nous devions exclure cette possibilité. Ce n'est pas parce que ça paraissait être un gentil vieux monsieur avec une histoire plausible…

— Mais tu m'as dit que la police n'avait même pas jugé utile d'enquêter sur la mort de la fille ! Pourquoi votre bonhomme aurait-il pris le risque de voir les soupçons se porter sur lui ?

— Nous nous demandions, Custine et moi, s'il n'avait pas secrètement envie qu'on le confonde. Imagine qu'il l'ait tuée pour attirer l'attention et que ça n'ait pas marché, ça expliquerait qu'il fasse appel à nous.

— Il faut vraiment être tordu pour avoir des idées pareilles. Remarque, dans ton métier, c'est peut-être normal…

— Ce n'était qu'une hypothèse, fit Floyd, sur la défensive. Le hic, c'est que j'avais autorisé Custine à mettre la pression à Blanchard. Et quelques heures plus tard on le retrouve aplati sur le trottoir.

— Tu penses que Custine aurait pu l'asticoter un peu trop brusquement ?

— Son métier était d'interroger les suspects à la PJ, et il paraît qu'il aurait procédé à des interrogatoires plutôt musclés.

— Toi, quelqu'un a instillé le doute dans ton esprit…

Floyd se frotta le visage avec lassitude et la regarda entre ses doigts.

— Aujourd'hui, j'ai appris sur Custine quelque chose que j'ignorais jusque-là.

— Laisse-moi deviner. L'un des anciens collègues de Custine t'a parlé de lui ?

— Il m'a dit qu'un innocent était mort alors qu'il procédait à son interrogatoire.

— Et tu l'as cru ?

— Je n'ai pas de raison de douter de ce qu'il m'a dit.

— Custine est ton ami, Floyd.

— Je sais. Et je m'en veux de penser qu'il pourrait être impliqué dans la mort de Blanchard. Mais je ne peux pas m'empêcher de gamberger.

— Il y a des témoins ?

— Des gens ont vu Custine quitter précipitamment les lieux. Avant ou après que le corps s'est écrasé au rez-de-chaussée, selon les versions. Et un autre témoin a vu un drôle de petit garçon.

— Et alors ?

— Alors, d'étranges petits enfants n'arrêtent pas d'apparaître à tous les coins de rue, dans cette affaire.

— Tu penses qu'un enfant aurait pu faire un truc comme ça ?!

— Il se pourrait qu'un enfant soit dans le coup, mais je ne sais ni comment ni pourquoi.

Greta éteignit sa cigarette dans le cendrier et en tapota le bord avec ses ongles noirs comme de minuscules lacs d'encre.

— Oublie un instant ces enfants. Tu as eu un contact avec Custine ?

— Pas en chair et en os, mais il m'a laissé un mot. Il a dû foncer tout droit au bureau, dès qu'il a réalisé dans quelle panade il s'était fourré.

Floyd s'appuya au dossier de sa chaise et tirailla sur sa chemise, collée sur sa poitrine par la sueur comme s'il avait couru un marathon en plein soleil. S'obligeant au calme, il dit :

— Je n'avais eu que le temps de lire son message quand j'ai eu la visite de la police. Trois sbires, dont un joli garçon appelé Belliard.

— Jamais entendu parler.

— Tu ne rates rien, crois-moi. Il a vraiment une dent contre Custine, et je pense qu'il aimerait bien me faire tomber par la même occasion.

— Que s'est-il passé ?

— Il voulait savoir si j'avais eu des nouvelles de Custine. J'ai raconté des histoires, évidemment, mais ils savent que Custine essaiera de prendre contact avec moi, tôt ou tard.

Elle le regarda longuement, durement, avant de poser la question suivante :

— Et qu'est-ce que Custine attend de toi ?

— Rien. Il dit qu'il peut s'en sortir tout seul.

— Mais c'est ton ami, dit-elle à nouveau. Et le mien, aussi. Il faut qu'on l'aide.

Floyd la regarda comme s'il essayait de lire sur son visage.

— Et Marguerite ? Comment va-t-elle ?

— Tu veux vraiment le savoir, ou c'est juste pour changer de sujet ?

— Je veux vraiment le savoir, répondit-il. Tu penses que la situation, ici, est aussi sérieuse qu'elle le dit ?

— Il est clair que ça ne va pas en s'arrangeant.

— C'est plus ou moins ce que Maillol m'a dit quand je suis tombé sur lui, chez Blanchard. C'est terrifiant de penser que de tels changements puissent se produire sournoisement, sans qu'on s'en rende compte.

— Je suis sûre que les gens disaient pareil il y a vingt ans.

— Tu penses à ce que t'a dit Marguerite, que les mauvaises herbes repoussent toujours ?

— Oui, dit-elle simplement.

— Elle n'a peut-être pas tort. Peut-être qu'il faut voir les choses en perspective, comme les gens d'un certain âge, pour avoir cette clarté de vision.

— Raison de plus pour partir, dit Greta.

— A moins que quelqu'un n'essaie de redresser la barre ici et maintenant, avant qu'il ne soit trop tard.

— Quelqu'un comme toi, Floyd ?

Elle avait du mal à dissimuler son amusement.

— Des gens comme nous, répondit-il.

— Ce n'est pas tout, hein ?

— Non. La sœur de Susan White s'est manifestée. Elle a appelé au bureau, juste avant que je vienne ici.

— C'est vraiment la journée des rebondissements. Et qu'est-ce qu'elle veut ?

— La boîte.

— Tu vas la lui donner ?

— J'en ai bien l'intention. Mais je voudrais la faire filer quand elle repartira du bureau. Et pour ça je vais avoir besoin d'aide.

— Je vois.

— Tu voudrais bien t'en charger ? Sinon pour moi, du moins pour Custine ?

— Ne pousse pas le bouchon trop loin, Floyd.

— Non, je pense ce que je dis. Maillol a dit qu'il pourrait tirer Custine d'affaire si je trouvais quelque chose de tangible.

— Comme quoi ?

— Un autre suspect. Je sais que c'est un peu tiré par les cheveux, mais la sœur est ma seule piste. Si je ne la suis pas, Custine est cuit.

Floyd et Greta poussèrent la porte du Perroquet Pourpre et longèrent la rangée de photos de jazz encadrées qui descendaient au sous-sol. A huit heures, le vendredi soir, l'endroit était encore calme. Il y avait déjà quelques clients, mais la plupart des tables étaient inoccupées. Un jeune homme en chemise à rayures jouait le solo d'*East Saint Louis Toodle-Oo* sur le piano de la maison en essayant de reproduire le phrasé de Duke Ellington. Ce n'était pas une totale réussite. Michel salua Floyd et Greta d'un signe de tête, leur servit à boire sans dire un mot et se remit à astiquer son zinc en en faisant des tonnes. De temps en temps, il jetait un œil vers l'escalier qui descendait vers la salle, comme s'il attendait quelqu'un.

Floyd et Greta sifflèrent leur verre sans rien dire. Cinq minutes passèrent, puis dix.

— Vous savez pourquoi on est là ? dit enfin Floyd.

Michel cessa de frotter et reposa ostensiblement son torchon.

— Vous avez pris le chemin le plus direct pour venir ici ?

— Personne ne nous a suivis, lui assura Floyd.

— Vous en êtes sûrs ?

— Aussi sûrs qu'on peut l'être.

— Ce n'est pas une garantie.

— C'est ce que j'ai de mieux à vous offrir. Vous savez où il est, hein ?

Michel prit leurs verres et les fit disparaître dans la plonge, sous le comptoir.

— Suivez-moi.

Il releva le comptoir, au bout du bar, et les conduisit dans une arrière-salle pleine de tonneaux et de bouteilles vides. Une autre porte donnait sur un couloir sinueux, aux murs de briques, bordé de casiers de bière. Michel s'arrêta devant une porte latérale, peinte en blanc, pêcha un trousseau de clés et l'ouvrit. C'était une réserve bourrée de casiers, du sol au plafond, jusqu'au mur du fond, mais quand Floyd y regarda de plus près, il constata qu'ils étaient disposés de façon à dissimuler une porte.

— Par ici, dit Michel. Faites vite, et pas de bruit. Ne le prenez pas mal, Floyd, mais je risque gros, là.

— Et croyez bien que j'apprécie, assura Floyd.

La porte dérobée donnait sur un réduit à peine plus grand qu'un placard à balais. Le plâtre écaillé des murs tombait par plaques, révélant des briques humides, fendillées. L'endroit, mal éclairé par une unique ampoule électrique, était meublé en tout et pour tout d'un matelas, posé à même le sol. Le seul élément de confort était constitué par des oreillers crasseux, auxquels était adossé Custine. Il avait un sac d'épicerie à portée de main. Ses vêtements étaient en désordre, chiffonnés et trempés de sueur. On aurait dit qu'il ne s'était pas changé depuis huit jours.

Custine posa le bout de journal qu'il lisait.

— Ne prenez pas ça pour de l'ingratitude, dit-il, mais comment m'avez-vous retrouvé ?

— Un coup de chance, répondit Floyd.

— Ou plutôt une succession de déductions logiques, dit Greta. Combien d'amis avons-nous encore dans cette ville ?

— Pas beaucoup, admit Custine.

— Et Michel était tout en haut de la liste. Alors…

— C'est vraiment sympa de sa part de me planquer, dit Custine. Mais je ne vais pas pouvoir rester. C'est trop dangereux pour lui, et pour moi. Je suppose que vous n'avez pas été…

— Suivis ? Non, le rassura Floyd.

— J'ai de gros ennuis.

— On va faire tout ce qu'on peut pour te sortir de là, dit Greta.

— Mais d'abord il faut qu'on sache ce qui s'est passé, reprit Floyd. Tout, André. A partir du moment où je t'ai lâché rue des Peupliers, ce matin.

— Tu as eu mon mot ?

— Oui, bien sûr.

— Alors tu es au courant, pour la machine à écrire.

— La machine de chiffrage, tu veux dire ? Oui. Mais ce que je ne comprends pas, c'est…

— On s'en servait, à la PJ, le coupa Custine, pour sécuriser les communications entre les différents services quand on cherchait à démanteler des organisations criminelles. Du genre qui mettaient nos lignes sur écoute. Quand Blanchard nous a montré la mallette de la machine à écrire – enfin, ce qu'il prenait pour une machine à écrire –, je savais que j'en avais déjà vu une comme ça, mais je ne savais plus dans quelles circonstances. Et puis ça m'est revenu.

— Je suis heureux que tu aies retrouvé, dit Floyd. Ça a dégagé quelques pistes.

— C'était une espionne.

— Je suis d'accord.

— Et elle n'agissait pas seule. Il fallait bien que quelqu'un lui envoie ces messages codés. Elle avait probablement des complices dans le coin.

— Et il est probable que c'est l'un d'eux qui va se pointer au bureau à neuf heures, demain matin, dit Floyd.

— La sœur ? avança Custine en ouvrant de grands yeux.

— Elle s'est manifestée, exactement comme Blanchard nous l'avait annoncé.

— Fais très, très attention à la façon dont tu vas jouer le coup, l'avertit Custine.

— J'ai l'affaire bien en main. Maintenant, j'aimerais entendre ta version de l'histoire. Qu'est-ce qui a bien pu se passer aujourd'hui ?

Custine se redressa sur le matelas.

— J'ai commencé par le locataire du premier, celui que tu n'avais pas réussi à voir hier. Il n'était toujours pas chez lui, alors je suis remonté chez Mlle White et j'ai réessayé d'enregistrer ces émissions radio.

— Tu as obtenu quelque chose ?

— Oui, et cette fois j'avais pris un code morse. Mais en transcrivant le message il m'est vite apparu qu'il n'avait aucun sens – juste une séquence de lettres dépourvue de signification. Je les ai regardées et regardées dans l'espoir que ça finirait par faire tilt. C'est là que j'ai repensé à la machine Enigma de la PJ. Et j'ai compris qu'il était rigoureusement inutile d'essayer de tirer un sens du message. Même si nous réussissions à mettre la main sur une machine Enigma intacte comme celle qu'utilisait Susan White, nous n'aurions aucune idée des réglages à effectuer pour déchiffrer le message.

Floyd se gratta la tête.

— Ça prendrait longtemps pour essayer toutes les possibilités ?

— Des années, Floyd, fit Custine en secouant la tête dans une attitude découragée. Le cryptage n'est pas fait pour être facilement déchiffré. C'est à ça que ça sert.

— Alors, tout le temps que nous avons passé sur ce poste de TSF, c'était comme si nous courions après la clé du champ de tir ?

— Au contraire. Même si ça ne nous révèle pas le contenu des messages, ça nous en a beaucoup appris sur Susan White. Nous savons aussi que quelqu'un a pris soin de détruire sa machine Enigma. Celui qui a fait ça savait que c'était important.

— Elle a donc été tuée par un agent ennemi, risqua Floyd.

— Je pense qu'on peut raisonnablement le supposer, répondit Custine. Et celui qui a fait le coup avait probablement modifié les réglages des rotors. Rien, dans la boîte qu'elle a confiée à Blanchard, ne ressemble à une liste de réglages de cette espèce. Ils étaient peut-être notés ailleurs. A moins qu'elle ne les ait appris par cœur.

— A propos de Blanchard..., dit Floyd.

— Quand j'ai compris qu'il était inutile d'intercepter ces signaux, j'ai remis le poste de TSF comme je l'avais trouvé la veille, avec les fils arrachés. J'ai remballé mes outils et je suis redescendu chez Blanchard, où j'avais l'intention d'aborder le sujet délicat que nous avions évoqué hier.

— Et tu l'as fait ?

— Je n'en ai pas eu l'occasion, répondit Custine. Quand je suis arrivé chez lui, j'ai trouvé la porte entrebâillée. J'ai ouvert et je l'ai appelé. Personne n'a répondu, mais j'ai entendu des... bruits.

— Quel genre de bruits ?

— Des grognements, des bruits de lutte. Des pas traînants, des meubles qu'on bousculait. Je suis entré, évidemment. Et c'est là que j'ai vu la gamine : une petite fille, peut-être celle qu'on a vue devant l'appartement hier, peut-être une autre...

— Que faisait-elle ? demanda Floyd, un sentiment nauséeux commençant à lui retourner l'estomac.

— Elle était en train de tuer Blanchard, répondit Custine avec un calme absolu, détaché, comme s'il avait trop souvent repassé les événements dans sa tête pour en être encore choqué. Il était par terre, la tête coincée contre un pied de chaise. La fille était accroupie au-dessus de lui, une main sur sa bouche, l'autre crispée sur un tisonnier avec lequel elle lui flanquait des coups sur le crâne.

— Comment une fillette pourrait-elle avoir le dessus sur un adulte, comme ça ? demanda Floyd. Il était âgé, mais pas particulièrement frêle...

— Je ne peux te dire que ce que j'ai vu, répondit Custine. Cette... chose semblait avoir une force animale, colossale. Elle avait des bras et des jambes comme des allumettes, mais elle lui cognait dessus avec ce tisonnier avec la force d'un forgeron.

— Tu as dit « cette chose »..., observa Floyd.

— Oui. Elle m'a regardé, dit Custine, et j'ai compris que ce n'était pas une petite fille.

Greta regarda Floyd d'un air soucieux. Floyd tendit la main et la posa sur son bras d'un air rassurant.

— Continue, dit-il à Custine.

— Elle était habillée comme une petite fille, mais quand elle m'a regardé, j'ai su que ce n'était pas un enfant – plutôt un démon qu'une fillette. Sa figure m'a rappelé un fruit ratatiné. Quand elle a ouvert la bouche, j'ai vu une langue noire, sèche, et des chicots pourris. J'ai senti l'odeur.

— Vous me faites peur, dit Greta en frissonnant de dégoût sous la main de Floyd. Ce serait un de ces enfants dont tu disais qu'ils n'arrêtaient pas d'apparaître à tout bout de champ ?

— Quoi que ce soit, ce ne sont pas des enfants, répéta Custine. Ce sont des créatures qui ressemblent à des enfants, jusqu'à ce qu'on y regarde de plus près.

— Ce n'est pas possible, insista Greta.

— Nous les avons vus tous les deux, dit Floyd. Et aussi certains occupants de l'immeuble de Blanchard.

— Mais... Des *enfants* ?

— D'une façon ou d'une autre, ils sont impliqués dans cette affaire, dit Floyd. C'est probablement l'un d'eux qui a tué Susan White.

— Et après, que s'est-il passé ? demanda Greta, la fascination l'emportant sur l'appréhension.

— Cette espèce de fille m'a regardé, répéta Custine.

Il fouilla dans le sac à provisions, à côté de son matelas, et en sortit une bouteille de whisky dont il s'octroya une gorgée.

— Elle m'a regardé et elle a fait un bruit que je n'oublierai jamais. Elle a ouvert la bouche – c'est là que j'ai vu sa langue et ses dents – et... elle a chanté, articula-t-il avec dégoût, se lavant la bouche avec une autre gorgée de whisky.

— Comment ça, *chanté* ? demanda Floyd.

— Chanté, gémi, grincé, je suis incapable de décrire avec précision le bruit qu'elle a fait. En tout cas, ce n'était pas le genre de son qu'un enfant est censé émettre, plutôt une sorte de monstrueuse stridulation. Ne me demande pas comment je le savais, mais j'ai compris ce qu'elle faisait : elle en appelait d'autres comme elle. Elle leur disait de venir. C'est là que j'ai pris la fuite.

Custine revissa le bouchon de la bouteille et la remit dans le sac.

— Tu savais que ça risquait d'être mal interprété…

— Crois-moi, rien n'aurait pu être pire que de rester dans les parages. J'ai cherché une arme du regard, mais la chose-enfant avait déjà mis la main sur le seul objet de ce genre. Je voulais juste me trouver le plus loin possible de cet endroit.

— Tu as appelé un taxi ?

— Oui, répondit Custine. Je suis allé tout droit rue du Dragon, où je t'ai laissé le mot. Et je suis venu ici.

— Les flics croient que c'est toi qui as tué Blanchard, annonça Floyd.

— Evidemment. C'est ce qu'ils veulent croire. Ils sont venus te parler ?

— J'ai eu une conversation fascinante avec un certain inspecteur Belliard, peu après que tu as quitté le théâtre des opérations.

— Belliard est une ordure. Couvre tes arrières, Floyd. Ne t'occupe plus de l'affaire. Ne t'occupe plus jamais de moi.

— Il est un peu tard pour ça.

— Il n'est jamais trop tard pour faire preuve de bon sens.

— Eh bien, peut-être que cette fois, si. J'ai parlé à notre vieil ami Maillol. Il est sceptique, mais tout au fond je suis assez sûr qu'il te croit innocent.

Custine secoua la tête avec résignation.

— Un type bien ne peut pas nous aider.

— Je lui ai dit que je t'innocenterais. Il a dit qu'il examinerait toutes les preuves que je réussirais à réunir.

— Ecoute, je vais te donner un avertissement amical : laisse tomber l'affaire. Fais ce que j'ai l'intention de faire, et quitte Paris à la première occasion.

— Tu n'as nulle part où aller, répondit Floyd. Moi, je peux prendre le premier hydravion, et deux jours plus tard je serai en Amérique. Pas toi. Où que tu ailles en France, les gars de la PJ te retrouveront. Notre seul espoir est de t'innocenter.

— Eh bien, tu t'es fixé une tâche impossible.

— Si je livre un de ces pseudo-enfants à Maillol, l'affaire prendra peut-être une autre allure.

— Personne ne croira qu'un enfant ait pu commettre une atrocité pareille.

— Mais s'il y a assez de gens pour témoigner, pour dire qu'ils ont vu un de ces démons rôder dans les environs, ça pourrait jeter un autre éclairage sur la situation.

— Enfin, Floyd, fit Custine avec une soudaine véhémence, réfléchis un peu, je t'en prie ! Pendant que nous bavardons, ces créatures sont là, en liberté dans la ville. Elles se déplacent sans attirer l'attention. Et ce n'est pas tout : elles ne reculent apparemment devant rien pour tuer tous ceux qui ont eu un lien avec Susan White – ce qui, maintenant, nous inclut tous les trois.

— Et ça devient une affaire personnelle, dit Floyd.

— Lâche l'affaire, Floyd, mon ami. Laisse tomber et pars pour l'Amérique avec Greta.

— Pas encore. Je t'ai dit que j'avais rendez-vous avec la sœur.

— Tu joues avec le feu.

— Non, dit Floyd. Je joue avec la seule piste qui nous reste dans cette histoire. La seule piste susceptible de m'amener à ces enfants et de te disculper.

Custine se rappuya au mur.

— On ne peut pas discuter avec toi, hein ?

— C'est ce que tu ferais pour moi.

— Ce qui montre tout simplement que nous manquons l'un et l'autre de sens commun.

— C'est très surfait, de toute façon, répondit Floyd avec un sourire.

— Fais attention, dit Custine. Ces enfants peuvent être démoniaques, mais rien ne prouve que la sœur ne l'est pas tout autant.

A neuf heures, le lendemain matin, Floyd regarda Verity Auger entrer dans son bureau. Les rayons qui filtraient à travers les persiennes faisaient danser des raies métallisées, argentées, sur les courbes de son corps et sur ses cheveux. Elle portait un tailleur sombre à fines rayures, des chaussures à talons, et si elle avait mis un chapeau, elle avait dû le laisser dans la pièce voisine. Ses cheveux blonds, séparés par une raie bien nette, tombaient tout droit et rebiquaient sur ses épaules comme s'ils avaient changé d'avis au dernier moment, se dit Floyd. Elle avait de très beaux sourcils, et son visage semblait passer de la gravité à la légèreté et retour en l'espace d'un battement de cœur.

Elle était déjà assise, son sac sur les cuisses, dans le fauteuil devant Floyd quand la pensée lui vint qu'elle ne ressemblait vraiment pas à sa sœur.

— Excusez-moi pour le désordre, dit-il en indiquant les papiers entassés sur son bureau. Quelqu'un a décidé de remettre de l'ordre…

— Ne vous excusez pas, monsieur Floyd, fit Auger en le regardant bien en face. Je vous suis vraiment reconnaissante de me recevoir si vite. J'apprécie, et j'imagine que tout cela est très inhabituel.

— C'est le propre des affaires d'homicide, répondit-il. Et j'imagine que tout ça n'est pas facile non plus pour vous.

— Non. Vraiment pas. D'un autre côté, je ne peux pas dire que nous étions vraiment proches, Susan et moi.

— Des histoires de famille…

— Rien de si dramatique. Nous n'avons jamais été proches, même étant enfants. D'abord, nous étions demi-sœurs. Le père de Susan est mort avant ma naissance. Elle avait quatre ans de plus que moi, ce qui peut paraître peu, mais ça fait un monde de différence quand on est enfant. Pour ce que nous avions en commun, elle aurait aussi bien pu être adulte.

— Et par la suite, quand vous avez grandi ?

— Je suppose que la différence d'âge aurait dû s'atténuer, mais à ce moment-là Susan était de moins en moins souvent à la maison. Elle courait toujours avec les garçons. Elle s'ennuyait tellement dans notre petite ville que ça la rendait dingue.

— Tanglewood, dans le Dakota, fit Floyd en hochant la tête.

Elle ouvrit de grands yeux à la fois surpris et incrédules.

— Vous connaissez ?

— De nom. C'est ce que j'ai vu dans les papiers de votre sœur. C'est drôle, j'ai essayé de situer la ville et je ne l'ai pas trouvée, comme si elle n'existait même pas.

— Je ne sais pas où vous avez cherché, mais je puis vous assurer qu'elle est bel et bien réelle, monsieur Floyd. Sinon, j'aurais le plus grand mal à expliquer mon enfance. Vous auriez un cendrier ?

Floyd lui passa un cendrier.

— Ça devait vraiment être un trou perdu.

Auger hocha la tête en allumant une cigarette.

— Un bled seulement desservi par les corbeaux, et tellement paumé qu'ils volaient à l'envers pour ne pas voir ça.

— Eh bien, dit-il avec un petit rire, je comprends que votre sœur ait eu envie de s'en aller. On doit vraiment se sentir prisonnier, dans un endroit pareil.

— D'où venez-vous, si je puis me permettre ? Je ne connais même pas votre prénom.

— Je suis de Galveston, au Texas, répondit Floyd. Mon père était dans la marine marchande. A seize ans, j'ai embarqué sur un chalutier.

— Et vous vous êtes retrouvé à Paris ? fit Auger en soufflant une volute de fumée. J'espère que ce n'était pas vous qui pilotiez le bateau…

— J'ai été successivement navigateur, opérateur radio et Dieu sait quoi encore jusqu'à ce que je décide que je préférais être musicien plutôt que de pêcher des poissons. Je venais d'avoir dix-neuf ans, et j'avais entendu dire que Paris était l'endroit où il fallait être si on voulait gagner sa vie dans la musique. Surtout quand on était américain. Sidney Bechet était là, Baker, Gershwin. Alors j'ai pris le bateau pour Marseille et j'ai décidé d'essayer de me faire un nom. Je suis arrivé en 39, un an avant l'entrée tonitruante des chars dans les Ardennes…

— Et ?

Floyd fit une drôle de grimace.

— J'essaie encore de me faire un nom. J'ai renoncé à toute ambition jazzistique sérieuse au bout de six mois à peu près, ajouta-t-il avec un sourire. Je joue toujours, pour mon plaisir, et il arrive parfois que je gagne plus d'argent en jouant dans des boîtes qu'avec mon métier de détective. Mais je crains que ça ne reflète davantage la triste situation du pays que mes talents de musicien.

— Descendre d'un chalutier et se retrouver détective, ça fait un sacré saut. Comment vous y êtes-vous pris ?

— Ça ne s'est pas fait en une nuit, répondit Floyd. Mais j'avais un atout, avant même de mettre le pied ici. Ma mère était française, et j'avais des papiers pour le prouver. L'armée française manquait d'effectifs, et n'était pas préparée à repousser les Allemands qui se massaient à la frontière. Quand ils ont fini par se réveiller et se sont rendu compte qu'ils étaient envahis, ils n'étaient pas en position de se montrer pointilleux envers ceux qui entraient dans le pays.

— Et vous avez tiré au canon ?

— Je leur ai dit que j'y réfléchirais.

— Et alors ?

— J'y ai réfléchi, et j'ai décidé que j'avais mieux à faire que d'attendre d'être écrasé sous les obus allemands et expédié en enfer.

Auger abandonna sa cigarette à peine fumée et l'écrasa dans le cendrier.

— Les autorités ne vous ont pas recherché ?

— Quelles autorités ? Le gouvernement avait déjà pris ses jambes à son cou, abandonnant la ville à la pègre. Pendant un moment, ici, on a vraiment pu croire que l'invasion allemande allait réussir. C'est un coup de chance que leurs divisions blindées se soient enlisées dans les Ardennes : le mauvais temps a joué pour nous, pour une fois. Ça, et le fait que nous avons réalisé qu'ils étaient dans la panade juste à temps pour leur envoyer des bombardiers.

— En d'autres termes, ça a été moins une. On en viendrait presque à se demander ce qui se serait passé si cette avance n'avait pas été stoppée...

— Ça n'aurait peut-être pas été si dramatique, répondit Floyd. Au moins, avec les Allemands, il y aurait eu un semblant d'ordre. Cela dit, en ce qui me concerne, c'était une aubaine. Il y avait beaucoup de sale boulot à faire. Un homme qui pouvait parler français et américain et se faire passer pour l'un ou pour l'autre, c'était précieux, à l'époque.

— Ça, j'imagine, dit Auger en hochant la tête.

Floyd évacua le sujet d'un geste, condensant des années de sa vie dans ce mouvement.

— Je me suis fait embaucher comme garde du corps et chauffeur par un gangster local. J'ai appris des trucs dont j'ignorais jusqu'à l'existence. Quand le gang rival a nettoyé mon patron, j'ai effectué un nouveau saut, et voilà : je dirige une petite agence d'enquêtes privées qui se débat tant bien que mal pour survivre.

— Le dernier chapitre de l'histoire n'est peut-être pas encore écrit : celui où vous vous retrouvez à la tête d'une énorme et florissante agence de détectives privés, avec des succursales dans le monde entier.

— L'an prochain, peut-être, dit-il avec un sourire attristé.

— J'aime bien votre attitude, monsieur Floyd. Vous ne donnez pas l'impression de penser que le monde vous doit votre pitance.

— Ça non. J'ai joué avec les meilleurs musiciens de jazz encore vivants et je les ai vus se faire payer en bouteilles d'alcool frelaté qu'ils tétaient comme des biberons jusqu'à ce que ça les rende aveugles. Tant que j'aurai un toit au-dessus de ma tête, j'estimerai ne pas avoir le droit de me plaindre. Notre petit bizness ne fera pas notre fortune, à mon associé, Custine, et à moi, mais nous nous en sortons vaille que vaille.

— En réalité, et j'espère que vous ne trouverez pas ça indélicat, c'est surtout votre petit bizness, comme vous dites, qui m'intéresse, pour l'heure. Et particulièrement une certaine enquête, menée par votre agence…

— Je me demandais combien de temps encore nous allions parler de la pluie et du beau temps. Dommage, je commençais à y prendre goût. On en vient aux affaires de Susan ?

Il lut le soulagement sur son visage.

— Alors, vous les avez. J'étais tellement ennuyée quand j'ai appris ce qui était arrivé au propriétaire de Susan…

— J'ai une boîte qu'elle lui avait confiée, répondit Floyd. Je n'ai rien d'autre, et si elle est en ma possession, c'est pur hasard.

— Pourquoi M. Blanchard vous l'avait-il remise ?

— Il pensait que le contenu pourrait jeter un éclairage sur les raisons de sa mort. Le vieux monsieur était à peu près convaincu qu'il s'agissait d'un homicide.

Auger poussa un soupir.

— Eh bien, je comprends qu'il ait pu penser ça. Mais ce n'était pas un meurtre.

— Vous en êtes sûre ?

— Je connaissais ma sœur. Pas très bien, comme je vous l'ai dit, mais suffisamment pour ne pas m'étonner de ce qui est arrivé.

Floyd ouvrit le tiroir de son bureau et en sortit la boîte à biscuits. Il la posa sur le bureau, entre Auger et lui, et souleva le couvercle de métal, lui en faisant voir le contenu.

— Expliquez-moi ça, dit-il.

— Susan avait des problèmes. Même quand elle habitait encore chez nous, elle n'arrêtait pas de se fourrer dans des ennuis pas possibles, inventant des histoires et réinventant la vérité en fonction de la version qu'elle voulait faire gober aux gens à un moment donné.

— Comme la moitié de l'espèce humaine…

— L'ennui, avec Susan, c'est qu'elle ne savait pas s'arrêter. C'était une mythomane, monsieur Floyd. Elle vivait dans un monde de rêve qui n'existait que dans sa tête. Et ça n'a fait qu'empirer au fur et à mesure qu'elle grandissait. C'est l'une des raisons pour lesquelles nos routes avaient divergé. J'avais trop souvent fait les frais de ses fantasmes.

— Je ne vois pas le rapport avec son éventuel assassinat.

— Ce qui avait commencé comme une simple originalité avait pris peu à peu une coloration plus sombre. Je pense qu'elle a commencé à croire à ses propres chimères. Elle s'est mise à voir des ennemis partout, à imaginer que les gens chuchotaient derrière son dos, complotaient contre elle…

— A l'époque, elle n'avait peut-être pas tort.

— Pas au sens où vous le pensez. C'était une paranoïaque, une mythomane, monsieur Floyd. Son dossier médical le prouve.

Auger fouilla dans son sac et en sortit une liasse de papiers.

— Si vous voulez y jeter un coup d'œil… Susan avait été traitée pour des crises hallucinatoires quand elle avait une vingtaine d'années. Elle avait même subi des électrochocs. Inutile de vous dire que rien n'avait marché.

Floyd prit le dossier et le parcourut. Les documents avaient l'air assez convaincants. Il les rendit à Auger, remarquant, lorsqu'elle les prit, qu'elle n'avait pas de bagues aux doigts.

— Je vous crois sur parole, dit-il. Mais ce que je ne comprends pas, c'est comment votre sœur s'est retrouvée en Europe, si elle allait si mal que ça.

— Rétrospectivement, c'était une idée idiote, dit Auger en remettant le dossier médical dans son sac à main. Mais il y avait de l'espoir, depuis quelques mois, et les médecins pensaient qu'un changement d'environnement pourrait lui faire du bien. Elle n'avait pas beaucoup d'argent à elle, mais la famille avait réussi à rassembler une somme suffisante pour lui payer le voyage en bateau et lui permettre de se retourner, une fois arrivée ici.

— Ça devait être une sacrée somme, fit Floyd en se rappelant à quel rythme Susan White achetait les livres et les magazines.

— Je ne peux rien dire de ce que Susan a fait une fois ici, poursuivit Auger. Elle savait être très convaincante, et il se peut qu'elle ait exploité la bonne foi d'autres personnes pour parvenir à ses fins.

— Possible, concéda Floyd. Vous me permettez de vous poser une question un peu délicate ?

— Il en faudrait un paquet pour me choquer.

— Comment avez-vous appris sa mort, si elle était tellement injoignable ? D'après ce que nous savons, Susan n'avait pratiquement pas de contacts à Paris. Les autorités ne savaient pas qui elle était, et s'en fichaient, d'ailleurs. Et vous arrivez du Dakota, trois semaines après sa mort…

Le visage de la femme était un masque indéchiffrable. Pour ce que Floyd en voyait, elle aurait aussi bien pu être folle de rage ou royalement indifférente.

— Je n'ai appris sa mort qu'en arrivant chez elle, répondit Auger. Mais j'avais bien compris que ça n'allait pas très fort. Nous n'avions que très peu d'échanges, Susan et moi, mais elle envoyait régulièrement des cartes postales à notre oncle, dans le Dakota. Elle lui écrivait deux ou trois fois par semaine depuis son arrivée à Paris.

— Jusqu'à ce que le flux de cartes postales se tarisse…

— Pas seulement ça. Les dernières nouvelles qu'il a reçues montraient qu'elle sombrait à nouveau.

Auger s'interrompit et alluma une nouvelle cigarette. Floyd se demanda pourquoi : elle avait à peine fumé la précédente.

— Elle recommençait à dire qu'on lui en voulait. En gros, toujours la même histoire, celle que nous espérions qu'elle avait laissée derrière elle. Il était clair qu'il n'en était rien. Mais c'était pire, cette fois, comme si l'Europe avait fourni à ses fantasmes un terrain favorable. Personne n'est pareil à la maison et en vacances, monsieur Floyd. Nous changeons tous un petit peu. Parfois en mieux. Avec Susan, c'était en pire.

— Qu'y avait-il dans ces cartes postales ?

— Les choses habituelles, mais magnifiées. Des gens qui la suivaient, s'apprêtaient à la tuer. Elle voyait des conspirateurs partout.

— Elle avait l'habitude de souligner des éléments qu'elle considérait comme importants ?

Il surprit une ombre de doute sur son visage.

— De temps à autre, je suppose. Pourquoi ?

— Oh rien, répondit Floyd, éludant la question. Une idée comme ça.

Auger regarda la boîte posée sur le bureau, entre eux.

— Elle parlait de cette boîte, dans ses dernières cartes. Elle disait y avoir mis les preuves qu'elle avait réunies, après quoi elle l'avait donnée à celui qui s'occupait de l'immeuble pour qu'il la mette en sûreté.

— Mais si elle était mythomane, les documents contenus dans cette boîte n'ont aucune importance…

— Je ne dis pas qu'ils en ont une, répondit Auger. Mais Susan émettait une requête, dans l'une des toutes dernières cartes postales que nous avons reçues d'elle. Elle disait que s'il lui arrivait quoi que ce soit, elle voulait que je vienne récupérer cette boîte. C'était tout ce que nous pouvions faire pour elle, et elle mourrait heureuse si elle savait la boîte entre des mains sûres.

— Et vous lui avez répondu ?

— Je lui ai envoyé un télégramme lui disant que je récupérerais la boîte s'il lui arrivait quelque chose.

— Vous saviez que son contenu n'était qu'un ramassis de papiers sans intérêt. Vous voulez dire que vous avez traversé l'Atlantique pour une boîte pleine de papiers sans valeur ? !

— Ils en avaient pour Susan, rétorqua Auger d'un ton un peu mordant. C'était ce qu'elle avait de plus important dans la vie. Et je lui avais fait une promesse. Je ne sais pas pour vous, monsieur Floyd, mais moi je tiens mes promesses, si absurdes ou dérisoires qu'elles puissent être.

Floyd tendit la main et poussa la boîte vers Auger.

— Eh bien, elle est à vous. Je me vois mal refuser de vous la donner, surtout après tout ce que vous m'avez raconté.

Elle effleura la boîte avec une espèce de timidité, comme si elle n'arrivait pas tout à fait à croire à sa chance.

— C'est tout, vous n'avez plus de questions ?

— Je vous les ai toutes posées, répondit Floyd, et vous y avez répondu à mon entière satisfaction. Je vais être honnête avec vous : j'ai regardé ce qu'il y avait dans cette boîte, et je n'y ai rien vu de précieux. Si j'y avais trouvé de l'argent, des chèques au porteur ou la clé d'un coffre de banque, j'aurais pu vous demander de faire la preuve de votre identité. Mais une poignée de vieilles cartes, des papiers qui ne veulent rien dire et un billet de train expiré ? Tout cela est à vous, mademoiselle Auger. J'espère seulement que votre sœur trouvera la paix, maintenant que la boîte est revenue entre les mains de sa famille.

— Je l'espère, répondit Auger.

Elle prit la boîte et la glissa sous sa chaise.

— J'ai encore un point à voir avec vous. Vous avez été très aimable, monsieur Floyd, et je regrette de vous enlever aussi votre affaire.

— Mon affaire ? s'étonna Floyd.

— Oui, votre enquête. Comme je vous disais, il n'y a pas eu de meurtre. Ma sœur a dû se tuer délibérément – elle avait déjà fait une tentative de suicide –, ou accidentellement, dans une crise de paranoïa, en se croyant agressée. Mais s'il y a une chose dont je suis absolument sûre, c'est qu'il n'y a pas eu homicide, et il n'y a donc pas d'enquête à mener.

— Tout va bien, dit Floyd. L'affaire s'est éteinte à la seconde où Blanchard s'est écrasé sur le trottoir.

— C'est juste, dit-elle en hochant la tête. C'est vous qu'il avait chargé d'enquêter ?

— Oui, et maintenant qu'il n'est plus là il n'y a personne pour nous défrayer. De toute façon, comme vous venez de le dire, il n'y avait pas vraiment d'affaire, pour commencer.

— Vous pensez que la mort de Blanchard pourrait être liée à celle de Susan ?

— Ça m'a traversé l'esprit, dit Floyd. Il ne faut pas dire de mal des morts, bien sûr… surtout de quelqu'un qui est passé de vie à trépas depuis quelques heures seulement. Mais je me dis que… il se pourrait que Blanchard ait eu une petite idée de ce qui se passait depuis le début. Il avait peut-être l'impression qu'il aurait pu en faire davantage pour l'aider, et cette culpabilité lui pesait sur la conscience. Et finalement il n'a pas pu la supporter.

— Et Blanchard se serait tué à cause de la mort de Susan ? C'est ce que vous êtes en train de me dire ?

— Ecoutez, je ne vois pas comment il pourrait n'y avoir aucun rapport entre les deux morts. Suggérer que le propriétaire de l'immeuble s'est tué à cause d'une vague impression de culpabilité pourrait ne pas satisfaire un jury, mais c'est beaucoup plus honnête que d'en accuser un mystérieux tiers.

— Je regrette vraiment la façon dont tout ça s'est passé, dit Auger. Finalement, vous vous retrouvez être le dindon de la farce au milieu d'une histoire qui ne vous concernait pas.

Elle prit dans son sac une enveloppe de papier bulle et la fit glisser sur le bureau vers Floyd, qui la laissa posée là comme une bombe à retardement.

— Ce n'est pas beaucoup, mais j'apprécie tout ce que vous avez fait – vous avez gardé cette boîte, après tout –, et je pense que vous méritez une rémunération pour la fin du contrat, maintenant que l'affaire est close.

Floyd posa la main sur l'enveloppe, la trouva plaisamment rebondie. Il y avait facilement plusieurs centaines de francs, là-dedans, peut-être davantage.

— Ce n'est vraiment pas la peine, vous savez, dit-il. C'est avec Blanchard que j'avais un contrat, pas avec vous.

— C'est la moindre des choses, monsieur Floyd. Acceptez, je vous en prie. J'ai parlé à certains occupants de l'immeuble, et je sais que vous n'avez pas ménagé vos efforts. Acceptez ça en témoignage de reconnaissance.

— Si vous insistez, dit Floyd en prenant l'enveloppe, et en la laissant tomber dans un tiroir de son bureau. Et croyez bien que j'apprécie le geste.

— Eh bien, il me semble que nous avons fait le tour…, dit Auger en se levant.

Elle passa la courroie de son sac sur son épaule, prit la boîte sous son bras.

— Je suppose, répondit-il en se levant à son tour.

Elle sourit. C'était la première fois qu'il lisait une expression reconnaissable sur son visage.

— Je ne sais pas pourquoi, je croyais que ce serait plus compliqué. Des papiers à signer, des juristes à qui parler… Je ne pensais pas que je sortirais de votre bureau avec la boîte, sans devoir me justifier davantage.

— Comme je vous disais, elle ne contient que des papiers sans valeur. Et je m'en voudrais de vous rendre la vie plus difficile qu'elle ne l'est déjà. Perdre une sœur comme ça…

Elle tendit la main, et il la serra.

— Vous avez été très aimable, monsieur Floyd.

— Je ne fais que mon travail.

— J'espère que ça s'arrangera, pour votre associé et vous. Vous le méritez.

— Comme tout le monde sur cette planète, dit Floyd avec un haussement d'épaules.

— Merci encore. Non, ne me raccompagnez pas, je trouverai bien le chemin.

— C'était un plaisir de faire affaire avec vous.

Elle s'arrêta à la porte.

— Monsieur Floyd ? Vous ne m'avez pas dit votre prénom.

— Quelle importance ?

— J'aimerais le connaître. Vous avez été tellement gentil…

— Je m'appelle Wendell.

— Vous n'aimez pas votre prénom ?

— Je trouve qu'il fait poire. C'est pour ça que tous mes amis m'appellent Floyd.

— Eh bien, moi, il me plaît. Wendell… Je trouve que c'est un nom honnête. Enfin, c'est l'impression qu'il me fait.

— Eh bien, pour vous, je serai Wendell.

— Alors… au revoir, Wendell.

— Au revoir, mademoiselle Auger.

— Verity, je vous en prie, rectifia-t-elle.

Elle sortit du bureau et referma la porte derrière elle.

Floyd attendit un moment et mit la main dans sa poche, vérifiant que la carte postale s'y trouvait toujours.

Elle lui avait fait une bonne impression. Ça paraissait être une gentille jeune femme, à tout point de vue. Mais il ne pouvait s'empêcher de se demander comment elle aurait réagi s'il lui avait parlé de « pluie d'argent ».

16

Auger referma la porte derrière elle, serrant son sac à main et la boîte à biscuits sur sa poitrine comme si elle craignait qu'on ne les lui arrache. Sur le palier, devant le bureau du détective, une vieille femme trop maquillée la considéra d'un long regard rusé enveloppé de fumée de cigarette bleu argenté. Elle ne dit rien, mais son expression à la fois blasée et réprobatrice en disait plus long qu'un roman : elle avait contemplé tous les péchés possibles, et avait depuis longtemps cessé de s'en offusquer. Son attention passa fugitivement sur la boîte qu'Auger tenait de façon tellement protectrice, puis son regard se perdit dans le vide et la lueur de malice qui y brillait l'instant d'avant disparut. Auger était sur le point de descendre l'escalier lorsqu'elle remarqua une autre femme plus jeune, aux cheveux très noirs attachés sur la nuque par un foulard rouge à pois, qui cirait le parquet, à quatre pattes.

La jeune femme leva les yeux vers Auger qui s'apprêtait à descendre par l'escalier.

— S'il vous plaît…, dit-elle avec un mouvement du menton vers la cage d'ascenseur en fer forgé noir qui occupait le centre de l'escalier.

Apercevant la cabine de l'ascenseur au niveau du palier, comme s'il l'attendait, Auger monta dedans, ferma la porte coulissante et appuya sur le bouton du rez-de-chaussée. Après une secousse et un gémissement, l'ascenseur commença à descendre à une allure d'escargot et passa devant la fille à quatre pattes. L'ascenseur descendit encore d'un étage et s'arrêta brusquement, avec un bruit de quincaillerie, entre deux étages. Auger étouffa un juron et rappuya sur le bouton. L'ascenseur refusa de bouger. Elle essaya d'ouvrir la porte coulissante, de force, mais elle était solidement verrouillée.

— Hé ! appela-t-elle. Vous pouvez m'aider ? Je suis coincée !

Elle entendit la fille qui nettoyait le parquet marmonner quelque chose. Auger essaya à nouveau d'appuyer sur le bouton de l'ascenseur, sans plus d'effet que précédemment. Elle appela à nouveau, sans résultat cette fois. Se sentant soudain abandonnée, elle comprit qu'elle risquait de rester coincée pendant des heures dans cette machine, le temps qu'un technicien d'astreinte, probablement débordé en ce samedi matin, parvienne jusqu'à elle. A condition que quelqu'un, la femme de ménage par exemple, ait eu la présence d'esprit d'appeler des secours, ce qui était peut-être un peu trop demander. Elle appela encore, n'entendit rien en retour.

Quelques minutes passèrent. Pas le moindre bruit, sinon celui de sa propre respiration, et parfois un son, métallique, lorsque, en s'agitant, elle faisait frotter la cabine contre ses montants. L'immeuble paraissait complètement désert.

Elle entendit alors une porte qui se refermait, quelque part, à l'étage au-dessus, puis une succession de pas rapides dans l'escalier. Les pas accélérèrent et devinrent plus sourds, comme si quelqu'un descendait quatre à quatre. Auger jeta un coup d'œil à travers la dentelle d'acier qui constituait le toit de la cabine, vit une silhouette sombre littéralement voler sur le palier, juste au-dessus de la cabine. Avant qu'elle ait eu le temps d'appeler, l'individu avait dévalé l'escalier en une série de bonds aériens, s'était retrouvé à l'étage inférieur et continuait à descendre à la même allure. Auger n'avait fait que l'entrevoir : le personnage portait un manteau au col relevé, un chapeau mou rabattu sur son visage.

L'instant d'après, alors qu'elle en était à se demander s'il s'agissait ou non de Floyd, l'ascenseur se ranima en bourdonnant et reprit sa descente... jusqu'au palier du dessous, où il s'arrêta net. Ne voulant pas prendre de risque, Auger ouvrit la porte et continua à pied. Ce fut un réel soulagement de se retrouver à l'air libre, la boîte toujours bien serrée sous son bras. Si illogique que ça puisse paraître, elle se sentait plus en sûreté à l'extérieur.

Elle regarda d'un côté puis de l'autre de la rue du Dragon, mais il n'y avait pas signe de l'homme qui était sorti en courant, ni de quoi que ce soit d'anormal. La rue paraissait calme et endormie, comme quand elle était arrivée, mais des passants allaient et venaient, et si quelqu'un avait en tête de tenter quoi que ce soit contre elle, cela devrait suffire à l'en dissuader.

Un peu plus loin dans la rue, Auger s'engagea dans l'entrée d'une boutique de lingerie depuis longtemps fermée, à la vitrine condamnée avec des planches, et souleva le couvercle de la boîte. Comme Floyd le lui avait montré dans son bureau, elle contenait une épaisse liasse de lettres et de papiers personnels. Elle la prit et la mit dans son sac à main. N'ayant plus besoin de la boîte, elle la jeta au milieu d'un amas de cartons et d'autres débris accumulés dans l'entrée de la boutique.

Elle repartit jusqu'au carrefour avec la rue de Sèvres et prit vers la rue de Rennes, beaucoup plus large. En arrivant au coin, elle entendit le bruit d'une voiture qui démarrait dans son dos. Tout en descendant la rue de Rennes vers la Seine, elle risqua un coup d'œil par-dessus son épaule et vit la calandre du véhicule qui s'engageait sur la chaussée, derrière elle. La voiture avança jusqu'à ce qu'elle soit bien visible, mais le soleil qui se reflétait sur le pare-brise l'empêchait de distinguer le conducteur. Auger pressa le pas et, quand elle regarda à nouveau en arrière, la voiture avait disparu. Mais il y en avait bien d'autres, identiques, garées le long des trottoirs, et le chauffeur n'aurait pas eu de mal à dissimuler la sienne parmi celles-ci.

Auger continua à marcher dans la rue de Rennes, s'arrêtant de temps en temps pour héler un taxi. Mais soit c'était la mauvaise heure, soit les Parisiens avaient pour ça un truc qu'elle n'avait pas, en tout cas les rares taxis qui passaient semblaient s'être donné le mot pour se défiler avec indifférence, dans un éclair de métal noir et de chrome, la laissant marmonner tout bas. Auger jeta à nouveau un coup d'œil par-dessus son épaule, crut voir le même véhicule s'avancer au pas, mais elle ne s'était pas plus tôt fait cette réflexion que la voiture tournait au coin d'une rue.

Auger se dit sinistrement qu'elle était aussi paranoïaque que la *persona* fictive de Susan White. Elle tenta de se mettre à la place de Floyd. Il ne pouvait pas avoir idée de la signification des papiers contenus dans la boîte. Son histoire tenait parfaitement le coup, et le détective n'avait aucune raison de la mettre en doute. Susan White elle-même avait mentionné que sa sœur viendrait rechercher ses affaires.

Encore nerveuse mais s'obligeant à un peu plus de calme, Auger se rendit compte qu'elle était arrivée à l'entrée du métro Saint-Germain-des-Prés. Elle aurait préféré la rapidité et la sécurité d'un trajet en taxi, mais comme ça paraissait compromis, le métro était encore la moins mauvaise solution. Elle prit un peu d'argent dans son porte-monnaie – elle n'était pas encore très à l'aise avec les espèces locales – et acheta un billet. Une rame s'arrêtait à grand bruit dans la station souterraine alors qu'elle franchissait le tourniquet.

Auger monta dans une voiture et s'avança dans l'allée centrale alors que les portes se refermaient et que la rame redémarrait avec une secousse. Elle s'assit à côté de deux jeunes femmes plongées dans des magazines de mode. Le train ralentit à Saint-Sulpice. Les murs de la station étaient couverts d'affiches sépia, délavées, pour des parfums, des bas, du tabac. Auger regardait du coin de l'œil les gens qui montaient et descendaient de la rame, à la recherche de quelqu'un qui ressemblerait à Floyd ou à la silhouette qu'elle avait vue descendre l'escalier. Elle ne reconnut personne, et alors que la rame s'enfonçait dans les ténèbres du tunnel suivant, elle crut pouvoir se détendre un peu. Au bout d'une minute à peu près, la rame ralentit dans la station suivante, Saint-Placide. Auger observa à nouveau, discrètement, les passagers qui montaient et descendaient. Cette fois, avec moins d'appréhension, et un intérêt moins vif pour la vie privée de ces prisonniers involontaires. C'est alors qu'elle remarqua une femme qui descendait de la rame, deux voitures devant la sienne. Elle avait un joli visage encadré par des cheveux très noirs, et Auger mit quelques secondes à reconnaître en elle la fille qui cirait les marches, rue du Dragon. Elle avait enlevé son fichu et son tablier, mais on ne pouvait s'y méprendre. Au lieu de se diriger vers la sortie, la femme longea la rame jusqu'à la voiture située à côté de celle d'Auger et monta dedans juste avant que les portes se referment avec un sifflement et que le train s'enfonce à nouveau dans l'obscurité.

Auger cramponna son sac à main sur son estomac, résistant à l'impulsion de le rouvrir pour s'assurer que les papiers y étaient toujours bien à l'abri. Le train ralentissait déjà en entrant dans la station Montparnasse-Bienvenüe. Auger s'approcha de la porte, et lorsque la rame s'arrêta elle constata avec soulagement qu'une masse de gens descendaient en même temps qu'elle, l'enveloppant et l'entraînant vers les couloirs carrelés et les escaliers qui menaient à la ligne 6. Elle les devança en serrant son sac contre elle comme une créature vivante qui aurait eu besoin d'être protégée. Elle se retourna rapidement en montant l'escalier et entr'aperçut la femme aux cheveux noirs, derrière elle, dans une foule de visages et de chapeaux. Quand Auger arriva sur le quai de la ligne 6, elle vit qu'une rame était déjà à quai, sur le point de repartir. Elle courut pour l'attraper, manquant trébucher avec ses chaussures un poil trop petites, et réussit à monter dedans juste avant la fermeture des portes. Alors que la rame repartait et qu'elle reprenait son souffle, elle vit la femme aux cheveux noirs arriver sur le quai.

Auger jeta un coup d'œil à sa montre. Même pas dix heures. Il s'était à peine écoulé une heure depuis qu'elle était entrée dans le bureau du détective.

Floyd décrocha à la première sonnerie.

— Greta ?

— C'est moi, confirma sa voix un peu essoufflée.

— Je l'ai perdue, dit Floyd.

Il était à Montparnasse, assis dans la triste petite chambre aux jalousies baissées. Sophie était en haut, avec Marguerite, et la maison avait le calme des dimanches matin, alors qu'on n'était que samedi.

— Je pensais qu'elle prendrait un taxi en sortant du bureau. Mais elle était à pied, et je ne pouvais pas la suivre en voiture sans attirer ses soupçons. Je ne pense pas qu'elle m'ait reconnu, mais je n'ai pas voulu courir de risques. J'ai préféré la perdre cette fois en me disant que je pourrais peut-être reprendre la filature près de l'immeuble de Blanchard.

— Parce que tu crois qu'elle va y retourner ?

— Elle aura peut-être envie d'aller faire un tour là-bas… surtout quand elle aura jeté un coup d'œil au contenu de la boîte.

— Peut-être. En tout cas, nous ne l'avons pas encore perdue. Je sais où elle est descendue.

Floyd s'illumina. Il arrivait parfois qu'une bonne petite surprise lui tombe dans les mains, comme un cadeau de Noël hors saison.

— Tu as réussi à ne pas la perdre de vue ?

— Pas exactement, dit Greta. Je l'ai suivie jusqu'à la station de métro Saint-Germain-des-Prés. Je me suis cachée pendant qu'elle prenait un billet, puis j'en ai acheté un aussi. Je suis montée dans la même rame qu'elle, mais pas dans le même wagon. J'ai remonté la rame à Saint-Placide, puis je l'ai suivie lorsqu'elle est descendue à Montparnasse-Bienvenüe. J'ai eu de la chance : je connais bien la station. J'ai passé presque toute mon enfance dans les couloirs de correspondance à Montparnasse. J'ai vu la direction qu'elle prenait, mais elle a réussi à monter dans une rame avant que j'arrive sur le quai.

— Alors tu l'as perdue...

— Quelques minutes seulement. J'ai pris la rame suivante. C'est la ligne aérienne, tu sais, celle qui va vers l'Etoile, et on a une bonne vue de la rue, de là-haut, alors j'ai fait bien attention et j'ai eu de la chance : je l'ai vue sortir de la station Dupleix, juste au moment où on ralentissait. Je suis descendue du train, j'ai dévalé l'escalier quatre à quatre et je l'ai suivie jusqu'à son hôtel, en restant toujours un pâté de maisons derrière elle.

— Je suis impressionné, dit Floyd. Tu crois qu'elle se savait suivie ?

— Ecoute, Floyd, je ne lis pas dans sa tête, mais elle semblait beaucoup moins nerveuse qu'auparavant. Pour moi, elle devait croire que si quelqu'un la suivait, elle avait réussi à le semer dans les couloirs de Montparnasse.

— Tu feras une bonne détective, si les petits cochons ne te mangent pas avant. Allez, dis-moi où elle est descendue, demanda Floyd en prenant son calepin et son stylo.

Greta lui donna l'adresse d'un hôtel, avenue Emile-Zola, pas très loin de la station Dupleix. Elle appelait d'une brasserie fréquentée par des ouvriers de l'usine Citroën toute proche qui changeaient d'équipe.

— Je ne peux pas te donner son numéro de chambre, ni te dire si elle aime ses toasts bien rôtis, et je ne peux pas rester là toute la journée non plus.

— Pas besoin. Je serai là dans moins d'une heure.

— Tu ne pourrais pas venir plus vite ?

— J'ai quelqu'un à la remorque, moi aussi, figure-toi, répondit Floyd.

— Encore un de ces horribles gamins ? demanda-t-elle, la nervosité rendant sa voix stridente.

— Non, juste les sbires de Belliard. Ils m'ont suivi jusqu'à Montparnasse. Je pense arriver à m'en débarrasser en traversant deux fois la Seine, mais ça prendra un peu de temps. Et je ne veux pas qu'ils s'imaginent que je m'intéresse à Verity Auger. Ils risqueraient de se poser des questions embarrassantes.

— Comment ça, des questions embarrassantes ?

— Du genre qui impliquerait une note de dentiste. Salée. Pour moi.

— Bon, enfin, grouille-toi, Floyd. Je ne veux pas être mouillée davantage là-dedans. Je n'ai jamais eu envie de jouer les détectives, et je ne suis même pas sur la liste de ton personnel.

— Tu as fait du bon boulot, dit Floyd alors qu'elle raccrochait.

Il en fit autant et commença à se préparer un itinéraire à travers Paris, en y incluant un maximum de demi-tours et de virages en épingle à cheveux.

Auger ferma sa porte à clé et se laissa tomber sur son lit, soudain submergée par le soulagement et l'épuisement.

Elle ferma les yeux quelques minutes, puis se traîna vers le lavabo vert olive et s'aspergea le visage d'eau froide.

— Reste en éveil, se dit-elle tout haut. Le plus dur est peut-être fait, mais tu dois encore regagner le portail. Ne te laisse pas aller, Auger. Et ne parle pas toute seule non plus. C'est le premier symptôme de la folie.

Elle enleva les horribles chaussures qui lui broyaient les pieds et appela la réception pour demander un café. Puis elle rappela la réception et demanda qu'on lui passe un numéro à l'extérieur.

— Un instant, madame.

Quelqu'un décrocha à la troisième sonnerie et répondit en français, avec un accent à couper au couteau :

— Qui est à l'appareil ?

— C'est Auger, dit-elle.

— Bien, répondit Aveling, se remettant automatiquement à l'anglais. Vous avez…

— Oui, j'ai les objets. Vous pouvez faire passer un message à Caliskan ?

— Impossible, j'en ai bien peur. Nous avons des problèmes techniques avec la ligne, ici.

Il parlait de la maison sécurisée, un studio de location, à une minute du terminal de Cardinal-Lemoine. Il n'y avait pas de ligne téléphonique directe entre la surface de Paris et les salles souterraines secrètes.

— Dites-moi que ce n'est pas grave…

— On y travaille. Ce n'est pas la première fois que la ligne est déstabilisée, et elle devrait être rétablie d'ici quelques heures. Ça n'a probablement pas de rapport.

— Pas de rapport avec quoi ?

— Rien dont vous ayez à vous inquiéter.

— Dites donc, avec votre ton supérieur…

Elle voulut l'insulter, tenta d'extirper de son vocabulaire une expression désagréable, mais c'était comme si une barrière mentale se dressait entre son cerveau et sa bouche.

— La situation politique, chez nous, est troublée, poursuivit Aveling avant qu'elle ait eu le temps de répliquer.

L'offensive slasher à laquelle tout le monde s'attendait a commencé. Mais ne craignez rien. Rapportez-nous simplement la boîte, et laissez-nous nous occuper du reste. Nous sommes très satisfaits de la façon dont vous avez géré le problème jusqu'ici. Ce serait une honte de tout gâcher maintenant, n'est-ce pas ?

— Je pourrais me contenter de brûler les papiers, dit Auger. Ou les jeter quelque part où personne ne les trouverait. Quel est le problème avec ça ?

— Nous préférerions que vous nous les rapportiez. Comme ça, nous pourrons nous assurer que rien ne s'est égaré.

— Je peux regagner le portail, dit-elle. Mais je ne pense pas que ce soit une très bonne idée pour le moment : je suis à peu près sûre que quelqu'un m'a suivie jusqu'ici, en sortant du bureau du détective.

— Quel genre ?

— Quelqu'un qui travaillait pour lui, je suppose. Il avait l'air très disposé à me rendre la boîte. Rétrospectivement, je me demande s'il n'avait pas l'intention, depuis le début, de me faire filer.

— Et ce n'est qu'un détective local ?

— Oui, celui dont je vous ai parlé, après avoir discuté avec Blanchard.

— Il est probable que c'est juste de la curiosité. Faites de votre mieux pour le semer, mais ne vous en faites pas trop pour lui.

— Il se passe plus de choses ici que vous ne me l'aviez dit, reprit-elle.

— Ecoutez, il est onze heures moins vingt précises. Synchronisons nos montres.

— D'accord... C'est fait.

— A midi pile, nous provoquerons une coupure de courant de deux minutes sur la ligne qui passe par

Cardinal-Lemoine. Je vous attendrai dans le tunnel, devant la porte, et pour des raisons évidentes vous n'avez pas intérêt à être en retard. Pas d'entourloupe, Auger, nous comptons sur vous. Je vous retrouve dans une heure dix-huit minutes, avec les papiers.

Elle ne répondit pas.

— Vous y serez ? insista Aveling.

— Evidemment.

On frappa à la porte. C'était le service d'étage. Elle raccrocha au nez d'Aveling et ouvrit la porte aussi vite que la chaîne de sécurité le lui permettait pour laisser entrer le garçon qui posa son plateau de café sur la table de chevet. Elle lui donna un généreux pourboire, referma la porte, remit la chaîne. Le café était plus tiède que vraiment chaud, mais c'était infiniment mieux que rien. Elle ajouta de la crème et du sucre dans la tasse, touilla le tout et en but la moitié avant de se sentir un peu calmée.

On ne lui disait donc pas tout. Auger supposa que ce soupçon planait depuis le début à l'arrière-plan de son esprit, mais elle en avait à présent la certitude. Et s'il n'y avait que ça… Mais une question plus troublante la titillait depuis la seconde où elle avait appris que Susan White était mêlée à l'affaire.

Pourquoi White avait-elle tellement tenu à l'impliquer alors qu'elles n'étaient que de vagues relations professionnelles ? Elle pouvait comprendre que White se préoccupe de sa sécurité, et qu'elle ait préféré s'assurer que les papiers ne tomberaient pas entre de mauvaises mains. Il était indispensable que quelqu'un de l'autre côté du portail vienne les récupérer. Mais pourquoi elle, Auger, spécialement ? D'accord, elle connaissait bien Paris, elle était comme chez elle dans cette ville, mais ça cachait autre chose ; au premier abord, on aurait dit que White jouait un tour posthume à Auger, la désignant pour une mission dangereuse, par dépit professionnel. Mais elles n'était pas ennemies, juste vaguement rivales ; il n'y avait aucune animosité particulière entre elles – à la connaissance d'Auger, du moins. En réalité, elles avaient même un vague air de famille.

Ce n'était donc pas ça. White était une fine mouche – pas du genre à agir sans raison. Et la seule explication qu'Auger arrivait à formuler, la seule qui lui paraissait plausible, compte tenu de ce qu'elle savait d'elle, c'est que c'était une affaire de confiance.

Auger était extérieure à tout ça. Elle avait déjà eu affaire à Caliskan – comment faire autrement quand on travaillait aux Antiquités ? – mais ils n'étaient pas précisément comme cul et chemise. Plus important était sûrement le fait qu'elle n'était pas impliquée dans les opérations d'Aveling. Une semaine auparavant, elle ignorait tout de cette fameuse T2. Ça voulait probablement dire que Susan White avait décidé qu'elle ne pouvait pas faire confiance à Aveling et à ses gars.

A aucun d'eux ? se demanda Auger. Et si elle suspectait seulement que, quelque part dans l'organisation, il y avait quelqu'un en qui elle ne pouvait pas avoir confiance ?

Auger préférait la seconde hypothèse, plus sensée que l'idée selon laquelle toute l'organisation, de Phobos à T2, était compromise. Si tel était le cas, ils auraient sûrement trouvé un moyen d'éviter de faire venir quelqu'un d'extérieur.

Auger réfléchissait à ce qu'elle avait déjà appris toute seule. Tout le monde s'accordait à dire que ces papiers étaient importants. Susan White s'était donné la peine de les confier à quelqu'un et de faire en sorte qu'ils puissent être renvoyés de l'autre côté du portail. Caliskan, Aveling et tous ceux qui étaient impliqués dans l'opération, sur Phobos, semblaient leur attacher une grande valeur, ou bien Auger n'aurait jamais été cooptée pour venir les récupérer. Mais ils n'étaient pas seuls à leur accorder de l'importance : ceux, quels qu'ils soient, qui avaient tué White, et maintenant Blanchard, semblaient très désireux d'empêcher ces documents de retourner vers Phobos. Ce qui voulait dire – à moins que l'imagination d'Auger ne soit en train de s'emballer – qu'il y avait un lien entre le ou les assassins et le contenu des documents.

Ce qui la ramenait aux documents proprement dits. Que pouvaient-ils bien receler de si précieux ?

Auger prit la liasse de papiers dans son sac à main et commença à les étaler soigneusement sur le dessus-de-lit marron, dans l'ordre où ils se présentaient, sans chercher à les classer. Quand elle eut fini, le dessus-de-lit était complètement recouvert. Elle recula et contempla tout ce qui restait de feu Susan White.

— Parle-moi, Susan, dit-elle. Donne-moi un indice. Qu'est-ce que ça peut bien être…

Auger se versa une autre tasse de café, y rajouta du sucre, de la crème, et entreprit de classer d'une façon logique les documents disposés sur le lit. Mais aucune permutation n'avait l'air plus parlante qu'une autre. A moins qu'une subtilité ne lui ait échappé, le message devait être contenu dans les documents plutôt que dans le schéma qu'ils formaient. Aucun de ces papiers ne devait avoir de signification particulière pour les habitants de cette Terre. Ils n'y voyaient probablement qu'une collection plutôt bizarroïde, surtout de la part d'une jeune touriste américaine, mais il n'y avait rien de révélateur, pas un seul document susceptible de trahir son origine extraterrestre. En réalité, il ne s'en trouvait aucun qu'un individu ordinaire n'aurait pu se procurer dans la première bibliothèque ou librairie venue. Pas de plan top secret, nul duplicata de quoi que ce soit provenant de Terre Un. Rien qui puisse, même de loin, suggérer que Susan White était une exploratrice venue de l'autre bout de la Voie lactée par un trou de ver.

Auger réexamina les documents pour s'assurer que rien ne lui avait échappé, mais à moins d'imaginer un éventuel recours à des encres invisibles, des micro-points ou tout autre subterfuge, il n'y avait rien d'intrinsèquement déstabilisant dans aucun des objets réunis par Susan White. Bref, rien qui aurait pu poser problème si quelqu'un était tombé dessus, sur Terre Deux. Il est probable qu'il aurait jeté tout le paquet et gardé la boîte à biscuits.

Or Caliskan et son organisation avaient monté une opération à haut risque pour récupérer ces papiers. Parce qu'on avait bien insisté : elle devait les « récupérer », pas s'en débarrasser ou les détruire sur place. Non, Caliskan les voulait. C'était donc que les documents eux-mêmes revêtaient une certaine importance.

Ils savaient que Susan White avait levé un lièvre, mais ils n'avaient pas voulu lui dire de quoi il s'agissait, sans doute pour ne pas l'effrayer. Elle avait été idiote de ne pas poser davantage de questions avant d'accepter la mission. Mais Caliskan et ses gars avaient prévu qu'elle sauterait sur cette occasion d'éviter le procès. Ils avaient dû se dire qu'elle ne réfléchirait pas plus loin que le bout de son nez, et à l'idée qu'ils avaient eu raison, qu'elle était tombée dans le panneau tête baissée, elle se sentait d'autant plus idiote.

— Tu fais vraiment une belle imbécile, Verity ! se gourmanda-t-elle.

Elle secoua la tête et se concentra sur les papiers.

— Tu savais de quoi il retournait, dit-elle en s'adressant à la présence imaginaire de Susan White, qu'elle se figurait en train de ruminer, comme elle-même, sur l'étalage de documents apparemment insignifiants. Tu savais de quoi il retournait, et aussi que ça valait la peine que quelqu'un t'assassine pour ça.

Auger tendit la main et examina la plus grande des cartes ; c'était la première fois qu'elle la regardait vraiment attentivement. Pourquoi s'était-elle retrouvée dans la collection de documents alors qu'on en trouvait autant qu'on voulait pour trois fois rien dans le premier bureau de tabac venu ? Elle en avait sûrement déjà fait passer des quantités du même genre par le portail.

Auger déplia complètement la carte et la reposa sur les autres documents sans les déranger. C'était une carte politique et géographique de l'Europe, grande comme la moitié du lit, sur laquelle avaient été tracées des lignes bleu foncé. Auger grattouilla délicatement l'encre du bout de l'ongle, comme Floyd l'avait fait avant elle, afin de s'assurer qu'elles n'avaient pas été imprimées. Elles formaient un *L* incliné, une patte joignant Paris à Berlin et l'autre Paris à Milan. Des cercles tracés à l'encre entouraient les trois villes, et des chiffres, au-dessus des lignes, indiquaient – elle en aurait mis sa tête à couper – la distance en kilomètres qui les séparait. Mais en dehors de cette observation la signification de tout cela lui échappait. Qu'y avait-il de si important là-dedans pour que cette carte doive être exfiltrée à tout prix de T2, alors que cette information était facilement accessible sur T1 ?

Auger replia la carte, en prenant bien garde à ne pas endommager le papier sur lequel elle était imprimée, la remit à sa place parmi les autres documents et s'intéressa au billet de chemin de fer pour Berlin. La réservation avait été faite peu avant la mort de Susan White, pour un train de nuit qu'elle ne devait jamais prendre.

Auger parcourut les autres documents du regard, à la recherche d'un lien avec l'Allemagne ou l'Italie. Il y avait là une lettre d'une entreprise industrielle située dans la banlieue de Berlin. La lettre était tapée sur un très bon papier, avec un en-tête impressionnant gravé en rouge. Elle déchiffra le texte avec l'efficacité d'une machine, grâce à l'allemand qu'on lui avait inoculé.

La lettre faisait apparemment partie d'un échange suivi et répondait à des questions concernant la fabrication – fonte et usinage – de trois grosses sphères de métal dans l'usine berlinoise de Kaspar Metals. Il était notamment question de l'expédition et de l'installation de ces sphères d'aluminium, ainsi que d'un certain nombre de pièces correspondantes, à Berlin, Paris et Milan. Les sphères devaient être très grosses et très lourdes, à en juger par les détails prévus pour leur transport, qui semblait devoir exiger des moyens importants. Les pièces étaient beaucoup trop lourdes pour être expédiées par avion, malgré les distances. La lettre allait jusqu'à souligner la complexité de l'opération, et en particulier la nécessité de les livrer sans dommage aucun, conformément aux instructions de l'« artiste », ce qui impliquerait des coûts additionnels.

Des sphères de métal. De quoi pouvait-il bien s'agir ? se demanda-t-elle, perplexe.

Auger fouilla dans les autres documents et papiers, à la recherche maintenant de tout ce qui pouvait avoir un rapport avec le contrat allemand. Elle trouva presque aussitôt un croquis minutieux d'une sphère suspendue par un grand nombre de ressorts et de câbles délicats à une grosse potence, ou une nacelle. D'après les cotes portées sur la sphère, elle faisait plus de trois mètres de diamètre.

Auger regretta de ne pas avoir accès aux archives historiques de T1. Elles n'étaient pas exhaustives, mais elle aurait bien vu si ces sphères faisaient ou non partie de la ligne temporelle de sa Terre. Peut-être était-ce vraiment un artiste ambitieux qui avait commandé la fabrication de ces sphères d'aluminium, auquel cas Susan White faisait un mauvais procès à un dossier anodin. Auger ne pouvait en avoir la certitude absolue, mais un détail pareil aurait peut-être survécu à l'Oubli.

D'un autre côté, c'était T2, se dit Auger. T2, où la ligne temporelle avait bifurqué vingt ans plus tôt de la chronologie de T1. Les chances pour qu'un artiste ait eu la même vision dans deux histoires aussi différentes étaient vraiment très faibles. Le même mode de raisonnement s'appliquait si les sphères faisaient partie d'un projet clandestin, militaire ou scientifique, mené par les habitants de T2. Même s'il y avait eu sur T1 un projet analogue dont elle pourrait retrouver la trace, une telle entreprise, dans l'Europe modifiée de T2, était très peu probable.

Mais pas impensable, force lui était de l'admettre : s'il existait une raison stratégique suffisante pour prendre ce genre de mesure, alors ça avait pu se produire dans les lignes temporelles de T1 *et* de T2, malgré les environnements politiques différents. Ce qui semblait moins vraisemblable c'était qu'une chose pareille ait été développée sur T2 et pas sur T1, surtout si ça reposait sur des bases scientifiques. La science, sur T2, avait à peine avancé depuis 1939.

Auger réalisa alors qu'il y avait une possibilité plus troublante : le projet que Susan White avait éventé pouvait ne rien avoir à faire du tout avec les habitants de T2...

Dans ce cas, qui le menait ? Et quel était au juste le projet en question ? Elle n'avait pas encore de réponse, pas même le début d'un commencement, mais son instinct lui disait qu'elle était sur la bonne piste. Elle avait l'impression de sentir le fantôme de Susan White hocher la tête comme pour l'encourager, frustrée, exaspérée de ne pas la voir aller au bout du raisonnement, faire le dernier saut – tellement évident.

Sauf que non, elle ne pouvait pas le faire ; pas encore.

Elle regarda sa montre. Il était près de onze heures, ce qui lui laissait à peine plus d'une heure pour rejoindre le métro avant que le courant ne soit coupé.

Rapidement mais avec soin, elle réunit les documents, les roula dans une feuille de papier trouvée dans le bureau et les remit dans son sac. Elle aurait bien voulu avoir le temps de regarder les autres documents en détail, mais elle n'avait pas ce luxe. Après les avertissements d'Aveling sur le manque de fiabilité du lien, elle avait plus que hâte de regagner la sécurité de l'autre côté. Si excitée, si désireuse qu'elle puisse être d'avoir le temps d'explorer la ville, elle ne voulait pas devenir sa prisonnière.

Auger écarta les voilages et regarda par la fenêtre. Depuis qu'elle était arrivée à l'hôtel, il avait commencé à pleuvoir : une douce petite pluie d'octobre, qui étouffait les bruits de la ville et assourdissait le chuintement de la circulation matinale. Elle resta un instant debout, là, à regarder les passants détaler sous des parapluies noirs et des imperméables luisants. Il était impossible de les voir autrement que comme des êtres vivants, avec leur propre vie. Et pourtant leur existence même n'était qu'une sorte d'imposture.

Skellsgard avait comparé ce monde à une sorte de tirage photo, un instantané pris à un moment précis, qui avait, pour des raisons inexpliquées, continué à évoluer dans le temps, préservé dans la coque blindée de l'OVA. Impossible de savoir comment cet instantané avait été pris, ou si un habitant de la vraie Terre avait eu le moindre soupçon de ce qui se passait… une fugace interruption de sa pensée, une infinitésimale sensation de déjà-vu. Peut-être l'événement était-il passé complètement inaperçu.

Et puis, par la suite, les deux histoires avaient divergé. Les originaux des fac-similés qui habitaient sur T2 avaient continué à vivre leur vie en chair et en os dans la ligne temporelle historique de la vraie T1. L'instantané ne pouvait pas avoir été pris après mai 1940, et il ne pouvait pas non plus avoir été pris trop avant, parce que les événements qui avaient mené à l'offensive dans les Ardennes sur T2 semblaient plus ou moins suivre la chronologie de T1. Le monde, T1, avait été plongé peu après dans une guerre catastrophique. Bien des gens qui avaient vécu lors de la prise de l'instantané étaient morts pendant cette guerre, ou pendant les décennies misérables, conflictuelles, qui l'avaient suivie. Même s'ils avaient, d'une façon ou d'une autre, réussi à louvoyer entre les failles de l'histoire et à survivre à la guerre, à la famine ou à l'oppression politique, beaucoup d'entre eux avaient dû vivre des vies brisées, estropiées par la violence de ces années.

Et pourtant, si sinistres que ces vies aient pu paraître, si sordides, pitoyables et tragiques qu'elles aient pu être, elles s'étaient déroulées selon le bon scénario. C'étaient les vies de leurs contreparties de T2 qui avaient suivi un chemin déviant. Et à peu près aucun de ceux qui étaient nés sur T2 depuis la bifurcation des lignes temporelles n'aurait jamais existé sur T1, ou alors très différemment. Ils vivaient des vies volées, dans tous les sens du terme.

Pendant un instant, une idée répugnante lui passa par la tête. Comme il aurait été plus simple, plus net, que ces vies n'existent jamais… Que les instantanés conservent Paris et le reste du monde, mais pas les gens qui l'habitaient. Que ça fasse comme sur ces photos de la ville prises au dix-neuvième siècle, où le temps d'exposition était si long que les gens étaient flous, inexistants, ne laissaient que des traces fantomatiques.

Cette pensée la fit frémir, mais elle ne pouvait la chasser de son esprit.

Elle jeta un coup d'œil à sa montre, prit son manteau et quitta sa chambre. Le concierge haussa un sourcil en la voyant traverser la réception d'un pas mal assuré sur ses chaussures à talons, mais le téléphone posé sur le comptoir choisit ce moment pour sonner, et le temps qu'il réponde il avait tout oublié de cette Américaine un peu godiche qui avait l'air si pressée.

17

A la station de métro Cardinal-Lemoine, Auger prit un billet et se mêla à la foule. C'était l'heure de pointe. A Paris, en ce temps-là, les gens prenaient le déjeuner très au sérieux, et ça ne leur faisait pas peur de traverser la moitié de la ville pour retrouver un collègue, un ami ou une maîtresse dans un café, une brasserie ou un restaurant. Ne sachant pas si on l'avait ou non suivie depuis l'hôtel de la rue Emile-Zola, Auger profita de la cohue pour compliquer la tâche à ses éventuels poursuivants : elle joua des coudes dans la foule, grimpa et descendit quatre à quatre des escaliers et des escalators dans l'espoir de les semer. Elle finit par déboucher sur le quai, et laissa partir une première rame sans monter dedans. Après son départ, la station n'était pas tout à fait déserte. Il y avait là des gens qui semblaient ne rien avoir de mieux à faire que de traîner sur un quai de métro, indifférents au passage des rames et à la précipitation des autres voyageurs. Un jeune homme en veston à carreaux et casquette lisait un journal de courses, un mégot au coin des lèvres. Une jeune femme replète mais jolie se regardait dans un petit miroir de cuivre en faisant la bouche en cul-de-poule.

Auger regarda à nouveau sa montre, impatiente de passer à la suite de son programme. Pas tout à fait midi ; l'électricité n'était donc pas encore coupée dans les rails d'alimentation. Elle serrait son sac à main contre elle, observant le lent déferlement des nouveaux passagers dans la station. Elle se rapprocha du bout du quai et regarda les rails qui s'enfonçaient dans l'obscurité du tunnel. A midi moins une, elle les vit briller, éclairés par les lumières d'un train, à l'autre bout de la station, et une rame arriva dans un vacarme de freins et de roues. Elle regarda à nouveau sa montre, impatiente de la voir repartir. Il n'aurait plus manqué qu'elle reste immobilisée dans le tunnel, entre la station et la porte secrète !

La rame repartit et disparut. Il était quasiment midi. Quelques passagers arrivèrent encore sur le quai, et la grande aiguille de sa montre lui indiqua qu'il était temps d'y aller. Elle ne nota pas de modification visible de l'état des rails, mais elle ne se voyait pas les toucher pour s'assurer qu'Aveling avait fait son boulot. Elle le saurait bien assez tôt.

Elle agit très vite, descendit à toute allure les quatre marches qui menaient dans le tunnel.

Quelqu'un poussa un cri. Elle jeta un coup d'œil par-dessus son épaule, juste le temps de voir l'homme au journal de courses tendre la main vers elle, son mégot tomber de ses lèvres, et la jeune fille rondouillarde baisser son miroir de poche pour voir d'où provenait tout ce ramdam. Mais Auger avait déjà disparu dans l'obscurité du tunnel, longeant au plus près le mur à sa gauche et évitant le rail à sa droite. Après avoir parcouru quelques mètres dans le tunnel, elle sut que personne ne pouvait plus la voir. Malheureusement, elle n'y voyait pas grand-chose non plus, et elle n'avait plus les lumières de la station pour se guider. Le dos collé au mur en guise de repère, elle avançait latéralement, le plus vite possible, dans les ténèbres, en essayant de ne pas penser aux souris et aux rats qui détalaient sans doute sous ses pieds, et encore moins au voltage mortel qui pouvait encore courir dans les rails. Elle avait près d'une centaine de mètres à parcourir, en moins de deux minutes.

Quelque chose brillait dans le noir, devant elle : une lumière rouge sang, très vague, mais qui se déplaçait. Le métro aurait dû arriver dans son dos, pas face à elle. L'espace d'un horrible moment, elle pensa que c'était un train qui fonçait sur elle, puis elle procéda à une espèce de rétablissement mental et comprit que quelqu'un braquait une torche dans sa direction, plus loin dans le tunnel.

— Vite, Auger ! appela une voix. Le jus va revenir dans trente secondes, et les trains vont se remettre à circuler !

— Aveling ?

— Continuez à avancer, répondit la voix. Nous avons très peu de temps !

— Je crois qu'un homme m'a vue entrer dans le tunnel...

— Ne vous en faites pas pour ça ! Dépêchez-vous !

Comme elle poursuivait son avance, la lumière rouge se fit progressivement plus vive. Elle commença à distinguer les contours d'une forme noire accroupie près du mur. Aveling. Elle l'aurait cru plus près ; les voix portaient très loin dans le tunnel.

— Magnez-vous, Auger ! souffla-t-il.

— Je fais ce que je peux !

— D'accord. Tâchez de ne pas vous casser la figure, les rails sont de nouveau électrifiés...

— Vous n'aviez pas besoin de me le dire…

— Vous avez la marchandise ?

— Oui, dit-elle entre ses dents. J'ai tout.

Elle distinguait plus nettement la silhouette à la torche, puis, comme sa vue s'habituait peu à peu à l'obscurité, elle crut voir une faille dans le mur, non loin de lui.

— Dépêchez-vous ! Il y a une traction sur la ligne !

— Ce qui veut dire ?

— Que les trains se sont remis en marche ! C'est l'heure de pointe, ils n'ont pas intérêt à perdre trop de temps…

Auger distingua enfin le visage d'Aveling.

— Je vois une rame entrer dans la station Cardinal-Lemoine ! lança celui-ci.

— Voilà, j'arrive !

— Les trains repartent. Grouillez-vous, Auger ! On ne peut pas rester là éternellement…

Elle parcourut les derniers mètres presque en courant, au risque de chuter et de heurter un rail. Sans ménagement, Aveling poussa Auger dans l'ouverture, droit dans les ténèbres qui se trouvaient au-delà. Le grincement de la rame en approche s'accrut, amplifié par les parois du tunnel.

— Aidez-moi, dit-il. Il faut qu'on referme cette porte…

Il guida ses mains sur le vieux panneau de bois et elle poussa dessus. La porte reprit sa place en grinçant, obstruant les lumières de la rame qui filait dans le noir.

— C'était moins une ! dit Aveling.

— Vous pensez que des gens nous ont vus, dans la rame ?

— Non. Aucune chance.

— Et le type, sur le quai ?

Elle le lui décrivit rapidement.

— Ne vous en faites pas pour lui. Probablement un de ces petits escrocs qui passent leurs journées dans les stations à la recherche d'un pigeon. Il ne risque pas d'aller trouver les autorités.

Il éteignit la torche rouge et en alluma aussitôt une autre, blanche, plus vive. Auger cligna des yeux, aveuglée, et reconnut le goulet étroit, crasseux, de la galerie d'accès.

— Je vous le redemande : vous avez ce que vous étiez venue chercher ?

— Oui, dit-elle avec lassitude. Je vous l'ai déjà dit.

— Parfait. Je commençais à avoir peur que vous ne meniez pas la mission à bien. Je suis content de voir que vous avez décidé d'agir raisonnablement. Allez, Auger, donnez-moi les papiers.

— Ils sont en sécurité dans mon sac...

— Je vous dis de me les donner !

Avant qu'elle ait eu le temps de protester, il lui arracha son sac et braqua sa torche sur la liasse de papiers.

— Ça n'a pas l'air très impressionnant, comme ça, hein ? Pas à la hauteur du mal que vous vous êtes donné...

Il prit les documents et lui rendit son sac.

Elle pensa à Susan White et à ses soupçons : il devait y avoir quelqu'un dans l'équipe à qui on ne pouvait pas se fier. Et si c'était lui ? Enfin, tant qu'elle ne perdait pas les documents de vue, il ne pouvait rien leur arriver. Elle n'avait qu'à veiller à ce qu'il les remette bien à Caliskan.

— Je ne sais pas ce qui se passe au juste, Aveling. Et je ne suis même pas sûre d'avoir envie de le savoir. Finissons-en, d'accord ?

— Vous ne pourrez pas repartir tout de suite. Nous avons encore des problèmes avec le lien.

Une nouvelle rame passa dans le tunnel tout proche, et les vibrations firent tomber un peu de la crasse accumulée sur la voûte de la galerie.

— Et les problèmes temporaires dont vous disiez qu'ils devaient être maintenant réglés ?

— Ils se sont révélés un peu moins temporaires que nous ne l'espérions.

Aveling s'arrêta et promena le rayon de la torche devant eux, le long de la courbe du boyau.

Auger le vit froncer les sourcils.

— Qu'est-ce qu'il y a ? demanda-t-elle.

— Rien. J'ai juste cru entendre un bruit.

— Probablement l'un de vos gars à l'embouchure du portail, suggéra Auger.

Aveling ouvrit la fermeture à glissière de son blouson et fourra les documents à l'intérieur.

— Allez. On y va.

Elle ne put faire autrement que de remarquer qu'il avait tiré un automatique de son blouson en même temps qu'il y cachait les papiers. L'arme, de fabrication T2, brillait d'un bleu huileux à la lumière de la torche.

— J'ai vu bouger quelque chose, dit tout à coup Auger, d'une voix réduite à un murmure.

Le rayon de la torche sautillait devant eux comme un animal agité.

— Quoi ? Où ça ?

— Dans le tunnel. Il y a quelqu'un, là-bas, accroupi le long du mur.

Elle retint son souffle et ajouta :

— On aurait dit un enfant.

— Un enfant ? Ne dites pas de bêtises !

— Un gosse aurait facilement pu descendre ici.

Aveling secoua la tête, mais elle vit qu'il était ébranlé. Elle ne pouvait pas lui en vouloir. Elle n'avait pas aimé sa précédente équipée dans ce tunnel, et celle-ci ne lui plaisait pas davantage.

— Il y a quelqu'un ? appela Aveling. Quelqu'un du portail ? Barton… C'est vous ?

— Ce n'était pas Barton, répondit Auger. Ni Skellsgard, d'ailleurs.

Aveling tira un coup de semonce. Le canon de l'automatique cracha une flamme orange dans le noir, et la balle s'écrasa dans la roche, à une dizaine de mètres d'eux. Les échos de la détonation se répercutèrent pendant quelques instants dans le tunnel, puis il n'y eut plus que le silence et le bruit de leur propre respiration.

— Et merde ! lâcha Aveling.

— Vous avez vu quelque chose ?

— Il me semble. Mais c'est peut-être vous qui m'avez influencé.

— Vous aviez entendu du bruit avant que je voie l'enfant, objecta Auger.

— J'ai bien cru voir quelque chose, moi aussi, dit-il, l'air beaucoup moins sûr de lui tout à coup.

— Un enfant ?

— Ce n'était pas un enfant. Ou si c'en était un, il aurait été terriblement…

Elle le plaqua au mur sans lui laisser le temps de finir sa phrase.

— Il y a un problème, dit-elle dans un sifflement. Et vous le savez.

— Nous avons vu des ombres, c'est tout.

— Je sais ce que j'ai vu. Ce n'était pas mon imagination…

Soudain, le rayon de la torche tomba sur une masse allongée par terre, dix ou douze mètres plus loin, dans le tunnel.

— Regardez, fit Aveling. C'est un corps.

Il était trop grand pour qu'il s'agisse d'un enfant.

— Ça doit être Barton, dit Auger, avec un mélange de désespoir et de fatalisme. Pour moi, c'est Barton, et il est mort.

— Impossible, dit Aveling.

Il se dégagea et s'avança, la lumière de la torche rebondissant dans le tunnel, devant lui. Il s'agenouilla à côté du cadavre et l'inspecta, le pistolet dans une main, la torche dans l'autre.

— C'est moche, marmonna-t-il.

Auger s'obligea à le rejoindre. De près, le doute n'était plus permis : c'était bien Barton. Aveling balaya le cadavre avec le faisceau de sa torche, s'attardant sur des impacts de balles groupés au niveau de la poitrine. Il devait bien y en avoir une vingtaine, autant de cratères lunaires, très rapprochés, presque superposés, comme s'ils avaient été tirés en rafale, et de très près. Ses doigts étaient encore mollement passés autour de la crosse d'un pistolet. Auger le prit. La main du mort était encore tiède.

— Fichons le camp…, commença-t-elle.

Elle vit le bras d'Aveling tressauter alors qu'il tirait deux nouveaux coups de feu dans le noir. A la lueur des détonations, Auger vit une petite silhouette pas plus grande qu'une poupée détaler le long de la paroi grossière du tunnel : une créature de la taille d'un enfant, vêtue d'une robe rouge, mais le visage aperçu à l'instant de l'éclair n'était pas celui d'un enfant ; c'était un masque féroce, ratatiné : moitié harpie, moitié goule, avec un sourire maléfique dévoilant des dents noires, pointues. Elle braqua le lourd automatique en direction des ténèbres, appuya sur la détente… et n'entendit qu'un déclic. Se maudissant pour sa bêtise, elle chercha le cran de sécurité à tâtons et essaya à nouveau de tirer, mais Barton avait dû déjà vider le chargeur.

— Nous sommes dans une sacrée panade, fit Aveling.

Il se releva en gardant les genoux fléchis et essaya de s'écarter du corps.

— Cette fois, je suis sûre de ce que j'ai vu, dit Auger, sans lâcher son arme. On aurait dit un enfant… Mais quand j'ai vu son visage…

— Ce n'était pas un enfant, lâcha Aveling.

— Et vous vous y attendiez, n'est-ce pas ?

— Quel esprit de déduction !

Si inutile que ce fût, elle ne put s'empêcher de lui enfoncer le canon de son arme vide dans les côtes.

— Vous allez parler, espèce de porc !

Ce n'était pas le mot qu'elle avait en tête, mais, stressée comme elle l'était, « porc » était le pire qu'elle avait réussi à trouver.

— L'enfant vient de T1, n'est-ce pas ?

— Qu'est-ce qui vous fait dire ça ?

— Le fait que, quoi que ce soit, ça n'a rien à faire ici. Maintenant, dites-moi ce que vous savez !

— C'est une unité d'infiltration IN, répondit lourdement Aveling.

Il balaya les parois avec le faisceau de sa torche, mais il n'y avait pas trace de l'enfant.

— Un quoi ?

— Oh, ça va, Auger ! Vous n'avez sûrement pas oublié la sale petite guerre dont on n'aime plus parler aujourd'hui ? Contre nos amis des Etats fédérés ?

— Quel rapport ?

— Ils ont lâché leurs enfants sur nous. l'Infanterie néotène. Des machines à tuer génétiquement modifiées, clonées, programmées psychologiquement, packagées pour ressembler à des enfants !

Elle ne put s'empêcher d'être troublée par l'horreur qu'elle percevait dans sa voix. Il devait en falloir un paquet pour impressionner un gaillard de la trempe d'Aveling.

— Vous les avez combattus ? demanda-t-elle.

— J'ai engagé le combat, à plusieurs reprises. Ce n'est pas pareil. Pas toujours. Ces petites créatures perverses avaient le don de s'insinuer dans des espaces que nous croyions sécurisés, où elles pouvaient rester tapies pendant des semaines, réussissant à survivre sans boire, sans manger... sans faire un bruit, attendant comme des serpents enroulés sur eux-mêmes, dans un état presque comateux... Jusqu'à ce qu'elles bondissent.

Sa respiration devint hoquetante alors qu'il replongeait dans ses souvenirs.

— Des saloperies, difficiles à tuer. Rapides, coriaces, résistantes aux blessures... Un seuil de la douleur qui passe toutes les limites, un instinct de conservation extrêmement affûté... et en même temps radicalement prêtes à mourir pour remplir leur mission. Même quand nous savions parfaitement à quoi nous avions affaire, même quand nous les tenions dans notre ligne de mire... il nous était quasiment impossible de leur tirer dessus. On aurait dit des enfants, vous comprenez. Nous luttions contre quatre milliards d'années d'évolution qui nous interdisaient de presser la détente.

— Des bébés de guerre… dit Auger. C'est bien comme ça qu'on les appelait, non ?

— Vous n'avez donc pas oublié votre histoire, fit-il d'un ton moqueur qui n'arrivait pas à masquer sa trouille.

Elle repensa à Cassandra, la Slasher qui s'était fait passer pour une adolescente pendant la mission qui lui avait valu de se retrouver dans ce merdier, au départ. L'Infanterie néotène était une étape vers l'émergence de factions entières de Slashers pas plus grands que des enfants. Mais personne n'avait envie d'en parler, et surtout pas les Slashers.

— Je me rappelle que c'était un cul-de-sac génétique. Ils n'ont pas bien marché. Ils étaient mentalement instables, et ne tenaient pas le coup longtemps.

— C'étaient des armes, répondit Aveling. Conçues avec une obsolescence programmée.

— Sauf que personne n'a plus vu de bébés de guerre depuis vingt ou trente ans. Je vous en prie, Aveling, dites-moi ce que celui-ci fait dans un tunnel, sous Paris, sur T2…

— Je vous laisse imaginer ça toute seule, Auger. Les Slashers sont là. Ils ont pris pied sur T2.

Tout à coup, elle se sentit glacée, terrifiée… et très loin de chez elle.

— Il faut qu'on remonte à la surface.

— Non, trancha Aveling en recouvrant un peu de son calme. Nous devons arriver au portail. Le portail ne doit absolument pas être mis en péril.

— En péril ? S'ils sont là, en péril, il l'est déjà. Comment, sans ça, seraient-ils arrivés ?

Aveling s'apprêtait à répondre, quand il sembla soudain en proie à des problèmes d'élocution. Il émit une sorte de toux glaireuse et retomba lourdement contre Auger en lâchant sa torche et son arme. Auger inspira brutalement et retint un cri. Ç'aurait été une réaction humaine normale – l'homme qui se trouvait juste à côté d'elle venait de se faire tuer, après tout –, mais elle réussit, elle n'aurait su dire comment, en se concentrant sur l'action à entreprendre plutôt que sur le sentiment de panique qui menaçait de la submerger, à récupérer la torche et à troquer l'automatique inutilisable de Barton contre celui d'Aveling.

Toujours accroupie, elle balaya le tunnel avec sa torche, le faisceau tombant soudain sur l'enfant plaqué contre le mur. La lumière le paralysa un instant, figeant son affreuse parodie de visage ratatiné, ses lèvres exsangues, fripées, encadrant un sourire démoniaque plein de vieux chicots noirs.

Il leva une main décharnée qui tenait quelque chose qui ressemblait à une arme. Auger fit feu la première et vit se dessiner sur la face difforme un rictus de souffrance et de surprise mêlées. L'enfant tomba en tas au pied de la paroi, crachotant et sifflant.

Son instinct hurlait à Auger de repartir en courant comme elle était venue, de regagner la lumière du jour. Elle ne savait pas combien de ces créatures il y avait dans le tunnel. Mais elle voulait voir de plus près ce qu'elle avait blessé, ou tué.

Elle se rapprocha, son arme pesant lourdement dans sa main, en espérant qu'il restait au moins une balle dans le chargeur, et priant pour ne pas avoir à le vérifier. Les piaulements stridents de l'enfant s'estompaient, se réduisant à un gémissement étouffé, presque rythmique.

Elle flanqua un coup de pied dans son arme et s'agenouilla auprès de lui. Sa perruque noire avait glissé, dévoilant un crâne chauve, livide, ridé et criblé de taches de vieillesse. De près, à la lumière implacable de la torche, son visage n'était que plis flasques et furoncles infectés. On eût dit du caoutchouc décomposé sous une couche craquelée de maquillage coulant. Il avait des yeux jaunes, larmoyants. Ses dents étaient des chicots noirs, pourris, derrière lesquels la masse enflée d'une langue infecte bougeait comme un monstre prisonnier, tentant de former des sons cohérents entre deux gémissements sifflants. Il répandait une puanteur renversante qui évoquait les poubelles d'une cuisine de collectivité en période de grève des éboueurs.

— Qu'est-ce que vous faites ici ? demanda Auger.

— Vous... n'avez pas besoin... de le savoir, répondit l'enfant, entre deux râles rauques.

— Je sais ce que vous êtes. Une abomination militaire, une arme qui aurait dû être anéantie il y a des dizaines d'années. La question est : pourquoi ne l'avez-vous pas été ?

Des gorgées de fluide se répandaient à travers les créneaux béants de la bouche édentée.

— On a eu... de la chance, répondit l'enfant dans un gargouillis qui pouvait être un lent râle d'agonie aussi bien qu'un rire sardonique.

— Vous appelez ça de la chance ? demanda Auger en indiquant, d'un mouvement de menton, le cratère qu'elle lui avait ouvert dans l'estomac.

— J'ai... fait... ce pour quoi j'avais été mis là, répondit l'enfant. C'est pas de la chance, ça ?

Ce furent ses dernières paroles. Sa tête bascula subitement en arrière et ses yeux se figèrent dans leurs orbites. Auger chercha son arme à tâtons dans le noir. Elle s'attendait à un automatique, un objet fabriqué sur T2, au moins, mais sa forme lui parut étrange, bizarre. Elle se leva, glissa l'arme de l'enfant dans son sac et recula.

Elle entendit des bruits derrière elle : des frottements, des grattements fébriles. Elle promena rapidement sa torche autour d'elle, s'attendant à voir des rats, mais le pinceau lumineux découvrit un garçon et une fille accroupis à côté du corps d'Aveling. Ils fouillaient dans ses vêtements. Ils levèrent les yeux vers la lumière qui tombait sur eux et poussèrent un sifflement hargneux.

— Reculez ! dit-elle en pointant son automatique vers eux. J'ai déjà tué l'un des vôtres, et je vous tuerai aussi si vous m'y obligez !

Le gamin lui montra les crocs tout en tirant la liasse de documents du blouson d'Aveling. Il était complètement chauve et on aurait dit un vieillard miniature.

— Merci, dit-il d'un air mauvais. On ne voudrait pas que ça tombe entre de mauvaises mains, hein ?

— Lâche ces papiers, ordonna Auger.

La fille montra les dents à son tour. Elle tenait à la main un objet qui lança un reflet métallique. Elle le brandit dans la direction d'Auger, mais celle-ci fit à nouveau feu en premier, trois coups, l'automatique dansant dans sa main. Le garçon siffla et lâcha les papiers. La fille gronda et récupéra les documents à terre, mais, alors que la lumière de la torche tombait sur elle, Auger vit qu'elle l'avait touchée.

— Lâche les papiers ! répéta-t-elle.

La fille sortit du cercle de lumière. Le garçon gémissait, palpant un trou sanglant, en forme d'étoile, à la cuisse. Ses mouvements avaient quelque chose de canin, d'horrible, comme s'il ne comprenait pas tout à fait ce qui lui arrivait. Il essaya de se relever, mais sa jambe estropiée fléchit sous son poids, se repliant d'une manière pour laquelle elle n'avait pas été conçue. Le garçon poussa un cri strident, douleur et colère mêlées. Il passa la main à l'intérieur de son petit blazer d'écolier, tenta d'en sortir un objet métallique. Auger tira à nouveau, droit dans la poitrine.

Il cessa de bouger.

Elle balaya le tunnel avec le faisceau de sa torche, mais la fille avait disparu. Choquée, le souffle court, Auger courut à tâtons jusqu'à l'endroit où elle s'était trouvée et repéra une tache claire, sur le sol. Elle se pencha, reconnut l'un des documents de Susan White. La fille n'avait apparemment rien lâché d'autre. Auger fourra le papier dans sa veste, en notant mentalement de l'examiner plus tard – si elle vivait assez longtemps pour ça. Elle retourna auprès du gamin, constata qu'il était mort, fit de même pour Aveling.

Entendant des mouvements, plus loin dans la galerie, elle s'accroupit, son arme à bout de bras, et essaya de localiser la source du bruit avec sa torche.

— Auger ? fit une voix de femme, faible et rauque.

— Qui est là ?

— Skellsgard. Grâce au ciel, vous êtes encore en vie !

Une petite silhouette sortit des ténèbres en s'appuyant à la paroi du tunnel. Elle marchait avec raideur, l'une de ses jambes, visible à travers les lambeaux de son pantalon, réduite à une masse sanglante, de la texture du steak haché. Auger étouffa un hoquet de surprise. Elle baissa le canon de l'automatique mais ne le rangea pas.

— Vous êtes dans un sale état…

— J'ai eu du bol, rectifia Skellsgard avec un froncement de sourcils de défi. Ils ont cru que j'étais morte.

S'ils avaient eu le moindre doute, ils auraient fini le boulot, nettement et sans bavure.

— Restez où vous êtes. Il faut qu'on vous ramène au portail.

— Le portail n'est pas sûr.

— Il sera sûrement moins dangereux que ce tunnel.

Auger se redressa de toute sa taille et rejoignit rapidement la blessée. Skellsgard avait arraché l'une de ses manches et s'en était fait un garrot improvisé, en haut de la cuisse, juste en dessous de l'aine.

— Et merde ! Dans quel état ils vous ont mise, fit Auger.

— Et encore, j'ai eu de la chance, répéta son amie d'une voix râpeuse, qui fit à Auger l'effet de deux feuilles de papier de verre frottées l'une sur l'autre. Je saignais beaucoup, mais je ne pense pas qu'un organe vital ait été touché…

— Vous avez besoin d'aide, et pas du genre que vous pourrez recevoir sur T2. Ils étaient combien, à votre avis ? poursuivit Auger en regardant autour d'elle.

— Ils étaient trois.

— D'accord. J'en ai tué deux. Le troisième a réussi à s'échapper.

Auger remit le cran de sûreté de l'automatique et le glissa dans la ceinture de sa jupe. Il lui rentrait durement dans la chair, mais elle voulait pouvoir s'en saisir rapidement en cas de besoin.

— Là, appuyez-vous sur moi… On est loin de la censure ?

— Une cinquantaine de mètres. Par là, fit-elle en renvoyant vaguement la tête en arrière.

— Vous y arriverez ?

— En tout cas, je vais essayer, répondit Skellsgard en faisant porter son poids sur Auger.

Elles commencèrent à avancer, lentement, les mouvements de Skellsgard réduits à de petits bonds façon soubresauts. Auger ne voulait pas penser à la douleur que devait lui causer sa jambe déchiquetée.

— Dites-moi ce qui s'est passé, demanda-t-elle. Je veux tout savoir.

— Je ne peux vous dire que ce que je sais. Qu'est-ce qu'Aveling vous a dit ?

— A peu près rien, répondit Auger. Pourtant, il en savait manifestement plus long que moi. J'ai eu nettement l'impression qu'il était au courant de la présence des éléments slashers ici.

— Nous avions des soupçons, de fait, fit Skellsgard. Mais c'est la première fois qu'on en a la preuve irréfutable.

— Vous avez une hypothèse concernant la façon dont ils sont arrivés ici ?

— Il n'y a qu'un moyen d'arriver à T2, répondit Skellsgard. Nous en sommes sûrs. C'est notre portail, et nous en avons le contrôle absolu depuis que nous l'avons rouvert. Tout ce qui est étranger à T2 n'a pu arriver que par là, et a dû passer la censure.

— C'est ce qu'on m'a dit, répondit Auger. Mais ça n'a pas arrêté ces… ces choses.

— Les bébés de guerre sont des armes biotechnologiques. Ils n'ont rien de mécanique. La censure n'avait pas de raison de les rejeter. Je peux comprendre qu'ils aient réussi à passer, d'une façon ou d'une autre.

— Récemment ?

— Non, répondit Skellsgard. Encore une fois, ces… gamins n'ont eu aucune possibilité de passer depuis que nous dirigeons le portail. Des agents slashers ont dû infiltrer nos services de sécurité, peut-être même se faire passer pour des Threshers. Mais les enfants ? On s'en serait aperçus.

— Ils sont pourtant arrivés, d'une façon ou d'une autre. Si le portail est le seul point d'accès, c'est par là qu'ils sont entrés.

— Alors il n'y a qu'une explication, dit Skellsgard.

Elle s'arrêta et resta un moment les yeux clos, avant de reprendre la parole :

— Comme ils n'ont pas pu emprunter le portail alors qu'il était sous notre contrôle, la seule possibilité est qu'ils sont passés avant.

Son visage se crispa et des larmes perlèrent à ses yeux. Auger comprit qu'elle tentait d'encaisser le choc.

— Avant ? Mais quand ? demanda-t-elle doucement.

— Mars est sous notre contrôle depuis près de vingt-trois ans, depuis l'armistice. Il n'y a que deux ans que nous avons découvert le portail, mais ça ne veut pas dire pour autant que quelqu'un aurait pu l'utiliser secrètement pendant toutes ces années. Nous l'aurions remarqué. Rien que la chute de tension électrique exigée pour maintenir le portail ouvert…

— Il faut pourtant croire que quelqu'un l'a fait.

— Auquel cas, ça a dû se produire il y a plus de vingt-trois ans. Juste avant l'armistice, quand Mars et ses lunes étaient sous l'autorité des Slashers. Ça n'a pas duré très longtemps… dix-huit mois environ.

— Vous voulez dire que ces bébés de guerre seraient à Paris depuis vingt-trois ans ? !

— C'est la seule explication que je voie. N'importe quel agent slasher sur T2 serait resté échoué ici à partir du moment où Mars nous a été rendu. En réalité, ça expliquerait bien des choses. Les bébés de guerre étaient stériles, et il n'avait jamais été prévu qu'ils vivent vieux.

— Aveling a parlé d'obsolescence programmée…

— Ils étaient censés être « déclassés » et retirés de la circulation avant d'entrer en décrépitude. Vous allez adorer ces euphémismes slashers. Mais ces bébés de guerre sont restés à vieillir là, tout seuls dans leur coin. C'est pour ça qu'ils ressemblent à ce que vous avez vu.

— Et qu'est-ce qu'ils ont fait pendant tout ce temps ?

— Ça, c'est une bonne question.

— Vous pouvez repartir ? demanda Auger. Je pense que nous ferions mieux d'y aller.

Skellsgard grommela un acquiescement et reprit son avance sautillante.

— Nous avons perdu le contrôle de Susan White, dit-elle entre deux souffles hachés, et l'une des explications possibles était qu'elle travaillait pour l'ennemi. Mais la connaissant, je doute que ce soit le cas.

— Je ne le crois pas non plus.

— Je pense plutôt qu'elle avait compris, au moins en partie, ce qui se passait ici, entre autres qu'il y avait déjà une présence slasher sur T2.

— Elle en a parlé à Caliskan ?

— Non, fit Skellsgard en secouant la tête. Elle devait avoir peur de se trahir. Elle ne travaillait sûrement pas pour l'ennemi, mais elle avait peut-être des doutes à propos d'un membre de l'équipe.

— Je suis plus ou moins arrivée à la même conclusion, dit prudemment Auger.

— Vraiment ?

— Oui. Pourquoi faire appel à moi pour cette mission, sinon parce qu'elle se méfiait des gens de l'intérieur ?

— Vous avez probablement raison.

— Ça veut dire qu'il va falloir que je décide à qui je peux me fier. Avec Aveling et Barton, la question ne se pose plus. Il n'y a plus que vous, Maurya.

— Et ?

— Je ne sais pas ce que Susan pensait de vous. Pour le meilleur ou pour le pire, je pense que je n'ai pas le choix ; je dois vous faire confiance.

— Eh bien, quel enthousiasme !

— Pardon. Je ne voulais pas que ça ait l'air aussi négatif. Sauf que ça ne fait plus guère de différence, maintenant que les documents ont disparu.

— Vous y avez jeté un coup d'œil, j'imagine ?

— J'ai à peine eu le temps de les parcourir, répondit Auger.

— C'est mieux que rien. Au moins, vous avez une idée de ce qui a justifié qu'on tue pour s'en emparer. Si nous pouvons rapporter ces informations à Caliskan, il pourra peut-être reconstituer le puzzle.

— Et si le problème est justement Caliskan ?

— Toutes les lettres de Susan lui étaient adressées, répondit Skellsgard. Jusqu'à la fin. Ça veut dire qu'elle avait encore confiance en lui, même si elle soupçonnait le reste du monde.

— Peut-être. Enfin, il faut bien partir de quelque part. Mais on peut lui faire passer un message ? Aveling m'a dit qu'il y avait des problèmes avec le lien.

— Il y a toujours des problème, répondit Skellsgard. C'est juste que c'est devenu pire depuis votre arrivée. Vous avez entendu parler du merdier qui se prépare chez nous ?

— Aveling m'a dit que la Fédération fomentait des troubles.

— C'est pire que ça. On a une guerre civile en bonne et due forme dans l'espace fédéré, entre les modérés et les agresseurs. Personne ne peut dire qui va l'emporter dans la mêlée. En attendant, les agresseurs déplacent leurs possessions dans les profondeurs d'un autre système, dans la sphère des EUPT.

— Ce qui constitue une déclaration de guerre, non ?

— Ce serait le cas si les EUPT n'avaient pas une telle peur de rendre les coups. Pour le moment, nos politiciens se contentent de pousser les hauts cris et d'espérer que les modérés vont serrer la bride aux agresseurs.

— Et ?

— Si ça arrive, je vous conseille d'être bien gentille.

— Je m'en fais pour mes enfants, Maurya. Il faut que je rentre. Que je m'occupe d'eux. Si les agresseurs vont jusqu'à Tanglewood…

— Tout ira bien. Nous avons eu des nouvelles de votre ex, juste avant que le lien ne débloque. Il voulait que vous sachiez qu'il avait mis vos enfants en sûreté.

— Il a intérêt, répondit Auger.

— Enfin, mon petit, il voulait juste vous rassurer. Laissez-lui au moins ça.

Auger l'ignora.

— Parlez-moi du lien. Quel est le problème, au juste ?

— Le problème, c'est que nos amis de la Fédération sont un peu trop près de Mars pour notre tranquillité. Ils connaissent la technologie du lien, bien sûr. Ils ont déjà les capteurs pour détecter et localiser les portails actifs. S'ils ont vent de l'existence d'un lien autour de Mars, ils vont le chercher. Nous devons donc le faire

400

fonctionner aussi discrètement que possible, et c'est pour ça qu'il y a des défaillances.

— Ils doivent être déjà au courant. Comment, sans ça, les enfants seraient-ils arrivés ici ?

— Mais quand nous leur avons repris Phobos, rien n'indiquait qu'ils avaient découvert le portail.

— Peut-être que c'était ce qu'ils voulaient vous faire croire, dit Auger.

Elles étaient arrivées à la lourde porte de fer qui menait à la chambre de la censure. Elle était entrebâillée, et un rai de lumière jaune, malsain, filtrait de l'intérieur.

— Elle est comme je l'ai laissée, observa Skellsgard.

— Mieux vaut faire attention quand même. Attendez-moi un instant.

Auger appuya Skellsgard contre le mur et tira l'automatique de sa ceinture en priant pour qu'il y ait encore au moins une balle dans le chargeur. Elle se faufila dans l'ouverture et balaya les coins de la pièce avec son arme.

Pas d'enfants. Pas d'enfants visibles, du moins.

Elle aida Skellsgard à entrer dans la pièce, puis claqua la porte d'acier. Ensemble, elles refermèrent la lourde serrure. La porte ne pouvait être déverrouillée que de l'intérieur.

— Comment ça va ? demanda Auger.

— Pas très bien. Je crois que je devrais desserrer le garrot…

— On va vous faire passer la censure d'abord.

La barrière jaune vif de la censure était la seule source de lumière de la pièce. Auger la voyait vibrer lorsqu'elle la regardait du coin de l'œil, mais quand elle la regardait en face, elle semblait rigoureusement fixe. Fondu dans la roche qui l'entourait, le cadre de la machine avait l'air intact, aussi antique et extraterrestre que la dernière fois qu'elle l'avait vu.

— Je vais passer la première et voir ce qui se passe, dit Auger. Je reviens dans une seconde.

— Ou non, rétorqua Skellsgard.

— Si je ne reviens pas, si je tombe sur un bec de l'autre côté… alors, il faudra que vous tentiez de survivre sur T2.

Skellsgard eut un frisson.

— Je préférerais tenter ma chance à l'âge de pierre.

— Oh, ils ne sont pas si terribles. Ils ont des anesthésiques, et une connaissance rudimentaire de la stérilisation. Si vous réussissez à vous faire emmener dans un hôpital, vous devriez avoir une chance qu'on s'occupe assez bien de vous.

— Et après ? Quand ils vont commencer à me poser des questions embarrassantes ?

— Là, vous serez livrée à vous-même, reconnut Auger.

— Je préfère prendre le risque de la censure. Laissez-moi y aller la première, d'accord ? Je suis déjà blessée, et il n'y a aucune raison qu'on soit deux à courir un risque inutile. Si tout va bien, je repasserai la tête pour vous le dire.

— Prenez ça, dit Auger en lui tendant son arme.

— Vous avez tiré avec ?

— Oui, et je ne vous promets pas qu'il est encore chargé.

Elle aida Skellsgard à s'approcher de la censure et recula alors que la blessée se hissait grâce au rail situé au-dessus. Avec un grognement d'effort et de douleur, elle réussit à prendre assez d'élan pour se projeter au-dessus du seuil. La membrane jaune vif fit un ventre vers l'intérieur, s'assombrit, devint d'une couleur brunâtre comme une ecchymose, l'avala complètement et reprit son état primitif.

En l'attendant, Auger récupéra dans son sac le pistolet qu'elle avait pris au bébé de guerre. Il était fait pour une plus petite main que la sienne, mais elle pouvait quand même le tenir, bien que pas très habilement. Il était fait de métal, et très léger par rapport à l'automatique. Enfin, c'était une arme à feu. Il y avait une détente, un pontet, un bouton coulissant qu'elle imagina être un cran de sûreté, un canon perforé, avec un trou au bout, et un mécanisme de chargement à charnière complexe qui dépassait d'un côté. L'arme était assemblée à partir de pièces courbes, lisses, qui s'encliquetaient, et elle se dit qu'elle devait aussi pouvoir être reconfigurée pour lancer ou poignarder, si nécessaire. Ce n'était pas le genre d'article qu'on pouvait s'attendre à trouver dans une armurerie de T2, mais ce n'était pas non plus une émanation de la technologie énergétique condensée du vingt-troisième siècle et des usines d'armement slashers de l'espace T1. Si étrangère qu'elle paraisse, on pouvait imaginer qu'elle avait été fabriquée à Paris, sur T2, à l'aide de la technologie locale.

La membrane jaune se déforma : le visage de Skellsgard émergea avec le *pop* caractéristique de la rupture d'une tension de surface.

— Tout va bien, dit-elle.

Auger ôta le cran de sûreté de l'arme et suivit Skellsgard à travers la barrière picotante. Juste avant de se laisser avaler, elle eut le temps de repenser aux limbes jaunes, infinis, qu'elle avait sentis une fois, lors du passage de la censure, à cette impression d'être scrutée par des esprits aussi anciens et énormes que des montagnes. Elle prit son courage à deux mains. Une partie d'elle-même désirait avidement cette expérience, l'autre la redoutait de tous les atomes de son être. Mais l'instant de la transition fut aussi bref que la première fois. Elle éprouva une résistance élastique, souple, qui céda tout à coup, comme si elle avait crevé la peau d'un tambour. Il n'y eut pas d'audience avec Dieu, ni avec les entités divines, quelles qu'elles fussent, qui avaient créé la censure et cette copie de Terre. Elle passa tout entière, sans problème. Ses vêtements, l'arme qu'elle tenait étaient encore avec elle lorsqu'elle entra dans la pièce du portail. La logique implacable de la censure avait décidé de laisser passer ces simples objets. A moins qu'elle ne se montre moins scrupuleuse à propos des objets qui quittaient T2 que de ceux qui y arrivaient.

— Personne n'est passé, dit Skellsgard.

Elle était appuyée contre une console, l'air épuisée et choquée. Son visage était un masque cendreux.

— Aucun signe des enfants ?

— Je ne pense pas qu'ils soient arrivés jusque-là. Une sacrée chance, ou ils auraient pu occasionner des dégâts irréversibles au lien, ou changer le bout en un trou blanc temporaire. *Adios*, Phobos et tout ce qui l'entourait.

— Je voudrais voir votre jambe…

— J'ai rajusté le garrot. Ça ira pour un moment.

Auger prit une trousse de premiers secours fixée à un mur, fouilla dedans et finit par trouver une dose de morphine.

— Vous pourriez vous la faire ? demanda-t-elle en lui passant la seringue. Je ne suis pas très douée pour les piqûres…

— Je m'en sortirai.

Skellsgard arracha l'emballage stérile et s'enfonça l'aiguille dans la cuisse, juste au-dessus de la blessure, mais sous le garrot.

— Je ne suis pas sûre d'avoir raison de faire comme ça, dit-elle. Enfin, je ne devrais pas tarder à le savoir.

— Il faut qu'on remette le lien en marche, dit Auger. On peut le faire ensemble ?

— Donnez-moi une seconde. En attendant, allez à la console, là-bas, dit-elle avec un mouvement de menton en direction d'un bureau, au milieu des machines. Basculez tous les interrupteurs du haut sur le vert. Et regardez s'il y a des cadrans qui restent au rouge.

— C'est aussi simple que ça ?

— Une étape à la fois, frangine. On ne fait pas la cuisine au gaz, ici. C'est avec des altérations majeures de la métrique spatio-temporelle locale qu'on fait joujou.

— J'ai fait mon testament, répondit Auger.

Elle enleva ses chaussures et se précipita vers l'escalier en spirale qui descendait vers les machines. Par bonheur, tout avait l'air intact. La nacelle de transit au nez émoussé, éculé par les tensions, était suspendue au-dessus de leur tête dans la bulle de récupération vide, accrochée dans son berceau rayé comme une guêpe, dans la direction opposée au puits gainé de miroirs qu'était le portail.

Lorsqu'elles l'auraient fait pivoter, elles n'auraient plus qu'à attendre un instant de stabilité dans le lien.

Elle s'approcha de la console que Skellsgard avait indiquée et actionna un à un les énormes interrupteurs. Les cadrans frémirent, une ou deux aiguilles restèrent dans le rouge pendant quelques instants, puis elles passèrent toutes au vert.

— Ça a l'air bien, annonça Auger.

Skellsgard s'était traînée vers la rambarde de la passerelle et regardait Auger d'en haut.

— Tant mieux. J'avoue que je n'osais trop l'espérer. Maintenant, vous voyez la deuxième rangée d'interrupteurs, sous le capot en plastique basculant ?

— Je l'ai !

— Soulevez le capot et actionnez-les aussi en surveillant les voyants. Si plus de deux passent au rouge et y restent, arrêtez tout.

— Pourquoi est-ce que j'ai l'impression que c'est le moment délicat ?

— Tout est délicat, répondit Skellsgard.

Auger commença à basculer la deuxième série d'interrupteurs, plus lentement, cette fois, en laissant le voyant, au-dessus de chaque interrupteur, clignoter et se stabiliser avant de passer au suivant. Autour d'elle, à chaque interrupteur qu'elle manœuvrait, la machinerie accentuait son bourdonnement. Sur les appareils, un peu partout autour d'elle et jusque dans la bulle de récupération, des voyants rouges et verts commencèrent à clignoter.

— J'y suis presque, dit Auger. Jusque-là, tout va bien. Le vaisseau se pilotera tout seul ?

— Une chose à la fois. On préparera l'appareil une fois qu'on aura établi la courbure de la gorge. Ça y est, vous avez la chair de poule, maintenant ?

— Pas encore.

— Vous devriez.

Auger bascula un autre interrupteur.

— Ah, attendez ! dit-elle. Le cinquième voyant reste au rouge.

— C'est bien ce que je craignais. Bon. Remettez l'interrupteur précédent dans sa position initiale et regardez si ça va mieux.

Auger s'exécuta.

— Il est passé au vert, dit-elle après quelques secondes.

— Très bien. Recommencez.

— Il redevient rouge. Je reviens à la position précédente… Désolée. Ça ne marche pas. Qu'est-ce que ça veut dire ?

— Ça veut dire qu'on a un problème. Bon, laissez ça, et passez à la console suivante. Celle avec la trousse à outils à côté. Vous voyez la manette rouge, à droite du moniteur ? Dites-moi quels chiffres vous lisez dans la troisième colonne du cadran…

Auger essuya la poussière de la vitre.

— Quinze virgule cent soixante-treize, treize virgule zéro quatre…

— Que les chiffres avant la virgule, Auger. Je n'ai pas besoin d'une précision à la décimale près.

— Tous les chiffres sont entre dix et vingt.

— Et merde ! Ce n'est pas bon. La stabilité est encore compromise.

— On va pouvoir rentrer quand même ?

— Ce ne sera pas facile.

Auger se détourna de la console et regarda Skellsgard.

— Et si on attend un peu ? Est-ce que la situation a une chance de s'améliorer ?

— C'est possible. D'un autre côté, il se pourrait que ça empire. Et on ne peut pas dire combien de temps l'instabilité va durer. Ça pourrait prendre des heures. Des dizaines d'heures, peut-être même des jours.

— On ne peut pas attendre aussi longtemps, pas alors que ces sales gamins peuvent se pointer d'un instant à l'autre. Quand vous dites que ce ne sera pas facile, qu'est-ce que ça veut dire ? Que ça devrait être possible quand même ?

— En effet, répondit Skellsgard. Pour l'une de nous deux. Il faut que nous stabilisions la géométrie de la gorge, de ce côté-ci, et ça va exiger une énergie que nous n'aurons pas toujours.

— Tant pis, répondit Auger avec un haussement d'épaules. Quelle importance si le lien se referme une fois que nous serons parties d'ici ?

Skellsgard secoua la tête.

— Ce n'est pas si simple. Ecoutez, je ne vais pas vous faire un cours sur la théorie de l'hypervide, mais l'embouchure locale doit rester ouverte jusqu'à ce que nous arrivions à l'autre bout. Si elle se referme, ça risque d'aller mal, et si elle se referme brusquement, ça risque d'aller très très mal. Pour commencer, nous courons le risque de perdre le lien. Et bien que la fermeture, vue de Paris, risque d'être un événement à relativement faible énergie, toute l'énergie libérée par l'effondrement du tunnel se précipitera vers l'extrémité de Phobos. Imaginez que vous tiriez sur un énorme élastique en le tenant à deux mains, et que vous lâchiez un bout – vous voyez le tableau ? Et même si le choc n'est pas assez violent pour provoquer l'effondrement du lien, nous surferions sur une onde de stress majeure pendant le transfert. Un soliton nous pourchasserait jusque chez nous.

— Un soliton ? Qu'est-ce que c'est que ça ?

— Une sorte de pli dans un tapis ; un pli très très hargneux.

— D'accord. Je vous fais grâce du reste. Maintenant, qu'est-ce qu'on peut faire ? On peut empêcher l'embouchure de se refermer ?

— Oui, répondit Skellsgard. Quand la capsule aura franchi le sphincter, la puissance pourra être réduite à un niveau que les générateurs pourront supporter jusqu'à ce que le vaisseau arrive à destination.

— Ça ne m'a pas l'air trop compliqué…

— Ça ne l'est pas. L'ennui, c'est qu'on n'a jamais réussi à automatiser la procédure. On a toujours supposé qu'on aurait une équipe ici, ou qu'on pourrait y rester indéfiniment, jusqu'à ce que la stabilité s'améliore.

— Je vois, dit calmement Auger. Eh bien, vous devriez me montrer comment il faut faire.

— Pas question, répondit Skellsgard. Ne le prenez pas mal, mais ce n'est pas exactement le genre de chose qu'on apprend en fac d'histoire. Vous montez dans le module. Je manœuvre l'embouchure.

— Et les pseudo-enfants ?

— Ils ne sont encore jamais venus ici. Je suis pratiquement sûre que je serai en sûreté en attendant l'arrivée d'une équipe de secours.

— Mais ça risque de prendre des jours, dit Auger.

— Une soixantaine d'heures s'ils peuvent retourner immédiatement le module et si les conditions de stabilité sont optimales. Un peu plus longtemps dans le cas contraire.

— Je ne vais pas vous laisser ici.

— Je tiendrai le coup, dit Skellsgard. C'est vous qui avez les informations critiques, pas moi.

— J'ai perdu presque toutes ces informations dans le tunnel.

— Mais vous les avez vues. C'est toujours ça.

Auger fonça vers l'échelle, et Skellsgard.

— En quoi consiste au juste le contrôle de l'embouchure ?

409

— C'est une procédure technique assez astreignante.

— Elle ne peut pas l'être tant que ça, ou vous l'auriez déjà automatisée. Allez, Skellsgard, dites-moi en quoi elle consiste !

Skellsgard tiqua.

— Ça consiste à attendre trente ou quarante secondes après le départ, puis à abaisser le niveau d'énergie à dix pour cent environ.

— A l'aide des interrupteurs que vous m'avez montrés ?

— Plus ou moins.

— Je pense que même une vulgaire stagiaire en histoire pourrait s'en charger. D'accord : commençons à préparer le module. Vous me direz le reste pendant ce temps-là.

— Ce n'est pas comme ça qu'on va faire..., commença Skellsgard.

— Ecoutez, si vous ne faites pas soigner votre jambe tout de suite, vous allez la perdre.

— Eh bien, on m'en fera pousser une autre. J'ai toujours rêvé de faire un tour dans les hôpitaux de la Fédération.

— Vous voulez courir le risque ? Personnellement, je ne ferais pas ça, surtout avec le bordel que ça doit être chez nous.

— Je ne peux pas vous laisser faire, insista Skellsgard.

Auger prit l'arme du bébé de guerre et la braqua sur Skellsgard.

— Vous voulez que je vous menace avec ça ? Eh bien, comptez sur moi. Allez, frangine, on prépare ce module.

18

A deux heures de l'après-midi, les portes de la brasserie s'ouvrirent à la volée, et Floyd leva les yeux comme il l'avait déjà fait plusieurs dizaines de fois depuis qu'il avait commandé son dernier café ; chaque fois que les clients entraient et sortaient, en fait. Il y avait trois autres tasses vides sur sa table, ainsi qu'un verre de bière et les miettes de ce qui avait dû être un sandwich indéfinissable, particulièrement rassis. Il pleuvait toujours, dehors, et une gouttière percée déversait une cataracte sur le montant de la porte. Les clients se faisaient saucer en entrant et en ressortant, mais personne n'avait l'air de se plaindre. Même Greta, lorsqu'elle arriva, parut davantage soulagée de le trouver encore là qu'ennuyée par le temps.

— Je pensais que tu serais déjà parti, dit-elle en secouant son parapluie.

Elle était trempée, et dans ses cheveux frisottés perlaient des petites gouttes de pluie.

— Je me suis dit qu'il valait mieux ne pas changer notre rendez-vous, dit Floyd.

Il enleva le pardessus qu'il avait posé sur la chaise, en face de lui, pour que personne ne s'asseye à sa

411

table. Il voulait avoir une bonne vue de la devanture et de l'hôtel en face, pour ne pas rater Verity Auger si elle entrait ou sortait.

— Mais je dois admettre, poursuivit-il, que je commençais à me demander si je n'avais pas choisi la mauvaise brasserie. Que s'est-il passé ?

— Elle est partie, répondit Greta en s'installant avec un soulagement visible. Je n'avais pas plus tôt raccroché que je l'ai vue quitter l'hôtel.

— Tu veux boire quelque chose ?

— Je tuerais pour un café !

Floyd fit signe au garçon et passa commande.

— Alors raconte-moi ce qui s'est passé. Donc, tu l'as suivie. A ton avis, elle a quitté l'hôtel pour de bon ?

— Non. Elle n'avait pris que son sac à main. Pour ce que j'en sais, elle aurait pu revenir cinq minutes plus tard. Mais je ne pouvais pas courir ce risque.

— Tu as bien fait. Tu as réussi à la suivre ?

— Je pense que je m'en suis mieux tirée que ce matin. J'ai gardé mes distances, et j'ai essayé de changer de look tous les pâtés de maisons ou à peu près : en repliant mon parapluie, en mettant mon chapeau, mes lunettes, ce genre de trucs. Je ne pense pas qu'elle m'ait repérée.

Greta sucra son café et l'avala quasiment d'une seule gorgée.

— Où est-elle allée ?

— Je l'ai suivie jusqu'à Cardinal-Lemoine. Et c'est là que je l'ai perdue.

— Perdue ? Comment ça ?

— Accroche-toi, dit Greta. Je suis descendue derrière elle dans le métro. Je l'ai suivie jusque sur le quai, en restant à distance. Je me suis cachée derrière un distributeur automatique. Une rame est arrivée, puis une seconde. Elle n'a pris aucune des deux.

— Bizarre, dit Floyd.

— Moins que ce qui est arrivé après. Elle a disparu, comme ça. En un clin d'œil. Un instant, elle était sur le quai, et le suivant elle n'y était plus.

— Et aucune rame n'était arrivée ?

Greta baissa la voix, comme si elle avait bien conscience de l'absurdité de son récit :

— Non. Et il n'y a pas d'autre issue par où elle aurait pu sortir. Il aurait fallu qu'elle passe devant moi.

Floyd fixait sa tasse de café du regard. Après la quatrième tasse, il avait cessé de le savourer, il le buvait mécaniquement, comme un médicament censé l'aider à rester en éveil.

— Elle n'a pas pu s'évaporer.

— Je n'ai jamais dit ça. C'est l'impression qu'on aurait pu avoir, mais il y avait quelques autres personnes sur le quai. J'ai décidé que je n'avais plus rien à perdre, et je leur ai demandé s'ils avaient vu quelque chose.

— Tu as bien fait, répondit Floyd. Alors, qu'est-ce que ça a donné ?

— Eh bien, au moins l'un des témoins était sûr d'avoir vu Auger descendre sur les rails et disparaître dans le tunnel au bout du quai.

Floyd ingurgita l'information en même temps que son café, qu'il vida jusqu'à la dernière goutte.

— Il y a quelque chose dans le métro, à Cardinal-Lemoine. Blanchard nous avait dit qu'il avait vu Susan White se conduire bizarrement du côté de cette station. Il l'avait vue y entrer avec une grosse valise et en ressortir un peu plus tard avec une valise vide. Ça ne peut pas être une coïncidence.

— Mais pourquoi une femme disparaîtrait-elle dans un tunnel de métro ?

— Pour la même raison que n'importe qui d'autre : il y a, dedans, quelque chose d'important pour ces gens-là.

— A moins qu'ils ne soient tous dingues, objecta Greta.

— On ne peut pas exclure cette possibilité non plus. Tu l'as vue ressortir ?

— J'ai attendu trois quarts d'heure. Il y a eu une sorte d'interruption du service pendant quelques minutes, et puis les rames ont recommencé à circuler normalement. Plusieurs dizaines de rames sont passées comme ça. Personne n'est ressorti du tunnel.

— Et personne n'a pensé à signaler l'incident au personnel de la station ou à la police ?

— Pas le type auquel j'ai parlé, en tout cas, répondit Greta. Ce n'était pas le genre à tenter une démarche aussi responsable.

Floyd demanda l'addition.

— D'accord. D'après moi, pour retrouver Auger, il y a deux solutions : on peut couvrir l'hôtel, au cas où elle y reviendrait, ou on peut couvrir la station Cardinal-Lemoine dans l'espoir qu'elle ressorte du tunnel, ou qu'elle y retourne, dans l'hypothèse où elle en serait ressortie sans qu'on la voie.

— Et la prochaine station sur la ligne ? Si elle avait marché jusque-là ?

— J'espère qu'elle n'a pas fait ça. Ça aurait encore moins de sens que de descendre dans le tunnel, déjà, pour commencer. Je ne peux que supposer qu'elle a déposé ou pris quelque chose dans le tunnel.

— Tu parles de « couvrir » ces endroits, comme si on disposait d'une main-d'œuvre illimitée, dit Greta.

Alors qu'en fait on est deux, et que l'une de ces deux personnes doit s'occuper de sa tante.

— Je sais, répondit Floyd. Et je ne te demande plus rien. Ce que tu as déjà fait m'a beaucoup aidé.

— Sauf que je l'ai perdue, répondit Greta.

— Non. Tu as démontré que les faits et gestes de Verity Auger ne collaient pas avec son histoire. Jusque-là, il y avait encore une faible chance qu'elle ait vraiment été la sœur de Susan White.

— Et maintenant ?

— Maintenant ? Je parierais que nous avons affaire à deux espionnes.

— Là, tu t'avances, objecta Greta. Si Custine était là, il te dirait exactement comme moi : prends tout ce que tu sais, va trouver les gens qu'il faut et raconte-leur tout. Ils n'ont rien contre toi, Floyd.

— Il faut que je tire Custine d'affaire. Et la seule façon de le faire, c'est de suivre cette femme.

— Elle t'a tapé dans l'œil, hein ?

— Pas mon genre, répondit Floyd en récupérant son manteau.

— N'empêche qu'elle t'a tapé dans l'œil.

Floyd secoua la tête en riant. Et en évitant le regard de Greta.

Dans la bulle de verre armé de la nacelle de récupération, les voyants de la capsule de transit clignotaient avec une régularité hypnotique.

— Ça tourne, dit Skellsgard, appuyée contre une console au niveau supérieur. Vous êtes sûre de vouloir faire ça, Auger ?

— Dites-moi ce que je dois faire, c'est tout. Je m'occuperai du reste.

La nacelle rayée commença à pivoter de cent quatre-vingts degrés. Par contraste avec les machines étincelantes qui l'entouraient, le module de transfert faisait figure de relique invraisemblablement esquintée, digne d'un musée d'histoire de l'espace : le genre de capsule qui aurait sillonné le vide intersidéral, pilotée par des hommes à poigne qui comptaient sur la détermination et des calculs rudimentaires pour rentrer chez eux. Auger savait que le module s'était ainsi déglingué au cours d'un unique transfert d'un portail à l'autre, et que, le temps d'émerger sur Phobos, d'ici une trentaine d'heures, il serait à peu près deux fois plus amoché.

Skellsgard passa en revue les options affichées sur un moniteur.

— Le module a l'air en assez bon état, conclut-elle. Heureusement, parce que nous avons assez de problèmes avec le sphincter pour ne pas avoir besoin de nous préoccuper aussi de ça.

— Vous croyez que vous tiendrez le coup ?

Skellsgard hocha la tête.

— J'y arriverai. De toute façon, je n'ai pas le choix.

— C'est comme ça que nous devons faire, dit Auger. Mais j'ai hâte que vous envoyiez l'équipe de secours, lorsque vous aurez réussi à traverser.

— Ils repartiront le plus vite possible. Vous avez ma parole.

— Parfait. Bon, je vais vous aider à vous installer.

Auger aida Skellsgard à grimper sur la passerelle qui permettait d'accéder au sas étanche encastré dans la coque de la bulle de récupération. Elle remarqua que la blessée s'affaiblissait : malgré les soins qu'elle avait pu lui administrer grâce à la trousse de premiers secours, elle semblait sur le point de perdre conscience. Auger espérait seulement pouvoir la faire partir avant. Et aussi qu'en refaisant les manœuvres requises elle empêcherait le sphincter de se refermer.

La porte du sas pivota sur des charnières activées par de gros pistons. Auger se rappelait à peine s'être traînée hors du module, il y avait une éternité de cela, à ce qu'il lui semblait. Elle aida, avec toute la délicatesse possible, Skellsgard à franchir le sas puis la passerelle de connexion pressurisée qui menait à la capsule en attente.

— Je devrais peut-être vous mettre une attelle à la jambe avant de vous attacher, proposa Auger.

— Pas le temps. Je ne veux pas retarder votre récupération d'une seconde. Et puis, ils m'ont bien amochée, mais je ne pense pas avoir quoi que ce soit de cassé. Arrêtez de vous en faire pour moi, d'accord ? Vous en avez déjà assez fait.

Auger avait constaté, lors du voyage aller, que le module était équipé de couchettes anti-g pour trois personnes. Fermant ses oreilles aux gémissements de douleur de Skellsgard, elle l'aida à s'allonger sur la couchette de droite, boucla soigneusement les sangles qui la retenaient et déploya les consoles de navigation et de communication. Puis, pensant que Skellsgard n'aurait pas la force de se traîner vers les minuscules toilettes, elle tendit la main vers un écheveau de cathéters.

— Vous voulez que je vous connecte avant votre départ ?

— Je m'en sortirai, répondit Skellsgard en faisant la grimace. Et même si je n'y arrive pas, ma dignité ne devrait pas trop en souffrir. Vous avez réfléchi à ce que je devrai dire à Caliskan en arrivant ?

Auger fouilla dans sa veste et en sortit l'unique bout de papier qu'elle avait réussi à sauver des pseudo-enfants.

— Vous pouvez patienter encore une minute ? Je voudrais lui mettre un mot.

— Au cas où je serais dans le coma à l'arrivée ?

— Ce n'est pas à exclure, mais je voudrais aussi prendre des notes pour moi.

Auger ressortit du module et retourna vers l'une des consoles, où elle avait repéré un bloc et un stylo. Sur une feuille, elle décrivit rapidement tout ce qu'elle se rappelait des documents de Susan White. Puis elle déplia la lettre de l'aciérie de Berlin qu'elle avait récupérée dans le tunnel et recopia sur une autre feuille l'adresse de l'usine et le nom de l'homme qui avait écrit à White. Ensuite, elle regagna la capsule, où elle fut soulagée de retrouver Skellsgard encore consciente.

— C'est le seul document que le bébé de guerre n'a pas fauché dans le tunnel, dit-elle en repliant le papier sur lequel elle avait noté ses observations et en glissant les deux feuilles dans la poche poitrine de Skellsgard. C'est tout ce qui me revient pour l'instant. Ce n'est pas énorme, mais peut-être que Caliskan arrivera à comprendre ce qui se passe. Et puis j'en saurai peut-être un peu plus quand je reviendrai de Berlin.

— Qui a parlé de Berlin ?

— Je vais suivre l'une des pistes que Susan White n'a pas eu le temps d'explorer elle-même.

Skellsgard secoua la tête d'un air réprobateur.

— C'est extrêmement dangereux. A Paris, on n'est jamais à plus d'une heure du portail. Mais de Berlin, combien de temps vous faudra-t-il pour revenir si quelque chose cloche ?

— Aucune importance. Le portail ne me servira à rien tant que le module ne sera pas revenu. Et je devrais pouvoir aller à Berlin et en revenir largement à temps.

— Vous voulez dire que vous n'en êtes pas absolument sûre ?

— Je n'ai pas eu le temps de programmer ça en détail, reprit Auger. Mais ce que je sais, c'est qu'il y a une piste à Berlin, et que Susan l'aurait suivie si elle ne s'était pas fait tuer. Je lui dois bien de faire le maximum. Il y a un train de nuit qui part ce soir, et j'ai l'intention de le prendre. Je serai à Berlin demain matin, et avec un peu de chance je serai rentrée le soir même.

— Avec un peu de chance, releva Skellsgard.

— Ecoutez, ne vous en faites pas pour moi. Rentrez chez vous et remettez ça à Caliskan en mains propres. J'ai l'impression que la lettre est plus importante que nous ne le pensons.

Skellsgard serra la main d'Auger.

— Vous n'êtes pas obligée de me renvoyer à votre place, mais j'apprécie. C'est courageux, ce que vous faites.

Auger prit l'autre main de la femme et la serra à son tour.

— Ce n'est pas un gros sacrifice, vous savez. Ça me permettra de voir un peu plus de ce monde avant d'en repartir pour de bon.

— Pour un peu, je vous croirais.

— Non, vraiment, c'est ce que je pense. Il y a une partie de moi qui voudrait bien repartir avec vous, dans cette capsule, mais une autre partie n'a qu'une envie : s'immerger le plus possible dans T2. J'en ai à peine effleuré la surface, Skellsgard. Et aucun de nous n'en a fait davantage.

— Faites bien attention à vous, Auger.

— Ne vous inquiétez pas pour moi. Bon, on va vous enfermer, maintenant, et mettre ce fourbi en route.

Auger recula vers le sas.

— Vous avez compris le réglage du sphincter ?

— Si ça secoue un peu, vous saurez pourquoi.

— Toujours aussi réconfortante…

Auger repoussa la porte et recula alors que les servomoteurs achevaient la manœuvre de fermeture. Quelques pouces de métal blindé la séparaient maintenant de Skellsgard, et elle se sentit tout à coup beaucoup plus seule. Elle retraversa le sas, puis effectua la séquence de commande de déconnexion ombilicale, qui s'achevait par la rétraction de la passerelle. Derrière le hublot rayé et étoilé ménagé dans la paroi du module, elle vit une dernière fois Skellsgard, qui levait le pouce à son intention. Auger retourna vers le cercle principal de consoles et essaya de se vider complètement l'esprit de tout ce qui n'était pas les étapes nécessaires au lancement du module.

Aucune des phases de la procédure n'était particulièrement compliquée. La stabilisation initiale du sphincter et le lancement étaient gérés par une routine préprogrammée qui se déroula exactement comme prévu. Dans les structures de bronze translucides de machinerie non humaine, les étincelles et les filaments de lumière ambrée en lévitation accélérèrent imperceptiblement leur mouvement. Sur les grumeaux et les plaques environnantes de mécanismes humains, les voyants rouges et verts clignotèrent et vacillèrent, et des écrans affichèrent des données numériques. Sur la console, devant elle, les aiguilles des cadrans analogiques passèrent au rouge, mais elle savait que ça pouvait arriver, et elle ne s'inquiéta pas exagérément. Sous ses pieds, la passerelle en caillebotis entra en vibration. Elle augmenta l'énergie du sphincter, et une caisse à outils en métal tomba d'une console, au milieu de la pièce, répandant son contenu de clés et de pinces et la faisant sursauter.

Sur la console, des lumières passèrent l'une après l'autre à l'orange, en séquence : le lien était maintenant suffisamment ouvert pour laisser passer le module. Les index de tension géodésique étaient assez bas pour ne pas le déchiqueter, pourvu qu'il plonge tout droit au milieu sans effleurer les parois.

Auger trouva des lunettes protectrices et inclina la tige d'un micro vers sa bouche.

— Skellsgard ? Vous me recevez ?

Un haut-parleur protégé par une grille situé au milieu de la console lui renvoya sa réponse, noyée dans un bourdonnement. Elle paraissait ténue et lointaine, comme si elle était à des centaines de kilomètres de là :

— Vu d'ici, tout a l'air OK. Finissons-en.

Auger vérifia que les voyants orange étaient fixes.

— Injection dans cinq secondes…

— Epargnez-moi le compte à rebours. Faites-le, c'est tout.

— Allez, c'est parti !

Le mouvement fut plus violent qu'Auger ne l'avait anticipé ; la nacelle fit un soudain bond en avant, propulsant le module de plus en plus vite. En un clin d'œil, nacelle et module eurent quitté le globe principal de la bulle de récupération, faisant craquer toute la structure. Auger regarda la nacelle se ruer comme une torpille dans le tunnel d'injection tapissé de miroirs. Deux ou trois secondes plus tard, elle arrivait à la limite du rail de guidage et s'arrêtait net, projetant le module devant elle sur l'arc paresseux d'une trajectoire balistique. L'embouchure du trou de ver, maintenant révélée par l'ouverture de l'iris, était un vortex de décharges d'électricité statique béant comme la gueule d'une étoile de mer. Des bras munis de ressorts jaillirent de la carlingue du module et rebondirent sur les parois incurvées, crachant des volutes de lumière et de métal en fusion. Un instant plus tard, les lambeaux de métal tordus comme de la guimauve se détachèrent, mais ils avaient rempli leur office. Dans une gerbe finale d'étincelles dorées, la capsule acquit une accélération phénoménale, se réduisant en un clin d'œil à un point lumineux.

Tout autour d'elle, des sirènes d'alarme retentirent, des lumières flashèrent. Une voix enregistrée commença à répéter un message où il était question de niveaux de puissance impossibles à maintenir. Malgré le vacarme, elle entendit une voix lointaine :

— Auger… vous me recevez ?

Auger se rapprocha du micro et regarda sa montre.

— Eh bien, vous avez réussi à partir. Comment c'était ?

— Intéressant.

La voix de Skellsgard était déjà hachée, réduite à un filet. Communiquer par le lien était assez difficile quand il n'y avait pas de module en transit dedans, et quand il y en avait un c'était quasiment impossible.

— Skellsgard, je ne sais pas si vous m'entendez, mais je vais amorcer la restriction contrôlée du sphincter d'ici quinze secondes…

En guise de réponse, le micro émit un craquement inintelligible. De toute façon, ça n'aurait rien changé. Les dés étaient jetés.

Elle descendit l'escalier en spirale qui menait à la console inférieure, regarda à nouveau sa montre et commença à diminuer l'énergie stabilisatrice, comme le lui avait montré Skellsgard. Bientôt, les sirènes, les éclairs stroboscopiques et les messages d'avertissement s'estompèrent, la laissant seule dans le chaud bourdonnement de la machinerie environnante. Les étincelles et les filaments ambrés avaient disparu. Elle remonta au niveau supérieur et scruta les profondeurs du sphincter : il n'y avait pas trace du module qui venait de partir, la nacelle regagnait la bulle de récupération, et un mécanisme de balayage circulaire débarrassait le tube des débris des bras de guidage abandonnés à l'intérieur.

— Skellsgard ? Maurya ? appela-t-elle dans le micro.

Pas de réponse.

Skellsgard enverrait peut-être un signal par le lien après son arrivée, mais selon toute vraisemblance Auger ne saurait si elle était bien rentrée qu'en voyant un nouveau module tomber dans la bulle.

Et à ce moment-là elle voulait être revenue de Berlin.

Le troisième passage d'Auger par la censure fut aussi peu spectaculaire que les deux précédents. Après un frisson, elle se redressa et rassembla quelques objets utiles pour la suite de sa mission : une torche en état de marche, des vêtements propres et des liasses de monnaie locale qu'elle fourra dans une mallette rouge. Elle avait récupéré l'automatique de Skellsgard et trouvé un chargeur plein sur une étagère, dans la salle de la censure. Il était maintenant dans son sac à main, avec l'arme du bébé de guerre. Elle appréciait de se sentir armée pour entreprendre le lent et sale trajet de retour dans la station. Dix minutes plus tard, elle entra dans le tunnel du métro, sa torche arrachant des reflets aux rails électrifiés, mortels.

Sa respiration se bloqua dans sa gorge.

Elle avait juste oublié un léger détail…

Aveling et les autres ayant disparu, il n'y avait plus personne pour couper l'alimentation électrique, le temps qu'elle sorte du tunnel. Or les trains ne cesseraient de circuler pour la nuit que d'ici une douzaine d'heures, et comment sortirait-elle de la station, qui serait alors fermée ? Si elle ne pouvait s'échapper avant la réouverture du métro, le lendemain matin, elle aurait perdu près d'une journée sur les soixante heures dont elle disposait avant le retour du module. Elle pourrait sûrement trouver un moyen de couper le courant en provoquant un court-circuit, mais elle ne pourrait pas le rétablir quand elle serait sortie du tunnel. Et il était trop risqué de ne pas le rétablir : il ne manquerait plus que les ingénieurs du métro fourrent leur nez dans le tunnel, et qu'ils découvrent l'entrée de la galerie qui menait au portail.

Auger laissa passer une rame, recroquevillée dans le tunnel secondaire, encaissant la gifle d'air chaud générée par la motrice. Elle vit les lumières des voitures se ruer à quelques centimètres de son visage. Une autre rame arrivait dans l'autre sens en rugissant. Elle était à peu près vide. L'heure de pointe était passée, mais les rames continuaient à circuler sur le même rythme. Auger maudit l'organisation du métro pour son dévouement et son efficacité aveugles.

Elle n'avait pas le choix : elle devait tenter sa chance. Elle estima qu'elle avait une minute et demie devant elle pour arriver à Cardinal-Lemoine, deux si elle avait de la chance, en espérant qu'elle ne trébucherait pas ou qu'elle ne se ferait pas piéger dans le tunnel si une rame passait plus tôt que prévu.

Finissons-en, se dit-elle.

Elle s'élancerait dès que la rame suivante serait passée. Elle banda ses forces. Une minute plus tard, aucune rame n'était passée, d'un côté comme de l'autre. Une autre minute s'écoula encore, puis une troisième. Au bout de cinq minutes, elle entendit enfin une rame approcher dans un concert de grincements et de bruits de ferraille. Au cours de ces cinq minutes, elle aurait eu amplement le temps de rejoindre la station. Les trains suivants recommencèrent à se succéder à la cadence d'un toutes les deux minutes à peu près.

Inutile d'attendre davantage.

Alors que les lanternes rouges de la dernière rame disparaissaient dans le tunnel devant elle, elle se mit en route.

Elle avançait, le dos collé au mur, ses vêtements se prenant dans le magma de tuyaux et de câbles électriques noirs de crasse fixé sur la paroi. Elle tenait sa mallette derrière elle, la soulevant aussi haut que ses forces le lui permettaient. Elle ne pouvait s'empêcher de heurter le mur et de s'érafler contre ses aspérités. Elle n'avait pas trébuché à l'aller, se disait-elle, et elle avait réussi à parcourir la distance pendant le temps qu'Aveling lui avait accordé. Rien n'avait changé, sauf que le châtiment pour le moindre faux pas risquait d'être plus sévère. Elle ne pouvait pas se permettre la moindre erreur : un pas de travers et c'en serait fini.

Passé une légère courbe, elle distingua devant elle la lueur froide de la station Cardinal-Lemoine. Elle semblait encore très loin, trop loin pour qu'elle y arrive pendant la minute qui devait lui rester. Elle paniqua. L'angoisse lui nouait la gorge, et elle dut se retenir de faire demi-tour et de repartir dans l'autre sens.

Non, s'ordonna-t-elle fermement. Continue à avancer.

Elle n'avait pas plus de chances d'arriver saine et sauve si elle repartait en sens inverse. Tous ses muscles crispés, posant un pied après l'autre, avec détermination, elle avançait, lentement mais régulièrement. Une rame passa, de l'autre côté, le souffle la plaquant un long instant contre la paroi. Elle se remit en marche, les yeux fixés sur la lumière, maintenant beaucoup plus vive, qui se reflétait sur les carreaux émaillés entourant l'ouverture du tunnel. Elle pouvait apercevoir les gens sur le quai d'en face. Personne ne l'avait encore remarquée. La valise rebondissait contre le mur, derrière elle, délogeant la crasse incrustée.

Puis les gens commencèrent à bouger sur le quai qui se trouvait de son côté et s'approchèrent du bord, comme mus par une décision prise collectivement.

Elle n'allait pas y arriver.

Presque aussitôt, les lumières vives d'une motrice apparurent à l'autre bout de la station. L'engin s'arrêta le long du quai, se figea pendant ce qui fit à Auger l'impression de n'être qu'une poignée de secondes et redémarra.

Alors que le train entrait dans son bout de tunnel, elle vit des arcs électriques danser entre les rails d'alimentation et le dessous de la motrice, des éclairs redoutables, bleu violacé, comme ceux qu'elle avait entrevus un moment plus tôt dans le sphincter du trou de ver. Le train oscillait et tanguait en approchant, semblant remplir toute la largeur du tunnel. Auger regretta de ne pas avoir fait plus attention en venant, de ne pas avoir repéré les niches et les anfractuosités de la paroi où elle aurait pu s'abriter. Elle n'avait plus qu'une chose à faire : rester parfaitement immobile, le dos collé au mur, épousant les creux et les bosses des tuyaux et des câbles qui s'enfonçaient dans sa colonne vertébrale comme autant d'instruments de torture médiévaux. Elle se plaqua encore plus fermement au mur, essayant de s'intégrer dans la structure, de s'y fondre, tel un reptile camouflé. La rame se rapprocha en rugissant, poussant devant elle une masse d'air qui fit voltiger des détritus. Des rats détalèrent dans les ténèbres. Elle pensa que le conducteur de la rame devait la voir, maintenant, mais la rame approchait toujours, son rugissement d'acier remplissant son univers comme un cri de guerre.

Auger ferma les yeux. Aucune raison de les garder ouverts jusqu'à la dernière seconde. Le rugissement atteignit un crescendo, elle eut l'impression d'avaler à pleins poumons des bouffées d'huile et de poussière. Elle éprouva une violente secousse dans le bras gauche, comme si le train le lui arrachait de l'épaule. Le rugissement se poursuivit, interminable, puis commença à diminuer. Des réverbérations suivirent le dernier wagon, le long du tunnel, et puis ce fut le silence, à nouveau.

Auger rouvrit les yeux et osa reprendre son souffle. Tout allait bien ; son bras était toujours attaché à son épaule, et n'avait même pas l'air disloqué. Mais sa valise gisait, éventrée, à une dizaine de pas de là. Les vêtements propres qu'elle avait préparés étaient répandus sur le ballast, maculés de crasse. Deux liasses de fausse monnaie gisaient, inaccessibles, entre les rails, et une troisième apparut, entre ses pieds, dans le pinceau lumineux de sa torche.

Auger récupéra la liasse de billets, son instinct lui commandant d'abandonner tout le reste et de ressortir du tunnel le plus vite possible. Quelqu'un – probablement un employé sous-payé du métro – profiterait d'un généreux bonus.

Elle arriva à l'entrée du quai juste au moment où une autre rame ralentissait et entrait dans la station Cardinal-Lemoine. Elle s'attarda dans le noir jusqu'à ce que la rame s'arrête et que les passagers, sur le quai, commencent à s'approcher des portes. Le conducteur, face à elle, prit un journal posé sur son poste de conduite, le retourna distraitement à la dernière page, prit un crayon sur son oreille et griffonna quelque chose.

Auger profita de ce moment d'inattention pour grimper sur le quai. Les passagers qui venaient de descendre de la rame se dirigeaient vers la sortie, à l'autre bout du quai, en petits groupes épars. Si elle arrivait à se fondre dans la masse, elle pourrait regagner la surface sans que quiconque s'avise qu'elle n'était pas descendue du métro. Mais elle avait une bonne distance de quai désert à parcourir avant de rejoindre la petite foule, et il y avait au moins quatre personnes assises là, contre les murs de la station, à attendre on ne savait quoi, et devant lesquelles il lui fallait passer sans se faire remarquer, en dépit de ses vêtements froissés et maculés.

Les portes se refermèrent dans un sifflement d'air comprimé, et le train se remit en branle. Auger s'avança aussi nonchalamment que possible sur le quai, déterminée à rejoindre ce qu'il restait de voyageurs sur le quai. Une fois à la surface, on la laisserait tranquille : encore une femme qui vivait des moments difficiles, quelqu'un à éviter à tout prix.

— Mademoiselle, par ici, s'il vous plaît, dit alors un homme, d'une voix calme mais autoritaire.

Elle se retourna et vit l'un des individus, jusque-là assis, se lever et s'approcher d'elle en enfonçant son chapeau sur sa tête avec détermination. Il avait laissé sur le banc le journal qu'il lisait et se révélait maintenant porter l'uniforme bleu marine des employés du métro.

— Pardon ? répondit Auger.

— Venez avec moi, mademoiselle. Nous voudrions vous poser quelques questions.

— Je ne comprends pas. Qu'est-ce que j'ai fait ?

— C'est ce que vous allez nous dire. Si vous voulez bien m'accompagner au bureau, ajouta-t-il en lui montrant une porte d'un vert éteint portant l'inscription *ENTRÉE INTERDITE*. Et pas d'esclandre, ça ne servirait à rien.

Elle ne bougea pas. C'était un petit bonhomme sans âge, à la moustache grisonnante et au nez bulbeux sillonné de veinules violacées. Auger se dit qu'il avait l'air de craindre qu'elle ne fasse une scène.

— Ecoutez, je ne vois pas ce que...

— On nous a signalé tout à l'heure qu'une jeune femme se trouvait dans le tunnel, dit-il en baissant le ton. Nous étions dubitatifs, bien qu'il y ait au moins deux témoins. A titre de précaution, j'ai décidé de monter la garde moi-même, au cas où quelqu'un ressortirait du tunnel.

— Mais vous n'avez vu personne, insista Auger. Pas moi, en tout cas, je viens de descendre du train.

— Je sais ce que j'ai vu.

— Eh bien, vous vous êtes trompé, voilà tout.

Il se dandina d'un air incertain, se demandant sans doute s'il devait user de la force pour la persuader d'entrer dans la pièce ou appeler un collègue à la rescousse.

— Je vous en prie, ne compliquez pas la situation, dit-il. Nous serions en droit d'appeler la police. Mais une simple explication nous suffira peut-être, et nous pourrons en rester là.

— Il y a un problème ? demanda une autre voix, avec un accent différent.

Auger tourna la tête. Un autre passager s'approchait d'eux, les mains dans les poches d'un long pardessus gris. Il portait un chapeau au bord rabattu, mais elle le reconnut tout de suite :

— Wendell !

— Que se passe-t-il, Verity ?

Floyd semblait attendre qu'elle joue un rôle dont il était seul à connaître le scénario. En bafouillant, elle répondit :

— Je n'en ai pas la moindre idée. Cet homme voudrait m'emmener je ne sais où, je ne sais pourquoi.

Floyd examina l'employé avec une sorte d'attention patiente.

— Et pourquoi, au nom du ciel, pourriez-vous bien vouloir faire une chose pareille ?

— Vous connaissez cette dame, monsieur ?

— Si je la connais ? Je pense bien. C'est ma femme.

— Alors vous pourriez peut-être m'expliquer ce qu'elle faisait dans le tunnel.

— De quoi diable parlez-vous ? fit Floyd.

Il enleva son chapeau, lissa ses cheveux, en une parfaite expression d'incompréhension.

L'homme gratta son nez rougeaud, aux veinules éclatées.

— Je sais ce que j'ai vu. Il vaudrait peut-être mieux poursuivre cette conversation dans un endroit plus tranquille.

— Si vous voulez, répondit Floyd. Mais je vous assure que vous commettez une grossière erreur.

— Allez, Wendell, soupira Auger. Finissons-en, et peut-être que ce petit homme stupide nous fichera enfin la paix.

L'homme prit une clé au bout d'une chaîne, ouvrit la porte et les fit entrer dans un bureau spartiate, presque vide. Une ampoule nue pendait au plafond, tel un appât pour un poisson-lune.

— Asseyez-vous, dit l'homme en indiquant une table de bois bancale et deux chaises de bureau qui avaient connu des jours meilleurs.

— Je resterai debout, si ça ne vous fait rien, dit Floyd. Ecoutez, je vais vous expliquer. Il y a une demi-heure, j'ai reçu un coup de fil de ma femme. Elle travaille dans une mercerie, rue Gay-Lussac. Il y a toutes sortes de gens qui entrent dans la boutique, et il arrive que le personnel permette aux clients d'utiliser les toilettes à l'étage. Malheureusement, quelqu'un a laissé le robinet ouvert, l'eau a débordé sur le plancher... Si tu racontais à monsieur ce qui s'est passé, Verity ?

— L'eau a tellement coulé qu'elle a fait s'effondrer le plafond, enchaîna Auger. Le personnel qui travaillait en dessous a été trempé et couvert de poussière et de débris. C'est pour ça que vous me voyez dans cet état. Tout le stock est fichu. J'ai appelé mon mari et je lui ai dit qu'on nous renvoyait toutes à la maison plus tôt, et il est venu à ma rencontre... je ne tiens pas à me promener toute seule dans la rue, dans cette tenue.

— Vous n'êtes pas français, dit l'homme, comme s'il faisait part d'une grave nouvelle.

— Il n'y a pas de loi contre ça, que je sache, répondit Floyd. Vous voulez voir mes papiers ?

Il montra à l'homme sa carte d'identité et l'une des fausses cartes de visite prévues pour ce genre de circonstances.

— Comme vous voyez, je suis traducteur littéraire, ce qui veut dire que je passe le plus clair de mon temps chez moi. Allez, Verity, montre tes papiers au monsieur.

— Tenez, dit-elle après avoir fouillé dans son sac à main.

L'homme regarda ses papiers, remarqua les traces noires que ses doigts sales y avaient laissées.

— « Verity Auger », lut-il. Je n'oublierai pas votre nom. Et j'ai bien noté aussi que vous ne portez pas d'alliance.

Derrière la porte fermée, une rame entrait dans la station. Auger fut tentée de se précipiter pour monter dedans, mais elle craignait que le bonhomme n'empêche la rame de repartir.

— Ecoutez, dit-elle, je vous dis la vérité, et mon mari aussi. Que voudriez-vous que je fasse dans un tunnel de métro ? Je trouve déjà assez pénible de prendre le métro ainsi accoutrée, et de me faire dévisager par tout le monde comme si j'étais une vagabonde…

— Je vous assure qu'il n'y a rien d'anormal, renchérit Floyd avec un sourire de premier de la classe. Comme vous le dit ma femme, elle n'est pas du genre à traîner dans les tunnels du métro.

— Quelqu'un y est pourtant bien entré, insista l'homme.

— Possible, dit Floyd d'un ton conciliant, mais vous ne pouvez pas soupçonner toutes les femmes qui descendant du métro couvertes de poussière.

— Je l'ai vue…, commença l'homme, dont le voix commençait à manquer de conviction. J'ai vu quelqu'un sortir de ce tunnel.

— Eh bien, dans la cohue des passagers qui allaient et venaient, vous avez dû perdre la trace de la personne en question, et finir par la confondre avec ma femme… Ecoutez, poursuivit Floyd d'un ton compréhensif, je ne veux pas faire d'histoire, mais ma femme a vraiment besoin de rentrer à la maison, de faire un brin de toilette et de se changer. N'est-ce pas, chérie ?

Il lui prit la main. Il avait les doigts rugueux, mais sa poigne était douce.

— Je me demande si j'aurai encore du travail demain, répondit Auger. Le stock a vraiment l'air d'avoir subi de gros dégâts, tu sais.

— On parlera de ça plus tard, dit Floyd, qui ramena son attention vers l'employé. Tenez. Vous avez été très compréhensif. Voulez-vous accepter ceci comme gage de ma reconnaissance ?

Il prit un billet de dix francs dans la poche de son veston, le plia discrètement en deux et le fourra dans la poche poitrine de l'homme avec un naturel confondant.

— Votre reconnaissance ? Mais pour quoi ? Je n'ai rien fait.

— Ma femme est un peu ennuyée de l'aspect qu'elle offre, dit Floyd plus bas, d'un ton complice. Si vous pouviez nous laisser quitter la station par la sortie du personnel…

— Je ne peux pas…

Floyd glissa à l'homme un autre billet de dix francs.

— Je sais que c'est parfaitement irrégulier, mais nous apprécierions vraiment. Vous prendrez un verre à notre santé.

L'homme fit la moue, soupesant les possibilités. Il arriva très vite à une conclusion :

— Le stock est endommagé, vous dites ?

— On venait de tout faire venir de la réserve, ajouta Auger, manifestement désolée.

— J'espère vraiment, madame, que votre travail n'est pas menacé.

Il rouvrit la porte et les renvoya sur le quai.

— Par ici, dit-il en les conduisant vers une sortie.

— C'est vraiment gentil, dit Floyd. Nous n'oublierons pas.

— Vous pouvez être sûr que, moi non plus, je ne vous oublierai pas de sitôt, monsieur Floyd.

19

Lorsqu'ils se retrouvèrent dans la rue, c'était le milieu de l'après-midi, la pluie avait presque cessé, et le dais de nuages gris était troué par des flaques irrégulières de ciel bleu pastel. Après tout ce qui s'était passé sous terre, Auger recevait cette anodine confirmation de la vie de la ville – le défilé incessant de passants et de véhicules – comme une sorte d'insulte particulière. Elle attendit que l'employé ait regagné son monde souterrain et refermé la porte derrière lui pour se tourner vers Floyd.

— Je ne sais par où commencer, dit-elle en anglais.

— Vous pourriez déjà me dire merci. Je vous ai quand même tirée d'un sacré pétrin.

— Ce pétrin ne vous regardait pas. Qu'est-ce que vous faisiez, à me suivre comme ça ?

— Je ne vous suivais pas. Je vous ai vue en difficulté, par hasard, c'est tout, répondit Floyd.

— C'est ça. Vous m'avez vue par hasard. De toutes les stations de métro de cette ville, vous vous trouviez, par hasard, à Cardinal-Lemoine, à ce moment précis ?

— Eh bien, pas tout à fait, répondit Floyd avec un haussement d'épaules.

Auger s'éloigna, la main levée, dans l'espoir, probablement vain, d'arrêter un taxi. Vu son état, il était probable que le chauffeur allait accélérer plutôt que s'arrêter.

— Où allez-vous ? demanda Floyd de son ton le plus raisonnable.

— N'importe où sauf ici. Partout où je pense avoir une chance de ne pas être suivie par un fouineur en imperméable décati.

— C'est ça qu'on vous apprend, en manière de reconnaissance, dans le Dakota ?

Elle fit volte-face, un peu incertaine sur ses talons. Ses semelles glissaient sur le trottoir, que la pluie rendait d'un gris ardoise luisant.

— Ce n'est pas de l'ingratitude, dit-elle en le foudroyant du regard. Mais ma gratitude s'arrête ici. Maintenant, laissez-moi, s'il vous plaît, ou je me verrai dans l'obligation d'appeler la police.

— Dans cette tenue ? J'aimerais assez voir ça.

Un taxi passa à toute vitesse, en faisant apparemment de son mieux pour l'éclabousser de boue brunâtre.

— Ecoutez, fichez-moi la paix, fit-elle en faisant la grimace alors que ses chaussures s'emplissaient d'eau. Nous nous sommes dit tout ce que nous avions à nous dire ce matin. A moins que vous n'ayez déjà oublié la jolie somme que je vous ai donnée pour solde de tout compte ?

— Une partie de ce solde de tout compte vient de vous permettre de vous sortir de là sans histoire, rétorqua Floyd.

— Il ne me faisait pas peur. Je me débrouillais parfaitement bien lorsque vous avez fait irruption.

— Sauf qu'il disait vrai, hein ? demanda Floyd en la regardant avec amusement.

Il avait des pattes-d'oie très prononcées. Soit c'était un homme qui riait beaucoup, soit il pleurait plus souvent qu'à son tour.

— De quoi parlez-vous ?

— Vous êtes entrée dans ce tunnel. Inutile de le nier, je vous ai fait suivre depuis que vous avez quitté mon bureau.

— Je sais, je l'avais repérée. Je ne voudrais pas être désobligeante, mais elle n'est vraiment pas très douée.

— Bon, elle ne coûte pas cher. En tout cas, elle vous a vue vous faufiler dans ce tunnel. Celui dont notre ami prétend que vous venez de ressortir.

— Je pensais vous avoir entendu dire que vous ne me suiviez pas.

— Je ne vous suivais pas. Pas personnellement. Mais compte tenu de ce que j'avais appris, je me suis demandé s'il ne serait pas… intéressant d'attendre un peu dans la station Cardinal-Lemoine, au cas où il s'y passerait quelque chose…

Peu à peu, elle sentait sa colère retomber. D'une voix plus douce, elle dit :

— Pourquoi m'avez-vous aidée, au juste ? Vous n'aviez rien à perdre à laisser ce type me remettre aux mains des autorités, ce qu'il aurait probablement fait.

— Rien à perdre, répéta Floyd. Sauf qu'ils n'auraient jamais eu le fin mot de ce que vous mijotez, quoi que ce soit.

— Et vous pensez avoir une meilleure chance d'y arriver ?

— Je suis à mi-chemin, dit-il.

— Eh bien, nous sommes deux, murmura-t-elle *sotto voce*.

— Pardon ?

Elle secoua la tête.

— Je ne pense pas que vous soyez un mauvais homme, Wendell, mais s'il y a une chose dont je suis sûre, c'est que vous n'avez pas envie d'être mouillé dans une histoire de ce genre…

Il haussa un sourcil.

— Ça, ce n'est pas le genre de chose à dire si vous voulez vous débarrasser de moi.

Un autre taxi fit un effort délibéré pour achever de la tremper. Elle s'écarta du caniveau et se rapprocha de Floyd.

— Mais pourquoi vous occupez-vous de mon affaire ? Je vous ai dit qui j'étais. Je vous ai tout expliqué à propos de ma sœur.

Floyd prit un mince fétu de bois, se le cala entre les dents et le mâchouilla, le faisant craquer.

— En effet. Et ça m'a paru tout à fait plausible… pendant une trentaine de secondes.

— Alors pourquoi m'avez-vous laissée sortir de votre bureau avec la boîte ?

Floyd lui fit un clin d'œil.

— Devinez. Et pendant que nous y sommes, si je vous emmenais quelque part où vous seriez au sec, et où on pourrait remettre des couleurs sur ces jolies joues ?

— Merci, mais je vais plutôt tenter ma chance avec les taxis. Ou sinon je marcherai, ou je me construirai une sorte de radeau.

— Ecoutez, ma voiture est juste au coin. Je vais vous emmener à votre hôtel, ou à mon bureau. Bref, dans un endroit où vous trouverez de quoi vous changer et de l'eau chaude.

— Non, dit-elle en se détournant à nouveau.

C'est alors qu'un gros camion passa en rugissant, poussant devant lui un raz de marée d'eau couleur café au lait qui enveloppa Auger d'un brouillard immonde, de la tête aux pieds. Le camion s'éloigna d'un coup de volant, le chauffeur esquissant un vague geste d'excuse, comme s'il s'était agi d'un coup du sort, un divin caprice sur lequel il n'avait aucun contrôle.

— Ramenez-moi à mon hôtel, dit-elle avec un petit soupir exaspéré. S'il vous plaît.

— A votre service, répondit Floyd.

De Cardinal-Lemoine, Floyd prit le boulevard Saint-Germain puis le boulevard Saint-Michel et arriva dans le labyrinthe de rues qui se croisaient autour de Montparnasse. Les taches de ciel clair qui avaient émergé un instant avaient à nouveau disparu, comme découragées. La pluie avait cessé, mais toute la ville était blottie sous une masse de nuages renflés, qui bouillonnaient et grondaient de façon menaçante.

— Essayez de vous mettre à ma place, dit Floyd en jetant un coup d'œil à sa passagère dans le rétroviseur.

Il semblait prendre son devoir de chauffeur très au sérieux et avait insisté pour qu'elle monte à l'arrière, où elle avait plus de place.

— On m'a demandé de résoudre une affaire. Peu importe que celui qui me l'a confiée soit mort. Tant que l'affaire ne sera pas résolue, j'aurai le devoir de trouver ce qui a bien pu arriver. D'autant plus que, maintenant, mon partenaire est soupçonné de meurtre.

— Mais je vous ai déjà dit…, commença-t-elle.

— Vous m'avez raconté tout un tas de sornettes pour que je vous rende la boîte, coupa Floyd. Si on repartait plutôt du début, hein ?

— A votre place, je regarderais devant moi.

Il ignora sa remarque, poursuivit :

— Prenons cette histoire de sœur venue du Dakota. Dont vous seriez également originaire.

— Oui, et alors ?

— Alors, vous avez pu abuser Blanchard, mais je ne reconnais pas votre accent. Je ne suis même pas sûr que vous soyez américaine.

— Il faut croire que vous ne connaissez pas bien votre pays, fit Auger en se tortillant sur son siège, arrangeant les plis trempés de son manteau. Vous m'avez dit que vous étiez à Paris depuis vingt ans. Ça fait largement assez de temps pour que vous soyez largué.

— Si vous venez du Dakota, alors je suis beaucoup plus largué que je ne le pensais.

— Vous ne pouvez pas me reprocher votre ignorance. Tanglewood est un tout petit bled, et nous avons nos façons de faire. Vous avez déjà rencontré des mennonites, des amish ou des Hollandais de Pennsylvanie ?

Floyd prit le boulevard Edgar-Quinet en contournant l'énorme cimetière Montparnasse.

— Pas récemment, répondit-il.

— Eh bien, voilà, fit Auger, comme si ça mettait fin à la controverse.

La lumière filtrée par les nuages tomba sur le cimetière et illumina un groupe de gens en deuil qui jetaient des fleurs dans une tombe ouverte. Leurs parapluies se fondaient en une sorte de nuage en forme de chauve-souris noire.

— Voilà quoi ?

— Si vous aviez rencontré ces gens, je suis sûre que vous trouveriez leur accent et leurs coutumes tout aussi extraordinaires que les miens. Les petites communautés ont leurs us et coutumes.

— Eh bien, Tanglewood doit être un très petit endroit, en vérité. Je vous ai dit que je n'en avais trouvé trace nulle part ?

— Je ne me souviens pas.

— Bref, fit Floyd, je n'ai pas idée de ce qu'une fille originaire d'une petite ville du Dakota pourrait avoir à faire dans un tunnel de métro parisien. Ni sa sœur, d'ailleurs, ajouta-t-il en croisant son regard dans le rétroviseur. Parce que Susan White avait aussi un truc avec la station Cardinal-Lemoine. On l'a vue entrer dans la station avec une grosse valise et en ressortir avec une valise vide.

— Là, je crains qu'il n'y ait quelque chose qui m'échappe...

— D'après feu monsieur Blanchard, et à en juger par ce que j'ai moi-même vu chez elle, votre sœur était atteinte de collectionnite. Elle entreposait dans sa chambre d'énormes quantités de livres, de magazines et de journaux, de cartes et d'annuaires téléphoniques. On aurait dit qu'elle ramassait tout ce qui lui tombait sous la main. Un comportement sacrément bizarre pour une touriste, conclut-il.

— Elle aimait les souvenirs.

— A la tonne ?

Auger se pencha en avant. Il sentit son parfum, une odeur de roses et de printemps.

— Qu'est-ce que vous racontez, monsieur Floyd ? Si vous me disiez franchement ce qui se passe, d'accord ?

Il prit le boulevard Pasteur en ralentissant derrière un bus qui faisait de la pub pour la bière Kronenbourg.

— Le comportement de votre sœur n'avait pas de sens.

— Je vous ai dit qu'elle avait des problèmes mentaux.

— Sauf que Blanchard, qui l'avait bien connue, n'avait jamais eu l'impression qu'elle ait le moindre problème de ce côté-là.

— Les paranoïaques peuvent être très manipulateurs.

— Et si elle n'était pas paranoïaque du tout ? Et si tout ça n'était qu'une histoire fabriquée de toutes pièces pour m'envoyer sur une fausse piste ?

— Vous voulez dire que les faits et gestes de ma sœur pourraient avoir une explication rationnelle ?

— Mademoiselle Auger…

Ce n'était plus Verity et Wendell, tout à coup.

— Mademoiselle Auger, je viens de vous voir sortir d'un tunnel du métro. Pour le moment, je suis prêt à tout croire, y compris que vous n'étiez pas des sœurs, mais des espionnes.

— Voilà autre chose ! fit-elle en levant les yeux au ciel.

— On va tout mettre à plat, d'accord ? poursuivit Floyd, imperturbable. Susan White n'agissait manifestement pas seule. Elle devait avoir un ou une complice, qu'elle rencontrait à Cardinal-Lemoine. Le ou la complice procédait à l'échange de valises, ou vidait celle de White et en embarquait le contenu. Probablement par le même tunnel d'où vous venez de sortir. Il y a évidemment là-bas quelque chose de très important pour vous.

— Continuez, dit-elle d'un ton moqueur. Ecoutons la suite de votre petite théorie ébouriffante.

— Ce n'est pas encore une vraie théorie. Juste une amorce.

— J'aimerais quand même bien entendre ce que vous croyez avoir découvert.

— Mon partenaire a trouvé une chose bizarre dans la chambre de Susan White. Le poste de TSF avait été modifié, probablement par Susan elle-même, comme si elle l'utilisait pour recevoir des instructions, ou peut-être pour surprendre les communications entre des espions rivaux.

— Ah. Nous avons donc maintenant deux groupes d'espions ? De mieux en mieux, vraiment.

— Custine n'a pas réussi à déchiffrer le code. Ses tentatives étaient vouées à l'échec : Susan utilisait une machine Enigma.

— Je suis sûre que tout ça a un sens pour vous, mais…

— C'est une machine de cryptage. Ce qui m'a fait penser que c'était une espionne. Et qu'est-ce que ça fait de vous ?

— Vous êtes vraiment ridicule…

— Sauf que ce n'est pas moi qui viens de sortir d'un tunnel du métro.

Pendant un long moment, Auger ne dit plus rien. Floyd prit le boulevard Garibaldi jusqu'à la place Cambronne, puis l'avenue Emile-Zola vers l'hôtel d'Auger.

— Ecoutez, dit-elle enfin, je ne m'attends pas à ce que vous y compreniez quoi que ce soit, mais tout ce que je vous ai dit de ma sœur était la vérité. Cela dit, il est vrai aussi qu'elle faisait une fixation sur la station Cardinal-Lemoine. Je vous ai dit qu'elle se croyait poursuivie par des ennemis, non ?

— Peut-être, concéda-t-il.

— Je ne peux pas vous expliquer pour le poste, ou la machine dont vous avez parlé… Sauf que si vous écoutez la radio, ces temps-ci, il y a beaucoup d'émissions bizarres. Et qui sait où elle a trouvé cette machine ? J'imagine que c'est le genre de matériel qu'on peut acheter, en cherchant un peu ?

— Venez-en au fait, mademoiselle Auger.

— Le fait, poursuivit-elle, c'est que ma sœur est vraisemblablement tombée sur un de ces postes et l'a intégré dans sa conspiration privée. Quant au tunnel… eh bien, je ne peux le nier, elle pensait qu'il s'y passait je ne sais quoi. Elle y a fait allusion plus d'une fois dans ses cartes postales. Elle a aussi dit qu'elle y avait caché des objets de valeur. Etait-ce vrai ou non ? Je n'en sais rien, mais je ne pouvais pas quitter Paris avant d'en avoir eu le cœur net.

— Et ça ne vous a pas paru dangereux ?

— Si, bien sûr. Et je ne pouvais guère raconter au type du métro ce que je faisais.

Les mains de Floyd se crispèrent sur le volant.

— Alors c'est tout ? Vous finissiez juste ce que votre sœur n'avait pas eu le temps de terminer ?

— Oui, dit-elle avec force.

— Ça n'explique toujours pas pourquoi il y a eu deux morts. J'imagine que vous avez une belle petite explication pour ça aussi ?

— Comme vous l'avez dit vous-même, Blanchard s'en voulait probablement de ce qui était arrivé à Susan. Peut-être que sa mort était accidentelle, après tout. Ces rambardes m'ont paru un peu basses, et pas très sûres.

Floyd ralentit. Ils approchaient de l'hôtel, et il commença à chercher une place où se garer. Avec cette pluie, tout le monde avait pris sa voiture, et seules quelques âmes intrépides se promenaient sur les trottoirs.

— Vous voulez que je vous dise ? Je serais à moitié tenté de vous croire. Je n'aimerais rien tant que de refermer le dossier, la conscience tranquille. Peut-être que vous êtes bien celle que vous dites, et que tous les détails suspects que je n'arrête pas de repérer ne sont que des fausses pistes semées par votre sœur...

— Ah, voilà que vous commencez à parler raisonnablement, dit Auger.

— Il y a une femme, dans ma vie, qui a envie de quitter la France, reprit Floyd. Elle voudrait que je fasse mes paquets et que je parte avec elle. Et une grande partie de moi a envie de la suivre.

— Vous devriez peut-être écouter cette partie de vous.

— Je l'écoute, dit Floyd. Et pour le moment la seule chose qui m'empêche de partir d'ici, c'est l'idée que je tourne peut-être le dos à quelque chose d'énorme. Ça, et le fait que mon partenaire a de gros ennuis avec la police, et que pour l'en sortir je dois résoudre cette affaire.

— N'entrez pas dans le jeu de Susan, dit Auger avant d'ajouter, d'un ton qui se voulait indifférent : Et on peut savoir qui est cette femme ?

— Vous l'avez rencontrée, répondit Floyd.

Il avait repéré une place libre. Il passa la marche arrière et s'apprêta à y faire entrer la grosse Mathis en se disant que c'était une péniche chargée de charbon, et la place un poste d'amarrage.

— C'est la femme qui vous a suivie quand vous avez quitté le bureau.

— La femme de ménage qui astiquait le parquet ?

— En effet. Sauf qu'elle n'est pas femme de ménage. Elle s'appelle Greta et elle est musicienne de jazz. Et une bonne musicienne de jazz, en plus.

— Elle est jolie. Vous devriez partir avec elle.

— C'est aussi simple que ça, hein ?

— Il n'y a rien qui mérite que vous restiez à Paris, Wendell.

Il la regarda.

— Alors, c'est de nouveau Wendell, hein ?

— J'ai vu l'état de votre bureau… les affaires ne sont pas spécialement florissantes, n'est-ce pas ? Je suis désolée pour votre associé, mais je vous assure qu'il n'y a pas vraiment d'affaire sur laquelle enquêter ici.

Le pare-chocs arrière de la Mathis embrassa le pare-chocs avant d'une Citroën qui en avait vu d'autres. Floyd repassa la première, et il avançait centimètre par centimètre lorsque Auger se plaqua tout à coup sur le siège arrière en se détournant de la vitre côté hôtel.

— Repartez ! dit-elle.

Floyd la regarda.

— Quoi ?

— Fichons le camp d'ici ! Vite !

— Je ne peux pas. Il faut que j'aille chercher…

— Wendell ! Démarrez, c'est tout !

Le ton de sa voix l'incita à obéir sans poser de questions. Il donna un coup de volant et déboîta, se fichant pas mal d'égratigner la voiture de devant. Il eut juste le temps de jeter un coup d'œil dans le salon de l'hôtel et d'apercevoir un enfant debout sur les marches, juste devant la porte : un petit garçon en short, tee-shirt, chaussettes blanches et chaussures noires, vernies, qui jouait avec un yo-yo. Mais son visage n'avait rien d'enfantin. Floyd ne lui aurait jamais accordé le moindre regard si Auger n'avait été si visiblement angoissée, mais maintenant qu'il le fixait il voyait des traits cadavériques, une face ridée comme une vieille pomme : une parodie malsaine de visage d'enfant.

L'enfant regarda dans leur direction.

— Le gamin ?

— Fichons le camp d'ici, c'est tout, dit Auger.

De l'autre côté de la rue, la porte en verre d'une brasserie s'ouvrit. Greta se précipita au-dehors, son manteau roulé en boule sur le bras, suivie par un garçon de café, un plateau à la main et l'air complètement ahuri. Greta se retourna sans s'arrêter et lui lança de l'argent.

Floyd freina brutalement.

— Qu'est-ce que vous attendez ? demanda Auger d'une voix étranglée.

Floyd se pencha et ouvrit la porte avant, côté passager.

— Pas « qu'est-ce que », « qui ». J'avais demandé à Greta de surveiller l'hôtel au cas où je ne vous aurais pas retrouvée à Cardinal-Lemoine…

Floyd reporta son attention sur le gamin. Il avait roulé la ficelle de son yo-yo et avançait lentement, avec circonspection, vers la voiture. Derrière la Mathis, une file de véhicules s'allongeait, leurs chauffeurs commençant à manifester leur impatience.

— Nous ne pouvons pas rester là, dit Auger, ses jointures blanchissant sur le dossier du siège.

Floyd fit signe à Greta de se magner. Elle se glissa par la portière ouverte, écartant ses cheveux noirs, mouillés, de son front. Floyd n'attendit pas qu'elle ait refermé pour redémarrer et fonça vers le pont Mirabeau. Arrivé au quai, il remonta vers la tour Eiffel. Les nuages bas en avalaient la pointe, comme si elle n'avait jamais été achevée.

— Quelqu'un pourrait me dire ce qui se passe ? demanda Greta en balançant son manteau par-dessus le dossier de son siège, sur la banquette arrière.

— J'ai retrouvé Mlle Auger.

Greta regarda la femme à l'arrière de la voiture.

— C'est ce que j'avais compris. Mais pourquoi cette soudaine agitation ?

— Elle m'a dit de démarrer, répondit Floyd. Et elle donnait l'impression que c'était urgent.

— Et tu fais tout ce qu'elle te dit ?

Floyd croisa le regard d'Auger dans le rétroviseur.

— Ça va, maintenant ?

— Continuez, dit-elle. Puisque vous m'avez dit que vous ne souhaitiez pas traverser la Seine, je suppose que vous nous ramenez à votre bureau ?

— A moins que vous n'ayez une meilleure idée, répondit-il. Que s'est-il passé, là ? Pourquoi était-il devenu si dangereux de traîner dans le coin ?

Auger eut un mouvement de tête impatient.

— Peu importe. Continuez à rouler, c'est tout. Ne vous arrêtez pas.

— C'était le gamin au yo-yo ? avança Floyd. C'est ça, hein ?

— Ne soyez pas ridicule.

— Tu as bien surveillé l'hôtel, après mon départ ? demanda-t-il à Greta.

— Non, Floyd. Je me suis fait les ongles en feuilletant des magazines de mode. Qu'est-ce que tu crois ?

— Tu avais vu le gamin ?

— Oui, répondit Greta après un instant de réflexion. Et moi non plus, il ne me revenait pas.

Du siège arrière, Auger vit Floyd prendre la rue du Dragon en regardant dans le rétroviseur. C'était la fin de l'après-midi, et la rue avait déjà l'allure tristounette qu'elle revêtait le soir venu. Auger avait du mal à croire qu'il ne s'était écoulé que sept heures depuis qu'elle était passée voir le détective. Ça aurait aussi bien pu faire des semaines. Elle n'avait plus rien de commun avec la version confiante et sûre d'elle-même qui était sortie de l'immeuble avec ce qu'elle était venue chercher. Elle avait cru sa mission terminée, et qu'elle n'avait plus qu'à regagner le portail : une simple formalité. Pauvre idiote, se dit-elle. Si elle s'était trouvée face à cette malheureuse, elle se serait flanqué une gifle et aurait éclaté d'un rire méprisant.

— Je ne vois pas d'enfants maléfiques, dit Floyd.

— Et la filature de la PJ ? demanda, avec un accent allemand très net, la femme assise à l'avant, sur le siège passager.

Floyd avait dit son nom à Auger, mais elle l'avait oublié en apercevant le pseudo-enfant qui l'attendait devant l'hôtel.

— Je ne vois personne, répondit Floyd. Mais tu peux parier qu'ils me tiennent toujours à l'œil.

Auger se pencha en avant.

— Alors, vous aussi, quelqu'un vous suit ?

— Je suis un garçon très populaire.

Floyd gara la voiture devant la boucherie chevaline qu'Auger se rappelait avoir vue le matin même. La devanture était ornée d'une mosaïque de carrelage blanc, rouge et noir, représentant un cheval rouge, cabré, dans le style des mosaïques romaines et surmontée de l'inscription *Achat de Chevaux.*

— Floyd, dit l'Allemande, tout ça va un peu trop vite pour moi.

— Pour moi aussi, si ça peut te consoler, rétorqua Floyd. C'est pour ça qu'on va tous monter dans mon bureau et avoir une bonne petite conversation, et peut-être qu'on pourra tirer tout ça au clair.

L'Allemande regarda Auger et eut un retroussis réprobateur de la lèvre.

— Elle va vraiment se promener dans la rue attifée comme ça ?

— On va l'emmener là-haut, où elle pourra se nettoyer et se sécher, répondit Floyd. Et je suis sûr que tu ne lui en voudras pas de t'emprunter certains des vêtements que tu as laissés traîner.

— Tout ce dans quoi elle arrivera à rentrer est à elle, rétorqua Greta en la toisant de bas en haut d'un œil rien moins qu'amène.

— Merci, répondit Auger avec un sourire exagéré.

— Mesdames, pourriez-vous avoir l'obligeance d'attendre, pour vous crêper le chignon, que je me sois octroyé une rasade de whisky ? Je ne peux pas supporter la violence l'estomac vide.

— Ta gueule, Floyd, dit l'Allemande.

Floyd descendit de voiture et alla ouvrir la portière de Greta. Auger était déjà sortie et regardait autour d'elle, à la recherche du moindre détail inquiétant ou seulement insolite. Mais la rue était aussi calme et morne que dans son souvenir. Un enfant n'aurait pas pu traîner dans le coin sans se faire remarquer.

— M. Gosset veut te parler, on dirait, dit l'Allemande en tapotant le bras de Floyd et en indiquant la boutique au cheval cabré.

Derrière la vitrine, le propriétaire faisait signe à Floyd de le rejoindre à l'intérieur.

— Plus tard, grinça Floyd. Tout ce qu'il sait faire, c'est se plaindre du loyer, ou du bruit que font ses voisins du dessus.

Floyd et les deux femmes entrèrent dans l'immeuble. L'ascenseur qui avait retenu Auger, plus tôt dans la matinée, était au rez-de-chaussée, tel un piège aux mâchoires de fer. Ils montèrent dedans et Floyd appuya sur un des boutons de cuivre. La cabine eut une secousse et commença son ascension bourdonnante.

— J'attends toujours une explication, Floyd, dit l'Allemande.

— Mais je manque à tous mes devoirs ! Permettez-moi de faire les présentations, dit courtoisement Floyd. Verity Auger, Greta Auerbach. Je suis sûr que vous allez vous entendre comme larronnes en foire.

— Ou pas, marmonna Auger.

L'ascenseur s'immobilisa. Floyd ouvrit la porte et les précéda sur le palier. Leur faisant signe de rester en arrière, il s'approcha de la porte de verre dépoli, examina un endroit entre le panneau et le chambranle, juste au-dessus de la serrure, et se tourna vers elles, un doigt sur les lèvres.

— Il y a un problème, murmura-t-il. J'avais collé un cheveu avant de partir, ce matin. Il n'y est plus.

— Vous croyez que quelqu'un est entré ? demanda Auger.

Elle porta involontairement la main à sa hanche, cherchant la présence rassurante de l'automatique.

— Attendez, souffla Floyd.

Il essaya de tourner le bouton, tout doucement. Se heurta à une résistance. La porte était toujours verrouillée.

— Le cheveu s'est peut-être envolé, suggéra Greta.

— Ou peut-être que quelqu'un a réussi à entrer avec une fausse clé, rétorqua Floyd.

Une porte s'entrouvrit un peu plus loin, sur le palier. Un rai de jour aqueux filtra sur le tapis. Une femme âgée passa un visage trop poudré dans le couloir et dit en français :

— Monsieur Floyd ? Vous devriez venir me voir.

— Pas tout de suite, madame Parmentier, répondit Floyd.

— Je crois que ça vaudrait mieux, dit-elle.

Elle recula, la porte s'ouvrit un peu plus. Derrière elle, un tisonnier à la main, se dressait un grand gaillard en gilet et bretelles.

— Custine ! fit Floyd.

— Tu devrais écouter la dame, dit le gaillard en baissant son tisonnier. Je pense qu'il n'est pas prudent d'entrer dans le bureau. Les garçons de la Tour Pointue surveillent l'immeuble, et ils envoient régulièrement quelqu'un voir si tu es rentré.

— Entrez, je vous en prie, insista Mme Parmentier.

Floyd haussa les épaules et précéda les deux femmes chez la voisine.

La disposition de l'appartement était complètement différente de celle des bureaux occupés par le détective, et en voyant le décor et l'ambiance même Auger eut l'impression d'avoir fait un voyage de cinquante ou soixante ans dans le passé, vers le Paris du début du siècle. Aucune concession au modernisme : pas de poste de radio, pas de téléphone, et évidemment pas de téléviseur. Jusqu'au gramophone à manivelle posé sous la fenêtre, qui donnait l'impression qu'il aurait implosé si on lui avait fait jouer quoi que ce soit de plus moderne que du Debussy. Le canapé et les fauteuils, recouverts de velours marron, arboraient des boiseries dorées à la feuille, les portes intérieures étaient encadrées de paires de plumes de paon inclinées comme des cimeterres de cérémonie. Une cage à oiseaux en laiton se balançait au plafond, mais rien n'indiquait qu'elle ait jamais hébergé un quelconque volatile. Une douzaine de lampes à huile anciennes en verre teinté projetaient des ombres bleues, vertes et turquoise sur les murs blancs, alors qu'elles n'étaient pas allumées. La pièce, orientée au sud, recevait le peu de jour qui filtrait encore du dehors.

Mme Parmentier referma la porte derrière eux.

— Vous ne pourrez pas rester longtemps, dit-elle.

— Nous le savons, répondit Custine. Nous ne vous dérangerons pas un instant de plus que nécessaire. Mais vous nous permettrez peut-être de nous asseoir un instant ?

— Bon, répondit la vieille dame. Dans ce cas, je ferais peut-être mieux de préparer du thé.

Ils s'assirent pendant que Mme Parmentier écartait un rideau de perles de verre et disparaissait dans ce qu'Auger supposa être une cuisine.

— Alors, à qui l'honneur ? demanda Floyd, en français. J'avoue que je ne sais pas trop par où commencer.

— Qui est-ce ? demanda Custine en regardant Auger.

— La sœur, répondit laconiquement Floyd.

— Pas très rousse, hein ?

— Nous étions demi-sœurs, dit Auger.

Floyd écarta les mains dans une attitude fataliste.

— Qu'est-ce que tu veux que je te dise ? Elle a réponse à tout, André. A chaque putain de question que tu peux poser, elle a une réponse toute prête. Elle a même réussi à me faire avaler qu'une fille bien élevée pouvait aller fouiner dans les tunnels du métro parisien…

— Je vous ai expliqué…, commença Auger, qui changea brusquement d'idée et s'adressa à Custine : Et vous, qui êtes-vous ? J'ai autant le droit de vous poser cette question que vous de m'interroger.

— Je vous présente André Custine, répondit Floyd. Mon associé et ami.

— Et pas un pour racheter l'autre, ajouta Greta.

Floyd parcourut la pièce du regard et demanda, dans un murmure :

— C'est moi, ou ça sent mauvais, ici ?

— C'est moi, répondit allègrement Custine. Ou plutôt la chemise que je viens d'enlever. Comment crois-tu que je suis entré dans le bâtiment sans me faire cueillir ?

— M. Gosset ! s'exclama Greta en s'illuminant. Tu sens la viande de cheval !

Floyd s'enfouit le visage dans les mains.

— De mieux en mieux…

D'eux quatre, Custine était le seul qui avait l'air parfaitement calme et imperturbable, comme s'il se retrouvait dans ce genre de situations tous les après-midi.

— J'en avais assez de l'hospitalité de Michel, au Perroquet. Il était bien intentionné, mais on ne peut pas éternellement rester dans une pièce comme ça sans devenir fou. Par bonheur, il connaît tout le monde, et il a réussi à me trouver un autre point de chute, mais il fallait que je repasse ici d'abord, chercher quelques affaires. Mais comment entrer dans l'immeuble sans me faire repérer ? dit-il avec un sourire, manifestement ravi de monopoliser l'attention. Et puis je me suis souvenu que Gosset nous devait une fleur, et qu'il recevait une livraison de viande tous les jours. Deux coups de fil plus tard, je m'étais trouvé une petite planque bien douillette à l'arrière du camion de livraison !

— Tu ne pourras pas éternellement tirer ce genre de ficelles, observa Floyd. Tôt ou tard, ils vont fouiller tous les camions de Paris, et à fond.

— J'espère que d'ici là ce genre de subterfuge ne sera plus nécessaire.

Custine prit une tasse et une soucoupe sur le plateau que Mme Parmentier venait d'apporter. Dans ses énormes pattes, la porcelaine délicate ressemblait à des jouets fragiles sortis d'une dînette de poupée.

— Enfin, je suis là, même si je n'ai pas l'intention de m'éterniser plus de quelques heures.

— Tu as réfléchi à la façon dont tu allais ressortir d'ici ? demanda Floyd.

— Je verrai ça le moment venu, répondit Custine en plongeant ses lèvres dans le thé plus que léger. Ils attendent probablement que j'entre, pas que j'essaie de ressortir, alors ils feront peut-être moins attention.

— J'aime les hommes prévoyants.

Custine tendit le petit doigt vers Auger.

— Je n'ai entendu que la moitié de l'histoire. Vous prétendez être la sœur, la demi-sœur ou je ne sais quoi de Susan White ?

— Je ne « prétends » pas, rétorqua Auger. Je suis ce que je dis. Si ça ne vous plaît pas, à M. Floyd et à vous-même, c'est votre problème.

— Pour votre information à tous, intervint Floyd, c'est la façon dont Mlle Auger exprime sa reconnaissance. Voilà comment elle me remercie de l'avoir tirée du pétrin dans la station de métro, puis à nouveau quand nous étions près de l'hôtel.

Custine regarda Auger.

— Que s'est-il passé, près de l'hôtel ?

— Cette demoiselle a vu quelque chose qui ne lui a pas plu, répondit Floyd. Et maintenant elle refuse d'en parler.

Auger buvait son thé à petites lampées. Tout ici, le décor, les quatre personnages – sans parler de leur

455

hôtesse – assis là, dans cet environnement on ne peut plus civilisé, avait l'air ridiculement déplacé. Moins d'une heure auparavant, elle contrôlait les mouvements péristaltiques d'un trou de ver, après avoir expédié un vaisseau vers la vraie planète Mars, dans une autre partie de la galaxie. Et voilà qu'elle se tenait bien droite sur un fauteuil capitonné à l'ancienne, une tasse de porcelaine de Chine en équilibre sur un genou, tout cela dans une pièce où la seule idée de violence semblait incongrue.

— J'ai paniqué, dit-elle. C'est tout.

— Oui, en voyant cet étrange enfant, ajouta Floyd.

Custine émit un grognement et demanda :

— Quel genre d'enfant ?

— Un vilain petit garçon, répondit Floyd. Comme sorti d'un tableau de Jérôme Bosch. Ça te dit quelque chose, André ?

— C'est marrant…

— … comme on n'arrête pas de tomber sur de vilains petits enfants à tous les coins de rue, dans cette affaire, termina Floyd. Une fille ici, un garçon là… Et peut-être même plusieurs. Nous avons essayé d'en faire abstraction, mais Mlle Auger a été effrayée par le garçon, qu'elle avait repéré, soit dit en passant, bien avant de le voir de près.

— Ce qui veut dire ? demanda Custine.

— Qu'elle cherchait un enfant, ou quelque chose qui y ressemblait, répondit Floyd en braquant sur Auger un regard appuyé.

— Je vous l'ai dit, coupa Auger. J'ai paniqué et c'est tout.

— Qui sont ces gamins ? demanda Floyd. Qu'ont-ils à voir avec les meurtres ? Pour qui travaillent-ils ? Et surtout pour qui travaillez-vous, vous ?

Auger reposa sa tasse, sa soucoupe et se leva.

— Excusez-moi. C'est bien gentil, tout ça, mais…

Elle chercha le pistolet automatique qu'elle avait glissé dans sa ceinture. Il y eut un soupir collectif lorsque sa main reparut avec l'arme.

— Pour votre information, dit-elle en enlevant le cran de sûreté, je sais m'en servir. En réalité, j'ai déjà tué quelqu'un avec, aujourd'hui.

Floyd s'efforça au calme :

— Voilà qui tire définitivement un trait sur votre couverture. Les gentilles filles ne se promènent pas avec des flingues. Surtout pas des automatiques.

— Eh bien tant mieux, parce que je ne suis pas vraiment une gentille fille. Je ne voudrais pas vous faire de mal, dit-elle en pointant son arme vers Floyd.

— Ça fait toujours plaisir à entendre.

— Mais je le ferai si j'y suis obligée.

— C'est qu'elle a l'air de le penser, dit Custine d'une voix sourde qui évoqua, pour Auger, le grondement d'une locomotive.

Floyd se leva lentement et posa sa tasse.

— Que voulez-vous ?

— Des vêtements propres, c'est tout.

Floyd jeta un coup d'œil à Greta.

— Ça ne devrait pas poser de problème.

— Parfait. Allons dans votre bureau. L'un de vous a la clé.

Custine fut le premier à mettre lentement la main dans sa poche et à lui lancer une clé. Auger la rattrapa de sa main libre et la relança à Floyd.

— Les autres, vous restez ici, ordonna-t-elle. Si quelqu'un lève le petit doigt, je tue Wendell. C'est compris ?

— Personne n'ira nulle part, dit Custine.

— Avancez très doucement, ordonna Auger en sortant de l'appartement à reculons, l'arme braquée sur Floyd.

Elle jeta un coup d'œil par-dessus son épaule avant de passer dans le couloir. Tout était tel qu'ils l'avaient laissé, et l'ascenseur les attendait toujours ; elle se plaqua au mur, près de la porte de verre dépoli.

— Allez-y, entrez, dit-elle. Et si vous avez un pistolet à l'intérieur, n'essayez pas de vous en servir.

Floyd répondit en anglais. Quand ils étaient seuls, ça paraissait plus normal que le français.

— Il n'y a que dans les films que les détectives privés sont armés.

— Vous avez dit que Greta avait laissé des vêtements. Trouvez une valise et mettez-les dedans.

Floyd déverrouilla la porte vitrée.

— Quel genre de vêtements ?

— Ne finassez pas. Faites une sélection et je verrai bien.

— Une minute…

— Vous avez trente secondes.

Floyd disparut dans le labyrinthe de pièces. Auger entendit des portes qu'on ouvrait et qu'on refermait en hâte, le bruit d'affaires dans lesquelles on fouillait et qu'on jetait. Il appela, de loin :

— Si vous me disiez de quoi il retourne, maintenant qu'on a fait ami-ami ?

— Moins vous en saurez, mieux ça vaudra.

— J'ai entendu ça trop souvent pour m'en satisfaire !

— Il faudra bien. Cette fois, c'est vrai. Qu'est-ce que vous fabriquez ?

— Je cherche une valise !

— Un sac fera l'affaire ! N'importe quoi. Je commence à m'énerver, toute seule, ici, Wendell, et il ne faut pas m'énerver !

— Qu'est-ce que vous préférez, comme couleur de bas ?

— Wendell…

— Aucune importance, de toute façon. Il faudra vous contenter de ce qu'on vous donne.

D'autres bruits de portes, de tiroirs ouverts et refermés.

— Alors, Auger, qu'est-ce que vous allez faire, après ça ? demanda à nouveau Wendell, de retour dans la pièce voisine. Retourner aux Etats-Unis, mission accomplie ? Ou vous ne venez pas vraiment des Etats-Unis, tout compte fait ?

— Tout ce que vous avez besoin de savoir, c'est que je suis de votre côté, répondit-elle.

— C'est toujours ça. Enfin, je suppose.

— Et je suis là pour vous aider. Et pas seulement vous, mais aussi tous ceux que vous connaissez.

— Et ces enfants ? Et ceux qui ont tué Susan White et Blanchard ?

— Je ne suis pas avec eux. Grouillez-vous.

— Vous pourriez au moins me dire pour qui vous travaillez. Faites-moi la grâce de reconnaître que je vous ai aidée. Je n'étais pas obligé de vous faire sortir du métro.

— Et je vous ai dit merci. Croyez-moi, vous avez fait ce qu'il fallait, et si vous voyiez le tableau d'ensemble, vous seriez d'accord avec moi.

— Eh bien, décrivez-moi le tableau d'ensemble.

Elle tapota l'encadrement de la porte avec le canon de son pistolet.

— Ne tirez pas trop sur la corde. Vous avez trouvé un sac ?

— Je suis en train de le remplir.

Auger sentit s'adoucir quelque chose en elle. Elle ne pouvait s'empêcher, insensiblement, et bien malgré elle, de discerner chez Wendell une étincelle d'obstination qu'elle ne connaissait que trop.

— Ecoutez, je vous dirais tout si je le pouvais. Enfin, peut-être pas tout, mais je vous en dirais assez pour satisfaire votre curiosité, si ça pouvait vous faire plaisir. Mais le fait est que je n'ai pas encore fait le tour de la question moi-même.

— Quelle partie de tout ça Susan White avait-elle comprise ?

— Pas tout, mais plus que moi, j'imagine.

— Espérons que ce n'est pas pour ça qu'elle est morte.

— Susan savait qu'elle avait mis le doigt sur quelque chose d'énorme, quelque chose qui valait la peine de tuer. Je pense que c'était tellement gigantesque que ça lui faisait peur.

— Vous travailliez toutes les deux pour le même gouvernement ?

— Oui, répondit prudemment Auger. Celui des Etats-Unis.

Floyd réapparut avec un sac en tapisserie à deux anses, d'un état moyen, plein de vêtements, presque tous noirs ou de tons de bleu et de violet si foncés qu'ils paraissaient noirs.

— Vous n'avez jamais été sœurs, n'est-ce pas ?

— Juste collègues, convint Auger. Maintenant, restez où vous êtes et envoyez le sac dans ma direction… C'est bien.

Elle ramassa le sac de sa main libre.

— Vous remercierez votre amie. Je sais qu'elle ne raffolait pas de l'idée de me prêter ses vêtements, mais le jeu en vaut la chandelle, croyez-moi.

Elle garda l'arme braquée sur Floyd.

— Je regrette que ça ait dû se passer comme ça. J'espère que ça va s'arranger pour vous tous.

— Si vous me disiez ce que vous savez et me laissiez en juger ? rétorqua Floyd.

— Je n'aurai pas cette cruauté. Bon, dit-elle en retournant vers l'ascenseur. Voilà ce qu'on va faire : je vais partir, et je ne veux pas qu'on me suive. C'est compris ?

— Compris, répondit Floyd.

Auger monta dans l'ascenseur, laissa tomber le sac à côté d'elle et referma la porte métallique.

— Et pas de blagues en descendant, cette fois, d'accord ?

— Pas de blagues en descendant.

— Bien.

Elle appuya sur le bouton de cuivre du bas.

— Je vous l'ai déjà dit, mais je vous le redis : c'était un plaisir de faire affaire avec vous.

La cabine commença à descendre.

— Attendez ! appela Floyd d'une voix presque étouffée par le concert de bringuebalements et de gémissements de l'ascenseur. Que vouliez-vous dire par « Je n'aurai pas cette cruauté » ?

— Exactement ce que j'ai dit, répondit Auger. Au revoir, Wendell. Je vous souhaite une longue et heureuse vie.

20

Auger héla un taxi sur le boulevard Saint-Germain. Elle avait troqué son manteau déchiré et maculé de suie contre une veste noire qui lui arrivait à la pointe des hanches, incliné son chapeau sur ses yeux pour cacher son visage et ses cheveux salis. Elle n'aurait pas fait illusion si on l'avait regardée de près, mais dans la lumière crépusculaire de la fin de l'après-midi cette nouvelle tenue devrait faire l'affaire.

— Gare du Nord ! lança-t-elle au chauffeur avant de lui montrer les papiers qu'on lui demanderait pour traverser la Seine. Et le plus vite possible, s'il vous plaît.

Le chauffeur grommela qu'il ne pouvait pas faire de miracle, mais ils traversèrent rapidement la Seine et enfilèrent à toute vitesse les rues étroites du Marais, en louvoyant dans la circulation du samedi qui allait en se densifiant. Auger était au bord de l'épuisement absolu. Elle avait l'impression qu'une falaise menaçait de s'écrouler sur elle à tout moment. Elle appuya sa joue contre la vitre frémissante du taxi et regarda, les yeux brouillés, les lumières des boutiques, les enseignes au néon et les voitures qui glissaient dans des parenthèses rouges, blanches, bleu glacier et dorées. La ville avait l'air aussi intouchable et irréelle qu'un hologramme ; aussi fragile que le verre sur lequel elle était appuyée. Elle devait résister à la tentation de voir les choses sous cet angle. Rien de tout ça n'avait d'importance, se disait-elle ; rien de ce qui pourrait arriver ici n'aurait de conséquences sur sa vie à Tanglewood. Elle n'avait pas besoin de poursuivre l'enquête amorcée par Susan White ; rien de ce qui en sortirait ne pourrait affecter son existence personnelle. Et même s'il arrivait quelque chose d'abominable ici – parce qu'elle ne pouvait pas tout à fait chasser un terrible pressentiment –, ce ne serait pas plus tragique que si un livre brûlait ou, dans le pire des cas, une bibliothèque entière. Même si T2 était condamnée, il n'y avait pas un mois elle en ignorait encore l'existence. Tous les gens, tout ce qu'elle connaissait vraiment, continueraient comme si de rien n'était, et d'ici quelques mois le train-train habituel, avec ses flux et reflux de crises et de tensions, aurait réduit ces souvenirs à un magma dilué, pareil à un rêve. Et en cas de malheur ce n'était pas comme si tout, sur T2, devait disparaître pour toujours ; ils avaient déjà beaucoup appris des documents qui avaient été transmis en contrebande aux Antiquités. Et même si elle éprouvait de la sympathie pour les gens piégés sur T2, elle n'avait qu'à se rappeler que ce n'étaient pas de vrais individus, mais les ombres exilées de vies vécues trois cents ans auparavant. Autant s'apitoyer sur les personnages d'une photo en train de brûler.

Auger sentait sa résolution s'effondrer de minute en minute. Elle n'avait pas envie de prendre le train de nuit pour Berlin, d'autant qu'une option beaucoup plus simple s'offrait à elle : rester à Paris et attendre le retour du module. On l'avait envoyée ici pour accomplir une certaine tâche, elle s'en était tirée de son mieux. Personne ne pourrait lui en vouloir si elle s'arrêtait là et ne se préoccupait plus que de sa propre sécurité.

Le taxi ralentit et s'arrêta dans la cour, devant la gare, le chauffeur attendant, sans couper le moteur, qu'elle le paye. L'espace d'un instant, Auger resta paralysée, incapable de bouger, prise dans une stase d'indécision. Elle envisagea fugitivement de demander au chauffeur de faire demi-tour et de l'emmener vers un autre hôtel, n'importe lequel, où Floyd et les autres ne viendraient pas la débusquer. Ou bien elle pouvait suivre son plan, entrer dans la gare, prendre le train pour Berlin et se perdre en Europe, dans les profondeurs de T2. A la seule idée de prendre le train, elle sentait une boule se former dans sa gorge, comme si on lui demandait de s'approcher du bord d'une falaise monstrueusement haute, qui lui donnait le vertige. Elle n'avait pas été entraînée pour ce genre de mission. Caliskan l'avait à peine briefée, juste pour récupérer les documents, pas pour explorer T2. Il y avait sûrement des gens plus qualifiés qu'elle pour ça...

La pensée que ça pouvait être vrai lui fit l'effet d'un coup de fouet.

Tu peux le faire, se dit-elle, puis se le répétant, comme un mantra.

Le chauffeur se retourna sur son siège, la regarda, les poils de son cou crissant sur le col de sa chemise. Il se fichait pas mal qu'elle prenne son temps ; le compteur tournait toujours.

— Tenez, fit Auger en lui mettant quelques billets dans la main. Gardez la monnaie.

Une minute plus tard, elle était dans le hangar de verre et d'acier de la gare, et cherchait des yeux un guichet. Le quai grouillait de voyageurs qui se bousculaient et vibrionnaient, essaim d'abeilles grises vaquant à leurs missions, rigoureusement indifférentes les unes aux autres. Derrière eux, les trains attendaient en piaffant d'impatience, vomissant des panaches de vapeur blanche vers les hauteurs. Sous ses yeux, un train couchettes partit, pour Munich, Vienne ou une autre ville encore plus lointaine dans la nuit d'Europe. Ses lanternes rouges ensanglantaient les rails.

Chaque chose en son temps. Auger trouva les guichets et fut soulagée de voir que la queue des destinations internationales était beaucoup plus courte que les autres. Elle s'était déjà juré que s'il ne restait pas de place dans le train de nuit elle monterait à bord sans billet et discuterait plus tard. Mais il y avait encore des couchettes libres à bord du train de dix-neuf heures – plus tard qu'elle n'aurait voulu, mais c'était mieux que rien.

Elle tendit l'argent, l'employé du guichet ne paraissant pas ciller devant ses mains noires et ses ongles incrustés de crasse. Les employés des chemins de fer devaient être blasés.

— Quel quai ? demanda-t-elle.

L'employé lui répondit, et ajouta que les passagers n'étaient admis à bord du train qu'une demi-heure avant le départ.

Elle avait donc plus d'une heure à perdre. Elle mit les vingt premières minutes à profit pour chercher les toilettes des dames et réparer au mieux le désordre de sa tenue. Le temps qu'elle ait fini, le savon qu'elle avait utilisé était tout noir et le lavabo donnait l'impression qu'une armée de mineurs s'y étaient débarbouillés après une journée passée à creuser des galeries à même le charbon. Mais elle avait retrouvé aspect humain, et se sentait mieux. Elle se changea, mit les vêtements de Greta, fourra ses propres frusques salies et déchirées dans le sac et commença à penser qu'elle courait dorénavant moins de risques de se faire repérer. Comme il restait encore plus d'une heure avant le départ du train, Auger fut tentée de sortir de la gare pour chercher le relatif anonymat d'un bistrot ou d'une brasserie du quartier. Elle n'avait rien mangé depuis le petit déjeuner, et elle commençait à avoir faim. Mais si elle sortait de la gare du Nord, elle redoutait de ne pas avoir le courage d'y revenir. Alors, elle se rabattit sur un restaurant à l'intérieur de la gare, et trouva, au milieu d'un labyrinthe de miroirs, un box dans un coin tranquille, d'où elle pouvait voir entrer et sortir les gens sans attirer l'attention. Elle commanda un sandwich et un verre de vin, et fit des vœux pour que les aiguilles de la pendule du restaurant tournent plus vite et qu'il soit bientôt dix-huit heures trente.

Par les portes de verre du restaurant, de l'autre côté du hall, elle aperçut alors un homme en imperméable gris et chapeau qui s'arrêtait devant un kiosque à journaux. Il fouilla dans sa poche, à la recherche de monnaie, regarda autour de lui comme un touriste qui se serait retrouvé pour la première fois dans cette gare. Puis il tourna le dos au kiosque, remonta ses grosses lunettes sur son nez, ouvrit le journal et commença à lire. Ce n'était pas Floyd.

Le plat d'Auger arriva. Elle huma le vin, but la moitié du verre très vite, et pour la première fois depuis qu'elle s'était réveillée, ce jour-là, s'autorisa à se calmer un peu. D'ici un moment, elle serait dans le train de nuit, à l'abri dans sa couchette. Ce n'était pas plus dangereux que de rester à Paris – peut-être même moins, parce qu'elle mettrait ainsi une certaine distance entre les bébés de guerre et elle. Une fois à Berlin, elle remonterait la piste jusqu'à l'aciérie et elle verrait bien ce qu'il en sortirait. Et même si elle ne revenait qu'avec une description des lieux, ça n'aurait pas été inutile. Caliskan lui reprocherait sans doute d'avoir outrepassé les termes de sa mission, tout en lui exprimant secrètement son appréciation pour ce qu'elle aurait fait. En poursuivant l'enquête avortée de Susan White, elle observerait assurément mieux ce monde que si elle restait enfermée dans une chambre d'hôtel à Paris, à trembler au moindre bruit.

Un autre homme en imperméable poussa la porte du restaurant. Il était tête nue, mais l'espace d'un instant, alors que la vapeur du percolateur obstruait son champ de vision, elle aurait pu le prendre pour Floyd. Mais il ne fut pas plus tôt entré qu'une femme mince, en robe verte, moulante, se leva et lui fit signe. Le couple s'embrassa. Des amants clandestins, Auger en aurait mis sa main au feu. L'homme avait un cadeau pour la femme, et elle le déballa avec une expression ravie. Probablement un bijou. Il commanda à boire et l'homme et la femme restèrent là, à se tenir les mains, pendant dix minutes, sur quoi l'homme l'embrassa et disparut dans la frénésie de la gare. Une minute plus tard, Auger entendit le sifflet d'un train qui partait, et sut avec une certitude absolue que l'homme était dedans, et retournait vers son pavillon de banlieue et sa famille. Un intermède de dix minutes aussi routinier que de se brosser les dents et d'embrasser sa femme en partant, le matin. L'espace d'un instant vertigineux, les gens, autour d'elle, lui parurent tout à coup aussi réels que tous ceux qu'elle avait pu connaître auparavant, et elle dut faire un effort de volonté pour parvenir à les réduire, eux et leur environnement, à un simple écho, une image résiduelle.

Auger regarda sa montre. Plus qu'une dizaine de minutes, et elle pourrait monter à bord de son train et gagner sa couchette. Dans une heure, elle serait à mi-chemin de la frontière, et le temps qu'elle se réveille elle arriverait à Berlin, pour le meilleur ou pour le pire. Elle héla le garçon et commença à rassembler ses affaires. C'était peut-être le vin, mais elle était à présent irrévocablement décidée à mener à bien les investigations amorcées par Susan White.

Un serveur en tablier blanc lui apporta l'addition. Auger fouilla dans sa monnaie, s'amusa à payer avec des pièces, et se réjouit de pouvoir laisser un pourboire raisonnable. En souriant, elle poussa les pièces vers le garçon et s'apprêta à partir, décidant qu'il valait mieux ne pas finir son vin.

C'est alors qu'elle vit les enfants.

Ils étaient deux, debout, parfaitement immobiles, l'un à côté de l'autre, au milieu de la salle des pas perdus. Le garçon tenait un yo-yo et la fille un animal en peluche qui donnait l'impression d'avoir été récupéré dans une poubelle. Le garçon portait une chemise rouge et un short, des chaussettes blanches et des chaussures noires, vernies, la fille une robe jaune, cras-seuse, et le même genre de chaussures. Il fallait les regarder attentivement pour se rendre compte que ce n'étaient absolument pas des enfants, plutôt des goules déguisées en bambins. La pluie avait délavé leur maquillage, le faisant couler et le brouillant. Les voya-geurs passaient autour d'eux, mais à bonne distance, comme s'ils les évitaient, peut-être même sans s'en rendre compte.

Auger perdit les petites silhouettes de vue et finit rapidement son verre de vin. Elle dut s'obliger à se lever pour sortir du restaurant, avant que le train ne parte. Il n'y avait pas de raison d'avoir un sursaut d'horreur chaque fois qu'un enfant mal attifé croisait sa route. Après tout, Paris était plein de drôles de gosses, et ils n'étaient pas tous déterminés à la tuer.

Deux hommes d'affaires s'éloignèrent de la devanture du restaurant. Et les enfants étaient toujours là : debout, parfaitement immobiles, mais maintenant beaucoup plus près de la porte. Ils ne l'avaient pas encore repérée, mais ils promenaient autour d'eux le regard fixe des serpents. Un autre groupe de passants obstrua un instant sa vision, et lorsqu'ils disparurent, les enfants s'étaient encore rapprochés. Il était clair que c'était le restaurant qui les intéressait. Un instant plus tôt, elle aurait peut-être eu une chance de sortir sans qu'ils la remarquent, mais maintenant elle était prise au piège.

Auger baissa les yeux sur les restes de son sandwich, puis fit semblant de lire le menu comme si de rien n'était. Les enfants pouvaient ne pas savoir exactement à quoi elle ressemblait, après tout.

Lorsqu'elle risqua un nouveau coup d'œil vers la porte, la fille était toujours dehors, mais le garçon était maintenant entré et se tenait auprès du comptoir éclairé, où des gâteaux étaient offerts à la gourmandise de la clientèle. Deux mouches tournaient autour du gamin, apparemment plus intéressées par lui que par les merveilles sucrées.

Auger se laissa retomber sur son siège. Le gamin était juste dans son champ de vision, mais il ne paraissait pas l'avoir repérée. Il était juste planté là, et il tournait la tête lentement, régulièrement, comme une caméra de surveillance pivotant sur son axe. Elle fut tentée de se cacher derrière l'une des cloisons garnies de miroirs qui séparaient les boxes, mais elle s'abstint de bouger, de crainte que le garçon ne la remarque. Il clignait rarement des yeux, et chaque fois comme par obligation. D'ici quelques secondes, son regard tomberait sur elle. Elle se rappela qu'elle transportait deux armes : l'automatique et le mince pistolet qu'elle avait pris au bébé de guerre, dans le tunnel. Cette pensée lui procura une étincelle d'assurance, mais elle chassa aussitôt l'idée de s'en servir. Les enfants étaient probablement armés, eux aussi, et il y en avait peut-être d'autres que les deux qu'elle avait repérés. Et puis même si elle se débarrassait par la violence des pseudo-enfants, il y avait peu de chances qu'elle puisse quitter cette gare très fréquentée sans se faire appréhender.

Le regard du garçon l'avait presque transpercée. Elle se figea. Peut-être qu'il ne ferait pas le rapprochement avec la femme ébouriffée qui portait les vêtements d'une autre. Mais elle chassa aussitôt ce mince espoir. Il paraissait évident que le gamin la cherchait elle, spécifiquement, et ne se laisserait pas abuser par quelques changements superficiels.

La main d'Auger chercha son automatique, sous la table. Elle serait peut-être obligée de s'en servir, tout compte fait – quelles qu'en soient les conséquences.

Le garçon la regarda – ou plus exactement regarda à travers elle. Elle eut l'impression d'avoir été balayée par le rayon d'un projecteur. La rotation régulière de sa tête se poursuivit et son attention se porta plus loin. Sa tête avait pivoté de près de quatre-vingt-dix degrés depuis sa position de départ, et semblait vouloir continuer sa rotation impossible. Auger se demanda combien de temps passerait avant que quelqu'un remarque cet étrange gamin, mais les autres clients du restaurant n'avaient pas l'air de s'étonner de sa présence.

Puis la tête du garçon s'arrêta et revint en arrière – vers elle. Cette fois, elle sentit qu'elle avait attiré son attention : il ne regardait pas seulement dans sa direction, il se concentrait sur la stalle dans laquelle elle se trouvait. Un changement à peine notable passa sur le masque poudré, outrageusement maquillé, qu'était son visage, un imperceptible élargissement de sa bouche évoquant un sourire de triomphe ou de gloutonnerie.

La tête du garçon revint précipitamment, comme un élastique tendu qu'on relâche, vers la porte du restaurant, et il ouvrit la bouche pour émettre un unique cri, une espèce de trille. Un passant non concerné aurait pu croire à une exclamation sans signification particulière – une marque d'idiotie, peut-être. Mais Auger savait que le cri était chargé d'informations soniques, que l'autre pseudo-enfant était parfaitement capable de déchiffrer.

Les genoux raides, à la façon d'un robot qui n'aurait pas marché convenablement, le garçon s'avança vers le box d'Auger. Elle essaya de s'abstenir de toute réaction, de rester concentrée sur la pendule, dans l'espoir que le garçon s'approcherait d'elle sans méfiance. Il avait empoché son yo-yo et quelque chose brillait maintenant dans sa main, étincelant comme un miroir et aussi lisse que le verre.

Une main se posa sur l'épaule du garçon. Il tourna la tête vers l'adulte avec un mélange de colère et d'incompréhension, le visage convulsé en une expression furibarde qui ne servit qu'à craqueler et déloger les dernières plaques de maquillage croûteux qui dissimulaient sa véritable apparence. Le serveur, particulièrement grand, qui venait de poser la main sur lui le dominait comme une tour. Tout en prenant garde à ne pas regarder directement ce qui se passait, Auger vit l'homme se pencher, approcher sa grosse tête moustachue de celle du gamin. Il prononça quelques mots, Auger vit bouger ses lèvres, puis il y eut un rapide éclair d'argent et le serveur recula avec une expression étonnée, comme si le gamin lui avait lancé un juron bien choisi, un juron d'adulte.

L'homme s'écroula dans l'étalage de pâtisseries, sur les rayonnages de zinc. Dans le blanc pur de son tablier, une tache rouge s'étoilait, à l'endroit où il avait été poignardé. L'homme palpa la blessure avec ses doigts et porta ses phalanges rougies devant ses yeux ; il commença à balbutier, mais les mots se bousculèrent dans sa gorge. Autour de lui, les dîneurs lâchèrent leurs couverts et commencèrent à lancer des exclamations inquiètes. Un homme cria. Une femme hurla. Un verre s'écrasa par terre.

Le garçon avait disparu.

En quelques secondes, ce fut un véritable pandémonium autour du serveur poignardé. Auger ne voyait que les dos des gens bien intentionnés massés autour de lui. Un autre serveur hurlait au téléphone pendant qu'un troisième traversait la salle des pas perdus en courant pour aller chercher de l'aide. La scène commençait à attirer l'attention des personnes qui attendaient leur train au-dehors. Une sorte d'employé des chemins de fer – un individu remarquablement identique à celui à qui Floyd avait graissé la patte l'après-midi même –, qui s'approchait d'un pas de sénateur, prit conscience de la panique et pressa l'allure autant que le lui permettaient son souffle court et sa grosse bedaine. Quelqu'un poussa trois coups de sifflet stridents.

Auger attrapa ses affaires. Les pseudo-enfants étaient-ils toujours dans le coin, à l'attendre ? Impossible à dire. Tout ce qu'elle savait, c'était qu'elle n'avait pas envie d'être dans les parages quand la police arriverait et commencerait à relever les noms et adresses des témoins, ce qui paraissait inévitable. Elle ne pouvait se permettre de rater ce train pour Berlin, et encore moins de tomber entre les griffes des représentants de la loi. Et si le responsable de la station Cardinal-Lemoine avait décidé de raconter l'incident à ses supérieurs, après tout ?

Elle se tamponna les lèvres avec sa serviette et jugea que le moment était venu de filer, ce qu'elle fit, contournant les badauds massés autour du blessé. Elle aurait aussi bien pu être faite de fumée, pour l'intérêt qu'ils lui portèrent. Arrivée à la porte, elle regarda à droite et à gauche dans la salle des pas perdus. Les pseudo-enfants n'étaient pas en vue. Elle n'avait plus qu'à espérer qu'ils avaient décidé de quitter la gare avant que les témoins aient commencé à s'accorder sur la présence d'un petit garçon vicieux armé d'un couteau. Elle se dirigea aussi rapidement et discrètement que possible vers le tableau des départs et vérifia à nouveau le quai d'où partait le train de nuit pour Berlin. Il était arrivé : une longue chaîne de voitures vert foncé, au bout de laquelle sifflait une locomotive noire à vapeur. Tout le long du train, des cheminots achevaient les préparatifs, des hommes en uniforme s'affairaient autour de chariots de linge, de nourriture et de boissons, montaient et descendaient des voitures, tout en s'interpellant dans un français curieusement accentué. Un contrôleur secoua la tête en voyant Auger s'avancer sur le quai et tapota sa montre avec le doigt.

Dans le lointain, on entendait hurler les sirènes des voitures de police qui approchaient de la gare.

— Je vous en prie, monsieur ! appela Auger. Il faut que je monte dans ce train !

Comment avait-elle pu lâcher une phrase aussi stupide ? il ne manquerait plus maintenant que l'homme s'imagine qu'elle cherchait à fuir les autorités.

— Encore cinq minutes, mademoiselle, dit-il d'un ton d'excuse, et vous pourrez gagner votre voiture.

Auger lâcha ses sacs et fouilla dans ce qui lui restait d'argent.

— Tenez, dit-elle en lui tendant dix francs. C'est pour vous.

L'homme fit la moue, la toisa du regard. Les sirènes semblaient toutes proches, à présent. Du coin de l'œil, elle vit que les gens se massaient toujours à l'entrée du restaurant.

— Vingt, dit-il. Et vous pourrez trouver votre couchette.

— Pour vingt, vous pourriez même m'aider à la trouver, rétorqua Auger.

L'homme sembla penser que c'était un compromis acceptable, empocha le billet de dix francs supplémentaire et la fit monter, deux voitures plus loin, dans celle qui correspondait au chiffre inscrit sur son billet. L'homme lui montra son compartiment, poussa la porte, prit la clé dans la serrure et la tendit à Auger.

— Merci, dit-elle.

Il inclina la tête et la laissa. Il y avait deux couchettes dans le compartiment, mais elle avait payé pour être seule. Il y avait là un lavabo en métal parfaitement propre muni d'un robinet, un petit placard, un petit bureau repliable et un tabouret. Les cloisons étaient de bois verni avec des lumières encastrées. Auger avisa aussi un cordon pour appeler le contrôleur, un rideau en tissu qu'on pouvait baisser, et une photo monochrome, passée, d'une cathédrale qu'elle ne reconnut pas.

Elle baissa la vitre, faisant entrer les bruits de la gare. Dans les claquements de portes, le vacarme des trains qui arrivaient et repartaient et les annonces des haut-parleurs, elle n'entendait plus de sirènes. Cela voulait-il dire que les voitures de police étaient passées devant la gare et avaient continué, appelées ailleurs ? Elle regarda à nouveau sa montre. Si seulement les aiguilles voulaient bien se rapprocher de l'heure de départ...

Non loin de là, sur le quai, elle entendit un échange de voix furieuses. Lentement, elle passa la tête par la vitre afin de regarder le long du train. Le contrôleur à qui elle avait donné un royal pourboire discutait en gesticulant avec deux policiers en tenue. Ils le bousculèrent sans ménagement et commencèrent à longer les voitures. Ils marchaient très lentement, s'arrêtant devant chaque vitre. L'un des deux hommes avait une lampe torche et regardait dans chaque compartiment. Le contrôleur les suivait en marmonnant.

Auger s'obligea à reprendre sa respiration. Lentement, très lentement, elle rentra la tête et remonta la vitre. Elle aurait eu le temps de descendre de la voiture. Mais que se passerait-il si un autre policier entrait dans le wagon, bloquant sa retraite ?

Les voix des deux policiers se rapprochaient. Elle les entendit tapoter sur la vitre, à quelques compartiments seulement du sien. Elle avait à peine le temps de prendre ses affaires, et sûrement pas celui de trouver un endroit où se cacher. Elle devrait se contenter d'avoir l'air aussi naturel que possible. Elle baissa à moitié le rideau, se rassit et se prépara à attendre.

On frappa à la porte du couloir. Elle retint son souffle, faisant silencieusement des vœux pour que l'importun fiche le camp.

On frappa à nouveau. Et murmura, tout bas mais d'un ton pressant :

— Auger ?

Floyd ? ! Il ne manquait plus que lui !

— Fichez le camp, dit-elle tout bas, en collant sa bouche à la serrure. Je vous ai dit que je ne voulais plus jamais vous voir.

— Et moi je crois que nous n'en avons pas fini, tous les deux.

— Dans vos rêves !

— Laissez-moi entrer. Il faut que je vous parle. Ce que j'ai à vous dire vous fera peut-être changer d'avis...

— Rien de ce que vous pourrez dire ou faire, Wendell...

Elle se tut. Les policiers, au-dehors, devaient maintenant être tout près de son compartiment.

— J'ai gardé des informations par-devers moi, reprit Floyd.

— Qu'est-ce que vous racontez ? siffla-t-elle.

— C'est à propos de cette boîte de documents. Je me suis dit qu'il pourrait être utile de garder un moyen de pression.

— J'ai déjà tiré tout ce dont j'avais besoin de ces documents, Floyd.

— C'est sûrement pour ça que vous partez pour l'Allemagne ? Parce que vous avez déjà toutes les réponses ? Amusant… Bon, que s'est-il passé, au restaurant ?

— Un de ces pseudo-enfants a poignardé un serveur.

— C'était après vous qu'il en avait ?

A quoi bon mentir, maintenant ?

— Un bon point pour vous. Allez, partez sur cette bonne impression et fichez-moi la paix !

— Les policiers, là, dehors, semblent penser que vous pourriez être impliquée là-dedans. Vous avez quasiment fui la scène du crime, à en croire des témoins. Des innocents ne font pas ça…

— Rien de tout ça n'est mon problème. Votre petit monde n'est pas mon problème.

— Vous savez ce qui est le plus pénible ? La façon dont vous dites ça. On dirait presque que vous le pensez.

— Mais je le pense, dit-elle cruellement. Maintenant, laissez-moi tranquille.

— Ces policiers ne vous laisseront aller nulle part avec ce train…

Elle entendit un coup de sifflet et le rugissement d'un train qui partait. Mais ce n'était pas le sien.

— Je me débrouillerai.

— Comme vous vous êtes débrouillée avec moi, cet après-midi ? Vous n'auriez pas utilisé ce revolver, Verity. Je le voyais bien dans vos yeux.

— Eh bien, vous m'avez mal jugée. Je…

On frappa sur la vitre, plusieurs coups, impérieux. Une voix demanda sèchement, avec l'accent parigot :

— Ouvrez la vitre !

Elle remonta le rideau et tira sur la courroie de cuir qui abaissait la vitre.

— Vous voulez voir mon billet ?

— Juste vos papiers, répondit le policier planté dehors.

— Tenez, fit Auger en lui passant ses papiers par la vitre ouverte. Il y a un problème ? Je ne m'attendais pas à devoir montrer mes papiers avant la frontière.

— Il y a quelqu'un dans le compartiment avec vous ?

— Je crois que je l'aurais remarqué.

— Je vous ai entendue parler.

Avec un naturel qui la surprit elle-même, Auger répondit dans la seconde :

— Je me récitais tout ce que j'ai à faire à Berlin.

L'homme fit un bruit équivoque.

— Vous êtes là, dans le train, toute seule, avant tout le monde... Pourquoi étiez-vous tellement pressée de monter dedans ?

— Parce que je suis fatiguée, et que je n'ai aucune envie de discuter avec les autres voyageurs.

L'homme sembla ruminer sa réponse avant de renvoyer :

— Nous cherchons un enfant. Avez-vous vu des enfants non accompagnés traîner par ici ?

Puis une autre voix vint faire diversion : Floyd, qui se trouvait maintenant au-dehors, parlait à l'homme d'une voix douce, en français, trop vite pour qu'elle suive la conversation, dans le brouhaha de la gare, mais elle reconnut le mot « enfant », prononcé à plusieurs reprises. Le flic répliqua par des questions, sur un ton sceptique, d'abord, puis de plus en plus pressant. Floyd et lui échangèrent encore quelques paroles sur le mode hargneux, puis elle entendit les pas des policiers qui s'éloignaient précipitamment, et des coups de sifflet stridents.

Un instant passa, et Floyd frappa à la porte de son compartiment.

— Laissez-moi entrer. Je viens de vous débarrasser de ces sbires.

— Et je vous en serai éternellement reconnaissante, mais je vous le redis : il faut que vous descendiez de ce train.

— Pourquoi tenez-vous tellement à aller à Berlin ? Qu'est-ce qui vous intéresse tant dans le contrat avec Kaspar ?

— Moins vous m'en demanderez, Floyd, plus ce sera facile pour nous deux.

— Le contrat est en rapport avec un événement désastreux, n'est-ce pas ? Quelque chose que vous voulez empêcher ?

— Pourquoi pensez-vous que je n'essaie pas plutôt de contribuer à ce que ça se produise ?

— Parce que vous avez un beau visage. Parce qu'à l'instant où vous êtes entrée dans mon bureau j'ai décidé que vous me plaisiez.

— C'est bien ce que je disais : vous ne savez pas juger les gens.

— J'ai un billet pour Berlin, dit-il. Et je connais un bon hôtel sur le Kurfürstendamm.

— Vous avez tout organisé, hein ?

— Vous n'avez rien à perdre à me laisser vous accompagner.

— Et rien à gagner non plus.

— Pluie d'argent, dit Floyd.

C'était dit avec une telle désinvolture qu'elle pensa avoir mal compris. C'était la seule explication logique. Il ne pouvait pas avoir dit ce qu'elle croyait avoir entendu. A moins que…

— Quoi ? demanda-t-elle, un ton plus bas.

— J'ai dit « pluie d'argent ». Je me demandais si ça vous dirait quelque chose.

Elle leva les yeux au ciel et ouvrit la porte du compartiment. Floyd était planté dans le couloir, le chapeau à la main, et la regardait d'un air de chien battu.

— De quoi parlez-vous ?

— Ça vous dit quelque chose, hein ? insista-t-il.

— Fermez la porte derrière vous.

Il y eut un coup de sifflet, et un instant plus tard le train s'ébranlait lentement.

Floyd tendit à Auger la carte postale qu'il avait conservée par-devers lui. Elle alluma la lampe de lecture et l'orienta pour examiner la carte. Le train prit de la vitesse et se mit à bringuebaler au gré des aiguillages qui formaient comme une dentelle à la sortie de la gare.

— Edifiant, n'est-ce pas ? dit-il.

La carte postale était un message de Susan White à Caliskan. Il était clair qu'elle n'avait jamais été postée. Et tout aussi claire était l'allusion à la Pluie d'Argent. Mais la Pluie d'Argent était une arme du passé, une sorte de peste biblique, qui inspirait la terreur. La Pluie d'Argent était ce qui pouvait arriver de plus terrible à un monde. Car ce serait à coup sûr la *dernière* chose qui lui arriverait jamais.

21

Le train traversait les mornes plaines d'Allemagne.
De temps à autre, ils voyaient défiler l'oasis éclairée
d'une ferme ou d'un petit hameau blotti dans la nuit,
mais pendant d'interminables moments ce n'étaient
que des champs monotones sous la lune, aussi hostiles
et dépourvus de vie que l'espace intersidéral. Parfois
ils entrevoyaient un renard, figé au milieu d'un mouvement, ou le vol en rase-mottes d'une chouette
solitaire qui surveillait son territoire. Vidées de toute
couleur par le clair de lune, ces créatures étaient aussi
pâles que des fantômes. Ces petites poches de vie, si
rassurantes qu'elles fussent, ne réussissaient qu'à souligner l'immense vide du territoire. Pourtant le bruit
rythmé des roues du train, le doux balancement de la
voiture, le rugissement distant, assourdi, de la locomotive, la chaleur d'un bon repas et du verre de vin qui
l'avait accompagné, tout contribuait à plonger Auger
dans une sorte de bien-être qu'elle savait provisoire et
pas vraiment justifié, mais qui n'en était pas moins
appréciable.

— Alors, commença Floyd, comment allons-nous
dormir ?

— Que proposez-vous ?

— Je pourrais dormir sur le siège que je me suis payé…

Floyd n'était pas allé jusqu'à investir dans une couchette.

— Vous pouvez prendre la couchette du bas, dit-elle, magnanime, en se tapotant les commissures des lèvres avec sa serviette. Ça ne veut pas dire que nous sommes mariés, ni même spécialement bons amis.

— Il faut vous laisser ça : avec vous, on se sent vraiment apprécié.

— Ce que je veux dire, Wendell, c'est que c'est purement commercial. Ce qui ne veut pas dire que je ne suis pas contente de vous avoir dans les parages, au cas où ils se montreraient à nouveau.

— Les enfants ?

— Je crains qu'ils ne nous aient suivis, fit-elle avec un léger hochement de tête.

— Pas dans ce train, dit Floyd. Ils risqueraient trop de se faire repérer. Encore plus qu'en pleine ville.

— Puissiez-vous dire vrai. Et puis, il n'y a pas que les enfants…

Ils finissaient de dîner au wagon-restaurant. Les autres convives s'étaient peu à peu retirés au wagon-bar voisin, ou dans leurs cabines, laissant Auger et Floyd presque seuls. Un jeune couple d'Allemands faisait des projets de mariage dans un coin, pendant que deux hommes d'affaires belges ventripotents se racontaient des histoires de malversations financières en tétant de gros cigares, un cognac dans l'autre main. Aucun d'eux n'accordait la moindre attention à une conversation intime, à voix basse, entre deux étrangers qui parlaient anglais.

— Alors, quoi d'autre ? demanda Floyd.

— Ce que vous avez dit... Ce que vous m'avez montré, sur cette carte postale...

— Oui ?

— Eh bien, ça réduit à néant tous mes éventuels espoirs que ce n'était qu'un rêve.

— Vous n'avez pas imaginé ces enfants, de toute façon.

— C'est vrai, répondit Auger.

Elle finit son verre. Elle était un peu grise, mais ça lui était égal. Etre un peu pompette en ce moment précis était un remède qui lui convenait.

— Mais l'allusion à la Pluie d'Argent, sur cette carte postale... Eh bien, ça veut dire que la situation est dix fois pire que je ne le craignais.

— Croyez-le ou non, ça m'aiderait si vous me disiez de quoi il s'agit, tenta Floyd.

— Je ne peux pas.

— C'est si terrible que ça ? Quand je vous ai soufflé ces deux petits mots à l'oreille, on aurait dit que quelqu'un avait marché sur votre tombe...

— Je n'aurais pas dû réagir aussi ostensiblement.

— A en croire votre réaction, ces deux mots étaient la dernière chose que vous auriez voulu entendre.

— Ou que je m'attendais à entendre, rectifia-t-elle.

— Venant de moi.

— De n'importe qui. Vous n'auriez pas dû garder cette carte, Wendell. C'était parfaitement malhonnête.

— Parce que vous croyez avoir donné un bon exemple en vous faisant passer pour la sœur de Susan White ? !

— C'est différent. J'étais obligée de jouer ce rôle.

— Moi aussi, Verity.

— Bon, eh bien, disons que nous sommes quittes, alors. On peut en rester là ?

— Pas avant de savoir ce que veulent dire ces deux petits mots.

— Je vous ai dit que je ne pouvais pas vous répondre !

— Si je devais parier, poursuivit Floyd, je dirais que c'est le nom de code d'une arme secrète. La question est : qui a le doigt sur le bouton ? Les gens pour qui vous roulez, White et vous, ou ceux qui ont tué White et Blanchard et qui ont lancé ces enfants à vos trousses ?

— Ce n'est pas notre arme, objecta-t-elle farouchement. Et d'abord pourquoi pensez-vous que Susan White a été assassinée ?

— C'est donc leur arme, et pas la vôtre…

— Ça suffit, Wendell !

— Je suppose que ça veut dire « oui ».

— Supposez ce que vous voulez, ça ne fait aucune différence pour moi.

— Bon, je vais relier les points et on va voir si ça fait une image : Susan White évente une conspiration. Dont le contrat Kaspar, à Berlin, fait partie. De même que la Pluie d'Argent, quoi que ce soit. Je suppose que tout est lié, d'une façon ou d'une autre, même si pour le moment je ne vois pas comment ces sphères de métal peuvent constituer une arme.

— Les sphères ne sont pas l'arme, dit-elle avec une froideur glacée. Je ne sais pas ce que c'est. Tout ce que je sais, c'est qu'elles ont un rapport avec cette affaire. Mais si je savais lequel, je ne serais pas dans ce train à subir ce harcèlement…

— Mais vous savez ce qu'est la Pluie d'Argent, n'est-ce pas ?

— Oui. Je sais exactement ce que c'est. J'ai vu ce que ça pouvait faire, de mes propres yeux, pas plus tard qu'il y a quelques jours.

— Où ça ?

— D'un vaisseau spatial, au-dessus de Mars. Où vouliez-vous que je sois ?

— Super. Et en vrai ?

— C'est une arme. Capable de tuer beaucoup de gens d'un seul coup. Plus que vous ne pouvez l'imaginer.

— Des milliers ?

— Plus.

— Des centaines de milliers ?

— Beaucoup plus.

— Des millions ?

— Vous chauffez. Pensez à la population de planètes entières, et vous serez assez près du compte.

— Bon, eh bien, c'est une sorte de bombe, comme les gros pétards que les Américains disent qu'ils vont construire un de ces jours…

— Une bombe atomique, vous voulez dire ?

Sa naïveté manqua lui arracher un éclat de rire, mais elle se retint. Au milieu du vingtième siècle, dans sa propre ligne temporelle, ça n'avait rien de naïf ; pas plus que les béliers et l'huile bouillante au Moyen Age.

— Non, ce n'est pas une bombe atomique. Une bombe atomique, ce serait… terrible, d'accord, mais que vous la larguiez d'un avion ou que vous la mettiez dans un missile, elle serait dirigée contre une cible précise : une ville, par exemple. Bon, si elle vous tombe dessus, ou même si vous êtes dans la zone des retombées, c'est moche… Mais pour le restant de la planète les affaires continuent plus ou moins comme avant.

Floyd la regarda avec une sorte de fascination horrifiée.

— Alors que la Pluie d'Argent ?

— La Pluie d'Argent, c'est bien pire que ça. Elle touche tout le monde. Il n'y a pas moyen d'y échapper, nulle part où aller, aucun moyen de se protéger, même quand on sait à l'avance que ça va nous tomber dessus ; aucun moyen de négocier, aucune échappatoire possible…

Elle s'interrompit. Elle devait lui en dire suffisamment pour satisfaire sa curiosité sans pour autant aborder le cœur de la vérité. Elle regrettait déjà sa petite allusion finaude à Mars : ce genre d'allusion pouvait se révéler lourde de conséquences.

— C'est comme une peste qui se répand dans l'air. On ne sent rien quand on la respire. Ça ne fait pas mal. Et puis survient la mort. Horrible, mais rapide.

— Comme un genre de gaz moutarde ?

— Oui, dit-elle. Exactement comme ça.

— Vous avez dit que ça pouvait tuer des millions de gens…

— Oui.

— Qui emploierait une arme pareille ? Il risquerait d'en mourir aussi, alors ?

— S'il ne prenait pas les précautions nécessaires, répondit-elle. Alors oui. Ça se pourrait.

— Et ces précautions…

— Vous posez trop de questions, Wendell.

— Et ça ne fait que commencer. Et le contrat Kaspar, poursuivit-il, changeant de piste. Se pourrait-il que ces sphères dissimulent autre chose ?

— Comme quoi ?

— Cette Pluie d'Argent dont vous ne voulez pas me parler. Se pourrait-il que ce soit l'usine de Berlin qui la fabrique ?

— Non, répondit-elle en secouant la tête. La Pluie d'Argent ne marche pas comme ça. On ne la fabrique pas dans des fonderies, avec des machines-outils.

— Alors, un produit chimique ? S'il y a une fonderie, il y a probablement une usine chimique pas loin.

— Ça ne s'obtient pas non plus dans un labo de chimie.

Une petite voix lui murmurait, tout au fond d'elle-même, de faire attention à ce qu'elle disait, mais elle poursuivit quand même :

— La Pluie d'Argent est une arme très particulière. Elle exige des capacités de production très spécialisées, qui n'existent tout simplement ni en France ni en Allemagne.

Et nulle part sur cette planète, ajouta-t-elle in petto.

Floyd fit tourner son verre où restait un fond de vin.

— Alors, qui fait cette saloperie ?

— C'est ça le problème. Je n'en sais rien.

— Vous avez pourtant l'air d'en connaître un rayon sur la question.

— On pourrait la faire, mais pas sur place. Ce qui veut dire qu'il faudrait l'importer, et ensuite trouver un moyen de la déployer.

Elle pensa à la censure, qui bloquait automatiquement toutes les formes de nanotechnologie. A moins qu'il n'y ait un moyen encore inconnu de court-circuiter la censure, il était impossible de faire venir une chose comme la Pluie d'Argent sur T2. Ce que Skellsgard avait fait avec le marteau pneumatique – le démonter et le faire passer en pièces détachées – ne marcherait pas non plus.

Le rythme du train, les roues qui cliquetaient sur les joints des rails semblaient stimuler sa réflexion.

La technologie de T2 n'était pas, et de loin, assez avancée pour permettre de fabriquer une chose comme la Pluie d'Argent – et elle ne le serait pas avant un bon bout de temps. Evidemment, il y avait toujours la possibilité que les agents slashers aient fait procéder, quelque part, à un programme secret de recherche et de développement, mais Auger écarta cette hypothèse. La technologie industrielle de T2 en était restée à l'époque de la machine à vapeur, et aucune information avancée ne pourrait compenser ce handicap. La Pluie d'Argent était une arme incroyablement complexe, même selon les critères de la nanotechnologie disponible dans la lignée temporelle d'Auger. Or les habitants de T2 ignoraient jusqu'aux rudiments de ladite nanotechnologie. Les outils à leur disposition n'auraient même pas permis de fabriquer les composants nanotechnologiques les plus rudimentaires. Avec le temps, les bases techniques nécessaires seraient à leur portée – mais une partie de cette technologie magique, sinon sa totalité, se répandrait dans le monde, et le changerait. Quelle que puisse être la fonction des sphères du contrat Kaspar, elles avaient été fabriquées à l'aide d'une technologie et d'un savoir-faire indigènes.

Ce qui rendait d'autant plus anormale la référence à la Pluie d'Argent. Il était clair que quelqu'un prévoyait de l'utiliser. Mais on ne pouvait la produire sur T2, et on ne pouvait lui faire passer la censure.

Donc, ils avaient dû trouver un autre moyen de la faire venir. Quand on ne pouvait pas entrer par la porte de devant, songea-t-elle rêveusement, on cherchait une autre issue.

On cassait une fenêtre.

Un autre portail ? Même s'il y en avait un, il risquait fort de comporter aussi une censure.

Une chose était sûre, si terriblement évidente qu'elle l'avait complètement oblitérée : s'ils avaient trouvé le moyen de sortir de l'OVA, et de casser cette coque, alors ils pouvaient directement larguer la Pluie d'Argent dans l'atmosphère depuis l'espace.

Mais non. C'était impossible. Personne ne savait où se trouvait l'OVA. Il n'y avait qu'un lointain rapport entre la durée des transferts dans l'hyperweb et la distance réelle en années-lumière. Et il n'y avait absolument aucun indicateur de direction. Les pensées d'Auger revinrent à l'analogie avec la maison : l'hyperweb était une sorte de gigantesque réseau de galeries souterraines, sinueuses, ramifiées, qui débouchaient çà et là dans les fondations de vieilles maisons isolées. Mais il y avait beaucoup, beaucoup de demeures dispersées dans le paysage, et aucune façon de dire, de l'intérieur, dans laquelle un tunnel particulier avait émergé. Les portes étaient murées par des briques, les fenêtres par des planches. Si on avait pu les arracher, on aurait peut-être pu entrevoir le paysage environnant et tenter d'identifier la maison où arrivait le tunnel.

La coque pouvait-elle être cassée ou fendue de l'intérieur ?

— Verity ? demanda gentiment Floyd. Il y a quelque chose que vous voudriez me confier ?

— Je vous en ai déjà trop dit.

— Ce n'est pas mon avis.

Il s'adossa au dossier capitonné de son siège et riva sur elle un regard à la fois flatteur et un peu dérangeant. Ce n'était pas un homme déplaisant, loin de là ; un peu chiffonné aux entournures, peut-être, et il n'aurait pas volé une douche et un coup de peigne, mais elle avait connu pire.

— Je suis désolée, Wendell. Je vous ai dit tout ce que je pouvais.

— Vous n'avez pas encore toutes les réponses, c'est ça ?

— C'est ça, confirma-t-elle, contente de pouvoir répondre avec une parfaite honnêteté, pour une fois. Je n'ai que les pièces du puzzle que Susan White m'a laissées, et qui ne suffisent peut-être pas à reconstituer la réponse. Et si elles suffisent, je dois être trop bête pour le voir.

— A moins que la réponse ne soit pas si évidente.

— C'est ce que je n'arrête pas de me demander. Tout ce que je sais, c'est qu'elle devait être plus près de la vérité que je ne le suis.

— Pour ce que ça lui a servi…, fit Floyd.

— Oui, répondit Auger en levant son verre à la mémoire de Susan. Enfin, au moins, elle est morte en essayant.

Auger marchait seule sur les Champs-Elysées, le long d'un large trottoir ombragé par des arbres, au sein d'une marée humaine. Elle se rappelait avoir pris un train avec Floyd, mais leur enquête n'avait mené nulle part. Quand ils étaient arrivés à Berlin, ils avaient trouvé la ville sous la glace, hantée par des tribus de machines féroces, querelleuses. Comment avait-elle pu oublier ce détail crucial ? Le voyage n'avait été qu'une perte de temps. Elle était donc de retour à Paris, seule et un peu triste dans la foule enjouée du milieu de la matinée. Les gens faisaient leurs achats et se promenaient, les bras encombrés de sacs, de paquets et de bouquets de fleurs multicolores. Partout où portait son regard, c'était une tempête de couleurs, depuis les vêtements des Parisiens jusqu'aux vitrines pleines de jolies choses, en passant par les arbres qui croulaient sous des fruits pareils à des pierres précieuses. Des voitures et des autobus passaient à toute vitesse dans un brouillard d'ors et de chromes étincelants. Même les chevaux brillaient doucement, comme illuminés par une lumière intérieure. Au-dessus des têtes des passants qui oscillaient au rythme de leur marche, l'Arc de Triomphe dressait sa masse hérissée de drapeaux aux mille couleurs pastel. Auger ne savait pas où elle allait, ni ce qu'elle ferait en y arrivant. Il lui suffisait de suivre le courant, de se laisser porter par la multitude. Tout autour d'elle, des gens, en couples ou en groupes, riaient et faisaient des projets pour la journée. Leur gaieté commença à lui remonter le moral.

Derrière elle, un son rythmique, régulier, se détachait sur les autres bruits alentour. Elle regarda pardessus son épaule, entre les gens, et elle vit un enfant, un petit garçon, à une dizaine de pas dans son dos. Il avançait méthodiquement, d'un pas comme réglé par une mécanique d'horlogerie, et chacun s'effaçait devant lui, comme repoussé par une force magnétique. Le gamin portait une chemise rouge et un short, des chaussettes blanches et des chaussures noires à boucle, et elle savait qu'elle l'avait déjà vu, il n'y avait pas si longtemps. Il avait un yo-yo, à ce moment-là, elle s'en souvenait, mais maintenant il avait un tambour accroché au cou, et il tapait dessus selon le rythme obsédant qui avait attiré son attention : une sorte de battement de cœur compliqué. Mais immuable. Il ne ralentissait ni n'accélérait jamais.

Le garçon la mettait mal à l'aise. Alors elle se laissa emporter par le flot de piétons. Graduellement, le son du tambour s'estompa. Lorsqu'elle ne l'entendit plus, elle risqua un coup d'œil derrière elle et ne vit qu'une épaisse masse de badauds et de promeneurs. Le petit joueur de tambour n'était plus en vue. Elle continua à marcher rapidement, regarda à nouveau par-dessus son épaule ; il s'était apparemment évaporé.

Mais l'atmosphère avait changé, dans la vaste avenue. Ce n'était pas le garçon – elle était sûre que personne, en dehors d'elle, ne l'avait vraiment remarqué –, mais le temps. Les couleurs avaient perdu leur éclat et leur vivacité, et les drapeaux, sur l'Arc de Triomphe, voletaient comme de vieux chiffons gris. Le ciel, l'instant d'avant d'un bleu fondamental, bouillonnait maintenant de nuages noirs comme du charbon. Sentant l'averse imminente, les gens se précipitaient à l'abri des auvents et des bouches de métro. Du haut en bas des Champs-Elysées, les parapluies formaient une mer houleuse, noire et palpitante.

Il commença à pleuvoir, d'abord par grosses gouttes erratiques qui tavelèrent le trottoir et l'assombrirent bientôt en entier. Puis les gouttes se firent plus précipitées, et il se mit à tomber des cordes pareilles à du verre filé, qui giclaient sur les parapluies, débordaient des gouttières. Les piétons qui n'avaient pas encore pris la précaution de trouver refuge quelque part coururent s'abriter. Mais ils étaient trop nombreux et il n'y avait pas assez de place pour tout le monde. Les voitures et les autobus projetaient des gerbes d'eau sur les passants qui détalaient. Les gens lâchaient leurs paquets, leurs emplettes, les abandonnaient aux éléments dans leur quête frénétique d'un abri. Le vent forcit, arrachant les parapluies, les faisant voler dans le ciel. Auger regarda autour d'elle, vit la pluie sculpter leur visage, leur faire adopter une expression rageuse. Mais elle ne ressentait rien de cela. La pluie était chaude et douce, et elle avait la fragrance d'un parfum coûteux. Elle offrit son visage au ciel, but la pluie, s'en laissa oindre. C'était délectable : tiède à l'endroit où les gouttes touchaient sa peau, délicieusement fraîche lorsqu'elle glissait dans sa gorge. Autour d'elle, les gens couraient de plus belle, glissant et dérapant sur les pavés trempés. Elle se demanda pourquoi ils ne s'arrêtaient pas pour savourer la pluie. Quelle mouche les avait piqués ?

Puis la texture de la pluie changea. Elle commença à lui picoter la peau et les yeux. A lui brûler la gorge. Elle ferma la bouche, offrant toujours son visage au ciel, mais n'avalant plus son eau. Les picotements s'intensifièrent. La pluie, claire comme le cristal l'instant d'avant, était maintenant opaque, pareille à de l'acier, et semblait relier le ciel et la terre par des câbles chromés. Des rivières de mercure coulaient des gouttières et débordaient des caniveaux, changeant les trottoirs en miroirs. Personne, en dehors d'Auger, n'arrivait plus à tenir debout. Les gens couraient dans tous les sens, se débattaient sur le sol, essayaient désespérément de se relever. La pluie coulait sur leur visage, formait des mares dans leurs yeux et leur bouche comme si elle essayait de s'y infiltrer. Un cheval qui avait perdu sa charrette piétinait inefficacement sur la chaussée pour rester en équilibre, puis ses pattes cédèrent sous son poids comme des brindilles. Finalement, même Auger détourna son visage du ciel. Elle tendit la main et regarda les fils étincelants courir dans les interstices entre ses doigts.

Les nuages commencèrent à se disperser, et peu à peu le ciel bleu reparut. L'averse se calma. La pluie se réduisit graduellement à un crachin, puis cessa tout à fait. Les trottoirs luisants comme des miroirs commencèrent à sécher sous le soleil qui brillait à nouveau. Les gens tombés à terre se relevèrent prudemment. Même le cheval reprit plus ou moins son assiette.

« C'est fini », entendait-elle dire dans la foule, autour d'elle, alors que les gens, soulagés, reprenaient leur marche le long de l'avenue. Personne ne semblait ennuyé d'avoir perdu ses affaires. Les gens se réjouissaient seulement que la Pluie d'Argent ait cessé. Les couleurs refleurissaient dans la rue.

« Mais non, ce n'est pas fini ! » hurlait Auger, qui était la seule à rester debout, immobile, alors que tout le monde se ruait autour d'elle, comme des vagues coulant autour d'un rocher. « Ce n'est pas fini ! »

Mais personne ne faisait attention à elle. Même quand elle mit ses mains en coupe et cria encore plus fort, « Ce n'est pas fini ! Ce n'est que le commencement ! », les gens continuèrent à passer à côté d'elle, indifférents. Elle tendit la main, attrapa un jeune couple, mais ils se dégagèrent et lui rirent au nez. Avec un sentiment terrible d'inéluctabilité, elle les regarda continuer à avancer vers l'Arc de Triomphe. Et puis, une dizaine de pas plus loin, ils eurent une sorte de défaillance et se figèrent, un pied en l'air ; et tout le monde en fit autant, exactement au même instant.

L'espace d'un moment, tout fut parfaitement calme et immobile sur les Champs-Elysées. Alors, très lentement, comme un seul homme, ces milliers de gens soudain statufiés, certains dans les postures les plus ridicules, basculèrent et tombèrent par terre. Les corps raides, inertes, jonchaient maintenant les trottoirs de l'avenue, à perte de vue. Et tout autour, au-delà du quartier des Champs-Elysées, une immobilité palpable s'était établie sur la ville. Rien ne bougeait, rien ne respirait. Les corps étaient devenus gris argent, vidés de toute couleur.

Tout était silencieux. C'était, d'une certaine façon, assez beau : une ville enfin libérée de son fléau d'humanité.

Puis un souffle d'air se leva et balaya l'avenue. A l'endroit où il effleurait les corps, il soulevait des panaches de poussière brillante qu'il entrelaçait dans l'air comme de longues écharpes étincelantes. La poussière détachée des corps les dépouillait d'abord de leurs vêtements, puis de leur chair, révélant des ossements de chrome et un réseau de nerfs et de tendons gris acier. Le vent prit de la force, abrasa les os, lissa les carcasses, les réduisit à des courbes abstraites, tel un étrange paysage de dunes enlacées. Des entrelacs de poussière poivrée, métallique, serpentaient entre les lèvres d'Auger.

Elle se mit à hurler. Bien inutilement : la Pluie d'Argent était venue, et personne n'avait pris garde à ses avertissements. Si seulement ils l'avaient écoutée. Mais à quoi bon, se demandait-elle, à quoi cela leur aurait-il servi, de toute façon ?

Elle entendit un bruit rythmique, au loin. Dans la lagune de restes squelettiques indistincts, une silhouette demeurait debout. Le petit joueur de tambour jouait toujours, et il venait vers elle, en se frayant un chemin entre les ossements...

— Verity, dit très doucement Floyd. Réveillez-vous. Vous faites un cauchemar.

Elle mit plusieurs secondes à émerger, à se désengluer de son rêve. Elle ouvrit les yeux, se retrouva dans la lumière crépusculaire de son compartiment. Floyd la secouait doucement. Il était debout à côté de sa couchette, la tête au niveau de la sienne.

— Je croyais que j'étais de retour à Paris, dit-elle. Je pensais que la pluie avait commencé.

— Vous hurliez à vous arracher la tête.

— Ils ne voulaient pas m'écouter. Ils pensaient que c'était fini… Ils se croyaient en sécurité.

Elle était trempée d'une sueur glacée.

— Tout va bien, dit-il. Vous êtes en sécurité. Ce n'était qu'un mauvais rêve… Un cauchemar.

Par la fente des rideaux, elle voyait au-dehors glisser le paysage sous la lune. Ils allaient à Berlin, ils étaient en route vers cette ville recouverte de glace, arpentée par des machines, aussi périlleuse, à sa façon, que le bol excavé de Paris. L'espace d'un moment, elle paniqua. Elle aurait voulu dire à Floyd qu'ils devaient faire demi-tour, que c'était inutile, un voyage pour rien. Et puis, peu à peu, ses pensées s'organisèrent et le rêve se dissipa. Ils allaient vers un autre Berlin, un Berlin qui n'avait pas connu le Nanocauste, ni aucune des autres horreurs du Siècle du Vide. Ce Paris brillamment éclairé, trempé de pluie, n'était qu'un rêve.

— Ils ne voulaient pas m'écouter, dit-elle doucement.

— Ce n'était qu'un cauchemar, répéta Floyd. Vous êtes en sécurité, maintenant.

— Non, dit-elle.

Elle ne pouvait se départir de l'impression que le rêve allait la rattraper d'un moment à l'autre. Elle voyait toujours le petit joueur de tambour marcher vers elle à travers le labyrinthe d'ossements, comme si cette partie du rêve continuait son déroulement quelque part sous son crâne, d'un mouvement inexorable, implacable, tel le ressort d'une horloge s'avançant vers une fin inéluctable.

— Vous êtes en sécurité.

— Non, dit-elle. Et vous non plus. Personne ne l'est. Nous devons empêcher ça d'arriver, Wendell. Nous devons faire cesser la pluie.

Il prit sa main entre les siennes. Peu à peu, elle cessa de trembler et resta allongée là, engourdie. Il lui tint la main un petit moment, et elle se laissa faire jusqu'à ce qu'elle retombe dans un sommeil agité, dérivant sans corps à travers les rues jonchées de poussière d'une ville vide, tel le dernier fantôme au monde.

Ils arrivèrent à Berlin en milieu de matinée. C'était un dimanche. Partout, dans la ville, des drapeaux et des fanions étaient à nouveau déployés. Maintenant que Rommel et von Stauffenberg étaient six pieds sous terre, de jeunes et brillants sujets avaient jugé qu'il était temps de donner une nouvelle chance au national-socialisme. Les publicitaires avaient imaginé des changement prudents : la vieille svastika aux angles droits avait disparu, remplacée par une version aux courbes plus douces. Les dignitaires du parti donnaient des fêtes sur le Pré du Zeppelin, mais ils gardaient leurs meilleures performances pour la lucarne vacillante de la télévision. On trouvait une petite tranche de Nuremberg dans tous les salons bourgeois, tous les bars à bière, toutes les cafétérias des gares. On parlait de libération sur parole pour le grand chef pensionnaire de la gare d'Orsay. Peut-être même d'une sorte de retour triomphant du Reichstag, au crépuscule de son existence chimiquement prolongée.

— Ça ne devrait pas être comme ça, dit tout bas Auger.

— Là, je suis bien d'accord, répondit Floyd dans un souffle.

Ils firent en taxi le bref trajet jusqu'à l'hôtel Am Zoo, dans le coin élégant du Kurfürstendamm. C'était un bon hôtel, aux marbres et aux chromes si impeccablement polis qu'on aurait pu dîner dessus. Au moins, l'endroit n'avait pas beaucoup changé. Floyd le connaissait assez bien, parce qu'il y était descendu deux ou trois fois, avec Greta, quelques années plus tôt. Ça paraissait être l'endroit évident où descendre, mais après avoir rempli leur fiche et transporté leurs maigres bagages dans la chambre qu'ils avaient réservée, Floyd commença à se sentir tenaillé par une pointe de culpabilité aussi ennuyeuse que familière. Ce n'était pourtant pas comme s'il trompait consciencieusement Greta, en retournant avec une autre femme dans ce vieil endroit romantique. C'était absurde pour deux raisons, se dit-il. Greta et lui n'étaient plus ensemble – même s'il n'était pas complètement exclu qu'ils le soient à nouveau un jour. Et Auger et lui – eh bien, c'était tout simplement ridicule. Comment cette pensée avait-elle pu lui passer par la tête ? Ils étaient là pour leur enquête. C'était strictement professionnel.

Et si elle lui plaisait ? Elle était agréable à regarder, intelligente, elle avait l'esprit vif et elle était intéressante – comment une espionne pouvait-elle être autre chose qu'intéressante ? Sacrée question ! –, mais n'importe quel homme aurait pu en dire autant. Elle lui plaisait ; ça n'exigeait pas un grand effort. Ce n'était pas comme s'il avait dû faire abstraction de ses défauts superficiels : elle n'en avait aucun – sauf peut-être la façon dont elle donnait l'impression de le traiter, comme s'il était incapable d'entendre la vérité et, pis encore, de la gérer. Ça, ça lui déplaisait fortement. Mais ça ne faisait que la lui rendre plus fascinante : une énigme qu'il devait élucider. Ou déballer, comme un paquet cadeau, peut-être, selon les circonstances. Lorsqu'elle s'était finalement rendormie, après le cauchemar, il était resté allongé sur la couchette inférieure, à l'écouter respirer, à penser à elle sous les draps et à se demander de quoi elle rêvait maintenant. Il n'était pas dingue d'elle. Mais c'était le genre de fille dont il aurait très facilement pu devenir dingue, s'il avait voulu.

Enfin, rien de tout ça n'avait de sens. Au cours de sa vie, elle avait dû en avoir, des hommes dans son genre, à ses genoux, et les écraser sous ses pieds, comme les feuilles en automne. Ça devait lui arriver si souvent que tout ce qu'elle remarquait était ce joli bruit d'écrasement. Qu'est-ce qu'une fille comme Verity Auger aurait bien pu avoir à faire avec un décavé, un minable de son espèce ? Wendell Floyd. Un musicien de jazz qui ne jouait pas. Un détective qui ne détectait rien.

S'il n'avait pas gardé cette carte postale, elle ne l'aurait même pas laissé monter avec elle, à bord de ce train.

Bon, peut-être qu'il n'était pas si bête, après tout.

— Wendell ? demanda-t-elle.

— Quoi ?

— Vous avez l'air préoccupé.

Il se rendit compte qu'il était debout à la fenêtre, à ruminer, depuis au moins cinq minutes. De l'autre côté du Kurfürstendamm, des ouvriers boulonnaient une grande statue en acier dédiée à la première ascension de l'Everest. Un jeune aviateur russe à califourchon au sommet levait son poing ganté en un salut chaleureux vers un avion qui le survolait, à moins que ce ne soit un défi impudent adressé à un Dieu vaincu, démodé.

— Je pensais juste au bon vieux temps, dit-il.

Auger était assise sur le lit, occupée à feuilleter un annuaire téléphonique. Elle avait enlevé ses chaussures et croisé ses jambes gainées de bas.

— Vous étiez déjà venu ici ?

— Il faut croire.

— Je regrette si j'ai compliqué les choses entre vous et…

— Greta, dit-il sans lui laisser le temps de prononcer son nom. Et non, vous n'avez rien compliqué. Elle sait à quoi s'en tenir.

Auger leva les yeux, le doigt pointé au milieu d'une page. Elle suçait une mèche de ses cheveux, comme si ça l'aidait à se concentrer.

— C'est-à-dire ?

— Que nous sommes là pour affaires. Que vous ne vouliez même pas que je vous accompagne. Qu'il n'y a rien de plus.

— Elle n'est pas jalouse ?

— Jalouse ? Pourquoi le serait-elle ?

— Absolument. Il n'y a pas de raison.

— Nous ne sommes que deux adultes qui ont des intérêts mutuels à Berlin…

— Et qui font des économies en partageant une chambre d'hôtel.

— Exactement, répondit Floyd avec un sourire. Maintenant que nous avons levé toute ambiguïté…

— Oui. Quel soulagement.

Elle se pencha à nouveau sur l'annuaire profes-sionnel, se mouilla un doigt et tourna une page fine comme un mouchoir en papier.

— J'aurais dû chercher un autre hôtel, dit Floyd.

— Pardon ?

— Non, rien.

Il se tourna vers elle. Son regard s'attarda un instant sur ses mollets fuselés. Ce n'étaient pas les jambes les plus longues ou les plus sculpturales qu'il ait jamais vues, mais ce n'étaient pas les pires, loin de là.

— Floyd ?

Elle avait remarqué qu'il la regardait, et il détourna son regard vers son visage, un peu embarrassé par la direction que ses pensées avaient prise.

— Vous arrivez à quelque chose avec ce numéro de téléphone ? demanda-t-il.

Elle avait passé plusieurs coups de fil pendant qu'il regardait par la fenêtre, mais il n'y avait guère prêté attention. Quelques échanges avaient eu lieu, parce que tous leurs appels passaient par le standard de l'hôtel, mais son allemand rudimentaire faisait de l'écoute un exercice inutile.

— Ça n'a rien donné jusque-là, dit-elle. J'ai déjà essayé d'appeler de Paris, mais je me disais qu'il pouvait y avoir un problème avec les liaisons internationales.

— J'ai essayé aussi, reprit Floyd. Je n'ai pas eu de succès non plus. D'après l'opérateur, on aurait dit que la ligne avait été coupée. Comment une grosse entre-prise comme ça aurait-elle pu oublier de payer la note, ou ne pas avoir de standardiste pour prendre les appels ? Ils n'ont pas entendu parler des répondeurs ?

Auger essaya à nouveau. Elle parlait très bien l'alle-mand, ou du moins ce qui faisait à Floyd l'impression d'être un très bon allemand.

— Non, dit-elle. La ligne est complètement inter-rompue. Il n'y a même pas de sonnerie, à l'autre bout.

Elle lissa la lettre de Kaspar Metals pour la défroisser.

— C'est peut-être le numéro qui est mauvais.

— Pourquoi imprimeraient-ils un mauvais numéro sur leur papier à en-tête ?

— Je n'en sais rien, répondit Auger. Peut-être qu'ils ont changé de numéro et qu'ils avaient encore tout un stock de leur ancien papier à en-tête. Peut-être que celui qui a envoyé ça a utilisé le vieux papier qu'il avait dans son bureau depuis des années.

— Minable, décréta Floyd.

— Mais pas répréhensible.

— Vous avez vérifié dans l'annuaire ?

— C'est le même numéro qui est indiqué, dit-elle. Cela dit l'annuaire n'a pas l'air récent. Je ne sais plus d'où partir. Nous avons une adresse sur la lettre, mais c'est une boîte postale, pour la correspondance avec toutes les aciéries. Ce n'est pas assez précis pour être utile. Ça ne nous dit même pas où est l'usine.

— Attendez, dit Floyd. Et si on court-circuitait Kaspar Metals en prenant directement contact avec le signataire de la lettre ? On verrait bien ce qu'il a à dire.

— Herr G. Altfeld, dit Auger, en regardant la lettre. Il pourrait habiter n'importe où. Il se pourrait même qu'il ne soit pas dans l'annuaire.

— Mais il y est peut-être. Si on vérifiait ?

Auger lui passa l'annuaire alphabétique de Berlin.

— Altfeld, voilà, dit Floyd en feuilletant le lourd volume corné. Altfeld, Altfeld, Altfeld... il y en a toute une tapée. Au moins une trentaine. Mais pas beaucoup avec un G comme initiale...

— Nous ne sommes pas sûrs que ce G soit l'initiale de son prénom, observa-t-elle.

— Commençons par là. Si nous ne touchons pas le jackpot, il sera toujours temps de passer aux autres Altfeld.

— On va en avoir pour une éternité…

— C'est le genre de travail de routine qui fait bouillir la marmite dans mon métier. Passez-moi un stylo, s'il vous plaît. Je vais commencer par faire une liste des candidats possibles. Et vous pourriez peut-être nous faire monter du café. La matinée risque d'être longue.

22

A la façon dont l'homme répondit au téléphone, Auger sut tout de suite qu'elle avait fait le bon numéro. Son ton autoritaire, légèrement professoral, confirma ses soupçons.

— *Herr* Altfeld.

— Je vous prie d'excuser mon intrusion, *mein Herr*, et pardonnez mon mauvais allemand, mais j'essaie de retrouver un *Herr* Altfeld qui travaille chez Kaspar Metals…

La communication fut coupée avant qu'Auger ait eu le temps d'ajouter un mot.

— Que s'est-il passé ? demanda Floyd.

— Je pense que j'ai mis dans le mille. Il a raccroché un peu trop brutalement.

— Recommencez. D'après mon expérience, les gens finissent toujours par répondre au téléphone, tôt ou tard.

Elle redemanda le numéro à la standardiste de l'hôtel, et attendit que la communication soit établie.

— *Herr* Altfeld, je me permets de…

La ligne fut à nouveau coupée. Auger essaya une troisième fois, mais la sonnerie retentit interminablement sans que personne décroche. Auger imaginait le son retentissant dans le couloir d'un appartement cossu, le téléphone posé sur une petite table, sous une reproduction d'un tableau célèbre – un Pissarro, ou un Manet, peut-être. Elle insista, laissa sonner interminablement. Sa patience fut enfin récompensée, quelqu'un décrocha.

— *Herr* Altfeld ? Je vous en prie, laissez-moi parler…

— Je n'ai rien à vous dire.

— *Mein Herr*, je sais que vous avez parlé à Susan White. Mon nom est Auger… Verity Auger. Je suis la sœur de Susan.

Il y eut une pause au cours de laquelle il parut plus que probable que l'homme allait raccrocher à nouveau.

— *Fräulein* White n'a pas daigné venir à notre rendez-vous, finit-il par répondre.

— C'est parce que quelqu'un l'a assassinée.

— Assassinée ? répéta-t-il, incrédule.

— C'est pour ça que vous ne l'avez jamais vue. Et je suis ici, à Berlin, avec un détective privé…

En disant cela, elle suivait le conseil de Floyd : dire la vérité dans toute la mesure du possible pouvait ouvrir un nombre surprenant de portes. Elle continua :

— Nous pensons que Susan a été tuée pour une raison précise, qui pourrait avoir un rapport avec les activités de Kaspar Metals.

— Je vous répète que je n'ai rien à vous dire.

— *Mein Herr*, vous avez eu l'amabilité d'accorder un rendez-vous à ma sœur. Pourriez-vous au moins nous accorder la même faveur ? Nous ne vous prendrons pas beaucoup de temps, et je vous promets que vous n'entendrez plus jamais parler de nous.

— La situation a changé. C'était une erreur de parler à *Fräulein* White, et ce serait une encore plus grosse erreur de vous parler.

— Pourquoi… Quelqu'un fait pression sur vous ?

— Pression ! répéta l'homme avec un rire creux. Non, je ne suis plus l'objet d'aucune pression. Un généreux accord de retraite anticipée y a veillé.

— Vous ne travaillez donc plus pour Kaspar Metals ?

— Personne n'y travaille plus. L'usine a brûlé.

— Ecoutez, *mein Herr*, je pense que ça nous aiderait vraiment beaucoup si nous pouvions nous parler, ne serait-ce que cinq minutes. Je peux vous retrouver où vous voudrez…

— Je regrette, lâcha Altfeld avant de raccrocher.

— Dommage, fit Auger en se frottant le front. Je commençais à penser que j'allais arriver à quelque chose. Il faut croire qu'il n'a vraiment pas envie de nous parler.

— Nous n'allons pas laisser tomber, dit Floyd.

— J'essaie de le rappeler ?

— Il refusera de vous parler. Mais ça ne fait rien. Maintenant, nous connaissons son adresse.

Le taxi – une Duesenberg noire – s'arrêta dans un beau bruit de moteur au bout d'une rue ombragée de Wedding, à cinq kilomètres du centre-ville. De longues enfilades de maisons construites au rabais hébergeaient les nombreux ouvriers et employés des usines du coin. L'usine de locomotives Borsig était le plus grand employeur de la région, mais Siemens n'était pas loin, et les complexes industriels se succédaient dans le secteur. L'usine Kaspar Metals s'y trouvait sans doute.

— Nous y sommes, dit Auger. Qu'est-ce que je dis au chauffeur ?

— Dites-lui de ne pas couper le compteur. On va jeter un œil.

Auger eut un bref échange avec le chauffeur.

— Il dit que si on le paye maintenant il nous attendra dix minutes.

— Eh bien, d'accord.

Auger avait déjà changé des francs en Deutsche Mark. Elle tendit quelques billets à l'homme et lui répéta de les attendre. Le chauffeur coupa le moteur et ils descendirent de voiture.

— Je suis impressionné par la qualité de votre allemand, commenta Floyd alors qu'ils ouvraient la porte du jardin et remontaient la petite allée de gravier qui menait à la porte d'entrée de la maison. C'est ce qu'on enseigne à toutes les jeunes et jolies espionnes ?

— Ça peut toujours servir, répondit Auger.

Floyd sonna. Une forme se profila derrière le verre dépoli, et la porte s'entrouvrit devant un homme d'une cinquantaine ou une soixantaine d'années, aux traits délicats. Il portait une chemise et des bretelles, de petites lunettes à monture de métal et une moustache impeccablement taillée. Il était plus petit et plus frêle que Floyd. Il tenait un plumeau et une pièce de porcelaine dans ses mains très fines.

— *Herr* Altfeld ? demanda Auger, avant de prononcer quelques paroles en allemand où Floyd crut reconnaître le mot « téléphone ».

Elle n'eut pas le temps d'aller plus loin. L'homme lui claqua la porte au nez.

— Je réessaie ? demanda-t-elle.

— Il n'ouvrira pas. Il n'a vraiment pas l'air de vouloir nous parler.

Auger se pencha et appuya sur la sonnette, sans succès.

— Mais c'était bien lui, vous ne pensez pas ?

— Je suppose. C'est l'adresse qui correspond au numéro que vous avez appelé.

— Je me demande ce qui lui a fait tellement peur.

— Moi, j'en ai une idée ou deux, dit Floyd.

Ils reprirent l'allée de gravier en sens inverse et refermèrent la grille derrière eux.

— Bien. Sachant qu'il est exclu de forcer la porte et de le ligoter sur une chaise, comment suggérez-vous que nous procédions, maintenant ?

— On attend dans le taxi. Si vous arrivez à vous concilier les bonnes grâces du chauffeur, on restera dedans jusqu'à ce qu'Altfeld montre l'oreille.

— Vous pensez que c'est ce qu'il va faire ?

— Quand il sera sûr qu'on aura quitté le secteur, il voudra sortir de cette maison pour ne plus nous entendre tirer sa sonnette, ou le harceler au téléphone.

— Vous êtes dans votre élément, là, hein, Wendell ?

Auger réussit à convaincre le chauffeur de taxi de leur faire refaire le tour du pâté de maisons, afin qu'ils donnent l'impression de s'éloigner si Altfeld les surveillait entre ses rideaux. Lorsqu'ils furent à nouveau dans sa rue, le chauffeur gara son taxi un peu plus loin que la fois précédente, mais toujours en vue de la maison.

— Dites au chauffeur que l'attente peut se prolonger, dit Floyd, mais que nous lui donnerons plus que s'il avait eu d'autres clients.

— Il n'aime pas ça quand même, dit Auger, après avoir traduit les instructions de Floyd. Il dit que son travail c'est de conduire, pas de jouer au détective privé.

— Filez-lui un autre billet.

Elle rouvrit son sac et dit deux mots au chauffeur, qui haussa les épaules et prit le billet qui s'offrait à lui.

— Qu'est-ce qu'il dit, là ? demanda Floyd.

— Il a dit qu'il pourrait s'habituer à son nouveau métier.

Ils attendirent, et attendirent encore. Le chauffeur parcourut le *Berliner Morgenpost* de la première à la dernière page. Juste au moment où Floyd commençait à douter de son intuition, la porte d'entrée de la maison d'Altfeld s'ouvrit et l'homme en sortit, vêtu d'un imperméable et portant un petit sac en papier. Il referma la grille du jardin derrière lui, monta dans une voiture, une Bugatti des années 40, avec des pneus à flancs blancs, et démarra.

— Dites au chauffeur de suivre cette voiture, dit Floyd. Mais qu'il ne s'en rapproche pas trop.

Etonnamment, le chauffeur de taxi se révéla assez doué pour la filature, et Floyd ne fut obligé qu'une ou deux fois de lui dire de ralentir un peu. A deux ou trois reprises, le chauffeur prit avec assurance une ruelle latérale et se retrouva, après quelques tours et détours, quelques voitures derrière celle qu'ils suivaient.

La poursuite les ramena en ville, par la même route qu'ils avaient prise pour aller à Wedding. Ils retraversèrent bientôt la Spree et contournèrent le Tiergarten, le grand poumon vert de Berlin. Près de l'extrémité ouest, pas très loin de l'hôtel Am Zoo, la Bugatti ralentit et se gara. Le taxi tourna au coin de la rue et s'arrêta. Auger paya le chauffeur pendant que Floyd s'approchait du coin et surveillait la voiture d'Altfeld. Juste à temps pour voir l'homme descendre de voiture, tenant toujours son sac en papier. Ils le suivirent jusqu'à la porte de l'Eléphant du Zoologischer Garten, et le regardèrent de loin prendre un billet et entrer dans le zoo. Floyd le connaissait très bien ; ils y étaient allés presque chaque fois qu'ils étaient venus à Berlin, Greta et lui. Ils y avaient flâné pendant des après-midi entiers jusqu'à ce que le ciel s'assombrisse et que les néons vacillants de la ville saluent la fin du jour.

Au-dessus de leur tête, le ciel était chargé de nuages menaçants, mais la pluie ne tombait pas. On eût dit un chien qui aurait aboyé, mais pas mordu. En ce début de dimanche après-midi, le zoo commençait à se remplir de familles accompagnées d'enfants turbulents qui fondaient en larmes à la moindre remontrance. Floyd et Auger payèrent leur entrée et suivirent Altfeld à distance respectable. Il y avait juste assez de gens pour qu'ils puissent passer inaperçus tout en ne risquant pas de le perdre de vue.

Ils suivirent Altfeld vers l'enclos des pingouins : un paysage de béton, où des roches et des corniches artificielles entouraient un lac d'eau stagnante, peu profond, le tout ceint d'une grille en fer forgé. C'était l'heure du casse-croûte : un jeune homme en short lançait des poissons à une tribu de pingouins qui les engloutissaient avidement. Altfeld resta debout près de la rambarde, devant la petite foule de spectateurs. Rien ne laissait supposer qu'il se savait suivi. Bientôt, le gardien du zoo ramassa son seau vide et s'éloigna. Comme s'il n'attendait que ce signal, Altfeld plongea la main dans son petit sac en papier et lança des morceaux argentés aux volatiles.

De l'autre côté de l'enclos, quelqu'un attira le regard de Floyd. Auger avait réussi à faire le tour, à se placer sur le devant de la foule de badauds, et elle était maintenant appuyée à la rambarde. Au lieu de s'intéresser à Altfeld, elle regardait, fascinée, la congrégation foisonnante de pingouins, avec leurs queues de pie et leurs petites nageoires stupides, et l'extrême dignité avec laquelle ils se jetaient dans l'eau, à plat ventre ou en se laissant tomber à la renverse. On aurait dit qu'elle n'avait jamais vu de pingouins de sa vie.

Floyd se dit qu'ils ne devaient pas avoir beaucoup de zoos dans le Dakota.

La foule commença à se disperser. Quelques personnes restèrent sur place, dont Altfeld. Il lança les dernières miettes de son sac et considéra les pingouins avec la résignation détachée d'un général constatant une défaite militaire consternante.

Floyd et Auger s'approchèrent de lui.

— *Herr* Altfeld ? demanda Auger.

Il promena autour de lui un regard acéré, lâcha son sac en papier et répondit en anglais :

— Je ne sais pas qui vous êtes, mais vous n'auriez pas dû me suivre.

— Nous voudrions seulement que vous répondiez à quelques questions, dit Floyd.

— Si j'avais quelque chose à dire, je l'aurais déjà fait.

Auger se rapprocha.

— Je m'appelle Verity, dit-elle. Susan était ma sœur. Elle a été tuée il y a trois semaines. Je sais que vous vous étiez écrit au sujet du contrat Kaspar. Je pense que son assassinat est lié à l'objet de ce contrat.

— Je ne peux absolument rien vous dire à ce sujet.

— Mais vous voyez de quel contrat il s'agit, reprit Floyd. Vous savez qu'il sortait de l'ordinaire.

— Une commande artistique, dit-il, tout bas. Rien de spécial.

— Je comprends que ce soit plus réconfortant, mais vous n'y croyez pas vous-même, dit Auger.

— Tout ce que nous voulons savoir, dit Floyd, c'est où les objets ont été envoyés. Une simple adresse fera l'affaire.

— Même si j'étais disposé à vous le dire, et ce n'est pas le cas, cette information n'existe plus.

— Vous ne gardez pas d'archives quelque part, pour référence ultérieure ? demanda Auger en haussant le sourcil, surprise.

— Les documents ont été… On s'en est débarrassé.

Floyd se positionna de telle sorte qu'Altfeld ne puisse plus voir les pingouins.

— Mais vous devez bien vous rappeler quelque chose…

— Je n'ai pas retenu les détails.

— Parce qu'on vous a dit de tout oublier ? demanda Auger. C'est ça, monsieur Altfeld ? On vous a dit de ne pas faire trop attention ?

— C'était un contrat compliqué. Bien sûr que j'y ai fait attention.

— Donnez-nous des éléments, dit Floyd. N'importe quoi. Juste la région approximative de Paris où l'une de ces sphères a été expédiée, ce sera mieux que rien.

— Je ne m'en souviens plus.

— Avez-vous jamais parlé de la fonction de ces sphères ? insista Auger.

— Comme je vous l'ai dit, c'était une commande artistique, répondit Altfeld d'une voix tendue, les traits tellement crispés qu'ils semblaient menacer de s'effriter à tout moment. Kaspar Metals avait beaucoup d'autres commandes de moulage de pièces métalliques à la même période. Pourvu que les spécifications soient respectées, nous n'avions pas à nous poser de questions sur l'utilisation qui en serait faite.

— Mais vous avez bien dû vous interroger, dit Floyd.

— Non. Je ne suis pas un homme curieux.

— Nous pensons que les sphères pourraient être des éléments d'une arme, dit Auger. Ou, tout au moins, les composants d'un dispositif aux applications militaires. La même idée a bien dû vous effleurer, non ? Ça ne vous a pas donné matière à réflexion ?

— La destination des pièces concernait le service export, pas moi.

— Belle échappatoire, constata Floyd.

Altfeld leva les yeux vers lui.

— Si la commande avait suscité la moindre question, l'exportation des pièces aurait été bloquée. Elles ont été livrées, alors l'affaire est close.

— Et vous estimez que vous êtes quitte, hein ? demanda Floyd.

— J'ai la conscience tranquille. Si ça vous ennuie, j'en suis navré. Et maintenant je peux regarder les pingouins en paix ?

— Ce contrat faisait partie d'un projet très moche, dit Auger. Vous ne pouvez pas vous en laver les mains si facilement.

— Ce que je fais de mes mains, dit Altfeld, ne regarde que moi.

— Dites-nous ce que vous savez, insista Floyd.

— Ce que je sais, c'est que vous devriez arrêter de poser des questions et abandonner cette affaire. Quittez Berlin tout de suite, et retournez d'où vous venez. Je n'arrive pas à identifier votre accent, dit-il en regardant Auger. Et pourtant je suis généralement assez bon, même avec les gens qui parlent anglais.

— Elle vient du Dakota, répondit Floyd. Mais peu importe. La seule chose qui compte, c'est que vous nous disiez ce qui vous fout une trouille pareille.

— C'est ridicule, voyons.

Ils étaient maintenant seuls auprès de l'enclos des pingouins. Floyd sentit que le moment était venu de saisir l'occasion, à la fois bien conscient qu'il le regretterait aussitôt et aussi qu'il n'y avait pas d'autre moyen de tirer une information du bonhomme. Il se jeta sur Altfeld, l'empoigna par les revers de son imperméable et le poussa brutalement contre la rambarde, le dos plaqué contre l'enclos, lui coupant le souffle.

— Maintenant, vous allez m'écouter, dit Floyd. Je ne suis pas un homme impatient. Je ne suis pas du genre à me comporter comme un voyou. En réalité, je suis plutôt un brave type, du genre accommodant. Mais le problème, c'est qu'un de mes amis a des problèmes. *Grosse Problemen.*

Altfeld se tortilla, essayant, sans succès, de se libérer de la prise de Floyd.

— Je ne connais pas vos amis, souffla-t-il.

— Je n'ai jamais dit ça. Mais votre petit contrat, celui dont vous ne voulez pas parler, est lié aux ennuis dans lesquels mon ami se retrouve. Il est aussi lié au meurtre de la sœur de Mlle Auger. Ce qui fait de nous deux personnes qui aimeraient se rapprocher de la vérité, et de la personne qui se met en travers de notre chemin.

— Lâchez-moi, dit Altfeld. Et nous pourrons peut-être avoir une conversation raisonnable…

— Ne lui faites pas de mal, Wendell, dit Auger.

Floyd regarda autour d'eux : pas un seul témoin en vue. Il maintint l'homme contre la rambarde.

— Il n'y aura pas plus raisonnable que ça. Maintenant, si vous me parliez des gens qui vous ont commandé ces sphères ?

— Je ne vous dirai rien, sinon que je ne vous conseille pas d'avoir affaire à eux.

— Ah, fit Floyd. Nous avançons… en quelque sorte.

Il remercia Altfeld d'une légère réduction de la pression, le laissant se redresser et tenir debout tout seul.

— La question est… s'ils sont tellement redoutables, pourquoi avez-vous traité avec eux ? Kaspar Metals n'avait sûrement pas à ce point besoin de cette commande ?

Altfeld regarda autour de lui comme s'il espérait qu'une aide se présenterait.

— Toutes les commandes sont bonnes à prendre. Nous ne sommes pas dans les affaires pour refuser les contrats.

— Même pas les commandes aussi compliquées, techniquement, que celle-ci ? demanda Auger.

Il la foudroya du regard, comme si elle aurait dû avoir honte d'exprimer une opinion sur le sujet.

— Il n'y avait rien d'inhabituel, au départ. Le contrat paraissait relativement simple, comme toutes ces choses-là, généralement. Nous étions ravis de l'accepter. Mais au fur et à mesure que les négociations avançaient, les exigences de qualité du produit s'accroissaient aussi. Les spécifications devenaient plus strictes, les tolérances se restreignaient. Déjà, au départ, l'alliage d'aluminium et de cuivre était difficile à mouler et à usiner, mais nous n'avions même pas les instruments de mesure capables de calibrer la forme des pièces au degré de précision exigé. Et puis il y avait toute cette histoire de suspension cryogénique…

— La suspension *quoi* ? coupa Auger, des sirènes d'alarme retentissant dans son esprit.

— Je vous en ai déjà trop dit…

Floyd resserra sa prise sur Altfeld, le souleva à nouveau, jusqu'à ce que le haut de son col s'accroche sur les pointes acérées de la grille de fer forgé, et le laissa suspendu là.

— Il va falloir faire mieux, cher ami…

Le souffle d'Altfeld s'étrangla dans sa gorge.

— Plus… plus tard, au cours de l'exécution du contrat, le client nous a révélé que les sphères devraient supporter l'immersion dans l'hélium liquide, à une température qui frisait le zéro absolu. Ce qui a posé d'innombrables difficultés. Maintenant, lâchez-moi, je vous en prie…

— On dirait qu'on vous a demandé l'impossible, dit Floyd. Pourquoi n'avez-vous pas tout simplement refusé la commande, si les détails n'arrêtaient pas de changer comme ça ?

— Nous avons bien essayé, dit Altfeld. Et c'est là que j'ai découvert que nos clients ne reculaient devant aucune brutalité. Ils nous ont… expliqué qu'il n'y avait pas moyen de faire machine arrière.

— J'imagine que vous ne vous êtes pas laissé faire…

— Oui. Et c'est là que l'un de mes directeurs, celui qui avait mené les dernières étapes des négociations avec le client, a été retrouvé mort chez lui.

— Assassiné ? demanda Floyd.

— Il avait été tabassé à mort dans sa véranda. Par un magnifique après-midi d'été, alors que sa maison était offerte à tous les regards. On n'a vu entrer ni sortir personne. Du moins, aucun individu capable de commettre ce crime.

— Sauf, peut-être, un enfant, avança Floyd.

Altfeld écarquilla les yeux et sembla abandonner d'un coup toute réticence. Floyd perçut son changement d'état d'esprit : c'était comme si, à un certain niveau, il était soulagé de pouvoir enfin parler à quelqu'un, si terribles que puissent être les conséquences.

— Aux derniers stades de l'exécution de la commande, au moment du contrôle et de la vérification des sphères, il y avait des enfants partout dans l'usine, où que tombe le regard. Ils me suivaient partout, où que j'aille. Je les voyais là, du coin de l'œil. Je n'en ai plus vu un seul depuis que l'usine a brûlé. J'espère pouvoir en dire autant jusqu'à l'heure de ma mort.

— Ils vous ont fait peur ? demanda Auger.

— Une fois, j'ai été assez près pour en voir un bien en face. C'est une expérience que j'espère ne pas avoir à renouveler.

Auger s'approcha de lui.

— Je peux comprendre que vous ayez peur de ces enfants, monsieur Altfeld. Vous avez raison d'avoir peur. Ils sont vraiment dangereux, et ils ne reculeront pas devant le meurtre pour protéger leurs intérêts. Mais nous ne travaillons pas avec eux. En réalité, nous faisons tout ce qui est en notre pouvoir pour les empêcher de nuire.

— Alors, vous êtes encore plus stupides que je ne le pensais. Si vous aviez le moindre bon sens, vous en resteriez là.

— Nous avons juste besoin d'une adresse, dit Floyd. Une piste. C'est tout ce que nous vous demandons. Et vous n'entendrez plus parler de nous.

— Mais moi, j'entendrai parler d'eux.

— Si vous nous aidez, alors nous pourrons peut-être mettre fin à leurs agissements avant qu'ils ne vous atteignent, dit Auger.

Altfeld laissa échapper un petit bruit pareil au caquètement d'une poule, comme si Auger venait de formuler là le propos le plus stupide qu'il eût jamais entendu.

— Au moins, dites-nous où la fabrication a eu lieu, insista Floyd.

— Je ne vous dirai rien du tout. Si vous avez réussi à me retrouver, je suis sûr que vous pourrez poursuivre vos investigations sans mon aide…

Floyd trouva une force qu'il ne savait pas posséder et souleva Altfeld encore plus haut, jusqu'à ce que sa tête et ses épaules se trouvent au-dessus du niveau de la grille, prêts à basculer dans l'enclos de ciment.

Altfeld laissa échapper un hoquet d'angoisse alors que son centre de gravité commençait à se renverser vers l'arrière.

— Vous me le dites, siffla Floyd. Vous me le dites, ou je vous pousse par-dessus.

Auger essaya de retenir Floyd, mais il en avait assez des mensonges et des faux-fuyants. Il se foutait que cet homme crève de trouille, ou qu'il n'ait joué qu'un rôle marginal dans une conspiration plus vaste. Tout ce qui lui importait, c'était Custine, et ce qui avait fait hurler Auger de peur dans son sommeil.

— Donnez-moi une adresse, espèce de salaud. Donnez-moi une adresse ou je vous file à bouffer à ces bestioles !

La respiration d'Altfeld devint sifflante, comme s'il avait une sorte de crise. Entre deux souffles hoquetants, il laissa échapper :

— Quinze… Le hall quinze.

Floyd l'abaissa sur le sol, le laissant affaissé contre la grille.

— C'est par là qu'il fallait commencer.

Le temps qu'ils regagnent leur hôtel, il était trop tard pour envisager de se rendre dans la zone industrielle où se trouvait l'usine de Kaspar Metals.

— Nous prendrons un taxi demain matin, à la première heure, annonça Floyd. Même si nous ne trouvons personne qui accepte de nous parler, l'incendie aura peut-être laissé subsister quelque chose d'exploitable.

— Altfeld ne nous a pas tout dit, fit Auger. J'ignore ce qu'il nous a caché, mais il ne nous a pas raconté toute l'histoire.

— Vous pensez qu'il était au courant, pour la Pluie d'Argent ?

— Non, ça je suis à peu près sûre qu'il en ignore tout. Comme je vous l'ai dit, les installations nécessaires pour la produire n'existent tout simplement pas. Les sphères de métal font partie d'un ensemble tout différent.

— Mais probablement lié, dit Floyd. Nous devrions peut-être rendre une autre visite à Altfeld, essayer de lui tirer les vers du nez...

— Fichons-lui la paix, suggéra Auger. Pour moi, ce n'était qu'un vieil imbécile terrifié.

— Ils font tous cette tête-là.

— Il n'avait peut-être rien d'autre à nous dire, en fait, insista-t-elle, dans l'espoir que Floyd renoncerait à tourmenter Altfeld.

— Peut-être, mais il doit bien y avoir quelqu'un qui en sait plus long. D'accord, Altfeld négociait les contrats, mais celui qui a réalisé les outillages – le travail d'atelier, de base – devait bien avoir une idée de ce à quoi servaient ces sphères, pour pouvoir les calibrer correctement.

— Je n'en sais rien.

— Bon, on ira voir l'emplacement de cette usine demain matin, à la première heure, et on en apprendra peut-être plus long à ce moment-là. Si ça ouvre de nouvelles pistes, on les suivra. Vous avez dit que nous avions assez d'argent pour rester un moment dans cet hôtel ?

— Oui, dit-elle. Mais nous ne pouvons pas rester éternellement. Ou du moins, moi, je ne peux pas. Il faut que je sois de retour à Paris avant mardi. Ce qui veut dire que nous devrons prendre le train de nuit demain soir.

— Pourquoi cette précipitation ? Nous ne sommes arrivés que ce matin.

— Il faut que je retourne à Paris. Bon, si on en restait là, pour l'instant ?

Ils ressortirent dîner à sept heures. Ils prirent le S-Bahn pour Friedrichstrasse, longèrent les rives de la Spree à pied et tombèrent sur des restaurants près du Reichstag, qui venait d'être restauré. Ils mangèrent un bon *curryworst*, suivi d'un gâteau au chocolat, et écoutèrent un vieux couple de Bavarois essayer de retrouver les prénoms de leurs dix-neuf petits-enfants.

Floyd et Auger repartaient par les rues lorsque Floyd entendit jouer de la musique par la fenêtre d'un bar en sous-sol : du jazz manouche, un style qu'on n'entendait pas assez à Paris, ces temps-ci. Il suggéra à Auger de passer une demi-heure dans ce bar avant de retourner à l'hôtel. Ils descendirent donc dans une cave crépusculaire, enfumée, et s'abandonnèrent à la musique. Floyd commanda un verre de vin blanc pour Auger, un cognac pour lui, et le savoura en jugeant le groupe aussi honnêtement qu'il pouvait. C'était un quintet : un saxo ténor, un piano, une contrebasse, des percussions et une guitare. Ils jouaient *Une nuit en Tunisie*. Le guitariste était excellent – un jeune homme à l'air sérieux, avec de grosses lunettes et des doigts de chirurgien – mais les autres auraient eu bien besoin de travailler. Enfin, au moins, ils composaient une formation, songea tristement Floyd.

— Vous aimez ce genre de musique ? demanda-t-il à Auger.

— Pas vraiment, répondit-elle avec une expression timide.

— Ils sont plutôt bons. Le guitariste tient le bon bout, mais il ne devrait pas rester avec les autres. Ils n'iront jamais nulle part.

— Je vous crois sur parole.

— Alors, vous n'aimez pas le jazz, ou du moins pas cette sorte de jazz… Enfin, tant pis. Il faut de tout pour faire un monde.

— Oui, dit Auger en hochant la tête comme s'il avait prononcé là une parole définitive. Il faut bien, hein ?

— Alors, qu'est-ce que vous aimez ?

— J'ai des problèmes avec la musique, dit-elle.

— Toutes les musiques ?

— Toutes les musiques, affirma-t-elle. Je n'ai pas l'oreille musicale. Je n'y comprends rien.

Floyd finit son cognac et en commanda un autre. L'orchestre torturait maintenant *Someone to Watch Over Me*. La fumée de cigarette planait dans la salle en volutes figées, y sculptant un crépuscule dingue, nuageux, monochrome.

— Susan White était comme ça, dit-il.

— Comme ça quoi ?

— Blanchard a dit qu'il ne l'avait jamais entendue écouter de musique.

— Ce n'est pas un crime, rétorqua Auger. Et comment peut-il savoir ce qu'elle faisait de son temps libre ? Il n'a pas pu la suivre partout.

— Elle avait un poste de TSF dans sa chambre, et un phono, répondit Floyd, mais personne ne l'a jamais entendue écouter de la musique, ni sur l'un ni sur l'autre.

— Ne sautez pas aux conclusions, dit Auger. Tout ce que j'ai dit, c'est que je n'avais pas l'oreille musicale. Je ne sais pas tout de Susan White.

— Sortons d'ici, dit Floyd en reposant son verre sur la table avec un claquement sec. La fumée me brûle les yeux, je me retiens pour ne pas pleurer comme une Madeleine, et je ne voudrais pas qu'on pense que c'est la faute de l'orchestre.

Ils prirent le train pour rentrer à l'hôtel et se souhaitèrent poliment bonne nuit. Floyd s'allongea sur le canapé, en chemise et pantalon, avec une couverture. Il n'arrivait pas à dormir. La tuyauterie joua une symphonie métallique jusqu'à trois heures du matin. Par une fente dans les rideaux, il voyait les chiffres au néon clignoter à la base de la statue de l'Everest, et il pensait à Auger qui dormait, au peu qu'il savait d'elle, et à tout ce qu'il aurait aimé savoir.

23

La voiture se traînait sur des routes pleines d'ornières, bringuebalait sur les rails de chemin de fer cintrés, passait sous des structures aériennes pareilles à des pattes d'araignée, qui soutenaient des ponts roulants et des tuyaux destinés au transport de produits chimiques.

— Demandez-lui de ralentir, dit Floyd en tapotant l'épaule du chauffeur. Je voudrais voir la pancarte, là-bas.

Auger relaya la demande tout en jetant un coup d'œil à la planche de bois de guingois que Floyd avait repérée, presque dissimulée derrière un rideau de hautes herbes.

— Magnolia Strasse. Un nom pareil, il faut l'inventer…

— C'est l'adresse de Kaspar Metals ?

— Ou de ce qu'il en reste, confirma-t-elle.

Derrière une palissade de bois effondrée, une grue à vapeur achevait de détruire un bâtiment industriel en brique rouge en balançant, selon une série d'arcs amortis, une boule de démolition dans l'unique mur restant. L'espace entre les rares bâtiments encore debout était jonché de monticules de briques, de béton fracassé et de poutrelles métalliques tordues.

— S'il y avait une aciérie ici, dit Floyd, quelqu'un a bien réussi à la dissimuler.

Ils ordonnèrent au chauffeur du taxi d'arrêter son moteur, descendirent de voiture et allèrent se planter sur la seule plaque de sol sec au milieu d'une course d'obstacles de mares de boue. Il faisait un froid mordant et dans l'air planait une humidité chimique persistante. Auger portait un pantalon noir et un manteau de cuir noir qui lui arrivait aux genoux. La nuit précédente, dans la chambre d'hôtel, elle avait essayé d'arracher les talons de ses chaussures, mais sans succès.

— Essayez de convaincre le chauffeur de nous attendre un quart d'heure, dit Floyd. Il faut aller voir s'il ne reste rien d'intéressant dans le coin.

Auger se pencha pour parler au chauffeur par la vitre de son côté. Elle réussit à transmettre son message, mais les mots ne venaient plus avec la fluidité attendue. La machine linguistique étincelante, qui débitait, la veille même, des phrases élégantes, d'une grande richesse syntaxique, laissait place à un vieux système rouillé qui grinçait et gémissait péniblement à chaque mot. C'était ennuyeux. Si son allemand la lâchait maintenant, ils allaient se retrouver dans une sacrée panade.

— Il dit qu'il accepte de rester, annonça-t-elle enfin.

— Il n'a pas été facile à convaincre.

— Mon allemand est un peu rouillé, ce matin. Ça n'a rien arrangé.

Ils se dirigèrent vers une fente dans la palissade en regardant bien où ils mettaient les pieds sur le sol envahi par les mauvaises herbes. Deux planches étaient tombées, laissant un trou juste assez large pour qu'ils se faufilent à travers. Floyd passa le premier, retenant les hautes herbes, de l'autre côté, pour permettre à Auger de le rejoindre.

— C'est terrible, dit Auger. Les dégâts sont tels qu'on a du mal à imaginer qu'il y a jamais eu une usine à cet endroit. La seule preuve que nous en ayons, c'est la lettre que Susan White a reçue.

— Quand a-t-elle été envoyée, au fait ?

— Vous vous souvenez du billet de train qu'elle avait acheté et jamais utilisé ? Elle s'apprêtait à venir ici, quand elle a été tuée. Elle avait reçu la lettre un mois avant, à peu près.

— Regardez par terre, à cet endroit, dit Floyd. Pas un brin d'herbe. La végétation n'a pas encore eu le temps de pousser à travers le béton.

— Un incendie volontaire ?

— Difficile à dire avec certitude, mais personnellement je dirais que oui. Ça tombe trop bien pour être un hasard.

La grue qu'ils avaient vue un peu plus tôt se dirigeait vers un autre bâtiment condamné. La boule lestée oscillait alors que l'engin s'avançait sur les gravats et les débris. Deux gros bulldozers verts l'avaient rejoint, leurs moteurs Diesel vomissant une fumée âcre. Les opérateurs étaient accoutrés de masques, de grosses lunettes et de cirés.

Auger chercha du regard l'endroit où commencer sa pêche aux indices.

— Essayons de trouver le bâtiment numéro quinze, suggéra-t-elle.

— Nous n'avons pas beaucoup de temps devant nous, l'avertit Floyd.

Ils s'engagèrent dans les ruines de l'usine jusqu'à ce qu'ils arrivent au petit groupe de bâtiments survivants. Les restes de leurs carcasses avaient un aspect menaçant et ressemblaient à des crânes vides. Les toits et tous les planchers avaient disparu, le ciel gris fer était visible par les crevasses des structures dévorées par les flammes. Auger n'avait jamais aimé enfreindre la loi, même au cours des rites d'initiation de l'enfance, alors que le risque de sanction sérieuse était modeste, et ça lui plaisait encore moins aujourd'hui.

— Le numéro quinze, dit Floyd en indiquant une plaque de métal à peine lisible, qui pendait de guingois sur un mur. On dirait que notre bonhomme n'a pas aimé qu'on le menace de servir de casse-croûte aux pingouins. Il faudra que je m'en souvienne, la prochaine fois que je voudrai mettre la pression sur quelqu'un.

Ils trouvèrent une entrée praticable. L'intérieur du bâtiment était plongé dans l'obscurité, le plafond du rez-de-chaussée semblait encore à peu près intact.

— Faites bien attention où vous mettez les pieds, Verity.

— Je fais attention, répondit-elle. Tenez, prenez ça…

Elle tendit son automatique à Floyd.

— Je préférerais que vous le gardiez, dit Floyd. Les armes me rendent nerveux. Je me cramponne à l'idée irrationnelle que si je n'ai pas de flingue sur moi je ne me retrouverai pas en position d'en avoir besoin.

— Vous êtes pourtant exactement dans cette situation en ce moment précis. Prenez-le.

— Et vous ?

Auger récupéra, dans son sac, l'arme qu'elle avait prise au bébé de guerre, dans la station de métro Cardinal-Lemoine.

— Moi, j'ai ça, dit-elle.

— Je veux parler d'une vraie arme, répondit Floyd.

Il regarda d'un air dubitatif l'étrange pistolet, mais n'insista pas : il avait compris qu'Auger ne plaisantait pas.

— Faites attention, Floyd. Ces gens sont prêts à tuer.

— Ça, je le sais.

— Et si vous voyez un enfant ?

Floyd la regarda, le blanc de ses yeux brillant dans le noir.

— Vous voudriez que je commence à tirer sur des gosses, maintenant ?

— Ce ne sera pas un enfant.

— Je tirerai pour blesser. En dehors de ça, je ne réponds de rien.

Avant de s'engager dans le bâtiment, Auger jeta un coup d'œil par-dessus son épaule. Les engins de démolition détruisaient un banal bâtiment de brique. Ils démembraient sa carcasse à tour de rôle, comme des loups se disputant un cadavre. Elle les regarda reculer et avancer pour attaquer de nouveau, leurs moteurs rugissant d'une fureur mécanique contenue. Dissimulés derrière leurs lunettes, les conducteurs semblaient les retenir plutôt que les piloter.

— Dépêchons-nous, Floyd. Ces choses semblent se rapprocher.

Auger pénétra dans le bâtiment et se retourna encore une fois vers l'entrée, mais il n'y avait pas signe qu'on les ait suivis. Elle s'avança à l'intérieur, plaqua sa manche sur ses lèvres et son nez pour ne pas respirer la poussière. Ses yeux mirent bien trente secondes à s'adapter à l'obscurité, puis elle distingua une allée centrale entre deux murailles de matériel lourd, manifestement trop massif ou trop endommagé pour valoir la peine d'être récupéré. Il y avait là des machines-outils, des tours, des perceuses et plusieurs dizaines d'autres engins qu'Auger ne reconnut pas, mais qui semblaient destinés au même travail d'usinage de pièces métalliques.

— Au moins, on dirait qu'on est au bon endroit, dit-elle.

— Regardez par terre, dit Floyd. On voit le sous-sol, à travers.

Auger le suivit, mettant ses pas exactement dans les siens. Sous leurs pieds, le sol craquait, délogeant de la poussière et des débris. Un corbeau s'enfuit d'un appui de fenêtre, dans une furie de plumes noires, silencieuses. Elle le regarda s'éloigner à tire-d'aile dans le ciel, et se réduire bientôt à un bout de papier brûlé emporté par le vent.

— Il n'y a rien, ici, dit Auger. Pas de papiers, pas d'archives. Nous perdons notre temps.

— Nous avons encore dix minutes devant nous. On ne sait jamais ce qu'on peut trouver.

Au bout de l'atelier, le rectangle d'une porte était à peine visible sur le plâtre noirci des murs.

— Allons voir ce qu'il y a derrière ça, suggéra Floyd.

— Attention…, souffla Auger.

Sa main se crispa sur l'arme du bébé de guerre. Sa poignée à la taille d'une petite main d'enfant lui faisait mal à la paume.

Floyd avait déjà poussé la porte et la franchissait. Elle l'entendit tousser.

— Il y a des marches, à cet endroit, dit-il. Qui montent et qui descendent. Vous voulez faire ça à pile ou face ?

Elle entendit, dans le lointain, un autre bâtiment s'effondrer, le hurlement des moteurs Diesel qui forçaient. Le matériel de démolition se rapprochait.

— Restons à cet étage.

— Je ne pense pas que nous fassions de grandes découvertes en haut, spécula Floyd. Plus on monte, plus les dégâts provoqués par l'incendie doivent être sévères. Mais quelque chose a peut-être survécu en bas.

— Nous n'allons pas descendre…

— Vous avez votre torche ? demanda Floyd.

Elle le suivit dans la pièce adjacente. Des marches en béton montaient vers une autre salle plongée dans le noir, et un escalier descendait dans des ténèbres encore plus profondes.

Floyd lui prit la torche des mains et la braqua dans l'obscurité.

— C'est une très mauvaise idée, dit Auger.

— Une repartie épatante, venant d'une femme qui aime passer son temps libre à éviter des trains dans les tunnels…

— Je ne pouvais pas faire autrement. Alors que là, si.

— On verra bien ce qu'on va trouver. Deux minutes, pas plus, d'accord ? Je n'ai pas fait tout ce chemin pour battre en retraite maintenant.

Floyd commença à descendre, Auger tout près de lui. Il promenait le faisceau de sa torche devant lui, révélant des murs fissurés. L'escalier faisait un angle à quatre-vingt-dix degrés et tournait à nouveau.

— Il y a une autre porte, ici, dit Floyd en essayant de tourner une poignée. On dirait que c'est fermé à clé.

— Quel dommage, soupira-t-elle, l'air à la fois soulagée et déçue. On n'a plus qu'à faire demi-tour.

— D'accord, mais laissez-moi quand même essayer de la forcer. Tenez-moi ça...

Elle récupéra la torche et se demanda – l'espace d'un instant – si elle n'allait pas devoir utiliser son arme pour convaincre Floyd de remonter à la surface.

— Faites vite, dit-elle. Ces machines m'inquiètent.

La porte pivota sur ses gonds avec un raclement métallique qui la fit grincer des dents. Floyd ne réussit pas à l'ouvrir complètement, mais suffisamment pour leur permettre de se glisser de l'autre côté. La lumière de la torche tomba sur son visage.

— Vous voulez rester ici pendant que je regarde ? Je ferai aussi vite que je peux.

— Non, dit-elle. Je suis sûre que je vais le regretter, mais je veux voir ce qu'il y a à voir de mes propres yeux.

Des éventails et des lames de lumière gris-bleu filtraient par les fentes du plafond, au-dessus de leur tête. Ils avaient du mal à distinguer ce qui se trouvait hors du rayon de la torche, mais la pièce paraissait vide.

— Vous voyez quelque chose ? demanda Auger. Non ? Parfait. On s'en va.

— Il y a une rampe, là, dit Floyd. On dirait qu'elle fait le tour de la salle...

Il éclaira le sol, au-delà de la rampe. Elle était plus basse qu'Auger ne s'y attendait. Ils avaient émergé sur une sorte de mezzanine qui faisait le tour d'une salle haute de deux étages. Les rais de lumière filtrant du plafond éclairaient une énorme masse noire, vaguement sphérique, tapie au milieu de l'énorme espace.

— Et voilà, dit Floyd. Une sphère de métal. Prête à servir.

— Laissez-moi voir.

Elle prit la torche et la braqua sur la sphère. Elle se rendit vaguement compte que Floyd refermait la porte derrière eux, mais ne se laissa pas distraire par le bruit. La sphère était entourée par un grand nombre de machines et d'outils, et notamment une sorte de cadre, ou de harnais, auquel elle paraissait suspendue.

— C'est bien à ça que votre chère sœur défunte s'intéressait tant ? ironisa Floyd en s'approchant d'elle.

— Oui, répondit Auger, ignorant son ton sarcastique. Mais ce que je ne comprends pas, c'est ce que ça fait là. Les trois sphères devaient être expédiées à trois adresses différentes.

— Don l'une à Berlin, je vous rappelle ; alors, où est le pro…

— En effet. Mais elle devait quand même quitter l'usine pour un autre endroit de la ville.

— Enfin, maintenant, au moins, vous savez que ces choses existent dit Floyd en lui reprenant doucement la torche.

— Hé là ! Qu'est-ce que vous faites ?

— Il y a une échelle qui descend. Je voudrais voir ça de plus près.

— On ferait mieux de retourner au taxi…

Mais elle ne put résister à la tentation de le suivre vers le sol de la salle souterraine.

De près, la sphère – qui devait bien faire trois mètres de diamètre – donnait l'impression d'être compacte et massive, mais elle aurait très bien pu être creuse. La surface était lisse par endroits, irrégulière à d'autres, et une fissure courait d'un pôle à l'autre. Elle était accrochée à sa nacelle par un unique câble fixé à un œillet de métal soudé en haut. La partie supérieure était recouverte d'une poussière grise, poudreuse. On aurait dit un pudding saupoudré de sucre glace. En descendant de la mezzanine, ils découvrirent dans un autre coin de la salle un grand cylindre vertical, peut-être une bouteille de gaz comprimé, et encore ailleurs un objet en forme de tambour, aux bords hauts, de trois bons mètres de diamètre, qui évoquait une sorte de pataugeoire blindée. Comme la sphère, tout cela était couvert de cendres et de poussière.

Auger effleura la sphère de métal. Elle avait l'air froide et rugueuse sous ses doigts, et en dépit de sa masse apparente la seule pression de sa main la déplaça légèrement.

— Alors, que pensez-vous que ce soit ? demanda Floyd.

— D'après la lettre, c'était une sculpture artistique, répondit Auger. Mais c'était manifestement un bobard ; les spécifications étaient trop précises pour ça. A mon avis, la compagnie avait une commande pour des pièces très précises, destinées à un système plus vaste.

— Une arme secrète ?

— Un truc dans ce genre.

— Mais quel genre d'arme secrète peut-on faire avec une boule métallique géante ?

— *Trois* boules métalliques géantes, je vous rappelle, dit Auger. Séparées par trois cents kilomètres. Il doit bien y avoir une raison à ça aussi.

— Trois armes secrètes, alors ?

Il s'éloigna de la sphère et commença à fouiller dans la poussière qui recouvrait, sur la plus proche rangée d'établis, les outils en acier et la vaisselle de laboratoire, les lançant par terre, avec l'aisance et la désinvolture d'un cambrioleur. Au bout de quelques instants de ce vacarme, Auger étouffa un juron et se joignit au processus de destruction, cherchant quelque chose, n'importe quel indice susceptible de leur fournir une piste.

— Ou juste une seule arme secrète, dit-elle. Mais tellement énorme qu'elle occupe la moitié de l'Europe.

— Ça n'a pas de sens.

— Non, dit-elle en secouant la tête. Ça n'a pas de sens. Mais c'est pourtant ça, Floyd. Et c'est pour ça que des gens sont morts. Pas seulement ceux dont nous avons connaissance, mais tous ceux qui ont probablement dû mourir pendant la programmation, le financement et l'assemblage de tout ça.

— Mais alors, pourquoi l'ont-ils laissée là ?

Elle poussa une vieille trousse à outils qui s'écrasa par terre dans un vacarme dérangeant, des clés à molette étincelantes s'éparpillant dans tous les sens.

— Je ne pense pas que cette sphère soit la vraie arme.

— Elle me paraît assez réelle, à moi.

— Je veux dire, je ne crois pas qu'il ait jamais été prévu de livrer cette sphère aux clients. Sa finition est trop fruste, et il est évident qu'il y a eu un problème au cours du processus de moulage. Je ne suis même pas sûre que ce soit de l'aluminium, ou l'alliage de cuivre et d'aluminium dont Altfeld nous a parlé. Ça pourrait tout aussi bien être du fer.

— Vous pensez que c'était une pièce d'essai ?

— Oui. Un essai pour la pièce définitive, destiné à roder les techniques de moulage et de finition, et à voir comment la déplacer par la suite. A moins que ce ne soit le moulage définitif qui se soit mal passé, et que la pièce ait dû être abandonnée. Enfin, peu importe, conclut-elle avec un haussement d'épaules. Ce qui compte, c'est qu'elle est restée là.

— Alors, ce qui a calciné cette usine, ou organisé sa démolition…

Alors qu'il prononçait ces mots, Auger entendit les machines démolir un autre mur, un autre plancher. Le rugissement des moteurs semblait de plus en plus proche, et de plus en plus bestial.

— Je pense qu'ils ne connaissaient pas l'existence de ce sous-sol. Les trois moulages principaux avaient été achevés et livrés. A mon avis, ils ont brûlé l'usine après pour dissimuler toute trace de ce qui avait été fabriqué. Mais ils n'ont jamais pensé qu'il pouvait y avoir une quatrième sphère, et qu'elle était encore là.

— Alors il faut qu'on fouille vraiment à fond tout cet endroit, dit Floyd. S'ils ont oublié ça, on ne peut pas savoir ce qu'ils ont laissé d'autre derrière eux.

— Vous avez raison, reconnut Auger.

Elle sentait battre son cœur plus vite. Elle était plus proche d'une réponse qu'elle ne l'avait jamais été. Elle pouvait presque la sentir, tapie à l'arrière de son esprit, comme un paquet cadeau.

— Vous avez raison, répéta-t-elle, et la seule chose intelligente à faire serait de passer tout cet endroit au peigne fin. Mais nous n'allons pas le faire. Nous allons partir de là tout de suite, pendant que c'est encore possible.

— Cinq minutes, dit Floyd. Il pourrait y avoir ici une trace de l'adresse d'expédition pour les sphères finies…

— C'est n'importe quoi, ça, Wendell.

— Ils ont fait preuve de négligence, ou ils étaient pressés, sans quoi ils n'auraient jamais laissé tout ça ici…

— Parce qu'ils pensaient qu'ils avaient quelqu'un à leurs trousses ?

— Mais à qui avons-nous affaire, Verity ? Vous allez enfin vous décider à me le dire ?

— Nous avons affaire à des gens redoutables, dit-elle. Ça ne vous suffit pas ?

— Ça dépend du sens que vous donnez à « redoutable », fit Floyd en tapotant le canon de son automatique sur la sphère de métal, lui arrachant un tintement sourd. Ça me rappelle cette discussion avec Basso… Ce n'était vraiment pas conçu pour être une cloche.

— Basso ?

— Un ouvrier métallurgiste de ma connaissance. Je lui ai montré le croquis trouvé dans les affaires de Susan. Il a dit que ça pourrait être le plan d'une cloche. Il parlait d'une cloche de plongeur, mais moi je pensais qu'il parlait du genre de cloche qui sonne.

Auger entendit à nouveau le rugissement des engins de démolition, le bruit des pierres et des briques écrasées sous les chenilles.

— Je ne vois pourquoi des gens devraient mourir pour protéger une cloche de quelque sorte que ce soit, dit-elle. Et puis, elle est fêlée.

Floyd tapa à nouveau avec le canon de son arme sur la sphère, et écouta les réverbérations en plissant les paupières. Il se déplaça autour de l'objet, tapa dessus à nouveau.

— Vous voulez dire que si elle n'était pas cassée elle rendrait un meilleur son ? dit-il.

— Refaites-le.

— Quoi donc ?

— Frappez le métal comme vous venez de le faire.

— J'essayais seulement de voir si elle était vraiment massive. Je ne renonce pas à l'idée selon laquelle ça pourrait être une bombe atomique.

— Ce n'est pas une bombe atomique. Tapez dessus à nouveau.

Floyd recommença en se déplaçant.

— Elle tinte, dit-il, mais le son est celui d'une cloche fêlée.

— C'est parce qu'elle est fêlée. Mais si elle ne l'était pas, vous ne croyez pas qu'elle tinterait d'un son plus pur ?

Floyd abaissa son pistolet.

— Je pense. Enfin, si tant est que ça ait de l'importance.

— Je pense que ça en a beaucoup. Je pense que c'est exactement pour ça que ces sphères ont été conçues : pour résonner. Et je pense que vous aviez raison, et que Basso se trompait.

24

Floyd la regarda avec un demi-sourire.

— Résonner ?

— Résonner.

— Et ça méritait au moins deux meurtres, et peut-être beaucoup plus ? Une vulgaire putain de cloche ?

— Ce ne sont pas de vulgaires putains de cloches, dit-elle.

Floyd pointa la crosse de l'automatique dans sa direction.

— Pour une gentille fille du Dakota, je trouve que vous parlez curieusement, tout à coup.

— Si vous trouvez ça curieux, dit Auger, je vous suggère de rester un peu dans le coin.

— Ecoutez, vous ne pourriez pas arrêter de faire des mystères ? Je commence à en avoir jusque-là.

Il venait de prononcer ces paroles lorsque le ciel leur tomba sur la tête dans un bruit cataclysmique. Des fragments de ciment de la taille du poing se mirent à dégringoler du plafond, et l'air s'emplit de poussière grise. Auger toussa, se protégeant les yeux et la bouche avec sa main.

— Ce n'est pas tombé loin, dit-elle. Ils doivent être en train de s'attaquer au bâtiment. Nous en avons plus que nous ne l'espérions. Sortons d'ici avant d'être enterrés vivants.

— Ce coup-là, je suis d'accord.

Ils reprirent, Floyd en tête, l'échelle qui remontait vers la mezzanine. Le bâtiment s'ébranla de nouveau et des fragments de plafond se détachèrent encore. Une faille aussi large qu'un homme apparut, révélant des poutres fracassées, du béton, des tubulures et des fils électriques. Des moteurs ronflaient et grondaient au-dessus de leurs têtes, accompagnant les déplacements des bulldozers. Le socle de fonte d'une machine-outil pencha dangereusement au-dessus du trou.

— Ne restons pas ici ! siffla Auger.

Ils firent en courant le tour de la mezzanine jusqu'à la porte de l'escalier. Floyd s'arc-bouta sur le panneau, essaya de l'ouvrir en poussant dessus de toutes ses forces, mais il ne bougea pas d'un pouce. Il avait beau s'escrimer, la porte ne faisait pas mine de vouloir bouger.

— C'est coincé, dit-il, le visage convulsé, hoquetant sous l'effort.

— Ça ne peut pas être coincé, dit Auger. On vient d'entrer par là...

— Mais la porte frottait déjà par terre. Le cadre entier a dû fléchir. Je ne peux pas l'ouvrir.

— Pourquoi l'avez-vous fermée ?

— Si quelqu'un entrait après nous, je voulais le savoir. Je me disais que, comme elle faisait du bruit, personne ne pourrait l'ouvrir sans que nous l'entendions...

— Une idée brillante, vraiment !

Floyd appliqua une dernière poussée sur la porte, mais il était évident que même en combinant leurs efforts ils ne parviendraient pas à l'ouvrir.

— Je vois que vous êtes du genre à aimer dire « Je vous l'avais bien dit », grommela-t-il.

— Seulement aux gens qui le méritent. Bon, et maintenant, qu'est-ce qu'on fait ?

— On trouve un autre moyen de sortir d'ici. C'est tout.

— Il n'y en a pas.

— On redescend, dit Floyd. Notre seul espoir est qu'il y ait des portes à l'autre bout de la salle.

Elle le regarda d'un air dubitatif.

— Et même s'il y en a, vous pensez que nous avons davantage de chances de les ouvrir ?

— Le seul moyen de le savoir, c'est d'essayer... Venez !

Ils se précipitèrent au sous-sol, contournèrent la sphère et la cuve de fuel qui se trouvait au bout de la salle. Il y avait bel et bien des portes, deux fois plus hautes que Floyd, assez larges pour laisser passer un camion et visiblement conçues pour s'éclipser dans les murs, sur les côtés, mais quand Floyd essaya de les faire coulisser, elles refusèrent aussi obstinément que la porte de l'escalier de bouger.

— Elles doivent être bloquées de l'autre côté, dit-il, la respiration haletante.

— Alors on est vraiment dans la merde jusqu'au cou, et sans schnorkel, hein ?

Floyd la regarda, un peu sidéré malgré les circonstances.

— Vous venez vraiment de dire ce que je viens d'entendre ?

— Je suis un peu tendue, répliqua-t-elle, sur la défensive.

— Eh bien, reprit Floyd, maintenant que vous le dites, un schnorkel nous serait bien utile. Ou plutôt, une barre à mine.

— Quoi ?

— Il me semble qu'il y a un interstice entre ces portes... Si on pouvait mettre quelque chose entre les panneaux, les faire jouer, on pourrait les écarter suffisamment pour se faufiler dans l'intervalle.

— Dans une autre salle souterraine ?

— Non... J'ai l'impression de voir le jour. Cherchons autour de nous. Nous trouverons bien un bout de ferr...

Il y eut un autre bruit d'écrasement violent. La machine-outil et son socle de fonte cédèrent avec un gémissement et glissèrent par le trou dans le plafond, entraînant avec eux des tonnes de maçonnerie et d'acier. La masse de métal tordu resta suspendue au-dessus d'eux, retenue par quelques tuyaux et des câbles qui s'étaient enroulés autour.

Le tout se trouvait juste au-dessus de la sphère.

— Cette chose ne restera pas longtemps accrochée comme ça, dit Auger.

— Eh bien, tirons-nous d'ici avant qu'elle dégringole. Vous regardez du côté gauche, moi je vais voir à droite. N'importe quel bout de métal fera l'affaire.

Auger commença à fouiller de son côté de la salle, fourrageant dans le fouillis qu'ils avaient contribué à créer.

— Et vite ! hurla Floyd.

Les mains d'Auger tombèrent sur un morceau de cornière perforée. L'un des bouts était cassé, et il semblait avoir la forme idéale pour s'encastrer entre les panneaux de la porte.

— Wendell ! J'ai trouvé !

Elle leva l'instrument improvisé, le soumettant à son inspection.

— Ah, bravo ! Exactement ce qu'il nous faut !

Elle courut vers lui aussi vite que ses talons le lui permettaient et lui passa le bout de métal. Il le soupesa comme un chasseur jaugeant une nouvelle lance.

— Vite ! dit-elle.

Il introduisit le bout pointu dans la fissure entre les deux panneaux et commença à peser dessus de tout son poids. Les énormes portes grincèrent et gémirent. Simultanément, les murs de la salle furent ébranlés par une nouvelle secousse, et la machine-outil suspendue glissa d'un demi-mètre vers le bas avant de s'immobiliser dans une position encore plus instable.

— Ça marche, dit Floyd. Je pense que ça va le…

Il y eut un bruit de métal cassé, et les panneaux s'écartèrent de la largeur d'une main. Une lame de lumière sinistre coupa la pièce en deux.

— C'est un bon début, dit Auger. Allez, continuez.

— J'essaie, dit Floyd en redoublant d'efforts, ajustant la position de ses pieds pour optimiser sa position. Mais je ne sais pas combien de temps ce bout de ferraille va tenir. Regardez si vous pouvez en trouver un autre, au cas où celui-ci lâcherait…

Elle resta enracinée sur place, impatiente de se faufiler par l'interstice.

— Verity ! Allez chercher un autre bout de ferraille !

Trébuchant sur ses talons, elle repartit fouiller l'autre côté de la salle. Elle sentit son pantalon se déchirer sur une aspérité de métal acéré et quelque chose lui entailla le genou. Elle trébucha, tomba en avant, tendit là main pour amortir sa chute. Ses doigts se refermèrent sur une barre d'acier.

Se relevant, remarquant à peine la douleur qu'elle avait à la jambe, elle souleva sa prise.

— J'ai trouvé ça !

— Apportez-moi ça. J'ai peur que mon outil ne...

L'éventail de lumière s'élargit. La fente entre les deux panneaux de la porte était maintenant assez large pour passer la tête.

Auger s'approchait de la double porte lorsqu'une secousse effroyable ébranla à nouveau la salle. Elle se figea sur place et leva les yeux avec un sentiment atroce d'inéluctabilité. Dans un ultime cri de liberté, le socle et la machine échappèrent à leurs liens arachnéens, chutèrent sur le haut du harnais qui supportait la sphère, avant de glisser sur le côté dans un vacarme assourdissant.

La sphère oscilla, mais, l'espace d'un moment, il ne se passa rien de plus. Auger s'obligea à bouger à nouveau, cramponnant toujours la barre de fer.

Puis elle s'arrêta et regarda à nouveau la sphère : un bruit de frottement, puis un coup de fouet, annonçant la rupture des nombreux brins qui constituaient les câbles de soutènement. Ils lâchaient, l'un après l'autre. Elle n'eut qu'un instant pour enregistrer cela avant que toute la ligne claque, frappant en retour le harnais avec une force stupéfiante.

La sphère tomba.

Elle heurta le sol et se fendit en deux au niveau de la faille, comme un fruit trop mûr. Désormais distordue, de moins en moins sphérique, elle réussit malgré tout à rouler, prenant de la vitesse à chaque rotation.

Auger suivit sa trajectoire avec horreur : elle roulait vers les doubles portes, et Floyd. Elle ouvrit la bouche pour hurler – un avertissement inutile, comme si Floyd avait pu ne pas voir ce qui se passait –, mais il était trop tard, beaucoup trop tard. La sphère endommagée se rua sur la double porte, l'enfonçant, s'encastra dans l'ouverture. Le métal émit un horrible bruit en se cabrant. On aurait presque dit un cri humain, interrompu avec une sécheresse écœurante.

— Non... soupira Auger.

Soudain, tout parut très silencieux. Même les engins de démolition s'étaient immobilisés. Elle lâcha sa barre, l'entendit heurter le sol, dans un coin très éloigné de l'univers, et se dirigea mécaniquement, avec une lenteur inexorable, vers la porte, essayant de ne pas penser à ce qu'elle allait trouver.

Floyd, étalé par terre, parfaitement immobile, le visage détourné, un sang vermeil maculant ses cheveux. Son chapeau avait roulé dans un coin.

— Non, dit Auger. Ne soyez pas mort. Je vous en prie, ne soyez pas mort. Vous n'aviez rien à faire ici. Vous n'auriez jamais dû vous mêler de tout ça...

Il était tombé en travers de la porte, hors de la trajectoire de la sphère, et elle n'avait pas dû rouler sur lui. Elle prit sa tête entre ses mains, très doucement, et la tourna de façon à voir ses yeux. Ils étaient fermés, comme s'il dormait. Sa bouche était entrouverte, et sa poitrine se gonflait et retombait, mais avec une irrégularité inquiétante, comme si chaque souffle était un combat.

— Restez avec moi ! dit Auger. Vous n'allez pas mourir comme ça, pas maintenant, après tout le chemin que nous avons fait. Maintenant que nous

543

avons commencé à aller quelque part. Maintenant que vous avez commencé à me plaire.

Elle secoua la tête. Elle avait les mains poissées par son sang.

— Vous m'écoutez, Wendell ? Réveillez-vous, espèce de détective à la gomme ! Putain de merde, vous allez vous réveiller et me parler !

Elle reposa doucement sa tête sur le ciment, se leva, mesura du regard l'ouverture que la sphère avait pratiquée dans les portes. Elle aurait pu s'y faufiler sans trop de mal, mais pour rien au monde elle n'aurait laissé Floyd se faire enterrer vivant. Elle s'assit par terre, passa un bras autour de ses épaules, glissa l'autre sous son dos et, en grognant sous l'effort, réussit à le mettre en position assise, appuyé contre l'un des panneaux coulissants. Sa tête pendouillait sur sa poitrine. Il avait toujours les yeux fermés.

Le laissant là, le dos contre la porte, elle rampa par-dessus la sphère jusque dans l'espace qu'elle avait créé en se logeant entre les panneaux, se coinçant un coude sous le chambranle de la porte au passage. Au-delà, exactement comme Floyd l'avait prévu, une rampe en pente douce montait vers le niveau du sol. Des tourbillons grisâtres tournoyaient dans l'air : la poussière des bâtiments abattus.

Elle se tourna vers Floyd, tendit les bras par le trou et le prit sous les aisselles.

— Allez, venez, dit-elle.

Les dents serrées, elle réussit en bandant ses muscles à relever Floyd. Il était maintenant mi-assis, mi-debout, mais elle ne pouvait le soulever suffisamment pour le faire passer par l'ouverture. Elle allait se désarticuler les bras. Epuisée, elle retomba sur le ciment de la rampe. Son instinct lui hurlait de fiche le camp tout de suite, avant que les engins de démolition ne provoquent l'effondrement total de la structure entière.

Elle trouva un dernier sursaut d'énergie. Cette fois, elle réussit à lui faire passer la tête et les épaules au niveau de l'ouverture. Sa chemise se déchira au bord de la porte enfoncée alors qu'elle sentait son poids s'appesantir sur elle, et tout à coup il tomba par l'ouverture, sur le plan incliné en ciment. Il atterrit en un tas informe, bras et jambes emmêlés, le visage écrasé contre le sol, la bouche ouverte, tel un ivrogne.

Roulant doucement sur lui, elle s'agenouilla à côté de lui et prit son visage dans ses mains, écartant doucement ses cheveux de ses joues et de son front.

Floyd gémit et ouvrit les yeux. Il inspira profondément et se passa la langue sur les lèvres.

— Qu'est-ce que j'ai fait pour mériter ça ?

— Merci, mon Dieu ! Vous êtes sain et sauf !

— Sain et sauf ? J'ai un tel mal de tête qu'il me faudrait un comprimé d'aspirine gros comme le *Hindenburg* !

— Pendant un instant, là, tout de suite, j'ai cru que vous étiez mort.

— Ne rêvez pas.

— Ne dites pas ça, Wendell. J'étais morte de peur.

Il se tâta l'arrière du crâne, regarda sa main. Rouge de sang.

— J'ai dû prendre un sacré coup sur le bocal. Est-ce que ça en valait la peine, au moins ?

Tenant toujours sa tête dans ses bras, elle attira son visage vers elle, se pencha sur lui et l'embrassa. Il sentait la terre et la poussière. Mais elle prolongea le baiser, et quand elle tenta de se redresser, il l'en empêcha doucement.

— Hmm, ça en valait la peine, dit-elle.

— J'imagine que oui, en effet.

Elle s'écarta, se sentant tout à coup maladroite et stupide. Floyd ne l'avait pas repoussée, mais elle avait l'impression d'avoir commis une terrible erreur de jugement. Elle baissa les yeux. Elle aurait voulu que la terre s'entrouvre sous elle et l'engloutisse.

— Je suis désolée, dit-elle. Je ne sais pas ce qui…

Floyd leva la main, passa les doigts dans ses cheveux et l'attira à nouveau contre lui.

— Pas d'excuses, dit-il.

— Je suis ridicule…

— Mais non, dit-il. Pas du tout. Je pense que vous êtes merveilleuse. La seule chose que je ne comprends pas, c'est ce qu'une gentille fille comme vous peut bien trouver à un vieux has-been décrépit comme moi.

— Vous n'êtes pas un has-been, Wendell. Un peu effiloché sur les bords, peut-être, et vous pourriez perdre quelques kilos. Mais vous êtes un homme formidable, qui croit à la nécessité de finir ce qu'il commence. Et vous vous inquiétez suffisamment pour vos amis pour risquer votre propre vie afin de les aider. Ça va peut-être vous faire un choc, mais il n'y a pas tellement de gens comme ça dans les parages.

— D'accord. Et pour ce qui est de mes bons côtés ?

— Ne poussez pas le bouchon trop loin, soldat.

Elle se redressa, s'éloigna un peu.

— Bon, vous croyez pouvoir tenir debout ? Il faut qu'on parte d'ici avant de s'attirer davantage d'ennuis. Je m'en fais quand même pour votre tête.

— Je survivrai, dit Floyd. Je suis détective privé. Si je ne prends pas au moins un coup sur la tête par semaine, c'est que je ne fais pas bien mon boulot.

Il se leva, un peu chancelant, mais il réussit à marcher sans son aide.

— Il faudra quand même que vous vous fassiez examiner, dit Auger.

Il se palpa à nouveau l'arrière de la tête. Apparemment, il ne saignait plus.

— Je tiendrai bien le coup jusqu'à Paris, répondit-il. Verity, maintenant qu'on a un peu brisé la glace… je voudrais vous demander quelque chose.

— Allez-y, Wendell.

— A partir de maintenant, je voudrais vraiment que vous m'appeliez Floyd.

— Entendu, dit-elle. A une condition, et ce n'est pas négociable.

— Qu'est-ce que c'est ?

— Vous m'appelez Auger. Chez moi, il n'y a que mon ex-mari qui m'appelle Verity.

— Vous êtes sûre, Auger ?

— Fichtrement sûre, Floyd.

Elle l'aida à attaquer la rampe en pente douce vers le niveau du sol.

— Si vous commencez à voir double, ou à avoir des nausées, vous me le dites tout de suite, d'accord ?

— Vous serez la première à le savoir. Entre-temps, vous voulez bien me dire ce que vous avez compris, ici ?

— Je n'ai rien compris du tout.

— Mais quand j'ai fait tinter la cloche, ça a… éveillé des échos en vous, non ?

— Je ne sais pas, dit-elle en secouant la tête. J'ai pensé, l'espace d'une minute…

Elle laissa sa phrase en suspens.

— Pensé quoi ? insista-t-il alors qu'ils débouchaient enfin au rez-de-chaussée.

Les engins de démolition semblaient s'être arrêtés depuis un moment. Sans s'être concertés, Auger et

Floyd en firent autant, s'appuyant au mur le plus proche, le temps d'une pause bien méritée.

— Les sphères sont faites pour résonner. J'en suis pratiquement sûre. Leur forme, la précision exigée pour l'usinage, la façon dont elles devaient être suspendues... tout mène à la même conclusion. Mais elles ne sont pas censées tinter comme des cloches. Rien ne doit venir les frapper.

— Alors, qu'est-ce qui pourrait les faire sonner ?

— Dans mon travail, reprit Auger, dans le travail que je faisais avant d'être embarquée dans ce merdier, nous travaillions avec du matériel très sensible. En réalité, pour votre gouverne, je suis archéologue.

— Les archéologues sont censées être des vieilles filles grisâtres, avec des lunettes en demi-lunes et qui ne voient jamais la lumière du jour, non ?

— Pas celles que j'avais l'habitude de fréquenter, répondit Auger. Non, nous on met la main à la pâte.

— Avec ce matériel sensible ?

— Le truc, c'est que sa sensibilité implique souvent de le faire fonctionner à des températures très basses. On le refroidit vraiment beaucoup, pour améliorer son fonctionnement.

— Et quand Altfeld a parlé des exigences de température...

Elle se mordit la lèvre, sous l'effet de la concentration.

— J'ai commencé à me demander, en effet, si les sphères ne faisaient pas partie d'une sorte de matériel de détection. Et maintenant je crois savoir ce que c'est.

— Eh bien, dites-le-moi.

— Les sphères forment une unique machine, aussi grande que l'Europe, une partie étant à Paris, une autre quelque part à Berlin et la troisième à Milan. En réalité, elles font partie du même instrument. Il faut qu'il soit très grand pour marcher.

— Et c'est quoi, cet instrument, au juste ?

— Une antenne, dit-elle. Exactement comme pour un poste de radio. Seulement il n'est pas conçu pour détecter les ondes radio, mais la gravité.

— Vous avez pigé tout ça rien qu'en regardant cette sphère ?

— Non. Je ne suis pas mauvaise, mais quand même pas assez forte pour ça. Dans mon travail, on utilise aussi des instruments pour mesurer la gravité. Des instruments sophistiqués pour scruter le sol, pour détecter les changements de densité causés par les structures enfouies. Inutile de dire que pendant notre formation nous avons étudié la théorie du fonctionnement de ces choses, ainsi que l'histoire de la détection des ondes gravifiques.

— Ecoutez, je ne lis peut-être pas les bons journaux, dit Floyd, mais je ne savais pas qu'il y avait une histoire de la détection des ondes gravifiques…

— Si, si, absolument, répondit Auger. Mais on ne peut pas vous en vouloir de l'ignorer.

Ils regardèrent autour d'eux. La rampe émergeait dans une sorte de canyon étroit, formé par deux longues rangées de bâtiments partiellement démolis à la hauteur du premier ou du deuxième niveau. Des tuyaux, des tapis convoyeurs et des passerelles s'entrecroisaient au-dessus de leurs têtes.

— Dites-moi ce que j'ai besoin de savoir.

— Vous risquez d'avoir du mal à suivre, Floyd.

— Ça me fera oublier mon mal de tête.

— Alors, il faut que je vous parle de l'espace-temps. Vous êtes prêt ?

— Allez-y, je suis prêt à encaisser.

— On a un dicton, quand on étudie la gravité : la matière dit à l'espace-temps comment se courber ; l'espace-temps dit à la matière comment bouger.

— Ah, c'est beaucoup plus clair, là, subitement.

— Attendez. Le truc, c'est que tout ce que nous voyons est inclus dans l'espace-temps. On peut l'envisager comme une sorte de fluide caoutchouteux, une espèce de gelée à moitié figée. Et comme tout a une masse, tout agit sur ce fluide, le déforme, l'étire, le compresse plus ou moins. Cette distorsion, nous l'interprétons comme la gravité. La masse de la Terre attire l'espace-temps autour d'elle, et la distorsion de l'espace-temps autour de la Terre fait tomber les choses vers la planète, ou les fait orbiter autour si elles ont la vitesse voulue.

— Comme la pomme de Newton ?

— Vous suivez bien, Floyd. Parfait. Maintenant, avançons encore d'un cran : le Soleil attire sa propre couverture d'espace-temps autour de lui, et il dicte à la Terre et à toutes les autres planètes leur façon de se déplacer autour de lui.

— Et ?

— Le Soleil suit dans l'espace-temps un chemin dicté par la distorsion gravitationnelle de la galaxie tout entière.

— Et la galaxie ? Non, ne me répondez pas. Je vois le tableau.

— La moitié seulement, rectifia Auger. Nous avons parlé jusque-là d'une courbure permanente de l'espace-temps autour d'un objet massif. Or il y a d'autres façons de le courber. Imaginez deux étoiles qui tournent l'une autour de l'autre comme si elles dansaient la valse. Vous voyez ce que je veux dire ?

— Bien sûr. Je visualise la scène tout en vous écoutant.

— Mettons que ces étoiles soient supermassives et superdenses. Faites-les tourner l'une autour de l'autre comme des derviches, décrivant une spirale qui les mène à une collision finale. Vous avez une source assez intense d'ondes gravifiques. Elles émettent une onde, comme une note fixe, jouée par un instrument de musique.

— Je pensais que vous n'aimiez pas la musique.

— Non, dit-elle, mais je sais reconnaître une analogie pratique quand j'en vois une.

— Bon. Alors, deux étoiles qui tournent l'une autour de l'autre produisent une onde gravifique…

— Ce genre d'onde peut être produite par d'autres mécanismes, mais le fait est qu'il y a beaucoup d'étoiles binaires dans l'espace : beaucoup de sources d'ondes gravifiques potentielles semées dans le ciel. Et elles émettent toutes une note unique, une signature unique.

— Alors, si je détecte une note…

— Vous pouvez trouver exactement l'endroit d'où elle vient.

— Comme on reconnaît le schéma des éclairs lumineux d'un phare ?

— Exactement, répondit Auger. Mais c'est là que ça se corse. D'une façon ou d'une autre, il faut mesurer ces ondes. Or la gravité est déjà, au départ, la force la plus faible de l'univers, alors quand il s'agit d'en mesurer des variations de puissance microscopiques… autant essayer d'écouter quelqu'un qui murmurerait de l'autre côté de l'océan.

— Alors, comment peut-on faire ça ?

Elle était sur le point de le lui expliquer quand un mouvement, au-dessus de leur tête, attira son regard : un éclair de métal brillant sur le ciel gris, bas. Ils eurent juste le temps de repérer la petite silhouette accroupie sur l'un des tuyaux aériens, et la vilaine petite arme qu'elle cramponnait dans sa patte pareille à une serre.

— Floyd… ! commença-t-elle.

Il y eut une détonation rapide, aiguë, comme un rire. Auger éprouva une soudaine brûlure dans l'épaule droite, et puis elle se retrouva par terre, et la douleur empira. Le pseudo-enfant était debout, en équilibre sur son tuyau, apparemment indifférent au vertige. Il tenait l'arme en l'air et retirait de la poignée un mince chargeur en forme de faucille pour en insérer un autre.

Floyd prit l'automatique qu'Auger lui avait donné, ôta, du pouce, le cran de sécurité et, le tenant à deux mains, visa le ciel en plissant les paupières.

— Abattez cette saloperie, dit Auger en grimaçant de douleur.

Floyd fit feu. L'arme tressauta dans sa main, la balle ricocha sur le tuyau. L'enfant commença à abaisser sa propre arme, visa soigneusement.

Floyd tira à nouveau deux coups en l'air. Cette fois, il n'atteignit pas le tuyau.

Le bébé de guerre tomba de son perchoir en hurlant, ses petits bras minces et ses jambes fluettes s'agitant en tous sens, heurta le sol, rebondit une fois et resta parfaitement immobile.

Un garçon.

Floyd tourna sur lui-même et scruta les bâtiments alentour à la recherche d'autres pseudo-enfants. Auger se redressa et palpa la blessure qu'elle avait à l'épaule. Ses doigts revinrent tachés de sang, mais pas autant qu'elle le craignait. La douleur était cuisante. Elle tâta son omoplate, constata qu'il y avait une tache humide, dessous.

— Je pense qu'il était seul, dit Floyd en s'accroupissant au-dessus d'elle.

— Il est mort ?

— Mourant.

— Il faut que je lui parle, dit-elle.

— Restez où vous êtes, fillette, dit doucement Floyd. On vient de vous tirer dessus. Il y a d'autres priorités, en ce moment.

— Ça ira, dit-elle. La balle est ressortie.

— Vous ignorez combien il en a tiré, et si elles ne se sont pas fragmentées. Vous avez besoin de soins, et un peu vite !

Elle réussit à se lever, en prenant appui sur Floyd. Le bébé de guerre était resté à l'endroit où il était tombé et gargouillait sans bruit dans une mare de sang, la tête tordue vers eux. Il avait les yeux ouverts et regardait dans leur direction.

— Je le reconnais, dit-elle. C'est celui qui a poignardé le serveur à la gare du Nord.

— Peut-être.

— Je l'ai bien regardé, dit-elle. Je sais que c'est lui. Il nous a suivis jusqu'ici.

Elle s'en approcha en clopinant et envoya, d'un coup de pied, promener son pistolet sur le côté. La tête tourna, pivota sur son cou pour la recadrer dans son champ de vision. La bouche s'ouvrit sur un sourire hébété et un filet de sang suinta des lèvres cendreuses. La langue noire remua, comme s'il essayait de former des mots.

Auger lui appuya son pied sur la gorge. Elle se félicitait de ne pas avoir réussi à arracher les talons de ses chaussures.

— Parle ! ordonna-t-elle. Dis-moi ce que tu pouvais bien foutre à construire, ici, une antenne résonnante de détection d'ondes gravifiques, et ce que ça a à voir avec la Pluie d'Argent !

La langue noire suintait et se tortillait comme une larve prisonnière. L'enfant émit un gargouillis liquide.

— Peut-être que si vous enleviez votre pied de sa gorge…, suggéra Floyd.

Auger se pencha et ramassa l'arme du bébé de guerre. Elle se rappela qu'il venait d'y insérer un chargeur plein juste avant de faire cette chute mortelle.

— Je veux des réponses, espèce de tas de merde ratatiné ! Je veux savoir pourquoi il a fallu que Susan et les autres meurent ! Je veux savoir ce que vous voulez faire avec la Pluie d'Argent, bande d'enculés !

— Il est trop tard, dit l'enfant péniblement, entre deux hoquets de sang et de sanie. Beaucoup… trop tard.

— Ah ouais ? Alors, pourquoi vous vous acharnez à empêcher tout le monde d'approcher de ce merdier ?

— C'est la chose à faire, Verity. Tu le sais, au fond de ton cœur…

Le pseudo-enfant toussa, éparpillant des gouttelettes de sang alentour, et poursuivit :

— Ces gens ne devraient pas exister. Ce ne sont que trois milliards de points sur une photo. Des points, Verity. Pas autre chose. Recule et ils se fondront en une masse amorphe…

Elle pensa à son rêve, à la Pluie d'Argent tombant sur les Champs-Elysées, à tous ces gens qui s'étaient relevés en pensant que la vie allait continuer, et qui se trompaient si terriblement. Elle se rappela avoir essayé de les avertir. Elle repensa au petit garçon qui marchait entre les ossements en jouant du tambour.

Elle eut une sorte de vertige. Tout à coup, elle eut très froid, se sentit faiblir.

Elle pressa la détente.

Et puis elle tomba à genoux, près du cadavre du bébé de guerre, et vomit tripes et boyaux.

Floyd l'aida doucement à se relever.

— Ce n'était pas un enfant, dit-elle. C'était un... une chose, une arme.

— Vous n'avez pas besoin de me convaincre. Maintenant, tirons-nous d'ici avant que les coups de feu n'attirent l'attention des gens qu'il ne faudrait pas. Il faut qu'on vous emmène à l'hôpi...

— Non, dit-elle. Ramenez-moi à Paris. C'est tout ce qui compte.

25

Le mardi matin, Floyd était dans une cabine téléphonique juste devant la gare du Nord, et il avait toujours mal à la tête. Ils étaient blessés, Auger et lui, mais ils n'avaient aucune envie d'avoir affaire à des étrangers coopératifs ou curieux. Le retour en train de Berlin avait été long et fatigant. Ils avaient connu des moments d'angoisse lors de la vérification de leurs papiers, et s'étaient bien gardés de prononcer le moindre mot.

Floyd n'était pas inquiet pour lui-même, sa blessure était bénigne, mais il s'en faisait beaucoup pour Auger. Il l'avait laissée dans la salle des pas perdus, pansée et vaseuse, mais refusant toujours catégoriquement d'aller à l'hôpital.

Un homme répondit au téléphone.

— Inspecteur Maillol ? Wendell Floyd à l'appareil. On peut parler ?

— Allez-y, répondit Maillol. En réalité, je voulais justement vous dire deux mots. Où étiez-vous passé, Floyd ? Personne n'a pu me dire où vous étiez.

— En Allemagne, inspecteur. Je suis rentré à Paris, mais je n'ai pas beaucoup d'argent sur moi, et j'appelle d'une cabine publique.

— Pourquoi ne pas appeler de votre bureau ?

— Je me suis dit que ce ne serait peut-être pas prudent.

— Bien vu, approuva Maillol. Bon, je vais faire court. Floyd, vous savez que j'enquête sur un réseau de faussaires. Eh bien, nous avons fait des trouvailles intéressantes dans des entrepôts, à Montrouge : une presse clandestine et un cadavre flottant à plat ventre dans une cave inondée. On l'a identifié, c'est un dénommé Rivaud. Le légiste dit qu'il ne devait pas être dans l'eau depuis plus de trois ou quatre jours…

— Il est tôt, inspecteur, et je n'ai pas beaucoup dormi, mais je ne crois pas connaître ce nom et je ne vois pas bien ce…

— C'est bizarre, Floyd, parce qu'il semblerait que vous l'ayez rencontré. Il avait votre carte de visite sur lui.

— Ça ne prouve pas que je le connaissais.

— Il a aussi une clé qui se trouvait être celle de l'immeuble de M. Blanchard, rue des Peupliers. Rivaud était l'un des occupants.

— Attendez, dit Floyd. Ce ne serait pas l'un des locataires du premier ?

— Alors, vous vous souvenez de lui.

— Je ne l'ai jamais rencontré. Mais Custine, si. C'est comme ça qu'il aura eu notre carte de visite. Quand je suis retourné le voir, ou plutôt quand j'ai essayé, il n'était pas chez lui.

— Peut-être parce qu'il était mort…

Floyd ferma les yeux. C'était tout ce qui leur manquait : un autre cadavre, même s'il n'avait qu'un rapport lointain avec l'affaire.

— Cause de la mort ?

— Noyade. Ça pourrait être une noyade acciden-telle : il aurait pu trébucher et tomber dans le sous-sol inondé. D'un autre côté, le légiste a trouvé des traces étranges sur le cou du bonhomme. Peut-être des marques de doigts, comme si on lui avait maintenu la tête sous l'eau.

— Dans ce cas, l'enquête n'aura pas traîné : homi-cide par noyade.

— Sauf que les marques de doigts étaient très petites, reprit Maillol.

— Laissez-moi deviner : de la taille d'une main d'enfant.

— Un enfant aux ongles très longs, oui. Ce qui n'a pas de sens.

— Sauf que je vous ai dit qu'il y avait des enfants particulièrement pervers dans cette affaire.

— Et nous avons ce coup de poignard à la gare du Nord, évidemment. Nous n'avons pas encore retrouvé le gamin que les témoins ont vu.

— Je doute que vous le retrouviez…

— Vous avez des informations sur cet incident ?

Floyd pêcha un cure-dents neuf dans la poche de sa chemise et se le fourra dans le bec.

— Bien sûr que non, inspecteur. Je voulais juste dire que… le gamin est probablement déjà loin, main-tenant.

Maillol ne dit mot pendant une bonne dizaine de secondes. Floyd l'entendait respirer par-dessus le fond sonore de machines à écrire et d'ordres aboyés.

— Vous avez sûrement raison, dit-il enfin. Mainte-nant, mettez-vous un peu à ma place. Je ne m'intéresse pas à l'affaire de la rue des Peupliers, en dehors du fait que j'aimerais bien pouvoir aider Custine. Mais il n'y avait pas de relation entre ces deux cadavres et les événements de Montrouge.

— Et maintenant ?

— Maintenant, j'ai un lien. Et il n'a pas de sens. Que faisait votre bonhomme, Rivaud, du côté de Montrouge ?

— Je n'en ai pas la moindre idée, dit Floyd.

— C'est un cul-de-sac, dit Maillol. Et je n'aime pas les culs-de-sac.

— Moi non plus, inspecteur, mais je vous assure que je n'ai aucune idée de ce que Rivaud pouvait faire là-bas. Comme je vous l'ai dit, je ne l'ai jamais rencontré.

— Alors, peut-être que si je pouvais parler avec Custine…

— En réalité, dit Floyd, c'est pour lui que je vous appelle.

— Il a repris contact ?

— Evidemment que nous sommes en contact. Qu'est-ce que vous croyez ? C'est mon ami, et je sais qu'il est innocent.

— Très bien, Floyd. J'aurais été déçu que vous me répondiez autrement.

— Mais je ne peux pas vous dire où le joindre. Vous comprenez, hein ?

— Bien sûr.

— Enfin, je crois que je suis sur le point de trouver un des suspects. Sauf que quand je vous le livrerai, ça risque de ne pas vous plaire…

— Comment ça, « un des suspects » ? Ils sont plusieurs ?

Floyd remit des pièces dans le taxiphone.

— Ce n'est pas Custine qui a tué Blanchard, mais un de ces enfants. Vous avez parlé aux témoins, gare du Nord. Vous savez comment ils l'ont décrit.

— Oui, notamment un témoin qui parlait français avec un accent américain prononcé…

— L'enfant était bien réel, inspecteur. Ils sont plusieurs, des garçons et des filles, mais de près je vous assure qu'on ne dirait vraiment pas des enfants. Si je peux vous livrer un de ces monstres, j'aurai tenu ma part du deal, d'accord ?

— Nous n'avons pas de deal, Floyd.

— Ne me laissez pas tomber, inspecteur. J'essaie de conserver un semblant de sentiment de respect pour l'autorité dans cette ville en déliquescence.

— Je ne pourrai pas éternellement tenir Belliard à distance, reprit Maillol. Il suit déjà toutes les pistes qui ont une chance de mouiller Custine. Ce bar que vous fréquentez ? Le Perroquet Pourpre…

— Oui, demanda Floyd, la gorge nouée.

— Il y a de jolies ruines fumantes, à l'endroit où il se trouvait.

— Michel, le gérant… Il va bien ?

— Il n'y a pas eu de victimes, mais les témoins ont vu deux hommes en pardessus gris avec des jerricans d'essence s'enfuir dans une Citroën noire. La dernière fois qu'on les a vus, ils filaient droit vers le quai des Orfèvres…

Maillol s'interrompit le temps de laisser Floyd emmagasiner l'information, et ajouta :

— Si Custine se cachait là, sachez qu'il ne va pas tarder à sentir le souffle brûlant de Belliard sur sa nuque.

— Custine est un homme de ressource.

— Peut-être, Floyd. La question est : et vous ? Belliard ne s'arrêtera pas après avoir pêché un poisson.

— J'ai besoin d'encore un peu de temps.

— Si... je répète : *si* vous me livrez un de ces faux enfants, vivant et dans un état permettant de l'interroger... alors il se pourrait, finalement, que je puisse intervenir. Encore que je me demande comment j'expliquerai l'affaire au magistrat instructeur. Paris terrorisé par un gang d'enfants sauvages ? Il va me rire au nez et m'éjecter du palais de justice à coups de pied dans le prose...

— Montrez-lui l'enfant, inspecteur, et je doute qu'il rigole longtemps.

— Ça ne dépend que de vous.

— Je suis content de voir que nous avons pu trouver un terrain d'entente, dit Floyd.

— Le terrain d'entente se réduit de minute en minute, mon ami. En échange, je compte sur vous pour m'aider à trouver ce qui lie Rivaud à mon affaire.

— Compris, dit Floyd.

Il raccrocha et fouilla dans sa poche à la recherche d'une autre pièce.

La voiture ralentit, se rabattit sur la droite, ses roues raclèrent la bordure du trottoir dans un chuintement caoutchouteux. La portière arrière droite s'ouvrit à la volée et une main appartenant à un grand gaillard perdu dans l'ombre du siège passager avant esquissa un geste d'invite en direction de la banquette arrière. Auger monta la première, suivie de Floyd. Lequel claqua la portière pendant que le conducteur accélérait et reprenait la rue La Fayette, un concert de klaxons furieux saluant son irruption dans la procession de véhicules.

Custine se retourna sur le siège avant pendant que le chauffeur – qui se trouvait être Michel – empruntait le boulevard de Magenta.

— Content de te revoir, Floyd, dit Custine avec chaleur. On commençait à s'en faire.

— Heureux de voir à quel point je vous ai manqué.

Custine effleura le bord de son chapeau en regardant Auger.

— Et vous aussi, mademoiselle. Vous allez bien ?

— On lui a tiré dessus, dit Floyd. Alors, non, elle ne va pas bien. L'ennui, c'est qu'elle refuse que je l'emmène à l'hôpital.

— Moi pas avoir besoin d'aller hôpital, dit Auger. Moi seulement besoin gare du train.

Custine regarda Floyd.

— Je me trompe, ou elle parlait un français irréprochable la dernière fois que je l'ai vue ?

— Elle a pris un coup sur la tête.

— Un sacré coup, alors.

— Ce n'est rien. Tu devrais entendre ce qui est arrivé à son allemand.

— Et toi, Floyd ? demanda Custine, remarquant pour la première fois le pansement qu'il avait à la tête.

Son chapeau était resté dans le sous-sol de Kaspar Metals, quand Auger l'avait traîné au-dehors pour le mettre en sécurité.

— T'en fais pas pour moi. Parle-moi plutôt de toi. Et Greta ? Comment va-t-elle ? Et Marguerite… ?

— J'ai parlé avec Greta, hier. Elle était passablement troublée par ton soudain départ, et ça se comprend.

— Je n'ai pas le temps de débattre de ça. Tu étais là-bas. Tu sais à quoi ça ressemble.

— Bah, je suis sûr qu'elle te pardonnera… avec le temps. Quant à Marguerite… Eh bien, elle se cramponne toujours.

Une voiture de police arrivait en face dans un grand bruit de moteur et Custine inclina son chapeau sur le côté pour dissimuler son visage. Il attendit que la voiture ait tourné au coin d'une rue avant de se détendre.

— Enfin, je ne pense pas qu'il se trouve quelqu'un pour espérer encore qu'elle passe la semaine.

— Pauvre Greta, dit Floyd. Elle doit vivre un enfer.

— Et cette histoire ne fait rien pour lui remonter le moral…

Custine regarda Auger, un peu mal à l'aise, se demandant peut-être où ils en étaient depuis leur voyage à Berlin.

— Elle attend toujours ta réponse, dit-il avec tact. Ce petit dilemme ne s'est pas résolu tout seul en ton absence.

— Je sais, dit lourdement Floyd.

— Il faudra que tu prennes une décision, tôt ou tard. Tu lui dois bien ça.

— Je n'arriverai pas à y voir clair tant que nous ne serons pas sortis de ce merdier, dit Floyd. Et ça veut dire qu'il faut d'abord qu'on te lave de tout soupçon. Je ne vois pas comment je pourrais te transmettre l'affaire si tu devais diriger les enquêtes depuis un cul-de-basse-fosse, hein ?

— Oublie ça, Floyd, fit Custine en secouant la tête. Ils finiront bien par trouver un moyen de me faire tomber. Je pourrais avoir quitté Paris d'ici le milieu de la semaine. J'ai des amis à Toulouse… Et notamment un gusse qui pourra me forger une identité nouvelle.

— Je viens de parler à Maillol. Il croit encore pouvoir te blanchir si je lui propose un autre suspect.

— Dit comme ça, ça paraît presque facile.

— Ça ne le sera pas. Mais avant de pouvoir t'aider je dois aider Mlle Auger.

— Eh bien, emmène-la à l'hôpital, que ça lui plaise ou non.

— Elle l'a très clairement dit, Custine : il y a quelque chose dans cette station qui peut l'aider. C'est pour ça que nous allons à Cardinal-Lemoine.

— Quand a-t-elle reçu cette balle ?

— Hier. Il y a près de vingt-quatre heures.

— Alors il est plus que probable qu'elle délire. Dans ce cas, Floyd, il ne faut pas écouter ce que raconte le patient.

— Je lui fais confiance. Elle répète ça depuis qu'on lui a tiré dessus. Elle sait ce qui est le mieux pour elle.

— Qui est-elle ?

— Je ne sais pas, répondit Floyd. Mais après tout ce que j'ai vu cette histoire de Dakota commence à m'inspirer de sérieux doutes.

Custine et Michel les laissèrent à l'entrée de la station de métro, puis repartirent aussitôt dans la circulation. Il était neuf heures du matin, c'était l'heure de pointe, et personne ne faisait très attention à Floyd et à Auger. La blessure de Floyd était bien visible, d'autant qu'il avait perdu son chapeau. Mais un homme à la tête bandée n'attirait que fugitivement l'attention. Une dispute dans un bar, une altercation avec une maîtresse ou un rival… il y avait une infinité d'explications possibles, et un nombre tout aussi infini de raisons de ne pas poser de questions. Quant à Auger, Floyd avait nettoyé ses plaies avant qu'ils quittent Berlin. Il avait improvisé un bandage en déchirant son gilet en lanières, et il avait refait son pansement avant l'arrivée du train à Paris. Sous ses vêtements, le bandage improvisé était assez discret, et seules une raideur du côté droit et la pâleur de son visage auraient pu alerter un observateur attentif. Floyd la prit par son bras valide, et ils suivirent le flux des voyageurs dans les profondeurs carrelées de la station.

Si la balle avait atteint des organes vitaux, elle serait morte, à l'heure qu'il était. Une hémorragie interne tuait bien plus vite que ça. Mais l'infection, c'était une autre paire de manches. Il ne savait pas combien de temps elle pouvait mettre à s'installer, mais il savait que ça pouvait être une façon lente et désagréable de s'en aller.

— J'espère que vous savez ce que vous faites, lui murmura-t-il en anglais, à l'oreille.

— J'ai raison. Croyez-moi, d'accord ?

— Je suppose qu'il y a des gens, en bas, qui pourront vous aider ?

— Oui.

— Et que vous préférez leur faire confiance à eux plutôt qu'à un hôpital ?

— Oui.

— J'ai besoin d'en être sûr, insista Floyd. Je ne peux pas vous laisser vous aventurer dans le tunnel en espérant que tout se passera bien.

— Je suis désolée, mais c'est exactement ce qu'il faut que vous fassiez, pourtant.

Il s'arrêta dans l'escalier, obligeant les autres voyageurs à les contourner.

— Vous me direz où je pourrai vous retrouver, ensuite ? Je veux vous revoir, pour m'assurer que vous allez bien.

— J'irai bien, Floyd.

— J'ai quand même envie de vous revoir.

— Juste pour être sûr que je vais bien ?

— Plus que ça. Vous savez ce que je ressens. Peut-être que je me trompe, mais je crois connaître vos sentiments à vous aussi.

— Ça ne pourrait jamais marcher entre nous, dit-elle.

— On pourrait au moins essayer.

— Non, dit-elle fermement. Ça ne ferait que reculer l'inévitable. Ça ne marchera pas ; ça ne pourra jamais marcher.

— Mais si vous vouliez…

— Floyd, écoutez-moi. Je vous aime beaucoup. Tout ce que je vous ai dit à Berlin, je le pensais. Il se peut même que je vous aime tout court. Mais ça ne change rien au fait que nous ne pourrons jamais être ensemble.

— Pourquoi ? Nous ne sommes pas si différents…

— Mille fois plus que vous ne pourriez l'imaginer. Vous avez probablement compris une ou deux choses à mon sujet, maintenant. Croyez-moi, quoi que vous pensiez savoir, vous êtes encore loin de la vérité.

— Eh bien, dites-la-moi.

— Je ne peux pas. Tout ce que je peux vous dire, c'est que, quels que soient les sentiments que nous éprouvons l'un pour l'autre, nous ne pouvons être ensemble.

— Il y a quelqu'un d'autre, là d'où vous venez ?

— Non, dit-elle un peu trop bas. En réalité, non, il n'y a personne. Il y avait quelqu'un, mais j'aimais trop mon travail, et je l'ai lentement exclu de ma vie. Mais il y a quelqu'un d'autre dans votre vie à vous, Floyd.

— Greta ? Si c'est d'elle que vous voulez parler, c'est fini entre nous.

— Elle est belle et intelligente, Floyd. Si elle vous propose une chance de recommencer, à votre place je la saisirais.

— Sa chance à elle implique que je laisse tout tomber ici. Tout ce et ceux que je connais.

— Ça me paraît encore une proposition intéressante.

— Vous essayez juste de me faire tourner le dos sans regret.

— C'est tellement cruel de ma part ?

— Je ne peux pas lutter contre les sentiments que j'ai pour vous. C'est Greta qui est partie. Je sais bien qu'elle est belle et intelligente, mais elle ne fait plus partie de ma vie, un point c'est tout.

— Eh bien, c'est confirmé, vous êtes un idiot.

Auger se dégagea et continua à descendre l'escalier, vers le quai encombré. Floyd la rejoignit à l'entrée du quai et la reprit par le bras.

— Vous n'avez pas répondu à ma question, dit-il. Est-ce que je vous reverrai quand ils vous auront soignée ?

— Non, dit-elle. Nous ne nous reverrons pas.

— Je fouillerai toutes les stations de métro de Paris. Je finirai bien par vous retrouver.

— Je suis désolée. Je voudrais bien que ça puisse se terminer autrement, mais je ne veux pas vous donner de faux espoirs. Je pense que vous méritez mieux que ça.

Une rame de métro entra dans la station alors qu'ils arrivaient sur le quai.

— Auger, dit Floyd. Vous ne pourrez pas rester éternellement cachée dans ce tunnel. Je vous attendrai toujours.

— Il ne faut pas, Floyd. Ne gâchez pas le reste de votre vie pour moi. Je n'en vaux pas la peine.

— Si, dit-il. Vous vous trompez. Vous le valez largement.

Une main la prit soudain par la manche, la détournant de Floyd. Celui-ci releva les yeux, surpris, en sentant une autre main l'empoigner par le bras.

L'homme qui tenait Auger portait un chapeau melon et un long imperméable sur un costume sombre. Un autre flic en civil se planta devant Floyd.

— Inspecteur Belliard…, fit Floyd.

— Heureux de voir que je vous ai fait une telle impression, dit le jeune flic. Vous vous êtes fait rembourser ce presse-papiers endommagé ?

— J'ai décidé que je pouvais vivre sans. Qui vous a donné le tuyau ? Maillol ?

Derrière lui, une voix grave dit :

— En réalité, Floyd, j'ai fait tout ce qui était en mon pouvoir pour vous aider. Malheureusement, je ne savais pas que mon propre département avait mis ma ligne sur écoute. A la minute où vous avez appelé de la gare du Nord, ils vous ont pris en filature.

Belliard foudroya Maillol du regard.

— Je vous avais interdit de nous suivre. Et je vous avais dit de ne pas vous mêler du dossier Blanchard.

— Floyd est un témoin important de ma propre enquête, répondit Maillol d'un ton suave. J'ai le droit de l'interroger.

— Vous savez qu'il détient des informations sur les mouvements d'André Custine.

— Je ne m'intéresse qu'à l'affaire de Montrouge. Custine n'est pas mon affaire, comme vous me l'avez amplement fait comprendre.

Belliard aboya un ordre à son homme de main et lança à Maillol, d'un ton tout aussi hargneux :

— Nous poursuivrons cette conversation à la PJ, où vous pourrez vous expliquer sur les raisons pour lesquelles vous avez tenté de faire capoter une enquête de la brigade criminelle. Entre-temps, trouvons un endroit discret où nous pourrons nous occuper de ces deux-là…

C'est alors qu'Auger s'arracha à la poigne du policier qui la maintenait et fila dans l'essaim grouillant de voyageurs qui se pressaient encore sur le quai. Floyd la perdit de vue juste avant que les portes du métro ne se referment avec un sifflement. Belliard tira son arme, brandit sa carte tricolore et fonça vers le train en hurlant aux gens de s'écarter. Il atteignit la voiture juste à temps pour donner des coups sur la vitre avec son arme, mais la rame repartait déjà. Elle prit de la vitesse, et la dernière voiture disparut bientôt dans le tunnel.

Belliard lui tourna le dos.

— Faites fermer toutes les stations de la ligne ! Elle ne sortira pas du métro !

— Je m'en occupe, dit son collègue.

Il s'approcha rapidement d'un employé du métro à l'air ahuri.

— Vous ne savez même pas qui c'est, protesta Floyd.

— Elle donnait l'impression de ne pas avoir envie de nous parler, répondit Belliard. C'est une raison suffisante de la soupçonner.

— Et moi ?

— Que diriez-vous d'une accusation d'entrave à la justice ?

Maillol se pencha vers lui et lui dit, d'un ton pressant :

— Floyd, vous ne pouvez pas gagner ce coup-là. Ils vont retrouver l'Américaine, et ils retrouveront Custine. N'aggravez pas votre cas, vous n'avez vraiment pas besoin de ça.

Floyd regarda l'autre policier en civil, qui discutait toujours avec l'employé du métro. C'était maintenant ou jamais.

Il se retourna, fit trois pas en arrière tout en sortant son arme, qu'il pointa sur Belliard. Il vit Maillol secouer la tête d'un air catastrophé. La scène commençait à intriguer les quelques voyageurs présents, qui s'empressèrent de faire le vide autour des trois hommes.

— Reculez ! dit Floyd. Reculez et laissez-moi partir.

— Vous n'irez nulle part, dit Belliard. D'ici quelques minutes, mes hommes couvriront absolument toutes les issues du réseau métropolitain.

— Je vous souhaite bien du plaisir pour me rattraper !

— Lâchez votre arme, fit Maillol d'un ton implorant. N'aggravez pas votre cas.

— Je vous ai dit de reculer. Ça vaut pour vous aussi, inspecteur.

Floyd visa la voûte de la station et tira un coup de semonce.

— Je n'hésiterai pas à m'en servir, alors ne m'y obligez pas.

— Vous êtes un homme mort, dit Belliard.

Mais il battit en retraite, les mains levées.

— Alors, on se reverra au cimetière, répondit Floyd.

Il descendit rapidement au niveau des rails et se glissa dans l'obscurité du tunnel. Derrière lui, sur le quai, il entendit des voix excitées, des cris. Quelqu'un soufflait furieusement dans un sifflet. Des hommes déboulèrent sur le quai, certains en uniforme. L'un d'eux se mit à genoux, braqua une torche dans la gueule du tunnel et promena le faisceau lumineux dans les ténèbres. Floyd se colla contre la paroi de brique, hors de portée du rayon. En face de lui un train arriva, son souffle le plaquant encore davantage à la paroi tandis qu'il décélérait pour s'arrêter le long du quai opposé.

Un instant plus tard, les lumières du train s'éteignirent graduellement.

Ils avaient coupé le courant alimentant les rails et les rames.

Floyd se mit à courir dans l'obscurité qui s'épaississait rapidement, faisant craquer les éclats de pierre sous ses pieds. Il se guidait de la main gauche en suivant la paroi, la main droite tendue devant lui. A chaque pas, il devait lutter contre l'impression terrifiante qu'il était sur le point de basculer au bord d'un précipice. Quelque part, vers l'avant, il y eut des coups de feu. Derrière lui, des silhouettes mouvantes obstruaient déjà les lumières de la station. Des pinceaux lumineux striaient l'obscurité, la tranchant comme des rayons de DCA.

Il entendit Maillol hurler :

— Floyd ! Rendez-vous pendant qu'il est temps !

Floyd s'enfonça plus profondément dans le tunnel. Il n'osait hurler le nom d'Auger, Belliard croyant toujours qu'elle avait fui en montant dans la rame.

Il entendit tirer un coup de feu, aussitôt suivi d'un cri inhumain. Le tout provenait des profondeurs du tunnel.

Il ne put résister plus longtemps :

— Auger !

C'était peut-être son imagination, mais il crut entendre quelqu'un crier son nom en retour. La main droite crispée sur son automatique, il s'obligea à marcher dans la direction du son, luttant contre tous les muscles de son corps qui réclamaient de retourner vers la lumière, vers la sécurité de la garde à vue. Peut-être qu'ils ne lui feraient pas de mal, surtout s'il jetait le pistolet. Dans son état, avec sa tête bandée, il se pourrait même qu'ils le traitent avec gentillesse et compréhension. Il avait eu un moment de confusion, et voilà tout. Un coup sur la tête, un moment de désorientation : ils comprendraient, ils seraient pleins de compassion. Qui ne le serait, d'ailleurs ? Maintenant qu'il retrouvait sa faculté de raisonnement, il voyait bien qu'il n'avait rien à faire dans ce tunnel, et il ne lui restait plus qu'une chose à faire : se répandre en excuses. C'étaient des hommes raisonnables, ils comprendraient son point de vue, ils…

— Floyd ? souffla une voix. Floyd, c'est vous ?

Sa voix paraissait pitoyablement faible. Il était difficile de deviner à quelle distance elle se trouvait, surtout avec tout ce vacarme, derrière lui.

— Auger ?

— Ils sont là, Floyd. Dans le tunnel.

Il savait qu'elle ne faisait pas allusion à la police. Il pressa le pas, sa main heurta une masse molle. Malgré lui, il étouffa un hoquet de surprise. Il tendit la main à nouveau, explora la forme. Un bras, un cou et enfin un visage.

— Je suis fatiguée, dit-elle en s'appuyant sur lui. Je crois que je n'y arriverai pas toute seule…

— J'ai entendu tirer des coups de feu.

Elle toussa.

— Ils étaient plusieurs. J'en ai touché au moins un. Vous n'auriez pas dû me suivre. Je ne voulais pas que vous descendiez ici.

— Je n'ai jamais aimé les adieux.

— Essayez de retrouver ma torche, par terre. Je l'ai lâchée quand ils m'ont attaquée. Elle ne doit pas être loin.

Floyd farfouilla dans le noir, chercha à tâtons dans le ballast, entre les rails, en priant pour que l'électricité n'y revienne pas subitement. Ses doigts se refermèrent

572

sur le corps cannelé de la torche. Il trouva l'interrupteur. La lumière tremblota, puis se ralluma.

Il l'éteignit.

— Ça va, je l'ai. Et maintenant ?

— Aidez-moi à me relever. Ce n'est pas loin.

Floyd entendit des gens derrière eux, à guère plus de cinquante mètres. Ils prenaient leur temps, parlaient à voix basse, prudente, comme s'ils pensaient qu'un danger les attendait, en embuscade.

— A quelle distance, au juste ? demanda Floyd.

— Quelques dizaines de mètres. Il y a une porte en bois, dans le mur. Vous allez la sentir. Aidez-moi à franchir cette porte, refermez-la derrière moi et fichez le camp d'ici. Après ça, tout ira bien pour moi.

Il l'aida à avancer le long du mur. Les voix et les torches, derrière eux, se rapprochaient avec un empressement renouvelé. Les yeux de Floyd commençaient à s'adapter à l'obscurité, et il distinguait des formes vagues qui flottaient dans le noir. Il se risqua à rallumer brièvement la torche en dissimulant le faisceau à leurs poursuivants avec son propre corps. Le rayon vacilla et s'éteignit.

— Là, dit Auger. Un trou dans le mur. Vous voyez la porte ?

— Oui, fit Floyd.

— Ouvrez-la. Il faut forcer. Et faites-moi passer à travers. Ensuite, sauvez votre peau.

Floyd prit la torche entre ses dents, cala Auger contre le mur, appuya son épaule contre le vieux panneau de bois et poussa de toutes ses forces. Il céda. Floyd aida Auger à entrer dans la galerie, au-delà, en espérant qu'elle savait ce qu'elle faisait et le croyant presque. Puis quelque chose l'arracha à la paroi du tunnel et l'envoya valdinguer. Il sentit sa colonne vertébrale heurter les rails et laissa échapper la torche, qui s'écrasa sur de l'acier, dans un bruit de verre brisé.

Il avait aussi lâché son automatique.

Il s'obligea à respirer. Le courant n'était apparemment pas revenu dans les rails. Il écarta les bras, les remua, essaya de se relever. A peine visible dans l'obscurité, un enfant se dressa alors au-dessus de lui. Floyd y voyait juste assez pour distinguer son sourire de goule, ses joues creuses et les creux morts de ses orbites. A cet instant, la lumière d'une des torches du groupe qui s'était lancé à la poursuite de l'Américain tomba sur l'enfant, le figeant comme une statue. Il regarda les hommes bien en face, siffla comme un serpent, et un objet brilla dans sa main droite.

Le bras de l'enfant bougea. Il pointa le canon de sa petite arme dans l'axe du tunnel, vers le groupe, et fit feu.

Floyd entendit l'un des hommes pousser un hurlement de douleur, puis un tir de riposte crépita au-dessus de sa tête. Aucune des balles n'atteignit l'enfant, qui tira à nouveau, en rafale cette fois, arrosant le tunnel devant lui. Il y eut des cris, de souffrance ou de terreur. Des torches tombèrent à terre et s'éteignirent. Le silence se fit, comme d'un commun accord.

Avec un gémissement, Floyd roula sur lui-même, ses doigts effleurèrent la poignée de son automatique, s'efforcèrent désespérément de se refermer dessus, y parvinrent. Il assura sa prise sur son arme, la leva. L'enfant baissa les yeux, et l'espace d'un instant son expression satisfaite se mua en stupéfaction.

Floyd appuya sur la détente. Le pistolet cliqueta. Vide.

Le sourire de l'enfant revint. Il abaissa le canon de son arme vers Floyd, ses doigts pareils à des anguilles pâles enroulés autour de la crosse.

Un coup de feu retentit.

L'enfant grogna, lâcha son arme. D'autres balles le touchèrent, le faisant gigoter comme un pantin au bout de son fil. Auger continua à tirer, appuyant sur la détente jusqu'à ce que le pistolet se taise, son canon chauffé au rouge brillant dans les ténèbres. Les restes de l'enfant, lambeaux de vêtements et chairs déchiquetées, retombèrent sur le sol du tunnel, où ils se fondirent en une masse indifférenciée, comme des pièces de viande abandonnées sur un étal de boucher.

Floyd se redressa tant bien que mal et suivit Auger dans l'ouverture du mur.

— Floyd, vous ne pouvez pas aller plus loin…

— Si j'y retourne, ils vont me tirer comme un lapin, sans me laisser la moindre chance de m'expliquer !

Elle poussa un grognement de frustration.

— Alors, fermez la porte avant qu'ils n'entrent ici !

Il fit ce qu'elle lui disait.

— Vous pensez qu'ils nous ont vus entrer ?

— Je ne sais pas, répondit-elle faiblement, entre deux souffles rauques, entrecoupés. Mais ils vont nous chercher. Ils vont passer chaque centimètre du tunnel au peigne fin. Ils finiront bien par trouver cette porte.

— Dans ce cas, j'espère que vous avez un autre moyen de sortir d'ici.

— On peut dire ça comme ça.

Ils étaient dans un boyau beaucoup plus étroit, sans rails sur le sol. Aucun train n'aurait pu y entrer. Il était si bas que Floyd avait du mal à se tenir debout, et il avait beau faire le dos rond, sa tête raclait le plafond.

Auger l'entraîna, s'arrêtant de temps à autre pour reprendre son souffle.

— On a eu de la chance, dit-elle. Apparemment, les bébés de guerre n'y voient plus très bien dans le noir. Ils vieillissent, et leur vision doit se détériorer…

— Quel âge ont-ils ?

— Il y a au moins vingt-trois ans qu'ils sont là. Peut-être plus. Et ils sont chaque jour un peu plus décrépits.

— Quelque chose me dit que vous êtes prête à parler, maintenant.

— Dans un instant, Floyd, vous allez avoir toutes les réponses que vous souhaiterez n'avoir jamais eues.

26

L'obscurité se faisait moins dense. La lueur rappelait la vague évocation de lumière de la dernière heure
qui précède le jour. Les voix du groupe lancé à leur
poursuite leur parvenaient encore. Auger avait raison :
ils ne mettraient pas longtemps à trouver l'entrée.

— Alors, Auger, qui a envoyé ces enfants ? Pour
qui travaillent-ils ?

— Je n'en suis pas très sûre. On ne m'a pas briefée
sur ce point. Ma mission était simple : récupérer les
documents de Susan White. Ceux qui m'ont envoyée
ici ne m'ont pas dit qu'il y aurait des complications.

— Mais ils savaient qu'il y en aurait ?

— Mes chefs ? Ouaip. Ils en savaient probablement
beaucoup plus long qu'ils ne m'en ont dit.

— On dirait qu'ils vous ont envoyée au casse-pipe…

— C'est plus ou moins la conclusion à laquelle je
suis arrivée.

— Vous êtes prête à me dire qui vous êtes, maintenant, et qui sont vos chefs ? Ils n'ont pas été réglo
avec vous, après tout, alors vous ne leur devez rien.

— S'ils avaient été réglo avec moi, je ne serais
jamais venue ici.

Ils arrivèrent à la source de lumière. Une lourde porte était encastrée dans la paroi de la galerie, une porte circulaire, énorme, épaisse, comme la porte d'un coffre-fort ou la trappe blindée d'un tank. Une lumière douce filtrait par l'entrebâillement. Elle semblait ondoyer comme les reflets sur l'eau d'une piscine.

— Ce n'est pas bon, dit Auger. La porte aurait dû être refermée.

— Qu'est-il arrivé à vos amis ?

— Je pensais qu'ils seraient là. Quelques renforts, au moins. Jusqu'à vendredi dernier, nous avions toute une équipe, ici.

— Que s'est-il passé, vendredi ?

— Les enfants sont passés par la galerie, ils ont fait irruption par un tunnel à eux. Ils ont tué Barton et Aveling, deux de mes collègues. Skellsgard a été blessée, mais ça allait à peu près. Je l'ai tirée d'ici, et elle devait me renvoyer de l'aide. J'ai dû laisser la porte ouverte en repartant, parce qu'il n'y avait personne de l'autre côté pour la refermer.

— Pour quand attendiez-vous ces renforts ?

— Pas avant une soixantaine d'heures au minimum. La cavalerie ne pouvait pas arriver avant minuit, la nuit dernière, mais il a pu y avoir un retard, à l'autre bout, dans l'organisation du voyage de retour. Ils auraient dû arriver de l'autre côté de cette porte, et la refermer correctement.

— Peut-être que si on passe par cette porte on aura une meilleure idée de ce qui s'est passé…

— Vous n'allez pas aimer ce qu'il y a derrière, l'avertit Auger.

— Je n'ai pas vraiment le choix. Allons-y.

Ils écartèrent la porte et se faufilèrent par l'ouverture. Floyd aida Auger à franchir le seuil de métal et à passer dans la zone surélevée qui se trouvait de l'autre côté. Il la suivit en plissant les paupières à cause de l'étrange lumière changeante qui baignait la chambre.

— Allez, aidez-moi à refermer la porte, dit-elle.

Ils remirent la porte dans son logement, puis Floyd tourna la lourde roue de métal qui la verrouillait de l'intérieur.

— Ça les retardera bien quelques heures, dit Auger. Il faudra qu'ils fassent venir des outils de découpe dans le tunnel, et il leur faudra un certain temps supplémentaire pour percer le panneau.

— Mais ils finiront par y arriver ?

— Oui, mais ça nous laisse quand même le temps de nous retourner… Vous trouverez des provisions et de l'eau, dans la pièce voisine.

— Quelle pièce voisine ?

Ils se trouvaient dans une salle assez grande pour héberger une voiture, creusée dans une roche sombre, luisante. Le sol de métal était tout éraflé. Sur les armoires et les établis disposés alentour se trouvaient des appareils que Floyd identifia comme des radios et du matériel de transmission. Il y en avait des quantités, et ils étaient câblés de façon surprenante, mais il n'y avait rien qui ressemblât au matos ultrasophistiqué auquel il s'attendait. La seule bizarrerie de la pièce, même si c'était plus qu'une bizarrerie, était la plaque – ou le miroir – d'un genre particulier accrochée au mur du fond, ou plus exactement incrustée dedans. C'était la source de lumière : une surface parfaitement unie, plate, aussi grande qu'un homme et d'où émanait une impression subtile, incertaine, de profondeur et de perspective changeante. La surface était encadrée par une construction lourde qui se fondait sans joints dans les parois de la grotte. Le cadre était moulé dans une matière translucide qui ressemblait à un miel foncé, et il clignotait, suggérant une machinerie vacillante enfouie dans les profondeurs.

Il n'avait, de toute sa vie, jamais rien vu qui ressemblât à ça.

— C'est la chambre de la censure, dit Auger.

Elle enleva le paquet collant qui lui servait de pansement, réarrangea les lanières de tissu qui avaient naguère été le gilet de Floyd et replaqua fermement le tout sur sa blessure.

— Il y a une trousse de premiers secours, ici, mais nous aurons plus de choix de l'autre côté de la censure.

— De la *quoi* ?

— Ça, dit-elle en indiquant la source de lumière vacillante. C'est ce qu'on appelle la censure. C'est une sorte de point de contrôle. Ça laisse passer certaines choses, et ça en arrête d'autres. Je pense que nous serons plus en sûreté de l'autre côté.

— Continuez, dit-il, fasciné par la surface changeante.

— Nous ne savons pas exactement à quelles règles elle obéit, dit Auger. Elle est plutôt intransigeante en ce qui concerne ce qu'elle laisse entrer à Paris. Mais elle n'est pas très stricte sur ce qui passe dans l'autre sens.

Ces remarques n'avaient rien pour le rassurer.

— Vous parlez comme si vous ne saviez même pas comment cette chose marche.

— Nous l'ignorons, répondit-elle simplement. Nous ne savons même pas qui l'a fabriquée, ni quand.

— Ça commence à devenir vraiment trop bizarre pour moi, dit Floyd.

— Alors faites demi-tour et retournez voir ces messieurs. Je ne suis même pas sûre qu'elle vous laisse passer, de toute façon, dit Auger avec un mouvement de menton vers la censure.

— Et vous, elle va vous… vous admettre ?

— Oui, répondit-elle. Je suis déjà passée trois fois sans incident. Mais nous ne sommes pas pareils. Ce qui vaut pour moi ne s'applique pas forcément à vous.

— Que pourrions-nous avoir de différent ?

— Bien plus que vous ne le pensez. Mais il n'y a qu'une façon de le découvrir. Je vais passer la première, et je vous attendrai de l'autre côté. Si je ne vous vois pas arriver d'ici une minute ou deux, je…

Elle ne put achever sa phrase.

— Qu'y a-t-il ? demanda Floyd.

— Ce n'est pas si facile. Nous n'avons jamais vu la censure refuser une créature vivante. Je ne sais pas ce qu'elle fera si elle décide de ne pas vous accorder le passage.

Elle déglutit.

— Il se peut que ce ne soit pas joli-joli. Quand on essaie de faire passer des machines depuis l'autre côté – des armes, du matériel de communication, ce genre de choses –, généralement, elle les intercepte. C'est pour ça qu'on l'appelle la censure.

Floyd commençait à avoir l'impression de se trouver dans un salon où l'on jouait à un jeu dont il ignorait les règles.

— Tous ces trucs, elle les a bloqués, c'est ça ?

— Pas bloqués, détruits, rectifia Auger. Changés en des masses inutilisables de métal fondu. Randomisés au niveau atomique, effaçant jusqu'aux structures moléculaires. Rien ne marchait plus. Elle ne nous a laissés apporter que des outils rudimentaires : du matériel de forage, des couteaux, des vêtements, de l'argent. C'est pour ça qu'il n'y a rien de sophistiqué dans cette pièce. Tout ce que vous voyez a dû être trouvé à Paris, introduit ici et assemblé pour répondre à nos besoins.

Floyd regardait fixement la surface mouvante. Il était comme hypnotisé. Depuis qu'il l'avait rencontrée, il poussait Auger dans ses retranchements, la pressait de lui fournir des réponses, toujours avec une certaine idée préconçue à l'esprit. Et maintenant qu'il approchait de la vérité – au compte-gouttes, d'accord –, ce n'était absolument pas ce qu'il avait imaginé. C'était le genre de vérité qui lui donnait envie de se recroqueviller et de se cacher sous une pierre. Le pire, c'était que la voix d'Auger trahissait une conviction lasse qui lui disait que rien de tout ça n'était un canular. Elle était franche avec lui, pour autant qu'elle pouvait l'être, du moins.

Il y avait, sous Paris, quelque chose qui n'avait pas le droit d'exister, et Auger voulait passer à travers.

— Et si je réussis à franchir cette… censure, ce qu'il y a de l'autre côté va me plaire ?

— Ça, j'en doute. Mais vous y serez plus en sécurité qu'ici. Même si ces hommes réussissent à entrer dans cette pièce, ils y réfléchiront à deux fois avant de passer la censure.

— Alors, finissons-en. Allez-y la première. On se retrouvera de l'autre côté.

— Vous êtes prêt ?

— Autant qu'on peut l'être.

— Il faut que j'y aille, Floyd. J'espère que vous réussirez à traverser.

— Ça ira, dit-il. Allez, c'est parti.

Elle se jeta à travers la censure, se balançant maladroitement de son bras valide à un rail fixé au-dessus pour se donner de l'élan. La membrane luisante s'étira au départ comme une feuille de caoutchouc, résistant à la pression. Puis elle se referma sur elle, seuls l'arrière de sa tête, un coude et un talon dépassant encore. Des ondes qui évoquaient des ecchymoses l'entourèrent. Puis elle disparut complètement, la membrane s'infléchit, rebondit comme un trampoline, et Floyd se retrouva seul.

Il poussa un doigt, pour voir, sur la surface pareille à une peau de tambour et sentit un infime picotement électrique. Il poussa plus fort. Le picotement s'intensifia. Il s'arrêta, enleva son doigt et prit un cure-dents dans sa poche. Le tenant par un bout, il enfonça l'autre bout dans la surface jusqu'à ce qu'il éprouve à nouveau ce picotement. Il retira le cure-dents et l'examina. Il paraissait intact à tout point de vue, et quand il le mit dans sa bouche, il avait le même goût que tous ceux qu'il lui avait été donné de mâchouiller jusque-là. Quelque chose le lui fit recracher quand même.

Il pointa à nouveau le doigt dans la membrane, jusqu'à la base de son ongle, et ignora le picotement alors qu'il s'enfonçait dedans comme dans de l'argile molle. La couche s'infléchit, formant un creux aussi profond que son avant-bras. Soudain craintif, il relâcha la pression avant que la membrane ne se referme autour de lui.

— Allez, quand il faut y aller…, se morigéna-t-il.

Et, sans plus réfléchir, il se jeta dans l'inconnu.

Il passa à travers et s'affala de tout son long de l'autre côté, sa tête bandée cognant sur le sol de métal froid. Pendant au moins une minute, il ne put que rester parfaitement immobile alors que de multiples signaux de douleur parvenaient à son cerveau, se logeaient dans des cases prévues à cet effet, comme des lettres dans un bureau de tri postal. Il avait mal à la tête, à l'endroit où son crâne avait heurté le sol. Encore plus mal dans la bouche – il avait dû se mordre la langue, l'intérieur de la joue, ou les deux. Il avait mal aux genoux, à un coude, et le dos en compote, suite à sa chute sur les rails.

Il souleva la tête du sol, se redressa, s'assit et étudia le reste de son corps. Puis il regarda autour de lui et découvrit Auger assise dans un fauteuil, l'air au bout du rouleau, mais encore consciente.

— Floyd ? demanda-t-elle. Ça va ?

— Super, dit-il en se frottant la tête.

— Quand vous avez traversé cette chose… comment c'était ?

Floyd cracha un bout de dent ensanglanté et répondit :

— C'est drôle. Je suis assis là, par terre, tout de suite, et j'ai l'impression qu'il y a quelques secondes seulement nous étions encore de l'autre côté. Mais une autre partie de moi a l'impression que je ne vous ai pas vue depuis la moitié de ma vie.

— Alors, ça vous est arrivé, dit-elle. Ce qui ne m'est pas arrivé à moi. Vous y avez eu droit lors de votre premier passage.

Elle avait l'air à la fois envieuse et impressionnée.

— Tout ce dont je me souviens, dit Floyd, c'est que j'ai eu l'impression d'être fait en verre, et puis il y avait une lumière qui brillait à travers moi. J'ai eu l'impression de rester suspendu dans cette colonne de lumière pendant la totalité de l'éternité. Je me demandais si ça finirait jamais. Une autre partie de moi n'avait pas envie que ça finisse, jamais. J'ai vu des…

couleurs, des couleurs comme je n'en aurais jamais imaginé avant. Et puis ça a été fini, et je me suis retrouvé étalé là, avec mal à la bouche. Vous savez, si on pouvait mettre cette sensation en bouteille...

Il réussit à esquisser un haussement d'épaules impuissant.

— Je suppose que ce satané truc n'est pas si sélectif que ça, tout compte fait.

— Vous avez senti un esprit ? Plus d'un esprit ?

— Je me suis senti tout petit, et très chétif, comme un insecte épinglé sous un microscope.

— D'accord, dit platement Auger. Aucun individu comme vous n'était jamais passé par là avant. Personne n'avait jamais essayé. Mais je ne m'attendais pas à ce que vous ayez droit à cette expérience lors de votre premier passage.

— Fillette, un voyage à travers cette chose me suffira.

Il regarda autour de lui, envisageant les complexités de la pièce où il avait atterri. Contrairement à la précédente, au moins celle-ci avait-elle l'air de ressembler à l'antre d'espions souterrains qu'il avait imaginé ; elle était très vaste, pleine de machines et de matériel qu'il n'arrivait pas à identifier.

— Je vous en prie, dites-moi que c'est une sorte de décor de cinéma, dit-il en s'appuyant au bord d'un bureau.

— Non, tout est réel, dit Auger en se relevant péniblement. Le seul problème, c'est que mes amis ne sont pas là. Mais il y a quand même une bonne nouvelle : le module est de retour. Sauf que je ne comprends pas pourquoi personne n'est revenu avec. Ils n'auraient eu qu'à laisser une place libre.

Floyd trifouilla dans sa bouche, en extirpa les derniers fragments de sa dent cassée. Enfin, pour le moment, il avait d'autres soucis.

— Vous avez parlé de « module » ?

— Là, dit Auger.

Elle tendit le doigt vers l'objet central de la pièce : une bulle de verre géante, aussi grande qu'une maison, suspendue au niveau du regard au-dessus d'une fosse pleine de machines, de matériel et de consoles de commande. La bulle était encastrée dans un échafaudage d'étais de métal suspendus aux murs de la salle. Du côté diamétralement opposé à celui où ils se trouvaient, la surface de la bulle formait une protubérance, un tube cylindrique qui passait à travers le mur. A cet endroit, il y avait une croûte épaisse, compliquée, de la même substance bizarre que Floyd avait déjà vue autour de la censure. En y regardant de plus près, il se rendit compte que les parois intérieures de la salle étaient complètement recouvertes de plaques denses, scintillantes, faites de cette espèce de meringue. Certaines parties disparaissaient sous les plaques métalliques, mais de grandes zones étaient encore à nu.

Il y avait quelque chose dans la bulle : un objet bugné de partout, entaillé, mâchuré, gros comme un camion, formé de lames de métal qui semblaient avoir été martelées et façonnées par des hommes des cavernes enthousiastes. C'était une sorte d'obus muni de vitres, hérissé de protubérances étranges – la plupart tordues et endommagées – et orné de symboles incompréhensibles tracés à la peinture, passés, écaillés. Le tout était incrusté dans une sorte de harnais qui rappelait les nacelles utilisées pour charger les bombes dans les avions.

— Il a souffert pour arriver ici, commenta Auger.

— C'est un vaisseau ? demanda Floyd.

— Oui, répondit-elle. Et n'ayez pas l'air aussi déçu. Il se trouve que c'est mon billet de sortie de cet endroit.

— On dirait qu'il a fait plusieurs fois le tour du pâté de maisons.

— Ouais, la situation doit être assez sérieuse pour qu'il ait été tellement endommagé en un seul trajet. J'espère seulement qu'il pourra effectuer le trajet de retour.

— Où va-t-il vous emmener ? demanda Floyd. En Amérique ? En Russie ? Un endroit dont je n'ai jamais entendu parler ?

— Loin de Paris, en tout cas, répondit Auger d'un ton évasif. Vous n'avez pas besoin d'en savoir davantage pour le moment. Je serai de retour d'ici une soixantaine d'heures, et si ce n'est pas moi ce sera une personne de confiance. En tout cas, elle reviendra avec des renforts – assez d'aide pour vous ramener à la surface en un seul morceau.

— C'est une promesse ?

— C'est ce que je peux faire de mieux. Pour le moment, je ne suis même pas sûre que cette chose tiendra assez longtemps pour me ramener chez moi.

— Il y a une autre solution ?

— Non. Ce vaisseau est mon seul moyen de retour.

— Alors nous avons intérêt à croiser les doigts.

Floyd parcourut la salle du regard. Les nombreuses consoles comportaient toutes des dispositifs qui ressemblaient à des claviers de machine à écrire, mais avec beaucoup plus de touches que ça ne semblait nécessaire. Des codes, des symboles énigmatiques étaient gravés dessus – des arrangements de lettres, des nombres, des graffitis enfantins. Il y avait beaucoup d'interrupteurs et de commandes d'une espèce qu'il ne reconnaissait pas, faits d'une sorte de matière translucide, fumeuse. Des textes et des illustrations – des tableaux, des diagrammes et des schémas – étaient imprimés en encres lumineuses, vives, sur des plaques de verre teinté placées verticalement sur les bureaux, comme des paravents. Il y avait aussi des grilles, des lumières et des sortes de cases, et des étagères qui supportaient des choses oblongues qui auraient pu entrer dans les cases. Floyd reconnut des micros sur des supports – là, au moins, il était sûr de lui –, et des planches à pince posées sur certains des bureaux. Il prit la plus proche et parcourut des feuilles de papier soyeux sur lesquelles étaient inscrites des rangées et des rangées de charabia, mais un charabia organisé, intercalé avec des cascades de crochets et autres symboles typographiques. Une autre planche à pince supportait des pages et des pages de diagrammes qui ressemblaient à des grilles, un labyrinthe de grilles, en fait, qui évoquait les plans d'une métropole de dingues.

— Qui êtes-vous, au juste ? demanda-t-il.

— Une femme de l'an 2266, répondit Auger.

— Vous savez ce qui m'inquiète le plus ? C'est que vous donnez l'impression de croire ce que vous dites.

Mais Auger ne l'écoutait plus. Elle s'était rapprochée de ce qui était peut-être la chose la plus étrange de la pièce, en dehors de la censure et du module : une sorte de sculpture composée de dizaines et de dizaines de sphères métalliques brillantes, organisées selon une pyramide qui montait en spirale presque jusqu'à l'épaule. Dans le hall d'entrée d'un bâtiment commercial, Floyd ne lui aurait pas accordé un regard. Mais ici, parmi tout ce matériel, cela avait vraisemblablement une fonction technique précise, curieusement déplacée, comme un sapin de Noël dans une salle des machines.

Auger effleura la sphère du haut, et la chose se déplaça, se déroula partiellement, comme un serpent fait de nombreuses sphères reliées entre elles.

— Qu'est-ce que…, articula-t-elle en reculant d'un bond.

Le serpent se cabra, s'incurvant selon un arc menaçant, très haut. Floyd ôta le cran de sécurité de son automatique et le pointa, mais Auger l'arrêta d'un geste.

— Du calme. Ce n'est qu'un robot. Ils ont dû l'envoyer avec le module.

Floyd laissa retomber son automatique, mais resta sur ses gardes.

— Un robot ?

— Un robot slasher, précisa-t-elle comme si ça faisait une différence. Mais je ne pense pas qu'il nous veuille du mal. Si tel était le cas, nous serions déjà morts.

— Vous parlez des robots comme si vous en voyiez tous les jours.

— Pas tous les jours, répondit Auger, mais assez souvent pour savoir quand il faut en avoir peur et quand ce n'est pas la peine.

Le robot prit la parole, d'une petite voix pépiante :

— Je vous connais sous l'identité de Verity Auger. Veuillez confirmer cette identification.

— C'est bien moi, Auger, répondit-elle.

— Vous semblez blessée. Est-ce le cas ?

Tout en parlant, le serpent faisait pivoter la sphère neutre de sa tête d'un côté sur l'autre, comme un cobra dansant au son de la flûte.

— Je suis blessée, oui.

— Je détecte un objet métallique étranger logé près de votre épaule.

La voix du robot évoquait pour Floyd une bouilloire à qui Disney aurait donné la vie.

— Autorisez-vous une intervention chirurgicale immédiate ? Je suis programmé avec les routines nécessaires pour effectuer l'intervention.

— Je pensais que la balle était ressortie, remarqua Floyd.

— Il y en avait peut-être plus d'une, répondit Auger.

— Autorisez-vous l'intervention médicale ? insista le robot.

— Oui, répondit Auger.

Le serpent se déplaça presque aussitôt, ses sphères raclant le sol.

— Non, dit-elle sèchement. Attends. Nous n'avons pas le temps de procéder à une opération en bonne et due forme. Tu vas juste me stabiliser. Fais en sorte que je tienne le coup jusqu'à mon retour sur T1. Je sais que c'est possible.

Le serpent s'immobilisa, comme s'il soupesait les options.

— Je peux vous stabiliser, dit-il pensivement, au bout de quelques instants. Mais je recommande que vous autorisiez l'intervention immédiate. Faute de quoi il existe un risque significatif d'issue fatale, à moins que vous ne consentiez à la thérapie pan-AC.

— Si ça peut me permettre de partir d'ici…, dit Auger. Je viens d'avoir une idée, ajouta-t-elle en se tournant vers Floyd.

— J'écoute, dit Floyd.

Elle ramena son attention vers le serpent.

— Es-tu Asimov-compatible ?

— Non, dit le robot avec une pointe d'indignation.

— Tant mieux, parce qu'il se peut que tu sois amené à faire du mal à certaines personnes. Reconnais cet homme sous l'identité de Wendell Floyd. Tu as enregistré ça ?

La tête ronde, anonyme, du robot se pointa vers lui. Il sentit un étrange frisson interrogateur, comme s'il avait été soumis au regard scrutateur d'un sphinx.

— Oui, confirma le robot.

— Je t'autorise à protéger Wendell Floyd. Des gens peuvent entrer dans cette salle par la censure et tenter de lui faire du mal ou de l'enlever. Tu dois le défendre, en utilisant le minimum de force nécessaire. As-tu des armes non létales ?

— J'ai des armes utilisables selon les modes létal et non létal, répondit fièrement le cyberserpent.

— Bien. Je te demande de recourir à tous les moyens nécessaires pour garder Floyd en vie, mais limite le nombre de victimes. Pas de morts, à moins que tu n'y sois obligé.

— Il comprend tout ça ? demanda Floyd.

— J'espère bien... pour eux. Ecoute, reprit-elle à l'intention du robot, d'ici une soixantaine d'heures, soixante-dix heures, peut-être, le vaisseau reviendra avec des gens qui aideront Floyd à regagner la surface. Tu ne dois pas les en empêcher. D'accord ?

— Compris, répondit le robot.

— Parfait. On t'a donné des instructions particulières ? Qui t'a mis à bord ?

— J'ai reçu des instructions particulières de Maurya Skellsgard.

— C'est Skellsgard qui a fait ça ? fit Auger en serrant un poing victorieux. Dieu soit loué ! Enfin une bonne nouvelle ! Je peux lui parler ? Le lien est actif ?

— La communication est possible, mais non fiable.

— Tu peux me connecter à Skellsgard ? Si elle est de service…

— Un instant.

Un mouvement attira le regard de Floyd vers les consoles. Des ombres couvertes de textes s'éclairèrent, les lettres lumineuses et les diagrammes se dissipèrent. Des symboles se mirent à bondir sur les panneaux, suivis par un fouillis de données qui défilaient beaucoup trop vite pour que le regard puisse les suivre. Puis l'image s'éclaircit, révélant des images multiples de la même femme, qui regardait dans la pièce selon des angles différents.

— Auger ? dit le visage. Vous êtes là, frangine ?

Le cyberserpent s'occupait déjà de la blessure d'Auger. Il s'était en partie lové autour d'elle, lui offrant une sorte de couchette. Floyd remarqua que les plus grosses sphères pouvaient changer de forme et se transformer en coussins. Dans d'autres sphères, massées près de la tête, de petites trappes s'étaient ouvertes, laissant sortir de nombreux bras articulés, munis de toutes sortes de scalpels et autres instruments étincelants.

— Je suis là, dit Auger. Je suis contente que vous ayez réussi à rentrer saine et sauve.

— Grâce à vous, répondit Skellsgard. J'ai une dette envers vous, et je voudrais bien retourner vous aider. Mais le lien est devenu trop instable depuis que je suis rentrée sur T1. Nous n'étions même pas sûrs de pouvoir vous renvoyer un module de retour, et encore moins que vous pourriez rentrer.

— J'ai remarqué que le vaisseau avait souffert, dit Auger.

Le robot lui ôtait ses vêtements avec une douceur stupéfiante. Floyd avait l'impression de voir une mante religieuse grignoter une feuille.

— Le retour risque d'être encore plus chaotique. Je serais bien revenue vous chercher en personne, mais Caliskan refuse de risquer une vie de plus. C'est pour ça qu'on vous a envoyé le robot. J'espère que vous n'avez pas été trop surprise.

— J'en déduis que le conflit avec les Slashers empire ?

— On peut dire ça. Ecoutez, je ne vais pas tourner autour du pot. Les nouvelles, de notre côté, ne sont pas bonnes : en rentrant, vous allez vous retrouver dans une zone de conflit. Les agresseurs ont fini par bouger. Les Slashers modérés font de leur mieux pour les contenir, mais nul ne peut dire combien de temps ils vont tenir le coup, ni combien de temps on va pouvoir tenir Mars, sans parler de la Terre.

Auger jeta un coup d'œil en biais dans la direction de Floyd.

— Il y a eu des complications de mon côté aussi. J'ai ramené quelqu'un dans la salle.

— J'espère que celui que vous ramenez est déjà dans le circuit.

— Je crois honnête de dire qu'il est totalement hors du circuit. Vous vous souvenez du détective dont je vous ai parlé ?

Skellsgard fit la grimace et ferma les yeux, comme si elle attendait qu'un ballon lui éclate entre les mains.

— Je ne peux pas croire ce que j'entends.

— Je n'ai pas réussi à m'en débarrasser. On peut dire qu'il s'accroche.

— Vous ne pouvez pas faire ça, Auger. La censure…

— La censure l'a laissé passer, répondit Auger. Il a déjà vu le module, et le robot. Le mal est fait.

— Il faut le renvoyer.

— C'est ce que je prévois de faire. Mais nous sommes acculés, ici. Floyd ne peut pas retourner à la surface, et il est plus que vraisemblable que des gens essaient déjà de pénétrer dans la salle extérieure. Je ne sais pas s'ils vont essayer de franchir la censure, mais j'ai ordonné au robot de protéger Floyd jusqu'à ce qu'on puisse renvoyer un module avec des renforts.

L'image de Skellsgard se fragmenta, puis se recomposa. Sa voix était ténue, comme si elle parlait à travers un peigne.

— Caliskan n'acceptera jamais.

— Je vais négocier avec lui. Je reviendrai moi-même s'il le faut. J'enverrais bien ce satané robot raccompagner Floyd à la surface, mais la censure ne le laissera jamais passer.

— Je peux dire quelque chose ? demanda Floyd.

— Allez-y, répondit Skellsgard.

— Auger ne vous dit pas tout. En réalité, elle est assez gravement blessée.

— C'est vrai ? demanda Skellsgard en braquant un regard acéré vers Auger.

— Rien de sérieux, fit Auger.

Elle cilla, parce que le robot commençait à examiner sa blessure. Même Floyd dut détourner le regard. Il n'avait jamais aimé la vue du sang, et il avait donné son maximum en nettoyant et en pansant sa blessure.

— Ça me paraît on ne peut plus sérieux, au contraire, dit Skellsgard.

— Je tiendrai bien le coup jusque chez nous. Et puis comme ça je resterai consciente pendant une partie du trajet. Le robot est en train de me rafistoler. Le vaisseau pourra-t-il se piloter tout seul ?

— Non, répondit Skellsgard. C'est-à-dire que normalement il pourrait, mais le lien est dans un tel état que ce ne sera pas possible. Les procédures n'ont pas été prévues pour gérer le changement de géométrie. On a téléchargé des patches avant de l'envoyer, mais le robot a dû en partie piloter le module pour vous le faire parvenir en un seul morceau.

— Eh bien, pas de problème. Qu'il fasse pareil pour le trajet de retour.

— Il n'y aura pas de robot, dit Skellsgard en se demandant si la douleur et la perte de sang n'étaient pas en train d'affecter la mémoire à court terme d'Auger. Même si vous ne l'aviez pas chargé de protéger votre détective, il faut qu'il reste en arrière, sur T2, pour stabiliser l'embouchure et diminuer l'énergie après l'insertion. Vous vous souvenez du mal que vous avez eu à me renvoyer sans que l'embouchure s'effondre de façon irrémédiable ?

— Oui, convint Auger.

— Eh bien, c'est vingt fois plus compliqué, cette fois, et il n'y a aucun individu en chair et en os pour rester en arrière et s'occuper des contractions de l'embouchure. C'est pour ça que nous avons besoin du robot.

— Et merde ! fit Auger.

— Si nous avions pu faire tenir deux robots dedans, nous l'aurions fait. J'espérais plus ou moins que vous seriez assez en forme pour ramener le module.

— Je pense que je risque d'être un peu vaseuse, dit Auger. Le robot a parlé de me bourrer de pan-AC.

— Si le robot dit que vous en avez besoin, c'est que c'est vrai.

— D'accord, mais je risque d'être inconsciente pendant une partie du trajet de retour.

— Dans ce cas, dit Skellsgard, nous avons un problème.

— Pas forcément, dit Floyd.

Auger le regarda. Les visages, sur les écrans, se tournèrent vers lui avec un ensemble parfait. Même le robot l'observait, la sphère neutre de sa tête réussissant à suggérer un scepticisme poli.

— Vous avez une suggestion à faire ? demanda Skellsgard.

— Si Auger ne peut pas piloter le vaisseau, il va falloir que je le fasse.

— Vous n'avez pas idée de ce que ça implique. Même si vous le faisiez… Ecoutez, mon vieux, vous ne sauriez pas distinguer un trou de ver de votre trou du cul.

— Je peux apprendre.

Floyd se concentra sur la plus proche image flottante.

— Bien…, fit Skellsgard au bout de quelques secondes. Vous pouvez commencer par me dire ce que vous savez de la parité matière/matière exotique, et on partira de là. Je suppose que vous connaissez plus ou moins les principes de base de l'ingénierie des pseudo-trous de ver ? Ou ça va trop vite pour vous ?

— Je sais changer une ampoule, si nécessaire, dit Floyd.

Auger laissa échapper un petit gémissement.

— Je vais vous administrer un anesthésique local, dit le robot, se méprenant. Cela peut entraîner une perte temporaire de lucidité.

— Faites ça, oui, s'il vous plaît, dit-elle.

27

Après avoir rafistolé Auger, le cyberserpent se contorsionna pour la transporter dans le compartiment passager du module démantibulé et l'allonger sur la couchette gauche. Sanglé dans le fauteuil de droite, Floyd poursuivait sa conversation avec Skellsgard. Contrairement à son aspect extérieur, l'intérieur du module avait l'air en bon état. Les sièges étaient de grosses masses lourdingues de matériau noir, rembourré, avec d'énormes ceintures croisées, à boucles, et des appuis-tête munis d'oreillettes sur les côtés. Devant chaque siège se trouvait un système compliqué de commandes et d'écrans rabattables à l'air mastoc et robuste. Sur les parois latérales s'ouvraient de petites vitres elles aussi entourées par des batteries de commandes, de voyants et d'écrans. Derrière les sièges capitonnés, une coursive très étroite menait à une zone d'entreposage divisée en casiers, à un cabinet de toilette et à un réduit encore plus exigu destiné à la cuisine et aux soins médicaux, à en juger par la croix rouge qui ornait un coffret blanc boulonné au mur. Le reste du vaisseau n'était pas accessible depuis le compartiment passager, et devait être réservé aux

machines et au carburant, ou à tout ce qui était nécessaire à son fonctionnement. Des pompes et des
générateurs bourdonnaient et hoquetaient, des mécanismes invisibles émettaient occasionnellement un
chtonk ou un autre bruit métallique.

— Que vous a dit Auger ? demanda Skellsgard.

— Vraiment pas grand-chose.

— Où vous a-t-elle dit que le module devait
l'emmener ?

— Elle ne m'a rien dit.

Ce qui parut amuser considérablement l'autre
femme.

— Hm. Alors, que croyez-vous ?

— Je pense que nous allons faire un voyage dans
une sorte de tunnel souterrain. Nous allons peut-être
ressortir dans l'Atlantique et effectuer la suite du trajet
en sous-marin. A moins que nous ne soyons accueillis
par un escadron de cochons volants…

— Quelque chose me dit que vous n'y croyez pas
vraiment.

— Vous allez dire que je suis un pinailleur, répondit
Floyd. Mais je n'ai pas pu m'empêcher de remarquer
que vous parliez de Mars et de la Terre, tout à l'heure.

— C'étaient des noms de code, espèce d'idiot.

— Forcément.

— D'accord. Vous allez m'écouter, et m'écouter
attentivement. Voilà ce que vous avez absolument
besoin de savoir, puisque Auger est HS. Vous allez
passer une trentaine d'heures à peu près dans cet appareil. Ça va secouer. A quel point ? Ça dépendra de
votre bonne étoile, et de la qualité du coup de pied que
le robot vous donnera au départ. Mais si j'étais vous,
je n'irais pas trop souvent à l'avant.

— J'ai la vessie faible.

— Parlez à Floyd des commandes manuelles, dit Auger.

— Floyd, dit Skellsgard, vous allez abaisser la console de commandes qui est devant vous jusqu'à ce que vous entendiez un déclic.

— C'est fait, annonça Floyd.

— Prenez le joystick dans la main. La manette. Vous la voyez ? Bien. L'écran de droite devrait afficher une grille d'énergie de contrainte, vert sur rouge. Vous la voyez ?

Floyd effectua les manœuvres qu'elle lui dictait.

— Je vois un tableau, dit-il. Mais je vois aussi beaucoup d'autres choses...

— Vous avez l'œil. Maintenant, vous voyez le marqueur bleu en forme de losange entre les deux crochets jaunes ?

— Je vois plusieurs losanges.

— Déplacez la manette latéralement. L'icône qui se déplace est celle qui vous intéresse. Ignorez les marqueurs fixes pour le moment et ne vous occupez pas des petits nombres.

— La grille change. C'est comme si elle était tracée sur du caramel chaud et que je promenais une cuillère dedans.

— C'est l'idée. Maintenant, soulevez l'opercule rouge, au bout de la manette, et mettez le pouce sur le, euh, le coussinet de droite. Droite, hein, pas gauche. Vous le sentez ? Appuyez doucement et dites-moi ce qui arrive à la grille.

— La grille se déplace. Tout bouge, ça glisse vers la gauche.

— Voilà, c'est ça. Ce que vous voyez est une représentation schématique de la géométrie du tunnel sur l'avant du vaisseau, à une micro-seconde-lumière environ en aval de l'embouchure. Le système vous montre une image prévisionnelle de votre dérive basée sur cette géométrie.

Floyd ouvrit la bouche pour dire quelque chose, mais Skellsgard le devança :

— Inutile de farcir votre jolie petite tête de tous ces détails. Tout ce que vous avez besoin de savoir, c'est que la géométrie n'est pas stable, et si nous laissons le vaisseau voguer tout seul, il n'arrêtera pas de se cogner le nez sur les côtés du tunnel. Vous devez éviter ça, parce que, à proximité des parois, les tensions de marée croissent de façon exponentielle. Les arêtes de guidage du vaisseau peuvent absorber des impacts occasionnels, mais d'après les données télémétriques qui me parviennent elles en ont déjà encaissé pas mal, sinon trop, à l'aller. Le blindage de la coque a l'air pas mal froissé, lui aussi.

— La télémétrie ne ment pas, dit Auger. Je ne suis pas sûre que le module tienne le coup, même sans accroissement des tensions...

— Ici, tout le monde croise les doigts, fit Skellsgard d'une voix soudain assourdie et professionnelle, ou peut-être résignée à l'inéluctable. Ce qui est important, c'est que les rustines informatiques que nous vous avons téléchargées devraient remplir leur office, même avec le changement de géométrie, et vous ne serez pas obligé de piloter le module tout du long.

— Tant mieux, dit Floyd. Je ne pense pas que j'y arriverais pendant trente heures d'affilée.

— Mais le pilote automatique ne peut pas tout faire. Il faudra que vous repreniez les commandes de temps à autre. Les simulations que nous avons effectuées montrent que le système de guidage ne gère pas très bien les changements abrupts de géométrie du tunnel, surtout quand les angles de cisaillement dépassent les sept cent vingt degrés.

— « Ne gère pas très bien » ? releva Floyd.

— Il se crashe.

— Le vaisseau se crashe ?

— Le logiciel.

— Le quoi ?

— Elle veut dire que le système de guidage risque de cesser de fonctionner sans préavis, traduisit Auger.

— Je pourrai le remettre en marche ?

— Oui, répondit Skellsgard. Il faudra que vous rebootiez immédiatement. C'est la partie facile – Auger vous montrera comment faire. Ce qui est plus compliqué, c'est que vous devrez remettre le module sur sa trajectoire avant qu'il ne racle les parois du tunnel.

— Ça ne me dit rien qui vaille. Et quel genre d'angle dépasse sept cent vingt degrés, de toute façon ?

— Le genre qui vous donnerait des maux de tête, alors n'y pensez même pas.

Floyd joua avec la manette, pour l'avoir bien en main.

— De combien de temps disposerai-je pour ramener la capsule dans l'axe avant qu'elle ne racle les parois ?

— Ça dépend. Dix, peut-être quinze secondes. Ça devrait vous suffire pour reprendre la barre et rectifier la trajectoire. Si le système de guidage lâche, une alarme sonore vous avertira que vous êtes sur le point de devenir une flaque grumeleuse sur la paroi du tunnel.

— Il y a autre chose que j'ai besoin de savoir ?

— Rien que des détails qui prendraient une vie entière, alors on va laisser tomber. Gardez l'œil sur la grille et essayez d'anticiper les gradients de dérive avant qu'ils ne deviennent irrattrapables. Vous devriez voir bouger les lignes de la grille. Le temps de réaction du module est long, alors essayez de contrôler vos impulsions, qu'elles restent de faible amplitude, afin de lui laisser le temps de réagir avant d'effectuer une autre correction.

— Ah, là, vous parlez une langue que je peux presque comprendre.

— Vous avez déjà volé dans des appareils transatmosphériques ?

— Je ne crois pas, fit Floyd.

— Il était pilote de chalutier, dans une autre vie, dit Auger. Et avant ça je crois qu'il conduisait des barges ou je ne sais quoi. Des genres de bateaux.

— Ces barges avaient-elles un bon rayon de braquage ? demanda Skellsgard.

— Non, répondit Floyd. En réalité, il leur fallait près d'un mille nautique pour ralentir. Et il fallait anticiper toutes les courbes de la rivière bien longtemps avant de les voir.

— C'est exactement ça, fit Skellsgard avec un hochement de tête approbateur. Vous n'avez qu'à vous dire que ce module est une énorme vieille barge, aux caractéristiques un peu inhabituelles, et le tunnel des rives que vous n'avez absolument pas envie de raboter. Vous pouvez vous fourrer ça dans la tête ?

— Je peux essayer, acquiesça Floyd.

— Alors, peut-être que vous arriverez à ramener ce bébé en un seul morceau, tout compte fait.

Floyd haussa les épaules, laissant la manette revenir à sa position d'équilibre. Skellsgard faisait un gros effort pour se montrer optimiste, mais son entrain apparaissait pour ce qu'il était. De pure forme.

— Dites, commença Floyd, vous pourriez peut-être nous guider jusqu'à notre destination ? Vous savez, comme ces aiguilleurs du ciel qui aident un pauvre pékin à poser un avion quand le pilote a fait une crise cardiaque ?

— On perd le lien dès qu'il y a un module dans le tunnel, répondit Auger. Le contact sera rompu jusqu'à ce que nous arrivions à l'autre bout.

— Mais je serai là, dit Skellsgard. Je ne pourrai pas vous parler, mais je pourrai encore monitorer les conditions du lien. Je doute qu'aucun de nous dorme beaucoup au cours des trente prochaines heures.

— Ne vous en faites pas pour nous, dit Auger. Nous rentrerons sains et saufs. Tâchez seulement d'avoir l'œil vif et l'esprit clair quand on jaillira de l'autre côté. J'aurai besoin d'un autre module prêt à repartir immédiatement, et d'un robot pour le piloter.

— Je croyais avoir entendu dire que vous aviez besoin de soins médicaux…

— Je ne parle pas de moi. Floyd ne pourra pas rester avec nous, de l'autre côté. Il faudra le renvoyer à Paris.

Skellsgard hocha la tête.

— Ouais, tâchons de limiter les dégâts, hein ?

— Absolument. Je suis très favorable à ce principe, acquiesça Auger.

— Moi aussi, dit Floyd. Mais pourquoi est-ce que j'ai l'impression d'être les dégâts ?

— Skellsgard, reprit Auger, je crois savoir pourquoi Susan devait mourir. La chose qu'ils construisaient en Allemagne… je pense que c'étaient les pièces d'une antenne résonante de détection d'ondes gravifiques.

— Hmm, fit Skellsgard en fronçant les sourcils. Vous pourriez m'en dire un peu plus ?

— Trois sphères réparties en trois endroits différents en Europe, portées à une température proche du zéro absolu et disposées afin de vibrer si des ondes gravifiques les traversent.

— Trois, vous dites ?

— Une à Berlin, une à Milan et une à Paris. Je pense qu'ils en utilisent trois pour filtrer le bruit de fond : tout signal enregistré par les trois aurait de bonnes chances d'être significatif.

— Sans compter que trois permettraient en plus d'avoir une indication de direction, s'ils disposaient d'horloges assez précises sur les trois sites.

— Peut-être qu'ils en ont aussi.

— Quand même, Auger, c'est délicat. Pour espérer en tirer quoi que ce soit d'utile, il faudrait suspendre ces choses dans le vide et y greffer des amplificateurs acoustiques plutôt sensibles…

— Mais c'est à la portée de la technologie de T2, à l'aide de quelques perfectionnements. Beaucoup plus facile que de construire une sorte d'interféromètre à laser ou un détecteur de masse en orbite, alors que personne n'a encore inventé le laser ou les satellites artificiels, ici.

— Ça, je vous l'accorde. Vous connaissez Weber ? Un contemporain de T2. Il a construit un détecteur de pression qui utilise un bout d'aluminium solide à température ambiante. Même principe de base.

— Et ça a marché ?

— Pas vraiment. Il manquait de sensibilité. Mais le principe était bon, et il a ouvert la voie aux détecteurs à résonance qui fonctionnaient à très basses températures, une cinquantaine d'années plus tard.

— Là, quelqu'un a dû brûler les étapes, dit Auger. Ils en ont construit un, et peut-être même qu'ils l'ont fait marcher.

— Qui aurait pu faire ça, à votre avis ?

— Les Slashers. Ceux-là même qui ont dû réussir à passer lors de l'occupation de Phobos. Tout du moins, ils sont dans le coup.

— Mais pourquoi ? Quel intérêt ? On peut se livrer à toute l'astronomie gravitationnelle qu'on veut depuis les parages de la vraie Terre...

— Ce n'est pas une question d'astronomie, dit Auger. Je pense que c'est un problème de triangulation.

— Là, Auger, je suis perdue.

— Réfléchissez. La coque de l'OVA est étanche aux radiations électromagnétiques, ce qui veut dire qu'ils n'ont aucun moyen de déterminer sa véritable localisation dans la galaxie. Alors que la gravité, elle, passe à travers. D'accord, les neutrinos aussi, mais construire un détecteur de neutrinos directionnel est au moins aussi compliqué que de construire une antenne à onde gravifique directionnelle, et beaucoup plus difficile à dissimuler au public.

— Mais pourquoi... Oh, je vois ! On installe le système et on commence à chercher les sources d'ondes gravifiques connues. Les dérivées binaires à haute fréquence : les dégénérées jumelles qui ont entamé une spirale mortelle, ce genre de choses...

— Oui, dit Auger. On relève leurs fréquences de résonance – qui sont aussi uniques que des empreintes digitales. On mesure leur puissance, et à l'aide des trois sphères on peut calculer leur direction d'origine. On n'a plus qu'à additionner les éléments, à triturer quelques données, et on a...

— Les coordonnées physiques de l'OVA, souffla Skellsgard.

— Ils les ont peut-être déjà, à l'heure qu'il est, dit Auger.

— Mais pourquoi, encore une fois ? A quoi bon se donner cette peine ?

— Pour savoir, répondit Auger. De l'extérieur.

— Bon sang ! s'exclama Skellsgard. Mais pour en faire quoi, de ces informations ?

— C'est ça qui m'inquiète. Ecoutez, ça ne veut peut-être rien dire, mais Susan a écrit « Pluie d'Argent » dans l'une des cartes postales qu'elle avait l'intention d'envoyer à Caliskan.

Skellsgard ne répondit pas pendant quelques secondes. Puis :

— Oh putain ! Vous en êtes sûre ?

— Je pense qu'il pourrait s'agir d'une tentative pour l'injecter dans l'OVA. C'est une nano-arme, alors elle ne peut pas traverser la censure. Ce qui ne laisse qu'une option : trouver l'OVA et faire un trou dedans.

Skellsgard émit un soupir à travers ses lèvres pincées. Elle était à court de jurons, apparemment.

— Et à qui voulez-vous que j'aille le dire ? Vous avez dit vous-même que Susan ne savait plus très bien à qui se fier…

— Et je pense qu'elle avait raison. D'ailleurs, je prends un risque rien qu'en vous parlant. Maintenant, je vais prendre un autre risque et vous suggérer de transmettre cette information à Caliskan le plus vite possible.

— Je vais faire de mon mieux. Comme je vous disais, il y a des dysfonctionnements à ce bout-ci du tuyau.

— Je comprends. Faites de votre mieux. Vous pourriez peut-être aussi vérifier la vraisemblance de ma petite théorie. Peut-être que c'est une fausse piste. Peut-être que ça n'a rien à voir avec une antenne à ondes gravifiques.

— Je m'y mets tout de suite, répondit Skellsgard. Au moins, vous me fournissez un dérivatif au milieu de toutes ces mauvaises nouvelles.

— Heureuse de pouvoir faire ça pour vous.

— Prenez soin de vous, Auger. J'ai toujours une dette envers vous.

Une demi-heure plus tard, ils avaient armé le module et ils étaient prêts à partir. La nacelle avait fait pivoter le module de cent quatre-vingts degrés, et par les vitres de la cabine avant ils voyaient maintenant le puits vitreux qui partait de la bulle principale et s'enfonçait dans la paroi de la chambre. Au-delà du puits, les parois réfléchissantes comme des miroirs convergeaient non pas vers l'infini mais vers une sorte d'iris. Le robot était redescendu. Son corps nacré s'était coulé au-dehors avec des ondulations de chenille. Floyd ne le voyait plus, mais Auger lui assura qu'il s'occuperait des détails de leur départ et surveillerait plusieurs consoles en même temps.

— Skellsgard, dit Auger depuis sa couchette. Vous êtes encore en ligne ?

— Toujours là…

Sa voix se brisa momentanément en échardes crépitantes, leur donnant brièvement l'impression d'entendre des bouts de phrases dans le désordre.

— … mais je vous conseille de partir au plus vite. Les conditions commencent à se dégrader sérieusement.

— On ne devrait pas attendre que ça se tasse, plutôt ? demanda Auger.

— Vous serez relativement en sécurité quand vous aurez quitté l'embouchure.

— Bien reçu, répondit Auger. Robot, tu as calculé la séquence d'injection ?

La voix flûtée de la machine lui assura que tout était paré, ajoutant une phrase pour le moins sibylline :

— La stabilité de l'embouchure est optimale, sur le plan local.

— Vous êtes bien attaché, Floyd ?

— Je suis prêt.

— Ça risque de secouer. Préparez-vous. C'est bon, robot, dit-elle en haussant le ton. Injecte-nous dès que possible.

— Injection d'ici cinq secondes, répondit la machine.

Vers l'avant, l'iris s'ouvrit. Floyd plissa les yeux, aveuglé par la lumière intense, bouillonnante, qui coulait en schémas étranges, pareils à des lames de faucille, dans le puits tapissé de miroirs. Vers l'arrière du vaisseau, les sons mécaniques s'intensifièrent et il entendit une séquence de chocs sourds et de bruits métalliques, comme une énorme horloge qui s'apprêterait à sonner.

— Trois secondes, annonça le robot. Deux… un… Injection !

La colonne vertébrale de Floyd, déjà endolorie, envoya une vive protestation à son cerveau. Il avait l'impression qu'une famille de gorilles jouaient au xylophone sur ses vertèbres. Il s'apprêtait à dire quelque chose, à pousser un gémissement animal, d'ailleurs parfaitement inutile, puis il se rendit compte qu'il n'en avait pas la force. Ses poumons étaient écrasés comme des soufflets. Les sangles du siège s'enfoncèrent dans sa tête et son cou, il sentit de la bave couler sur son menton. Sa vision s'assombrit autour d'un noyau central éblouissant.

Ils étaient partis.

Si vite qu'ils avaient déjà quitté la chambre. Ils avaient même traversé le puits de verre, la partie du boyau tapissée de miroirs, et fonçaient vers le centre de l'iris qui s'ouvrait sur une inimaginable fureur de lumière.

C'est alors que ça devint vraiment saccadé.

La pression qui l'enfonçait dans le dossier du siège avait diminué, et il éprouvait au creux de l'estomac une impression de légèreté quasi onirique, comme s'ils tombaient, sauf que le vaisseau roulait maintenant violemment d'un bord sur l'autre, chaque embardée accompagnée par un bruit de quincaillerie, de métal ravagé, qui le faisait grincer des dents. Floyd se dit que ça devait ressembler à ce que ça faisait de frôler un iceberg dans un cargo. Il imaginait des lambeaux de la coque du vaisseau volant dans l'enfer lumineux et s'y s'abîmant.

Il se dit qu'ils n'étaient très vraisemblablement plus dans un tunnel sous Paris. Ni même sous l'océan Atlantique.

— Je referme les boucliers, annonça Auger. La vue n'a pas grand intérêt. Encore moins dans dix heures.

Avec son bras intact, elle effleura une commande au-dessus de sa tête, et des paupières d'acier se refermèrent sur les hublots. Des lumières s'allumèrent, baignant l'intérieur d'une douce lueur dorée. Floyd regarda le schéma de la grille, la main prête à se refermer sur la manette de commande.

— Je vais piloter, pour le moment, dit Auger en prenant une commande similaire sur sa console. Regardez comment je fais.

— Ecoutez, j'aurais vraiment des questions à vous poser…, commença Floyd.

— OK, dit Auger. Je suppose que vous l'avez bien mérité.

— Où ce tunnel nous emmène-t-il ?

— Sur Mars, répondit Auger. Et plus précisément vers Phobos, l'une des deux lunes naturelles de Mars.

— Ce n'était donc pas un nom de code, finalement…

— Non.

— C'est bien ce que je pensais. Après réflexion, je ne pense pas non plus que vous soyez une Martienne.

— Non, en effet.

— Mais vous ne venez pas du Dakota pour autant.

— Non. Le Dakota, c'était un mensonge. Cela dit, je viens bien des Etats-Unis. Mais pas ceux auxquels vous pensez, ajouta-t-elle avec un sourire crispé, même si on peut dire que ce sont des parents politiques éloignés.

— Et votre nom ?

— Ça au moins c'est vrai. Je m'appelle Verity Auger, et je suis une citoyenne des Etats-Unis de ProxyTerre. Je suis chercheuse auprès du Bureau des Antiquités. Je suis née en 2231, dans la communauté orbitale de Tanglewood. J'ai trente-cinq ans, je suis divorcée et j'ai deux enfants, que je ne vois pas aussi souvent que je devrais.

— Ce qui est bizarre, dit Floyd, c'est que je ne mets pas vos paroles en doute un seul instant. Je veux dire, quelle autre explication pourrait-il y avoir ?

— Je trouve que vous encaissez tout ça très calmement, dit-elle.

— Compte tenu de tout ce que j'ai vu, la seule possibilité, c'est que vous êtes une voyageuse dans le temps.

610

— Ah, fit Auger. C'est ça, le problème. Je veux dire, le voyage dans le temps est bien en cause, mais pas tout à fait comme vous le pensez. En réalité, vous avez à moitié raison. L'un des deux occupants de ce vaisseau est un voyageur dans le temps. Et ce n'est pas moi. Vous voulez que je continue ?

— J'avais pourtant cru, un instant, avoir compris, répondit Floyd.

— Une étape à la fois, répondit Auger.

Une alarme retentit sur la console de commande, et une douzaine de voyants rouges se mirent à clignoter. Auger se mordit la lèvre et poussa sa manette sur le côté. Floyd sentit que le vaisseau s'inclinait comme une voiture qui aurait heurté la glace et il éprouva une soudaine nausée.

— C'était… comment a-t-elle appelé ça ? Un crash ?

— Le logiciel vient de nous lâcher, oui, confirma Auger.

Elle fit basculer un ensemble d'interrupteurs, souleva un capot de verre et appuya sur un gros bouton rouge.

— C'est la séquence de rebootage, alors regardez bien.

— Nous venons de partir…

— Je sais, répondit-elle. Et nous avons encore une trentaine d'heures de ce manège devant nous. Le trajet de retour risque d'être beaucoup plus intéressant que je ne le pensais.

28

Ils étaient partis depuis six heures. Au début, le système de guidage avait connu deux ou trois défaillances par heure, mais depuis peu le trajet était doux comme une berceuse, avec seulement – parfois – une inclinaison ou un virage assez vertigineux. Ils avaient fait un déjeuner léger : des rations emballées dans des poches de papier métallisé, sans marquage, et qui se réchauffaient automatiquement quand on les ouvrait, ainsi que Floyd l'avait remarqué avec fascination et délices. Il avait exploré le microcosme des toilettes, avec son mécanisme étonnant de récupération des déchets organiques en apesanteur.

Auger lui demanda s'il avait le mal des transports, et il répondit par la négative.

— Tant mieux. Ça doit être tout ce temps que vous avez passé en mer. Bonne préparation au voyage dans les trous de ver, même si vous ne l'auriez sûrement pas imaginé à l'époque, dit-elle en se fourrant dans la bouche une gélule de couleur foncée.

— Vous vous sentez mal ? demanda-t-il.

— En dehors du fait que j'ai dans le corps une balle dont le robot pense qu'elle pourrait me tuer, non. Je ne me suis jamais sentie aussi bien de toute ma vie.

— Alors pourquoi cette pilule ?

— C'est une gélule de pan-AC. Pour « pan-affections/cures », précisa-t-elle, comme si ça expliquait tout. Ça guérit tout. Ça pourrait même vous maintenir en vie éternellement.

— Alors vous êtes immortelle ? demanda-t-il.

— Non, bien sûr que non, répondit Auger, comme si cette seule idée l'embarrassait. Si j'en prenais une tous les jours – ou toutes les semaines, enfin, je ne sais pas combien il faudrait en prendre pour ça –, je suppose que je le deviendrais. Jusqu'à ce qu'on vienne à en manquer, ou que j'attrape une maladie exotique si fascinante que même la pan-AC ne pourrait la soigner. Mais il n'y en aurait pas assez dans tout le système pour que j'en prenne tout le temps, et de toute façon mon environnement ne serait pas d'accord.

— Vous êtes contre les traitements qui rendent immortels ? demanda-t-il, un peu surpris.

— Ce n'est pas seulement ça. Les miens, les gens dont je suis proche – les EUPT, les Etats-Unis de ProxyTerre, si vous préférez, les Threshers ou ce que vous voudrez –, n'ont pas les moyens de fabriquer la pan-AC. Elle nous est fournie en quantité limitée par nos alliés modérés des Etats fédérés. Et c'est très coûteux.

— Vous n'avez pas essayé d'en fabriquer vous-même ?

Elle fit cracher une pan-AC au distributeur cylindrique et la montra à Floyd. C'était une simple gélule, guère plus impressionnante qu'un bouton arraché, ou un comprimé d'aspirine noir.

— Même si nous connaissions la recette, nous ne pourrions pas la fabriquer. La technologie intrinsèque à cette gélule est de celles que nous avons décidé de rejeter sauf en cas d'absolue nécessité, et les opérations à haut risque comme celle-ci rentrent dans cette catégorie. Ce qui est une sorte d'hypocrisie, je vous le concède.

Elle remit soigneusement la gélule dans son réceptacle.

— Que peut-il y avoir de si dangereux dans une technologie qui sert à fabriquer des pilules ?

— La technologie en question a des applications beaucoup plus vastes, répondit Auger. Ce n'est pas un simple cachet. Jamais *comprimé* n'a mieux mérité son nom : c'est un composé de milliards de minuscules machines, trop petites pour qu'on les voie même au microscope. Mais elles sont bien réelles, et il n'y a rien de plus dangereux au monde.

— Et pourtant elles ont le pouvoir de vous guérir…

— Quand on les avale, elles vont nager dans l'organisme ; elles sont assez intelligentes pour identifier ce qui ne va pas dedans, et elles ont le pouvoir d'y remédier. Le corps des Slashers grouille déjà de minuscules machines d'immortalité. Ils n'ont même pas besoin de pan-AC, puisqu'ils n'ont jamais rien qui cloche.

— Vous pourriez être comme ça ?

— Oui, si nous le voulions. Mais il y a longtemps il est arrivé quelque chose de moche qui nous a convaincus que les Slashers avaient tort, ou au moins qu'ils prenaient trop de risques, pour embrasser aveuglément cette technologie… Ça intégrait aussi la réalité virtuelle, l'ingénierie génétique radicale, le reformatage neural et la manipulation digitale des données. Nous avons rejeté tout ça. Nous avons mis en place une organisation quasi gouvernementale à haut niveau afin d'empêcher le développement de ces jouets mortels : le Comité du Seuil, ou Threshold, parce que nous voulons rester au seuil, sans jamais le franchir. Et c'est pour ça que les Slashers nous appellent les Threshers. Dans leur esprit, c'est une insulte, mais nous nous estimons très flattés de ce qualificatif.

— Cette mauvaise chose qui est arrivée..., dit Floyd. Qu'est-ce que c'était ?

— Nous avons détruit la Terre, répondit Auger.

— Vous avez détruit la Terre ? ! Je ne vous suis plus, là.

— Nous n'avons pas la même histoire, vous et moi, Floyd. Après 1940, il n'y a rien de commun entre nos deux mondes.

— Que s'est-il passé de si important, en 1940 ?

— Rappelez-vous, c'est l'année où l'Allemagne a tenté d'envahir la France. Dans votre ligne temporelle, les forces d'invasion se sont arrêtées dans les Ardennes. L'aviation alliée les a bombardées, les enfouissant dans la boue. A la fin de l'année, la guerre était finie.

— Et dans votre... ligne à vous ?

— L'invasion a remporté un succès foudroyant. A la fin de 1940, il n'y avait plus beaucoup d'endroits en Europe et en Afrique du Nord que l'armée allemande n'avait pas occupés. Fin 1940, les Japonais s'étaient alliés aux nazis. Ils avaient lancé une attaque contre l'Amérique, faisant de toute l'affaire un conflit global. C'était l'état de guerre mécanisé à une échelle comme le monde n'en avait jamais connu. C'est ce que nous appelons la Seconde Guerre mondiale.

— Une deuxième guerre mondiale ? !

— Eh oui. Elle a duré jusqu'en 1945. Les Alliés ont gagné, mais à quel prix... A la fin de la guerre, le monde était un endroit radicalement différent. Nous avions laissé trop de génies sortir de trop de bouteilles.

— Comment ça ?

— Je ne sais même pas par où commencer, répondit Auger. Les Allemands avaient des fusées capables de bombarder Londres. Quelques dizaines d'années plus tard, la même technologie a permis d'envoyer des gens sur la Lune. Les Américains ont mis au point des armes nucléaires qui ont réduit à néant des villes japonaises en une seule frappe. En quelques dizaines d'années, ces bombes étaient devenues assez puissantes pour effacer plusieurs fois l'humanité entière en moins de temps qu'il ne vous en faut pour préparer le petit déjeuner. Et puis il y avait les ordinateurs. Vous avez vu la machine Enigma : ce genre de machine a joué un rôle significatif dans la cryptographie, pendant la guerre. Les Alliés se sont mis à construire des machines plus grosses, plus rapides, pour déchiffrer les messages Enigma. Au début, ces machines occupaient des pièces entières et consommaient assez d'énergie pour éclairer un immeuble de bureaux. Puis, très vite, elles sont devenues de plus en plus petites et rapides – beaucoup plus petites et beaucoup plus rapides. Elles se sont miniaturisées au point qu'on pouvait à peine les voir à l'œil nu. Les valves ont laissé la place aux transistors, les transistors aux circuits intégrés, les circuits intégrés aux microprocesseurs, les microprocesseurs aux processeurs optiques quantiques, et ainsi de suite. En l'espace de quelques dizaines d'années, il n'y avait plus aucun aspect de la vie qui n'ait été touché par les ordinateurs. Ils étaient partout, tellement omniprésents qu'on ne les remarquait même plus. Il y en avait chez nous, dans nos animaux, dans notre monnaie, et même dans notre organisme. Et ce n'était qu'un début. Au tournant du vingtième siècle, on ne se contentait pas d'avoir des très petites machines capables de traiter énormément de données très vite. Certains voulaient des très petites machines capables de traiter la matière elle-même : la déplacer, l'organiser et la réorganiser à une échelle microscopique.

— Je ne sais pas pourquoi, mais mon petit doigt me dit que ce n'était pas forcément une bonne chose, supputa Floyd.

— Eh non. Oh, l'idée était bonne, et les machines microscopiques étaient très utiles dans de nombreux domaines de la vie humaine. La pan-AC était du bon côté de l'équation. L'ennui, c'est que, quand on manipule ce qui est, fondamentalement, une nouvelle forme de vie, il n'y a tout simplement pas de place pour l'erreur.

— Et la nature humaine étant ce qu'elle est…

— Ça s'est passé fin juillet 2077, acquiesça Auger. Depuis quelques années, nous avions commencé à libérer des machines microscopiques dans l'environnement, afin d'essayer de réguler le climat. Depuis plus d'un siècle, depuis que nous avions commencé à polluer l'atmosphère, la planète se réchauffait. Les océans étaient foutus. Le niveau des mers avait monté, inondant les villes côtières et les cités. Il y avait des tempêtes monstrueuses. Certaines régions ont été prises par la glace pendant que d'autres se changeaient en fournaise. D'autres se contentaient de devenir… bizarres. Vraiment bizarres. C'est alors qu'une coalition de têtes de nœud a eu l'idée d'injecter de l'intelligence dans le système climatique. Ils appelaient ça « le temps intelligent »...

— Le temps intelligent, répéta Floyd en secouant la tête comme s'il n'en croyait pas ses oreilles.

— Ouais, on aurait dû l'appeler « le temps de la connerie », plutôt. Ça allait régler tous nos problèmes. Un temps qu'on pouvait allumer et éteindre, programmer en fonction de ses desiderata. Nous avons ensemencé les océans et la stratosphère avec de minuscules machines volantes invisibles à l'œil nu, inoffensives pour l'homme. Des quantités phénoménales de machines autoréplicantes, qui s'amélioraient et se régulaient d'elles-mêmes. Qui réfléchissaient les radiations ici, les absorbaient là ; refroidissaient tel endroit, réchauffaient tel autre ; créaient des nuages ou les faisaient se disperser selon des schémas géométriques, comme dans un tableau de Dali, déviaient radicalement les courants océaniques profonds, les faisaient s'entrecroiser, comme la circulation aux heures de pointe. On avait même réussi à le commercialiser ! On savait inscrire des logos de plusieurs milliers de kilomètres d'envergure sur l'océan Pacifique avec du phytoplancton. Ou modifier les couleurs du coucher de soleil que vous voyiez depuis votre île privée. « Un peu plus de vert, ce soir, monsieur ? Pas de problème. » Pendant un moment, ça a marché. Le climat s'est stabilisé et a commencé à revenir aux conditions d'avant 2020. Les calottes polaires ont recommencé à augmenter, les déserts à reculer et les points chauds à se refroidir. Les gens sont revenus habiter des villes qu'ils avaient abandonnées vingt ans plus tôt.

— Vous allez dire que j'ai mauvais esprit, dit Floyd, mais je sens venir un « mais »...

— Ça s'est foutrement mal terminé. A la fin de 2076, il y a eu des rumeurs, des rapports non confirmés selon lesquels certains schémas climatiques n'obéissaient pas aux instructions : des courants océaniques que personne ne pouvait infléchir, des nuages qui ne voulaient pas se disperser, quoi qu'on fasse. Un symbole obscène persistant, au large de la baie de Biscayne, dut être effacé de toutes les images satellites. On ne voulait pas l'admettre officiellement, mais il était clair que certaines nanomachines avaient un peu trop évolué. Elles étaient plus soucieuses de leur propre préservation que d'obéir à des instructions de fermeture et de désassemblage séquencées. Et vous savez ce que notre coalition de têtes de nœud a fait pour tout arranger ?

« Ils ont inventé des machines encore plus intelligentes, plus affûtées, censées éradiquer la première vague. Et ils ont reçu l'autorisation de les injecter dans l'environnement. Mais loin d'arranger les choses, ça les a fait empirer. Des problèmes initiaux, à les entendre. Sauf que les événements climatiques qui échappaient à tout contrôle étaient plus terrifiants d'heure en heure, bien pires que tous ceux qu'on avait eu à gérer jusque-là. A ce moment-là, le temps était mécanisé. En 2077, huit couches de technologie avaient été lancées dans la bataille, et la situation ne s'était pas améliorée. Il y avait tout de même eu un signe encourageant : au début du mois de juillet de cette année-là, le symbole obscène s'était effacé. Tout le monde était très excité. On disait qu'on avait réussi à inverser la tendance, que les machines avaient commencé à revenir sous contrôle humain. Et tout le monde de pousser un immense soupir de soulagement.

— Je suppose qu'ils s'étaient réjouis trop vite.

— Le phytoplancton dont la floraison composait le symbole obscène avait disparu parce que les machines l'avaient dévoré. Elles avaient commencé à se nourrir d'organismes vivants. Ça allait à l'encontre des structures les plus fondamentales intégrées à leur programmation – elles n'étaient pas censées nuire aux êtres vivants – mais il n'y avait rien à faire. Et la situation a dégénéré très vite. Après le plancton, elles ont remonté la chaîne alimentaire marine. A la mi-juillet, il ne restait pas grand-chose de vivant dans tout l'océan Atlantique. Il n'y avait plus que des machines. Le 20 du mois, les machines avaient commencé à attaquer les organismes basés sur la terre ferme. Le 27, les machines avaient digéré l'humanité. Ça s'était passé très vite. Si vite que c'était presque comique. On aurait dit la Peste Noire dirigée par Buster Keaton. Le 28, il ne restait plus d'organismes vivants à la surface de la Terre, en dehors de quelques bactéries extrémophiles enfouies dans les profondeurs du sol.

— Il y a forcément eu des survivants, dit Floyd. Sinon, vous ne seriez pas là à me raconter tout ça.

— Quelques individus ont réussi à s'en sortir, convint Auger. Les gens qui avaient déjà quitté la Terre et s'étaient installés dans des habitats et des colonies en orbite. Des installations primitives, de bric et de broc, à peine autosuffisantes, mais qui leur permirent de survivre le temps de surmonter la perte de la Terre, et le traumatisme psychique écrasant qui l'accompagnait. C'est à peu près à ce moment-là que nous nous sommes divisés en deux groupes politiques. Pour les miens, les Threshers, il faut empêcher à tout prix qu'une catastrophe pareille puisse se reproduire, et c'est pourquoi nous avons rejeté la nanotechnologie qui avait conduit à l'élaboration des machines – et de bien d'autres choses. De l'autre côté, les Slashers pensaient que les dégâts étaient faits et qu'il n'y avait plus de raison de se limiter, comme sous l'effet d'un sentiment de culpabilité mal placé.

Floyd resta un instant silencieux. Il s'efforçait d'intégrer tout ce qu'Auger venait de lui révéler.

— Mais vous m'avez dit que vous veniez de l'an 2200 et quelques, finit-il par dire. Si tout ça s'est passé au milieu du vingt et unième siècle, il y a tout un pan d'histoire que vous ne m'avez pas raconté…

— Deux cents ans d'histoire, confirma Auger. Je vous fais grâce des détails. En réalité, il ne s'est pas passé grand-chose. Les mêmes courants politiques existent toujours. Nous contrôlons l'accès à la Terre, et les Slashers contrôlent l'accès au reste de la galaxie. La plupart du temps, la situation était relativement paisible. Nous avions quelques petits… différends. Les Slashers n'ont pas cessé d'essayer de réparer la Terre, avec ou sans notre accord. Jusque-là, ils n'ont fait qu'aggraver la situation. Il y a toute une écologie de machines là-bas, maintenant. La dernière fois qu'ils ont essayé – il y a vingt-trois ans –, nous avons eu une petite guerre concernant les droits d'accès. Ça a mal tourné, c'est même devenu vraiment moche – mais nous nous sommes rabibochés par la suite. C'est vraiment dommage pour Mars, mais bon…

— C'est bien de voir qu'il y a des choses qui ne se démodent pas… les guerres par exemple, dit Floyd.

Auger hocha tristement la tête.

— Mais au cours des derniers mois les relations se sont à nouveau envenimées. C'est pour ça que je n'ai pas été spécialement ravie de découvrir une présence slasher chez vous, à Paris. J'en déduis qu'ils mijotent quelque chose, et ça m'inquiète.

— Attendez, dit Floyd. Je voudrais tirer ça au clair tout de suite. Il y a quelques heures, vous m'avez dit que vous n'étiez pas une voyageuse dans le temps…

— C'est vrai, dit Auger, sentant son visage se figer.

— Mais vous n'arrêtez pas de me dire que vous venez du futur, que vous êtes née en 2200… je ne sais plus combien. Vous m'avez même parlé de certains événements qui se sont produits entre mon époque et la vôtre : le temps qui est devenu dingue, les machines qui se sont mises à débloquer, les gens qui vivaient dans l'espace…

— Oui, fit Auger, le sourcil haussé.

— Vous avez donc fait des allers et retours entre le présent et l'avenir. Pourquoi prétendre le contraire ? Ce vaisseau doit être votre machine à remonter le temps, ou je ne sais comment vous l'appelez. Vous m'emmenez dans l'avenir, c'est ça ?

Elle braqua sur lui un regard implacable.

— En quelle année sommes-nous, Floyd ?

— En 1959, dit-il.

— Non, dit-elle. Ce n'est pas vrai. On est en 2266 – plus de trois cents ans dans ce que vous pensez être l'avenir.

— Vous voulez dire qu'on sera en 2266 quand on ressortira à l'autre bout de ce… de ça… Ou bien est-ce qu'on est déjà dans l'avenir ?

— Non, ce n'est pas ça, dit-elle avec une patience infinie, inquiétante. On n'est pas en 1959 maintenant. On n'était pas en 1959 hier, et on n'était pas en 1959 quand on s'est rencontrés, la semaine dernière.

— Ça, c'est encore plus incompréhensible que tout le reste.

— Je dis que toute votre existence est… comment dire ? Ce n'est pas ce que vous croyez. A un certain niveau, il est même inexact de dire que vous êtes Wendell Floyd.

— Le robot aurait peut-être dû vous faire dormir, tout compte fait. Vous me paraissez fiévreuse…

— Je voudrais bien que ce soit la fièvre. Ça rendrait la vie beaucoup plus facile pour tout le monde.

— Et pour moi donc ! dit Floyd en grattouillant le pansement qu'il avait autour de la tête.

Il commençait à se demander si ce n'était pas lui qui avait des hallucinations. Son bras flottait en apesanteur. Comme s'ils tombaient en chute libre, ou comme dans un rêve. Il allait se réveiller dans sa chambre de la rue du Dragon et rire de tout ça avec Custine en buvant un peu de leur mauvais café pour faire descendre des toasts brûlés. Une bosse de trop sur la tête, c'était ça, le problème.

Sauf qu'il n'arrêtait pas de ne pas se réveiller.

— Eh bien, commençons par moi, dit-il. Repartons du pauvre couillon appelé Wendell Floyd. Expliquez-moi comment il se pourrait que je ne sois même pas celui que je crois être.

— Wendell Floyd est mort, dit Auger. Il est mort il y a des centaines d'ann…

Une sirène d'alarme retentit quelque part dans la cabine. Floyd tendit la main vers la manette, prêt à ramener le vaisseau sur sa trajectoire, mais Auger secoua la tête et leva trois doigts en signe d'avertissement.

— C'est autre chose, dit-elle. Le système de guidage est toujours opérationnel.

— Alors, quel est le problème ?

— Je ne sais pas très bien. Ils ne m'ont enseigné que les rudiments du pilotage de cet engin.

Auger actionna plusieurs rangées d'interrupteurs, modifiant l'affichage des données et des diagrammes qui défilaient sur les écrans. Mais elle eut beau faire, elle ne put couper l'alarme.

— Je ne pense pas que le problème vienne du module, dit-elle. Tout a l'air à peu près OK sur tous les tableaux. Et rien n'indique que ça ait un rapport avec la géométrie du tunnel devant nous.

Elle fit basculer d'autres interrupteurs, tapota l'un des écrans avec l'ongle de son index, fronça les sourcils devant l'avalanche de minuscules chiffres et lettres.

— Ce n'est pas bon, dit-elle. Pas bon du tout.

— Dites-moi ce qu'il y a, fit Floyd d'une voix tendue.

— On dirait que quelque chose arrive derrière nous. C'est ce que cette alarme nous dit, en tout cas. Le système de proximité capte une sorte d'écho par l'arrière. Je n'arrive pas à déchiffrer les données, mais ça pourrait être un autre module.

— Comment serait-ce possible ?

— Ça, je voudrais bien le savoir, croyez-moi. Même si c'était mathématiquement possible, ce que je ne crois pas, le sphincter est hermétiquement fermé à l'entrée de Paris. Il n'y avait pas d'autre module dans la bulle de récupération de T2. Et donc ce n'est pas possible. Nous devrions être le seul rat dans ce labyrinthe.

— Alors, quoi d'autre ? Un second appareil, mais pas forcément un module ?

— Je ne sais pas. Peut-être des débris que nous avons largués derrière nous. L'insertion a été mouvementée, et il est probable que des fragments ont été arrachés au vaisseau. Il se peut que ça nous suive, que ce soit aspiré dans notre sillage. Si nous avons un sillage.

— Mais dans ce cas pourquoi ne l'avons-nous pas vu avant ?

— Ça, c'est une rudement bonne question, dit-elle tout bas, mais je ne sais pas si on pourra en dire autant de la réponse.

29

Enfin, Auger réussit à couper l'alarme sonore et ils se retrouvèrent dans le bruit de fond habituel de la cabine. Floyd poussa un soupir de soulagement. Ça lui rappelait la palpitation lointaine, rassurante, des moteurs Diesel des vaisseaux qu'il avait connus. Maritime et apaisant à la fois.

— Je regrette qu'ils ne m'aient pas dit comment interpréter ce fourbi, dit Auger, qui contemplait, le front barré de rides, le défilement des chiffres sur les écrans. On dirait que ce foutu écho se rapproche. Mais ça ne peut pas être le cas, alors…

— Bon, quoi que ce soit, on ne devrait pas tarder à savoir ce que c'est, non ? fit Floyd en haussant les épaules dans une attitude fataliste.

— Si c'étaient des débris, ils ne se rapprocheraient pas. Nous aurions dû les semer quand nous avons traversé la caverne d'interchange. Et compte tenu des collisions non contrôlées qu'ils subiraient contre les parois du tunnel, ils devraient perdre du terrain, pas nous rattraper. De toute façon, il ne devrait plus en rester beaucoup, maintenant.

— Alors, faisons une croix sur cette théorie… Peut-être que vous interprétez mal les données, suggéra

Floyd. A moins qu'une avarie des systèmes du module ne lui fasse imaginer qu'il y a quelque chose derrière nous alors que ce n'est pas le cas.

— J'aimerais bien pouvoir le croire, répondit-elle.

— Vous vous en faites peut-être pour rien. Le fait est, si j'ai bien compris le peu que vous m'avez dit, que nous ne pouvons pas faire grand-chose à part rester assis là en serrant les fesses, à profiter de la balade. C'est plus ou moins ça, non ?

— Plus ou moins, mais ce n'est pas ce qui rend la situation plus facile à vivre.

— Alors je vais essayer de vous changer les idées jusqu'à ce que vous arriviez à interpréter un peu mieux ces données. On parlait de moi, je crois. Et plus précisément du fait que je n'existerais pas vraiment…

— Je ne suis pas sûre que ce soit une bonne idée de nous aventurer sur ce terrain-là, Floyd.

Auger ne pouvait détacher son attention des cascades énigmatiques de nombres. Elle les regardait, fascinée, telle une chercheuse d'or attendant d'entrevoir un éclat de métal jaune dans un torrent de montagne.

— Je n'aurais jamais dû vous dire ce que je vous ai dit.

— Désolé, fillette, mais la boîte de Pandore est ouverte. Croyez-moi, s'entendre dire qu'on est mort il y a des centaines d'années a de quoi vous donner des frissons dans le dos. Vous allez m'expliquer, ou il faut que je vous fasse un numéro de charme ?

— Pas de charme, Floyd. Je ne suis pas sûre de pouvoir le supporter.

— Alors parlez-moi de ces rumeurs autour de ma mort. Quand, au juste, a-t-on cloué le couvercle de mon cercueil ?

— Je ne sais pas, répondit-elle. Et je ne suis même pas sûre que vous méritiez un cercueil. J'ai bien peur que Wendell Floyd n'ait tout simplement pas laissé une trace suffisante dans l'histoire pour que ce détail ait surnagé. Rappelez-moi quel âge vous avez, Floyd… quarante, quarante et un ?

— Trente-neuf. Y a pas à dire, vous savez caresser les hommes dans le sens du poil…

— Alors vous êtes né quand ? Vers 1920 ?

— Tout juste, répondit Floyd.

— Vous devriez donc avoir quatre-vingts ans à la fin du siècle ; mais il se pourrait que Floyd n'ait pas vu l'an 2000. Il aurait très bien pu mourir pendant la Seconde Guerre mondiale, à moins qu'il n'ait connu une vieillesse heureuse et paisible, et rendu son dernier soupir entouré de l'affection des siens. Ou fini ses jours comme un vieux ronchon, un misanthrope que tout le monde avait hâte de voir casser sa pipe…

— J'ai toujours eu une considération reptilienne pour les vieux ronchons antisociaux, dit Floyd.

— Quoi qu'il ait pu arriver, reprit Auger, c'était une vie humaine. Un certain Wendell Floyd est né, il a vécu, il est mort. Il a probablement fait le bonheur de certaines personnes et le malheur de quelques autres. On a gardé son souvenir pendant quelques dizaines d'années après sa mort, et puis il n'est resté de lui qu'un visage sur de vieilles photos, le genre de photos sur lesquelles on tombe quand on s'attaque au nettoyage de printemps, et dont on ne se sait plus très bien qui les a prises, ou qui est qui. Et voilà. Wendell Floyd a vécu. Il est mort. C'était une vie. Fin de l'histoire.

— C'est drôle, j'ai l'impression que quelqu'un vient de marcher sur ma tombe…

— C'est probablement ce qui est arrivé, répondit Auger. Ou c'est ce qui serait arrivé, si votre tombe n'avait pas été enfouie sous quelques centaines de mètres de glace.

— Qu'est-ce que la glace vient faire là-dedans ?

— Je vous ai dit que la Terre était fichue. Mais peu importe la glace. Ce qui compte, c'est qu'à un moment donné, au cours des années 1930, il est arrivé quelque chose à Wendell Floyd…

— Beaucoup de choses sont arrivées, dans les années 1930, la coupa Floyd.

— Oui, mais l'événement principal, vous n'en gardez aucun souvenir. Personne ne s'en souvient. Et le plus drôle, c'est que la même chose est arrivée à tout le monde en même temps. C'est la chose la plus importante qui leur soit jamais arrivée de toute leur vie, et pourtant elle est passée tout à fait inaperçue.

— C'est arrivé à tout le monde ? !

— A tous ceux qui étaient en vie à ce moment-là. A toutes les créatures vivantes. Toutes les plantes et tous les animaux de la planète. Et toutes les choses inanimées aussi – tous les grains de sable sur toutes les plages, tous les brins d'herbe, toutes les gouttes d'eau de tous les océans, toutes les molécules d'oxygène de l'atmosphère, tous les atomes de chaque roche, jusqu'au cœur de la Terre.

— Et quel est donc ce phénomène incroyable ?

— Une sorte de photo, répondit-elle. Comme l'instant du flash, où l'image imprime le film. Sauf que ce n'était pas une simple image, c'était une image en trois dimensions, d'une complexité phénoménale, inimaginable. Une photo de la planète entière, jusqu'à l'horizon quantique de capture d'information. Heisenberg et peut-être même au-delà… Qui sait ? Rien, dans toute notre physique, ne nous permet de comprendre comment ça a pu se passer. Ça porte un nom – instantané quantique –, mais ça ne veut pas dire qu'on sache le produire. Cette désignation ne fait que masquer notre ignorance.

— Mais personne n'aurait pu faire une chose pareille sans que nous en ayons vent, dit Floyd. Ça aurait fait les gros titres, or nous n'en avons jamais entendu parler.

— Ça n'a pas été fait par une entité terrestre. La photo a été prise par une puissance extérieure. Des êtres d'une autre planète, d'une autre dimension, ou d'une autre époque, nous l'ignorons et nous n'avons pas idée de ce qui les motivait. Nous ne savons pas ce qui s'est passé.

— Des Martiens, cette fois ?

— Pas les Martiens. Peut-être même pas des êtres que nous reconnaîtrions comme des entités intelligentes. Ils devaient être très en avance sur nous, Floyd. A peu près autant que nous par rapport aux éponges, ou aux cafards. Des êtres divins, à tous points de vue.

— Alors ils sont venus, ils ont pris cette photo…

— Un instantané. Comme je vous le disais, nous ne savons pas comment. Peut-être qu'ils ont construit autour de la planète entière une structure intelligente, subtile, capable, par je ne sais quel moyen, de procéder à l'enregistrement en un clin d'œil sans que personne le remarque – et, ce qui est plus important, sans affecter en aucune façon la planète même. A moins qu'ils n'aient appliqué un dispositif contre la planète, un autre objet qui s'est fondu dans l'identité quantique de la Terre, encodant toute l'information de telle sorte qu'elle soit prête à être déchiffrée à nouveau dans l'avenir. On pourrait spéculer jusqu'à la fin des temps

630

sur le « comment » et ne jamais approcher la réalité. Mais ce que nous avons peut-être plus de chance d'intuiter, c'est le « pourquoi » : nous pensons que leurs motivations étaient fondamentalement bienveillantes. Ils étaient préoccupés par la préservation de la Terre, ils voulaient créer un enregistrement qui permettrait de la recréer dans l'éventualité d'une catastrophe future. Une sorte de « copie de sauvegarde ». Dans cette optique, ces entités seraient des espèces d'archivistes cosmiques ou des administrateurs de système. Elles feraient le tour de la galaxie en visitant les mondes qui se trouvent à un stade sensible de l'évolution, et elles en feraient des copies grâce au processus d'instantané quantique.

— Et qu'est-il arrivé à ces... « copies » ? demanda Floyd.

— C'est la grande question. Selon l'hypothèse la plus probable – et certains éléments viennent l'étayer –, elles seraient dispersées d'un bout à l'autre de la galaxie, préservées dans une sorte de média d'entreposage. Des espèces de coffres-forts qui contiendraient chacun une unique photo. L'une d'elles pourrait être l'image de la Terre à un moment particulier : vers 1930. Une autre pourrait renfermer une instantané de la Terre d'il y a soixante-cinq millions d'années, ou l'antique histoire d'une planète tout à fait différente. Nous pensons avoir trouvé certains de ces coffresforts. Ce sont des sphères, et nous les appelons des OVA, pour objets volumineux anormaux : des objets de taille stellaire et d'origine manifestement non humaine, d'énormes sphères blindées, assez vastes pour contenir des systèmes planétaires entiers et un volume considérable d'espace autour.

— Vous avez regardé dans certaines de ces… sphères ?

— Nous n'avons réussi qu'à prendre une image floue du contenu de l'une d'elles. Le centre était occupé par un objet dense qui avait juste le genre de profil d'absorption des neutrinos que l'on peut attendre de la part d'un monde rocheux, mais sa densité et sa taille estimées ne correspondaient à aucune planète figurant sur nos tablettes.

Floyd risqua une idée.

— Un instantané d'un autre monde ?

— Oui. Figé comme une parfaite photo en trois dimensions. Evidemment, si on explorait assez à fond la galaxie, on finirait par trouver l'original – le monde à partir duquel la copie a été faite. En supposant qu'on réussisse à le reconnaître quand on tomberait dessus.

— Mais qu'est-ce que ça peut bien vouloir dire ? Pourquoi faire des copies de planètes et les mettre dans des coquilles d'œuf géantes ? Et quel rapport avec moi ?

— Vous n'avez pas encore compris ? demanda-t-elle avec un soupçon d'irritation. Floyd a été copié, comme tous les êtres vivants à la surface de cette planète. Après la prise de l'instantané, il a continué à vivre sa vie. L'histoire a continué, le monde a pris fin en 2077 et ça aurait dû être la fin de l'histoire. Sauf que la copie de Floyd a repris vie, on ne sait pas comment, des centaines d'années plus tard, et je lui parle en ce moment précis et j'essaie d'expliquer à *ça* que ce n'est pas ce que *ça* croit être, dit-elle en articulant avec une emphase délibérée, blessante.

— Je ne peux pas être une copie, dit Floyd. Je me souviens de tout. Je me souviens de ce que j'ai fait quand j'étais gamin, et de tout ce que j'ai fait après, jusqu'à maintenant...

— Ça ne prouve rien ; vous avez été copié avec tous les souvenirs de Floyd, intacts, jusqu'au dernier détail.

— Attendez une minute ! Si la copie a été faite il y a quelques centaines d'années, elle devrait être morte, depuis le temps.

— Vous devriez être mort, confirma Auger, et vous le seriez si la copie avait commencé à vivre immédiatement après la réalisation de l'instantané. Mais ça n'a pas été le cas. Il semblerait que la copie – l'image complète, en trois dimensions, de la Terre et de ses habitants – soit restée figée jusqu'à ces vingt-trois dernières années. Elle est restée préservée dans une sorte d'état quantique suspendu.

Elle ferma les yeux et s'obligea à sourire.

— Comme un négatif non développé, ajouta-t-elle.

— Mais quelqu'un est arrivé, et l'a développé...

— Oui. Les états quantiques de ce genre sont très fragiles, et un instantané d'une planète entière doit être d'une fragilité stupéfiante : un château de cartes qui risque de s'effondrer au moindre éternuement. Mais, d'une façon ou d'une autre, ses créateurs ont réussi à l'isoler suffisamment pour qu'il reste préservé pendant un moment. Les signaux de radiation faibles qui traversent la coque – les émissions de neutrinos et gravitationnelles – ne devaient pas suffire à déstabiliser la stase, ou quel que soit le nom qu'on puisse donner à cet état. Mais il y a tout de même eu une sorte de déclencheur... D'après votre calendrier, nous serions en 1959. Or nous savons, pour avoir étudié les événements historiques de votre ligne temporelle, que votre monde était plus ou moins sur les bons rails jusqu'au milieu des années 1930 au moins. Vers la fin de 1940, tout a vraiment divergé – l'invasion allemande en mai de cette année-là a échoué, entraînant une succession de minuscules événements qui, étalés sur une certaine période, ont fini par avoir un impact suffisant. L'instantané a été vraisemblablement pris vers 1936, il y a vingt-trois ans pour vous.

— Si vous le dites, lâcha Floyd à contrecœur.

— Maintenant, nous savons que le temps passe au même rythme dans votre monde et dans le mien. Chez moi, on est en 2266. Moins vingt-trois ans, ça nous mène en 2243, c'est-à-dire plus ou moins la date à laquelle les Slashers ont pris le contrôle de Mars et de ses lunes, dont Phobos…

— Où nous allons, glissa Floyd.

Probablement pour montrer qu'il suivait.

— Oui. Et je ne peux pas croire que ce soit une coïncidence. Pour moi, l'instantané a commencé à évoluer dans le temps à partir du moment où les Slashers ont ouvert le portail sur Phobos. Un petit peu de l'univers extérieur a dû commencer à filtrer dans l'OVA, précipitant l'instantané dans un état normal de la matière. La photo s'est animée.

Floyd eut soudainement une image mentale atroce. Il se représenta une sorte de scène de théâtre peuplée par des danseurs mécaniques raidis, figés comme des statues, couverts par des années de poussière. Et puis ils commençaient à s'animer, lentement au début, ils effectuaient des mouvements d'horlogerie chorégraphiés sur la musique d'un orgue de foire jouant comme au ralenti. La musique asthmatique, torturée, prenait de la vitesse, les danseurs accéléraient leurs mouvements, se mettaient à tourner et virer selon des orbites et des épicycles. Il avait beau essayer de chasser cette image, les petites silhouettes continuaient à danser, de plus en plus vite.

— Mais même si c'était vrai… commença-t-il. Même si moi et tous les gens que je connais nous avions dormi pendant toutes ces années, tous ces siècles… on devrait se le rappeler, non ?

— Vous ne vous rappelleriez rien du tout, Floyd. Ces trois cents ans n'ont pas duré plus d'un clin d'œil pour vous. Pour vous, et pour tous les autres habitants de cette planète. Vous avez peut-être eu une minuscule impression de déjà-vu, mais c'est tout.

— Vous ne pouvez pas espérer que je vais accepter ça…

— Effectivement, sauf que je ne suis pas en train de vous demander d'accepter quoi que ce soit.

Elle eut, l'espace d'un instant, l'air désolée pour lui. Entendre cet accent de pitié dans sa voix ne fit que l'effrayer davantage : elle disait bel et bien la vérité.

— Je ne suis pas une copie de Wendell Floyd, dit-il, la panique montant dans sa voix, malgré ses efforts pour la contrôler. Je suis Wendell Floyd.

— Vous êtes une copie parfaite. C'est précisément comme ça que vous devriez vous sentir.

— Alors, qu'est-ce que ça fait de moi ? Une espèce de fantôme, une espèce d'imitation bidon ?

— C'est comme ça que certaines personnes pourraient le voir.

— Et c'est comme ça que vous le voyez, vous ?

— Non… Pas du tout, ajouta-t-elle après avoir juste un peu trop hésité.

— Maintenant, je sais pourquoi vous aviez peur que je ne réussisse pas à franchir cette censure… dit Floyd.

— Je ne pouvais pas savoir ce qui allait arriver. Personne n'a jamais essayé de faire sortir quelqu'un de T2.

— Elle m'a traité comme un être humain normal. Ça ne vous suffit pas ?

— Oui, dit-elle. Je suppose que oui. Mais écoutez-moi, Floyd : vous n'appartiendrez jamais à mon monde. Votre monde, réel ou non, c'est le Paris que vous connaissez.

— Ne vous en faites pas, dit-il. J'ai bien l'intention d'y retourner.

Des indices significatifs dans l'avalanche de données qui défilaient sur les écrans attirèrent alors le regard d'Auger. Elle actionna des batteries d'interrupteurs et se concentra à nouveau sur les chiffres.

— Ça se rapproche toujours ? demanda Floyd.

— De façon inquiétante. On dirait presque que…

Elle secoua la tête comme si elle essayait de déloger la pensée troublante qui y avait élu domicile.

— Ce n'est pas possible… Je me trompe sûrement, mais pour un peu je dirais que ce que je vois, c'est le bout du tunnel, là, derrière nous. Il agirait comme une surface réfléchissante, qui renverrait des signaux vers nous…

— Mais il y a déjà plusieurs heures que nous avons quitté Paris…

— Je sais. Tout se passe comme si un événement dramatique s'était produit au moment de notre départ. D'après les chiffres, le tunnel se replierait juste derrière nous.

— C'est possible, ça ?

— Eh bien… je suppose que oui. Skellsgard a toujours dit qu'il pourrait y avoir un problème si l'embouchure se contractait trop vite au cours d'une insertion. On dirait que le robot n'a pas pu gérer la procédure. Ou alors, il a été programmé pour trouver la solution qui nous ferait sortir de Paris, même si ça impliquait de sacrifier le lien, et lui-même…

— Qu'est-ce que ça veut dire ?

— Ça veut dire que nous glissons dans un tuyau qui raccourcit constamment, et que le bout fermé se rapproche de nous…

— Ça ne me dit rien qui vaille.

— A moi non plus. Mais c'est bien ce que ces données semblent indiquer, ajouta-t-elle en indiquant un autre écran du doigt. C'est notre vitesse dans l'hyperweb, et notre heure d'arrivée estimée sur Phobos. Nous accumulons de l'énergie cinétique, et la durée prévue de notre trajet s'est déjà raccourcie de plusieurs heures.

— Et ce n'est pas bien ?

— Non. Parce que ce n'est pas le module qui fait ça, et que ça ne peut pas être dû à un autre module ou à un amas de débris sur l'arrière. Ça doit être dû au fait qu'une modification assez fondamentale s'impose à l'hyperweb. Je pense que c'est la géométrie du champ des parois qui nous chasse vers l'avant comme quand on crache un noyau de cerise. Le bout amputé se rapproche de plus en plus et nous propulse vers l'avant de plus en plus vite. Mais le module n'a pas été conçu pour supporter de telles vitesses, et je ne sais pas ce qui va se passer quand la courbure deviendra vraiment sévère, et que nous nous retrouverons au bout du tunnel…

— Que pouvons-nous faire ?

— Pas grand-chose. Je pourrais mettre les réacteurs de positionnement à feu, essayer d'échapper à ce qui nous suit. Mais les réacteurs n'ont pas été prévus pour fonctionner en continu. Nous gagnerions quelques minutes, une demi-heure tout au plus.

— Donc, on est dans la merde ?

— Un peu. Bon, j'ai une balle dans la peau et je ne suis pas au mieux de ma forme, mais on s'en tirera, ne vous inquiétez pas.

— Vous avez l'air assez sûre de vous.

— Je n'ai pas fait tout ça pour rien, dit-elle en fronçant les sourcils avec détermination. Je ne vais pas me laisser gâcher la vie par un petit problème spatio-temporel.

— Si vous vous reposiez un peu ? suggéra Floyd. Si vous essayiez de dormir un peu avant que ça devienne vraiment tangent ? Je devrais réussir à m'occuper du vaisseau, en attendant.

— Vous êtes bon conducteur, Floyd ?

— Non. Très mauvais. Custine dit toujours que je conduis comme une grand-mère à la sortie de la messe…

— Eh bien, voilà qui est rassurant !

Elle lui abandonna à regret les commandes du module et essaya de se détendre.

Floyd prit les manettes et sentit le petit bond en avant que faisait le module en s'abandonnant à son contrôle. C'était peut-être son imagination, mais il avait l'impression d'être déjà un peu plus secoué, comme s'il avait quitté une route en bon état et se retrouvait maintenant sur une piste de terre battue, cahoteuse. Dans toute la cabine, les instruments et les écrans semblaient légèrement flous. Il plissa les yeux, mais sa vision ne s'éclaircit pas. Quelque part derrière les parois métalliques de la cabine, un panneau se mit à vibrer sur une note aiguë, comme s'il s'apprêtait à se détacher. Floyd resserra sa prise sur la manette, se demandant jusqu'à quel point la situation pouvait se détériorer avant de s'améliorer.

30

Auger fut réveillée par des turbulences intenses. Le module se cabrait et tremblait comme s'il allait s'anéantir. La bouche sèche, les yeux encore embués de sommeil, elle jeta un coup d'œil aux principaux instruments et se rappela ce qu'elle pouvait du briefing précipité de Skellsgard. La situation était grave, bien pire qu'avant son somme. D'après les cascades de données saccadées – auxquelles elle ne pouvait apporter qu'une interprétation imparfaite –, le bout du tunnel qui s'effondrait les avait presque rattrapés. Et les accélérait encore davantage. Tout se passait comme s'ils étaient pris dans l'onde de pression précédant une avalanche, poussés vers l'avant, avec une marge en constante diminution qui allait bientôt les engloutir.

Le module donnait des signes de dégradation mortelle. Beaucoup d'écrans étaient grillés ou n'affichaient que des parasites. Certains cadrans et voyants avaient cessé de fonctionner, sans doute victimes d'une surtension. Sur d'autres, les aiguilles tournaient follement, inutilement. Sur l'écran de guidage, de son côté de la cabine, la grille d'énergie de contrainte était maculée de taches sombres, déchiquetées, et ses contours étaient fluctuants. Elle se représenta mentalement une machinerie au stade terminal, des capteurs et des mécanismes de guidage arrachés à la coque, des ganglions électriques incandescents, crépitants, traînant derrière eux. Des voyants d'alarme clignotaient, et pourtant les sirènes étaient mystérieusement silencieuses.

— Floyd..., dit-elle d'une voix pâteuse. Je suis restée longtemps dans les vapes ?

— Quelques heures, répondit-il.

Il avait encore la main sur la manette et procédait à des ajustements minuscules, précis.

— Quelques heures ? J'ai l'impression que...

— Que ça a fait plus longtemps ? Mettons six heures, peut-être même douze, je ne sais pas. Je dois dire que j'ai perdu le compte. Comment vous sentez-vous, fillette ?

Il la regarda. Il avait vraiment l'air épuisé.

— Mieux, dit-elle en palpant sa blessure, comme pour en apprécier la sensibilité. Je me sens vaseuse... Endolorie, mais mieux... La pan-AC a dû soulager l'inflammation, et résorber le saignement.

— Ça veut dire que vous tiendrez le coup jusqu'à la fin de cette balade dans les montagnes russes ?

— Ça devrait aller, confirma-t-elle.

— Mais vous aurez encore besoin d'aide à notre arrivée ?

— Oui, mais ne vous en faites pas pour ça. Si nous y arrivons, on s'occupera de moi.

Le module fit une violente embardée, heurta durement quelque chose et dériva sur une trajectoire latérale avec un grondement mortel. Floyd fit la grimace et tira énergiquement sur la manette. Auger entendit une succession de *pop* émis par les réacteurs directionnels et se demanda combien d'énergie Floyd avait déjà consommée pour les maintenir sur leur trajectoire.

— J'ai été dans les vapes pendant douze heures ? dit-elle, comme si elle venait seulement de comprendre ses paroles.

— Peut-être treize. Mais ne vous en faites pas pour ça. Ça a passé en un éclair.

— Vous vous en êtes bien sorti en nous amenant jusque-là, Floyd. Sérieusement, je suis impressionnée.

Il la regarda avec une surprise authentique et plutôt touchante, comme s'il ne s'attendait vraiment pas à recevoir des compliments.

— Vraiment ?

— Oui, vraiment. Pas mal, pour un homme qui ne devrait pas exister. J'espère seulement qu'il s'avérera que tout ça en valait la peine.

— Vous vous en faites encore pour ce qui va arriver à l'autre bout ?

— On va jaillir de ce tunnel à une vitesse pour laquelle ce système n'a jamais été conçu – comme un train express qui rentrerait dans une gare à toute allure, droit sur les tampons…

— Vous avez des gens à l'autre bout, hein ? Des gens comme Skellsgard ?

— Oui, dit-elle. Mais je ne sais pas ce qu'ils vont pouvoir faire. Même si nous pouvions les avertir, leur faire passer un message… Ce qui est impossible. On ne peut pas envoyer des signaux par le tuyau quand il y a un module dedans. Enfin, c'est la théorie.

— Vous voulez dire qu'ils ne s'y attendront pas ?

— Peut-être que si. Skellsgard a ce qu'il faut pour monitorer les conditions du lien, mais je ne sais pas si elle pourra en déduire que le lien proprement dit s'effondre. Cela dit, elle m'a parlé d'onde d'étrave : tout se passe comme si nous poussions une onde devant nous, un changement dans la géométrie du tunnel qui se propage devant le module. Ils ont le matériel nécessaire pour la détecter, ce qui leur indiquera que le module est sur le point de sortir du portail. Je pense que ça les prévient quelques minutes à l'avance. Mais ça ne nous aidera pas, dit-elle. Ils auront encore moins de marge que d'habitude, parce que nous allons beaucoup plus vite que nous ne devrions.

Elle gratta un résidu croûteux qui s'était accumulé au coin de son œil. Ça paraissait dense et géologique, dur et compact comme du granit.

— Il doit bien y avoir quelque chose à faire, dit Floyd.

— Oui, répondit Auger. Prier, et espérer que le tunnel ne nous éjecte pas plus vite que nous ne nous déplaçons déjà. Dans l'état actuel des choses, il se pourrait que nous nous en sortions tout juste. Si nous allons plus vite, je pense que nous sommes cuits.

— Si on en arrive là, ça vous ennuierait de ne rien me dire ? Le lâche qui sommeille en moi préférerait ne pas le savoir.

— Le lâche qui est en nous deux, rectifia Auger. Si ça peut vous consoler, Floyd, ce sera rapide… et spectaculaire.

Elle vérifia à nouveau les données. Rien à faire : leur vitesse était de trente pour cent supérieure à celle du module à l'aller. Compte tenu de l'heure d'arrivée prévue, le trajet devait prendre moins de vingt-deux heures. De ce temps, seize heures avaient déjà passé. Et ils ne décéléraient toujours pas.

— Vous voulez faire une pause, Floyd ? Je pourrais piloter le module un moment.

— Dans votre état ? Merci, mais je devrais pouvoir encore tenir quelques heures.

— Faites-moi confiance, nous ne serons pas trop de deux pour ramener cette capsule à bon port.

Floyd la regarda un bref instant et hocha la tête. Il lâcha la manette, se cala sur sa couchette et s'endormit presque aussitôt, comme s'il s'était accordé le droit de succomber au sommeil après l'avoir tenu à l'écart pendant si longtemps par pure volonté. Auger se demanda combien d'heures en mer avaient affûté ce don particulier et lui souhaita de beaux rêves, en supposant qu'il ait l'énergie de rêver. Peut-être l'inconscience serait-elle l'état le plus miséricordieux dans lequel ils pourraient se trouver quand la fin arriverait.

— Trouve un moyen de nous sortir de là, dit-elle tout haut, comme si ça pouvait l'aider à y parvenir.

Les quatre heures qui suivirent furent les plus longues dont elle devait jamais garder le souvenir. Elle avait pris la dernière de ses gélules de pan-AC, en espérant bien faire. Pendant la première heure, elle se sentit l'esprit en éveil, d'une acuité légèrement stressante. C'était comme la vibration provoquée par un doigt mouillé tournant au bord d'un verre en cristal. Elle se sentait vulnérable, pas vraiment fiable, et se demandait si elle prenait vraiment les bonnes décisions, même si elles lui paraissaient indubitables. Quand, enfin, cette extrême lucidité s'émoussa et qu'elle commença à se sentir vaguement embrumée, incapable de se concentrer pendant plus d'une dizaine de secondes d'affilée, elle en fut comme soulagée. Au moins, maintenant, elle avait une preuve objective du fait que ses processus de pensée risquaient de connaître une défaillance. Elle pouvait quantifier cet amoindrissement de ses facultés, elle l'acceptait dans une certaine mesure, et y voyait un indice de l'emprise qu'elle avait sur la réalité. Elle allait en s'amortissant – soit, eh bien, elle décida de considérer cela comme une victoire mineure.

Le module se déplaçait de plus en plus vite : cinquante pour cent au-dessus de la vitesse conventionnelle. Auger avait à présent une prise suffisante sur les nombres pour estimer leur vitesse d'éjection, et la nouvelle n'était pas réjouissante. Ils allaient heurter le portail de Phobos deux fois plus vite que prévu, sinon davantage. Le vecteur d'accélération commençait lui-même à augmenter au gré des réajustements convulsifs de la géométrie du tunnel étréci. La bulle de récupération ne pourrait jamais encaisser un tel choc. La capsule allait pulvériser la nacelle de réception et la sphère de verre de la bulle, puis elle s'écraserait contre les parois plastifiées de la salle, à quelques kilomètres de profondeur dans les entrailles de Phobos. Ils auraient beaucoup de chance si quelqu'un sortait vivant de ce merdier, sans parler d'eux-mêmes.

Pour être spectaculaire, ça risquait d'être spectaculaire.

Mais la vitesse avait d'autres conséquences calamiteuses. Certains capteurs avant avaient été endommagés par des collisions dans le tunnel, provoquant des points aveugles, mais même ceux qui n'avaient pas été affectés n'étaient pas prévus pour fournir des données suffisamment à l'avance sur les microchangements affectant la structure du tunnel. Les obstacles et les rides que le système de guidage aurait normalement pu encaisser – en les esquivant avec finesse, à coups de petits jets mesurés des propulseurs directionnels – se ruaient maintenant trop vite sur la capsule pour qu'elle réagisse à temps. Elle réussissait encore à éviter le pire, mais les jets directionnels, trop sollicités, n'allaient pas tarder à lâcher.

Et ce n'était même pas ça qui turlupinait le plus Auger. L'espace d'un moment, elle oublia le problème du ralentissement, la balle qu'elle avait dans l'épaule et les manigances des Slashers à Paris.

Elle pensait à Floyd, et à la façon dont elle allait lui expliquer la situation.

Parce que, dans le meilleur des cas, avec le tunnel qui se désagrégeait derrière eux, Floyd ne pourrait jamais rentrer chez lui. L'hyperlien entre Phobos et Paris étant anéanti, le voyage de retour serait impossible. Même s'ils réussissaient miraculeusement à survivre aux prochaines heures – et elle préférait ne pas réfléchir aux chances qu'ils avaient –, il se retrouverait échoué à une distance incalculable de T2 et – plus grave encore – à trois cents ans dans l'avenir, un avenir qui ne le considérait même pas comme un être humain à part entière mais plutôt comme un duplicata vivant, très détaillé… la copie d'un homme qui avait vécu et qui était mort à une époque où le monde avait encore une chance de remédier au bordel dans lequel il avait sombré. Un heureux homme tellement ordinaire qu'il n'avait laissé aucune trace dans l'histoire.

Deux heures environ après avoir glissé dans l'inconscience, Floyd bougea à côté d'elle. Peut-être réveillé par le trajet de plus en plus mouvementé, ou la sirène d'alarme qui venait de retentir, accompagnée par une voix de femme enregistrée qui les informait calmement qu'ils étaient sur le point de perdre le contrôle du guidage.

— C'est aussi moche que ça en a l'air ? demanda Floyd.

— Non, répondit Auger. Pire. Bien pire.

Le système de guidage avait épuisé l'essentiel de la masse de réaction. Ils n'en avaient plus que pour une dizaine de minutes, grand maximum. Et plutôt moins si leur vitesse continuait à augmenter, ce qu'elle semblait en passe de faire. Le pincement du tunnel les avait presque rattrapés, et tout semblait indiquer qu'il accélérait encore. Elle regrettait de ne pas mieux maîtriser la théorie de l'hyperweb ; ça lui aurait peut-être permis d'expliquer à Floyd pourquoi le quasi-trou de ver s'effondrait, et quel rapport ça avait avec sa structure métrique sous-jacente. D'un autre côté, ça ne lui aurait pas été d'un grand secours dans les circonstances présentes…

— Si le module échappe à tout contrôle, dit Floyd, nous risquons de nous écraser effroyablement dans les parois à l'arrivée, non ?

— En effet, confirma Auger. Mais le système reconnaît maintenant que nous ne sommes plus qu'à une heure de Phobos, peut-être même moins. Il y a une faible – une très faible chance – que la capsule tienne jusque-là, malgré la perte complète de contrôle de guidage.

— Je ne vais rien prévoir sur mon agenda pour la semaine prochaine…

— Ça risque d'être rude. Sans parler du fait que nous surgirons du portail à deux fois et demie la vitesse normale.

— Un problème à la fois, d'accord ? Votre amie… Skellsgard, c'est ça ? Elle donnait l'impression de savoir ce qu'elle faisait. Elle trouvera bien une solution, non ?

Pauvre Floyd, se dit-elle. Si seulement tu savais ce qui se passe en réalité. L'avenir pouvait être plein de miracles et de merveilles, mais il offrait aussi des occasions véritablement terrifiantes de merder.

— Vous avez raison, dit-elle d'un ton qu'elle voulait rassurant. Je suis sûre qu'ils trouveront une solution.

— C'est ça, voilà ce qu'il faut se dire !

« Dernier avertissement, dit la voix féminine, d'un calme exaspérant. Le contrôle d'ajustement d'attitude va cesser dans dix... neuf... huit... sept... six... cinq... »

— Cramponnez-vous, Floyd ! Et si vous avez une patte de lapin porte-bonheur, ça peut être le moment de la caresser dans le sens du poil !

« Contrôle d'ajustement de trajectoire désactivé ! » annonça la voix avec une sorte de résignation enthousiaste.

Pendant dix ou vingt secondes, le trajet redevint d'une douceur trompeuse, comme s'ils avaient dévalé une falaise en toboggan et s'étaient soudain retrouvés dans le calme absolu du vide.

— Hé, commença Floyd. Ce n'est pas si...

C'est alors que l'enveloppe de la capsule entra brutalement en contact avec la paroi. Le choc les ébranla plus violemment que tout ce qu'ils avaient encaissé jusque-là. Ils sentirent et entendirent une horrible torsion, comme si une énorme pièce métallique était arrachée à la coque. Floyd saisit la manette de commande et essaya de rectifier la trajectoire, mais il eut beau faire, ce fut sans effet sur les profils inconstants de l'affichage d'énergie de contrainte.

— C'est inutile, dit Auger avec un calme et un stoïcisme qui l'étonnèrent elle-même. Nous avons perdu le contrôle. Calez-vous confortablement et profitez de la balade…

Et pour souligner ses paroles elle lâcha sa propre manette de commande devenue inerte et replia sa console.

— Vous n'allez pas renoncer aussi facilement ! Et s'il restait du jus dans les réservoirs ?

— On n'est pas dans un film de guerre, Floyd. Quand le système dit zéro, ça veut dire zéro.

Après la première collision, il y eut un répit, pendant que le module dérivait entre les deux côtés. Auger gardait l'œil rivé sur l'écran et les données qui défilaient. Le nez de la capsule commençait à dévier à nouveau. Il y avait une nouvelle vilaine secousse en préparation…

L'impact arriva plus vite qu'elle ne s'y attendait. Elle fut ébranlée comme par un choc électrique, qui lui ferma la mâchoire dans un claquement. Elle se mordit la langue, sentit le goût métallique du sang dans sa bouche. Des alarmes lumineuses flashèrent dans tout le cockpit. L'une des sirènes survivantes retentit, aboyant un hurlement sur deux tons qui lui vrilla le crâne. Une autre voix enregistrée, dans les mêmes tonalités que la précédente, lança un avertissement : « Attention ! Les limites de résistance de la coque extérieure sont dépassées. Risque de défaillance de la structure… »

— Comme si nous ne le savions pas ! crâna Floyd.

Dès la fin de l'annonce, une autre retentit, informant l'équipage que les limites d'exposition aux radiations étaient dépassées, l'avertissant des risques qu'il encourait, etc.

Ils heurtèrent à nouveau la paroi, rebondirent, cognèrent encore, puis le nez de la capsule pivota de soixante degrés, et le choc suivant leur infligea un mouvement de roulis vertigineux, que la collision suivante accentua encore. A chaque rotation, ils étaient plaqués contre leur dossier et projetés vers l'avant, tout leur corps écartelé par des secousses insensées. La blessure qu'Auger avait à l'épaule se réveilla. Les profils d'énergie de contrainte défilaient trop vite pour être lisibles, le système d'interprétation était aussi perturbé qu'Auger. Non que ça fasse la moindre différence : quand on avait perdu tout contrôle, voler à l'aveuglette était presque un soulagement.

Une autre pièce fut arrachée à la coque dans un hurlement strident de métal torturé. Elle sentit comme une sorte de *pop* dans son crâne alors que la pression atmosphérique décroissait brutalement.

— On vient de perdre...

Elle n'eut pas le temps de finir sa phrase. L'air s'échappa de la cabine avec un sifflement infernal, se raréfiant à chaque souffle. Les yeux larmoyants, la vue brouillée, elle vit l'expression paniquée de Floyd alors que son corps était soumis à la torture. Elle fit un effort colossal pour lever son bras intact, avec l'impression d'avoir dû repousser pour cela un énorme rocher. Sa main se referma sur la manette à rayures jaunes qui provoquait l'ouverture de la trappe des masques à oxygène. Elle tira dessus, maudissant le système qui aurait dû libérer les masques automatiquement. Elle se plaqua le masque en plastique sur le visage et inspira une bouffée froide, instantanément revigorante.

Elle fit signe à Floyd de faire de même et le regarda appliquer son masque sur son visage avec soulagement.

— Vous m'entendez ? demanda-t-elle.

— Oui, dit-il enfin, d'une voix qui paraissait à Auger ténue et lointaine.

— La fuite d'air paraît stabilisée. J'estime que la pression est réduite au tiers de la normale. Il va falloir que nous gar...

Ses paroles lui furent arrachées de la bouche alors que le module, qui tournoyait en tous sens dans sa course folle, s'écrasait à nouveau contre la paroi, provoquant l'arrachement de nouveaux lambeaux de coque. La plupart des voyants étaient à présent éteints. Le temps de vol estimé changeait constamment, variant de plusieurs dizaines de minutes à chaque seconde, en fonction des réinterprétations que la capsule effectuait de la vitesse du tunnel. Une secousse propulsa une onde de compression tout le long de la colonne vertébrale d'Auger et lui envoya valdinguer le crâne contre son appui-tête.

Elle perdit connaissance pendant un instant, revint à elle dans un brouillard rouge. Ses mains semblaient impossiblement lointaines et inefficaces, reliées à son corps par des fils impalpables. Ses pensées étaient brumeuses. Elle n'arrivait pas à se concentrer. Tout ça ne pouvait être qu'un rêve, forcément. Sauf que non : c'était bel et bien réel. Mais même la perspective de la mort imminente avait perdu de son impact. Peut-être que perdre conscience pour de bon n'était pas une si mauvaise option, tout compte fait...

Elle regarda Floyd et vit sa tête ballotter au gré des rotations du module. Il avait la bouche ouverte comme sur un hoquet d'extase ou de terreur. Ses yeux étrécis étaient des fentes roses, son bandage était teinté de sang frais.

Il s'était évanoui.

Le module n'arrêtait pas de basculer, de tourner dans tous les sens, de rebondir d'une paroi sur l'autre. Auger essaya de s'arc-bouter contre le dossier capitonné de son siège, se cramponna aux accoudoirs et raidit son buste. De loin, comme venant d'une autre pièce, une voix de femme annonça :

— Alerte ! Approche finale du portail imminente ! Approche finale du portail imminente ! Assurez-vous que votre console est bien relevée et que tous les membres de l'équipage sont parés à la procédure de décélération. Impossible de…

— Ferme ta putain de gueule, par pitié ! fit Auger, en implorant l'inconscience.

Les chocs et les embardées atteignirent un paroxysme. Pendant deux ou trois secondes, il parut impensable que la capsule et sa fragile cargaison humaine survivent plus longtemps. Les collisions étaient trop violentes, trop répétées.

Mais la fin ne devait jamais venir.

Les saccades se firent soudain moins violentes, plus régulières, presque tolérables, les tonneaux se poursuivaient mais les collisions brutales cessèrent, comme si la capsule avait basculé par-dessus un précipice et tombait maintenant en chute libre. Une impression trompeuse, une simple rémission ; les impacts dévastateurs ne pouvaient que reprendre à tout moment.

Et pourtant non.

— Données, marmonna Auger, la langue enflée, sanglante.

Mais les données ne lui dirent rien. Le module avait fini par devenir aveugle et insensible, incapable de compiler une image cohérente de son environnement. Un changement dans la géométrie du tunnel, se dit Auger. C'était la seule explication possible. Le processus d'effondrement avait dû provoquer la destruction du tunnel, près de l'embouchure, l'élargissant d'une façon ou d'une autre, et la capsule avait beaucoup plus de chemin à parcourir entre deux impacts avec les parois.

C'était la seule explication. Ils n'avaient assurément pas subi la décélération écrasante qui aurait accompagné leur réception dans la bulle de récupération. Et ils faisaient toujours des tonneaux. Le module n'avait pas été intercepté, attrapé ou arrêté par quoi que ce fût.

Mais il aurait fallu que le tunnel s'élargisse d'une façon insensée. Il n'y avait pas eu un impact sérieux depuis au moins deux minutes, juste deux chocs mineurs. Les parois du tunnel s'étaient-elles ramollies ? Etaient-elles devenues en quelque sorte plus capables d'amortir les collisions ?

Un autre choc. Ensuite, quelque chose d'encore plus étrange : un crépitement qui rappelait le tambourinement de la pluie.

Et puis plus rien.

Floyd poussa un gémissement.

— Je voudrais que les éléphants qui sont assis sur ma tête se relèvent, dit-il.

— Ça va ?

— Ouais, mais je crois que je vais changer de métier.

Il porta la main à sa tête, en faisant un effort pour maintenir son bras levé malgré l'effet centrifuge de leurs tonneaux.

— On est morts, là, ou c'est juste une impression ?

— Nous ne sommes pas morts, répondit-elle. Je ne sais pas pourquoi, mais il n'y a plus de chocs importants depuis quelques minutes. Cela dit, nous tournons toujours.

— J'ai remarqué. Vous avez une théorie pour expliquer ça ?

— Non, répondit-elle. Rien qui ait le moindre sens.

Elle prit conscience du silence environnant. Le module émettait de petits craquements et des gémissements, mais il n'y avait plus de sirènes, plus de voix enregistrée annonçant un désastre imminent. C'était exactement comme s'ils tombaient à travers…

— Vous arrivez à comprendre ces nombres ? demanda Floyd, interrompant le fil de ses pensées.

— Non, dit-elle. Le module n'a pas idée de l'endroit où il est. D'après les données qu'il affiche, nous aurions laissé le portail derrière nous. Ce qui, évidemment, n'a pas de sens…

— Peut-être que si on ouvrait les volets qui obturent les hublots, on se ferait une meilleure idée de la situation, suggéra Floyd.

— Ouvrez ces hublots au milieu du tunnel et vous porterez des lunettes noires jusqu'à la fin de vos jours, répondit-elle.

— J'ai toujours pensé que j'étais mieux avec. Vous pourriez peut-être en soulever un juste un tout petit peu ? Ça pourrait nous renseigner sur notre sort.

Elle chercha une objection, mais n'en trouva aucune qui lui parût valable et susceptible de le convaincre. Il avait raison : au moins, ils seraient renseignés, quelle que soit l'utilité d'une telle information, et même si elle n'avait aucune valeur pratique. Elle préférait savoir où elle était. Elle supposait que c'était un besoin humain, fondamental.

— Je ne sais même pas si ça va marcher, dit-elle. Après tous les chocs qu'on a encaissés…

— Essayez, c'est tout, Auger.

Elle abaissa la console de commande et trouva l'interrupteur qui ouvrait les volets blindés. Elle venait de se convaincre qu'il ne se passerait rien – que les volets devaient être irrémédiablement coincés – quand une lame de lumière dure coupa la cabine en deux. L'un des volets était brisé, mais l'autre fonctionnait encore. Elle le laissa s'ouvrir de la largeur de trois doigts et le bloqua.

Elle plissa les paupières et leva la main pour se protéger les yeux. Au bout de plus d'une journée dans la pénombre, la soudaine clarté lui parut intense. Mais ce n'était pas le rayonnement bleu électrique, meurtrier, du tunnel.

La lumière s'éteignit.

— C'est en rythme avec notre rotation, dit-elle au bout d'un moment. On dirait qu'il y a une source lumineuse d'un côté, et pas tout autour de nous.

— Ce qui signifie ?

— Je ne sais pas. Mais le fait que nous soyons en vie n'a pas de sens non plus.

Le siège de Floyd était positionné trop loin de la vitre pour qu'il distingue quoi que ce soit.

— Vous voyez où nous sommes ? demanda-t-il.

— Non, répondit Auger.

Elle ouvrit le volet en grand, mais tout ce qu'elle pouvait encore dire, c'était qu'il y avait une source lumineuse quelque part, au-dehors.

— Je vais essayer de me lever et d'aller voir si…

— Du calme, soldat. Ce n'est pas une bonne idée quand on est dans votre état.

Floyd essaya de s'extirper de son harnais, mais ses doigts glissèrent sur les boucles de plastique compliquées.

— Ça vous va bien de dire ça.

Il réussit enfin à déboucler ses sangles. Ils faisaient toujours des tonneaux, mais comme ils étaient maintenant réguliers et s'effectuaient selon un axe de rotation, Floyd réussit à se lever sans trop de mal. Il s'approcha du hublot en se cramponnant d'un bras à la paroi de la cabine et d'un pied à la base du siège.

— Doucement, Floyd, fit Auger alors qu'il collait son visage à la vitre. Alors, que voyez-vous ?

— Il y a une lumière vive d'un côté, dit-il. Je la vois nettement. Mais il y a autre chose, là-bas.

— Quoi donc ? Vous pouvez me le décrire ?

Il ajusta sa position et son visage se crispa sous l'effort.

— Ça apparaît au hasard des rotations. On dirait… une tache brillante. Comme un nuage, avec des lumières dedans. Des lumières autour, en fait. Certaines qui se déplacent, d'autres qui lancent des éclairs. Il y a des bidules noirs devant le nuage, qui se déplacent vers l'avant.

Elle essaya de visualiser ce qu'il lui décrivait, n'en tira rien de cohérent.

— C'est tout ? Rien d'autre ?

— J'ai fait à peu près le tour.

— Bon, et c'est de quelle couleur ?

Floyd la regarda.

— Ça, je ne sais pas. Je ne suis pas vraiment le type rêvé pour parler de couleurs.

— Quoi, vous êtes daltonien ?

Malgré sa peur, elle ne put s'empêcher de rire.

— Hé, ce n'est pas gentil…

— Je ne me moque pas de vous, Floyd. Je ris de nous. De notre situation. On fait vraiment un drôle de tandem, tous les deux ! Le détective qui ne voit pas les couleurs et l'espionne qui n'a pas d'oreille.

— En réalité, je voulais vous demander… Ecoutez, Auger, je ne sais pas si ça va vous plaire, mais je veux bien être pendu si ce truc-là n'a pas l'air de diminuer.

Quoi que Floyd vît, Auger n'avait pas été préparée à ça au cours de son briefing. Ça voulait sûrement dire qu'il leur était arrivé quelque chose de très étrange et de très inattendu.

Elle éprouva un picotement de compréhension, comme un grattouillis derrière la nuque.

— Floyd, je crois que j'ai une idée…

— Il y a autre chose, aussi. C'est très gros. J'en vois tout juste le bord.

— Floyd, je pense que nous avons dérivé dans une partie différente de l'hyperweb. Skellsgard disait qu'il était impossible qu'un autre tunnel entre en intersection avec le nôtre, mais elle se trompait peut-être.

Elle s'obligea à se calmer et à parler plus lentement :

— Et s'il y avait une jonction, et si nous l'avions trouvée par accident, en rebondissant dans tous les coins ? Ou si on avait heurté la paroi si durement qu'on y a fait un trou et qu'on est sortis à travers dans une partie adjacente du réseau ?

— Auger ? dit Floyd en la regardant comme si elle était devenue folle. Je vous dis qu'il y a quelque chose de vraiment vraiment gros, là, dehors.

— La source lumineuse ?

— Non, pas ça. C'est de l'autre côté du ciel. On dirait presque…

Auger tendit à nouveau la main vers sa console.

— Allez vous rasseoir. Je vais tenter une manip d'un optimisme démesuré.

— Tout à fait mon genre de fille ! Qu'est-ce que vous allez faire ?

— Je vais voir s'il reste du jus dans les réacteurs de positionnement.

— On a déjà essayé ça, répondit Floyd. Ils sont morts.

Il retourna s'asseoir et reboucla son harnais.

— Je sais. Mais le système aurait pu croire que le réservoir était vide alors qu'il restait un peu de pression dedans.

Floyd lui jeta un regard bizarre.

— Vous aviez dit que ça ne marchait pas comme ça.

— J'ai menti. J'avais repoussé votre suggestion parce que j'étais de mauvais poil. De toute façon, ça n'aurait servi à rien, à ce moment-là…

— Ben voyons, fit-il, l'air froissé.

— Je suis désolée, dit-elle. Je ne gère pas très bien la situation, d'accord ? Croyez-le ou non, ce n'est pas le genre de truc que je fais tous les jours.

— Vous êtes pardonnée, dit Floyd.

— Ecoutez, reprit Auger. J'ai juste besoin de quelques jets de masse de réaction, juste assez pour nous empêcher de tourner sur nous-mêmes, ou au moins pour atténuer la rotation afin de nous donner une vue différente.

— Vous risquez d'aggraver la situation…

— Je pense que nous devons prendre ce risque.

Elle referma la main sur la manette. Elle souleva le capot du bouton de déclenchement et s'apprêta à appuyer dessus en essayant de visualiser l'orientation du module qui tournoyait sur lui-même. Skellsgard ne lui avait pas dit comment sortir d'une spirale de cette sorte – le briefing n'avait jamais envisagé que la situation puisse aussi rigoureusement, aussi sordidement mal tourner –, mais il suffirait qu'elle modifie légèrement leur position, juste assez pour changer leur point de vue. Et puis, dans un soudain accès de désespoir, elle se demanda à quoi ça pourrait bien servir, puisqu'elle n'avait même pas réussi à comprendre la première description de Floyd…

Elle ferma les yeux, appuya sur le bouton. Au lieu de la percussion séquencée habituelle des jets de réaction, elle entendit un long sifflement mourant qui s'estompa sitôt amorcé.

Est-ce que ça suffirait ? Elle n'avait rien senti qui indiquât un quelconque changement de trajectoire.

Mais l'angle de la source de lumière – la faux incurvée de lumière qui entrait dans la cabine à chaque rotation – avait légèrement changé.

— Très bien, dit-elle. A moi de regarder, maintenant.

Auger déboucla son harnais, et au prix d'un effort immense qui ranima sa douleur elle réussit à se lever et, en se cramponnant tant bien que mal, à jeter un coup d'œil par le hublot. Le module décrivait toujours ses tonneaux. La source de lumière flamboyante entra dans son champ de vision, lui faisant plisser les paupières et tourner la tête dans un mouvement réflexe. C'était un disque blanc, intense, légèrement teinté de jaune. En fait, ça ressemblait beaucoup au Soleil.

Alors la tache décrite par Floyd apparut. Auger ne put faire autrement que de reconnaître la pertinence de sa description : on aurait dit un agrandissement de photographie astronomique représentant une nébuleuse rouge rubis, criblée de lumières, de traînées rouge vif, et jonchée de taches très noires, comme des avenues de poussière. Puis, avant que la rotation la fasse disparaître à sa vue, une lumière rose, dure, jaillit à l'intérieur du nuage et mourut.

— Je ne sais pas ce que c'est, dit-elle. Je n'ai jamais vu ça.

C'est alors que la rotation amena dans son champ visuel un arc incurvé, rouge orangé, frangé par une atmosphère ténue. Ça, contrairement à la nébuleuse, elle l'avait déjà vu… Elle distinguait même les rayures blanches formées par les amarres des dirigeables, et les canaux d'irrigation brillant comme des rubans.

C'était l'autre chose que Floyd avait vue.

— Mars, dit-elle. La grosse chose, c'est… Mars.

Elle avait du mal à croire à ses propres paroles.

— Et la lumière ?

— Le Soleil, dit-elle. Nous sommes ressortis de l'autre côté de Mars. Nous sommes dans le système solaire.

— Mais vous avez dit…

Elle regarda à nouveau l'amas criblé de lumières. Exactement tel que Floyd le lui avait décrit. Il paraissait légèrement plus petit que la dernière fois qu'elle l'avait vu, et en même temps la traînée noire semblait bouillonner et se dilater comme le nuage d'une explosion…

A cet instant, une lumière aveuglante – plus vive encore que l'irradiation de l'embouchure du tunnel – embrasa la traînée tel un rayon de soleil traversant un vitrail, devint aussi brillante qu'un deuxième soleil, s'estompa et mourut comme la dernière lueur du soleil couchant. Quand les ténèbres furent revenues, quand la traînée fut à nouveau complètement sombre, les plus petits éclairs ne la troublaient plus.

— Où est Phobos ? demanda Auger.

31

Ils ne pouvaient rien faire de plus pour ralentir les tonneaux du vaisseau. Auger laissa le volet ouvert et ils se levaient à tour de rôle pour examiner la vue, mais le plus sûr et le plus simple était de rester sanglés sur leur siège. Si endommagé qu'il soit, le module semblait encore relativement tenir le coup : aucun système n'avait lâché depuis qu'ils étaient ressortis du tunnel, et la pression s'était stabilisée juste au-dessous d'un tiers d'atmosphère. C'était insuffisant pour leur permettre de respirer, aussi gardaient-ils leur masque, mais au moins n'étaient-ils pas plongés dans le vide glacé de l'espace. Le chauffage fonctionnait toujours, et la température ambiante était basse, mais pas insupportable.

— Nous sommes en sécurité, pour le moment, dit Auger. Nous n'avons qu'à serrer les fesses en attendant que quelqu'un nous repère.

— Parce que vous pensez qu'on va nous repérer ? !

— Vous pouvez en être sûr. Ils doivent être en train de scruter chaque centimètre d'espace pour nous localiser. Même s'il n'y a pas de transpondeur actif sur cette capsule, ils nous détecteront avec leurs capteurs. Ce n'est qu'une question de temps.

Sa confiance était fragile, du genre friable, comme une pellicule de glace qui risque de céder à tout moment sous les pieds.

— Vous avez peut-être une théorie concernant la façon dont nous avons survécu ? demanda Floyd.

— Les gens d'Aveling ont dû prendre la décision de détruire Phobos, dit-elle. Cette traînée de poussière et de gaz est tout ce qu'il en reste. Nous avons dû traverser des débris en sortant, mais pas assez pour nous détruire.

— Quoi, ils auraient fait sauter toute une lune ? Ce n'est pas un peu radical ?

— C'était le seul moyen de nous sauver, dit-elle. Ils ont dû capter l'onde de choc distordue que nous projetions devant nous et comprendre que nous sortions beaucoup trop vite pour décélérer dans la bulle de récupération. La seule fonction de la bulle était de maintenir le vide à l'embouchure du trou de ver. En supprimant la chambre de pressurisation – et Phobos, par la même occasion –, ils n'avaient plus besoin de la bulle. Nous nous serions retrouvés dans le vide de toute façon.

— Mais vous aviez dit qu'ils ne seraient pas avertis à l'avance de notre arrivée imminente, objecta Floyd.

— Il faut croire qu'ils avaient prévu le coup et élaboré des procédures d'urgence pour faire évacuer tout le monde en quelques minutes. Des charges nucléaires disposées un peu partout dans la lune, prêtes à la détruire par une simple pression sur un bouton, nous fournissant une route dégagée dans l'espace…

— Tout ça en quelques minutes ?

— Je ne vois pas d'autre explication, Floyd.

— Eh bien, moi, j'en imagine une autre : quelqu'un a fait sauter cette lune, et notre arrivée n'avait rien à voir là-dedans.

— Non, Floyd, dit-elle patiemment, sur le ton que prennent les adultes pour expliquer un problème compliqué à un enfant récalcitrant. Personne n'a fait sauter cette lune. Ce n'est pas comme ça qu'on procède, par ici. Nous sommes peut-être en état de crise, mais jamais un individu doté de bons...

Elle se figea et eut un petit bruit de glotte.

— Auger ?

— Et merde ! Je me demande s'il ne se pourrait pas que vous ayez raison, après tout...

— Et moi qui espérais me tromper...

— Il y a eu des explosions dans ce nuage de débris, dit-elle en repensant aux éclairs de lumière qui étaient allés staccato. Comme s'il se passait quelque chose... Comme s'ils se battaient encore.

— Mais qui aurait pu faire sauter cette lune ?

— Si ce n'était pas délibéré, si l'explosion n'a pas été déclenchée par des charges explosives, alors il n'y a que les Slashers qui ont pu faire ça.

Elle déroula le lent écheveau de ses processus mentaux tourbillonnants, épuisés, vidés. Elle devait être trop lasse pour penser lucidement, parce que, autrement, elle n'aurait pas envisagé plus d'une demi-seconde qu'on ait pu faire sauter Phobos pour sa seule sauvegarde.

— Le dernier éclair, dit-elle. L'éclair vraiment brillant... Je pense maintenant que c'était la mort du trou de ver. Nous sommes arrivés ici en surfant sur le bout qui s'effondrait. Nous en avons jailli, puis l'extrémité du tunnel qui s'anéantissait est arrivée, dans la violence, au bout de son existence. Comme un élastique qui se rétracte. Je pense que le choc a éliminé tous les combattants qui restaient dans les parages du nuage de débris…

— Mon billet de retour chez moi…

— Il a disparu. Il n'y a plus de lien.

— C'est bien ce qu'il me semblait.

— Je regrette, Floyd, dit-elle.

— Vous n'avez pas à vous excuser. C'est moi qui me suis fourré là-dedans, et je m'y suis même enfoncé un peu plus à chaque étape du parcours…

— Non, ce n'est pas vrai. C'est en grande partie ma faute. Je n'aurais jamais dû vous laisser franchir la censure, et je n'aurais sûrement pas dû vous laisser monter à bord de cette capsule.

— Regardez les choses en face, fillette : sans moi, vous ne seriez jamais rentrée chez vous.

Elle n'avait rien à répondre à cela. Il avait raison : sans l'aide de Floyd, elle serait morte quelque part le long du fil maintenant effondré de l'hyperweb, atomisée dans un feu d'artifice sans témoins.

— N'empêche que ce n'est pas juste, dit-elle. Je vous ai arraché à tous ceux que vous connaissiez.

— Vous n'aviez pas le choix.

Elle palpa sa plaie. Elle était à nouveau chaude et sensible, comme si l'inflammation repartait de plus belle. Les gélules de pan-AC ne restaient pas éternellement dans l'organisme. Les petites machines s'étaient probablement désagrégées, livrant leur essence au réservoir chimique de son organisme. Il était prévu qu'elle recevrait les soins médicaux appropriés dès l'expulsion du module dans la bulle de réception.

— Ça va ? demanda Floyd.

— Il faut le dire vite. Enfin, je tiendrai le coup.

— Vous avez besoin de soins…

— Et je les recevrai dès qu'ils nous tireront de cette boîte de conserve.

— S'ils nous retrouvent, dit Floyd.

— Ils vont nous retrouver. Skellsgard a dû dire à Caliskan que nous étions sur le chemin du retour, et que nous avions des informations importantes.

— Vous pourriez me dire, maintenant, pourquoi c'est tellement important ? Je veux dire, puisque que nous sommes là…

— Regardez à nouveau par la vitre, Floyd. Jetez un coup d'œil à Mars.

Auger lui raconta tout. Mars, la Pluie d'Argent, et ce qu'elle avait fait de ce monde.

La Pluie d'Argent était une arme, mise au point lors du dernier conflit entre les Slashers et les Threshers, à partir de spécimens de la nanospore originelle qui avait échappé à tout contrôle et anéanti toute vie sur Terre. Avec une habileté, un brio scélérats, les savants militaires des EUPT – aidés par des traîtres des Etats fédérés qui avaient fourni le savoir-faire nécessaire à la manipulation des nanotechnologies – avaient pris le gourdin rudimentaire qu'était la spore originale et l'avaient raffiné, en faisant quelque chose de pointu et de plutôt joli, un peu comme un sabre de samouraï. Ils avaient emprisonné la spore dans des myriades de granulés ablatifs enrobés de céramique, en avaient ensemencé l'atmosphère de plus en plus dense de Mars, alors en voie de terraformation, et les avaient enfouis à la surface, les étalant sur une zone énorme.

Les Etats fédérés n'auraient jamais imaginé que leurs ennemis threshers utiliseraient contre eux la nanotechnologie qu'ils abhorraient plus que tout au monde.

Ça en faisait donc l'arme idéale pour provoquer l'effet de surprise.

La Pluie d'Argent était très difficile à détecter. Les spécialistes gouvernementaux de Mars s'attendaient à une agression beaucoup plus fruste, aussi leurs filtres à nanotechs étaient-ils calibrés pour ignorer des objets si petits, si rusés, si mortels. Elle infiltra les organismes silencieusement, avec une totale innocuité au départ. Et pas seulement les êtres humains et les animaux, mais toutes les créatures vivantes que les colons avaient réussi à faire survivre sur Mars. Elle se glissa à travers les sceaux et les sas, la peau, les membranes cellulaires et la barrière sanguine du cerveau. Même les détecteurs de nanotechnologies que les Slashers charriaient dans leur propre système ne reconnurent pas l'intrus, tellement il était subtil et bien conçu.

Et pendant des jours il ne se passa rien. La nano-arme s'insinua plus profondément dans le monde des colons. Elle s'infiltra dans le système d'irrigation et utilisa les canaux pour se déplacer au-delà de la zone d'implantation originelle. Elle se transmit au moyen des contacts physiques entre les gens et les animaux. Elle utilisait les phénomènes climatiques pour passer d'un endroit à un autre, portée par le vent. Elle se dupliquait efficacement et systématiquement, mais sans jamais consommer les ressources qui auraient pu attirer l'attention. Certains commencèrent à dire qu'ils se sentaient un peu bizarres, comme s'ils couvaient un début de rhume, et voilà tout.

Sauf que, de mémoire d'être vivant, personne, au sein de la Fédération, n'avait attrapé de rhume…

Les programmeurs de combat des EUPT avaient fixé le déclenchement de la Pluie d'Argent au 28 juillet 2243. Ce fut pure coïncidence si cette date était commune aux événements du Nanocauste : cette programmation avait été dictée par des considérations stratégiques, ailleurs, au cours de la guerre. Et puis, quand la coïncidence était apparue, les généraux n'avaient pas vu l'intérêt de modifier leurs plans. Ça aurait envoyé un signal – subtil ou non – à la Fédération. C'est la facture, disaient-ils. C'est le prix à payer pour le mal que vos ancêtres idéologiques ont fait à la Terre.

Quand le déclencheur fut activé, les nanomachines entrèrent en éruption et tous les organismes infectés moururent dans le même instant convulsif, toutes les cellules vivantes étant bourrées de ces minuscules bombes à retardement. Des enregistrements automatiques montrèrent des gens s'arrêtant au milieu d'un pas, d'une phrase, d'une pensée, des gens tombant à terre, tous les mécanismes biologiques de leur corps annihilés. Ils ne subissaient même pas les phases médicalement identifiées de la putréfaction. Ils se transformaient en une sorte de poussière qui adoptait vaguement la forme de leur corps. Quand les villes et les colonies commencèrent à chanceler, les systèmes de confinement pressurisés s'effondrèrent faute de maintenance humaine, les cadavres furent simplement soufflés comme les tas de cendres qu'ils étaient devenus.

Les EUPT n'avaient jamais eu l'intention de détruire toute vie sur Mars, ils avaient trop d'intérêts personnels sur la planète pour aller aussi loin. Ils avaient prévu, au cas où la Pluie d'Argent échapperait à leur contrôle – elle n'avait jamais été testée à une échelle pareille, et ses effets n'étaient pas complètement prévisibles –, de déployer une contre-spore conçue pour la neutraliser avant qu'elle fasse trop de dégâts. Mais ça n'avait pas été nécessaire. La Pluie d'Argent avait fonctionné exactement comme prévu.

Elle avait eu pour conséquence de paralyser les forces slashers, pétrifiées par l'ampleur de l'atrocité. Soixante mille personnes étaient mortes sur Mars – plus que le nombre total de victimes provoquées jusque-là par le conflit. Mais les Slashers s'apprêtaient à lancer une contre-offensive dévastatrice contre Tanglewood lorsque les Threshers furent victimes d'un retournement de situation tout aussi monstrueux. Les hauts fonctionnaires dénoncèrent les programmeurs de combat qui avaient mis au point et déployé la Pluie d'Argent. Un coup d'Etat modérément sanglant s'ensuivit, et tous les responsables du crime contre Mars furent jugés et exécutés. Ce qui parut calmer les Slashers. En quelques semaines, les termes d'un cessez-le-feu furent trouvés, et à la fin du mois d'août les hostilités avaient pris fin. Mars retourna sous contrôle thresher en 2244 – avec des concessions significatives aux Slashers. Il serait exagéré de dire que Mars s'était remise de l'attaque, mais elle avait amorcé son processus de guérison. Le programme de terraformation reprit à marche forcée, mais il ne devait jamais atteindre son but. Enfin, il fallait faire avec. De nouvelles et ambitieuses colonies furent fondées dans les régions de Solis Planum et Terra Cimmeria, et la réhabilitation du spatioport en orbite haute, abandonné et mis en sommeil pendant la guerre, amena un trafic commercial et des échanges satisfaisants.

Mais à ce jour, vingt-trois ans plus tard, la Zone Eradiquée était toujours privée de vie. Les germes génétiquement modifiés ne s'y enracinaient plus. Les colonies qui se trouvaient naguère à l'intérieur de la zone ensemencée avec la Pluie d'Argent ne furent jamais réhabilitées ni réoccupées. Elles restèrent à demi enfouies dans la poussière martienne : des villes fantômes d'une blancheur d'ossements, exactement telles qu'elles étaient à l'époque de l'atrocité.

Auger repensa au rêve qu'elle avait fait dans le train : le petit garçon au tambour des Champs-Elysées.

— C'était il y a vingt-trois ans, conclut-elle. Officiellement, l'arme n'existe plus. Même le modus operandi est censé avoir disparu. Mais Susan White n'a pas écrit ces mots sur une carte postale pour rien. Quelqu'un a remis la main dessus. Et peut-être même amélioré la technique. Et la prochaine cible ne sera pas quelques dizaines de milliers de colons martiens ; c'est trois milliards de gens – la population entière de votre version de la Terre.

— Mais pourquoi ?

— Pour effacer ce qui n'aurait jamais dû être. Pour anéantir ces trois milliards de vies comme si ce n'étaient que des bugs dans une vaste simulation informatique. Pour remettre les pendules à l'heure au moment de l'instantané quantique et obtenir une copie vierge de la Terre, pas encombrée par de merdiques habitants en chair et en os.

— C'est monstrueux ! fit Floyd, horrifié.

— D'un certain point de vue. Mais on peut aussi voir ça comme un simple nettoyage, un peu comme si on retouchait une photo numérique. Rappelez-vous ce que ce bébé de guerre disait à Berlin ? Pour eux, vous n'êtes que trois milliards de points…

— Nous devons arrêter ça.

— Et c'est ce que nous essayons de faire. Mais il se peut qu'il soit déjà trop tard. S'ils connaissent les coordonnées physiques de l'OVA, ils n'ont plus qu'à l'ensemencer avec la Pluie d'Argent…

— Alors nous devons y arriver avant eux !

— C'est bien joli, en théorie, mais nous ne savons pas où est l'OVA. Il y a affreusement plein de galaxies dans ce secteur.

— Alors il faut que nous trouvions ces coordonnées. Ils les ont bien découvertes quelque part, non ?

— Floyd, nous parlons de trois nombres. Ils n'ont même pas besoin d'être importants. La position de l'OVA n'a pas besoin d'être définie au centimètre près. Disons, comme si vous cherchiez une île dans le Pacifique. Tout ce qu'il nous faut, c'est une grille de référence.

— Eh bien, cherchons cette grille de référence.

— Elle pourrait être n'importe où, dissimulée sous n'importe quelle forme. Ça pourrait être un numéro de téléphone, ou une information encore plus anodine…

— Mais ces nombres doivent bien être quelque part ! Se pourrait-il qu'ils soient dissimulés dans les documents que Susan White renvoyait chez vous ?

— Elle était de notre côté, Floyd.

— Je ne dis pas qu'elle savait ce qu'elle transportait, juste qu'il se pourrait qu'elle ait agi comme coursier pour les méchants sans le savoir.

— Ça ne suffirait pas. Même si nous avions la certitude que les coordonnées étaient dans ces documents… par où commencer ? Les nombres pourraient être stockés dans des micropoints, ou dans un numéro de téléphone, parmi des milliers de petites annonces.

— Tout ce que je dis, c'est qu'on ne peut pas rester les bras croisés !

— Je suis d'accord, dit-elle. Mais encore faudrait-il d'abord qu'on nous récupère.

Un minuscule changement dans la qualité de la lumière qui filtrait dans la cabine attira son attention.

Ils roulaient toujours sur eux-mêmes dans le vide, le Soleil flashait toujours par le hublot au rythme de leur rotation, mais ils étaient maintenant baignés en permanence d'une lueur rosée, comme si la capsule était enveloppée dans son propre petit nuage luminescent.

— Vous pensez qu'on va nous retrouver ? demanda Floyd.

— Je sais qu'on est à notre recherche, répondit Auger.

— Même si l'explosion de cette lune ne faisait pas partie du plan ?

— Il y a encore des gens qui ont envie de savoir ce qui nous est arrivé.

Tout en prononçant ces paroles, elle sentit sa belle certitude s'envoler. Par nature, le portail de l'hyperweb était ultrasecret. La plupart des gens qui connaissaient son existence devaient se trouver dans les cavernes de Phobos quand l'attaque l'avait fait exploser.

— Auger ?

— Nous sommes peut-être plus en difficulté que je ne le pensais au départ. Aveling et Barton sont morts. En dehors de Niagara et de Caliskan, je ne sais pas qui reste là pour nous chercher.

— Niagara et Caliskan ?

— Niagara est notre taupe slasher. C'est lui qui nous a fourni le savoir-faire qui a rendu opérationnel le lien de Phobos, au départ. C'est lui qui m'a envoyée récupérer les documents de Susan. Niagara était peut-être à l'intérieur de Phobos quand elle a été détruite, mais Caliskan est probablement encore à Tanglewood.

— Eh bien, espérons qu'il ne vous a pas oubliée...

— Floyd, je commence à penser que ça sent vraiment le roussi. Plus j'y réfléchis, plus je me dis que rien de tout ça n'était accidentel.

Elle ferma les yeux et étouffa un gémissement. La gêne de son épaule se muait en une douleur lancinante.

— Quoi, « tout ça » ?

— L'effondrement du trou de ver. D'accord, le lien devenait de plus en plus instable, mais le cyberserpent aurait dû pouvoir compenser l'instabilité. Il aurait dû réussir à gérer les contractions de l'embouchure afin d'assurer notre transfert.

— Que voulez-vous dire ?

— Je pense que le robot a été envoyé pour détruire le lien.

— Mais il vous a aidée !

— Oui, dit-elle. Et il avait probablement l'impression de me sauver la vie. Je doute qu'il ait eu conscience d'avoir été modifié. L'ordre de sabotage aurait pu être intégré dans des strates profondes de sa programmation.

La lueur rose s'était intensifiée : des doigts de lumière léchaient maintenant l'ouverture blindée du hublot. Ce qui ennuyait Auger, elle n'aurait su dire pourquoi au juste.

— Pourquoi quelqu'un aurait-il cherché à saboter le lien, si c'était la seule façon de retourner à Paris ? demanda Floyd.

— C'est bien ce qui m'inquiète : non seulement ça implique que quelqu'un, à l'intérieur de l'organisation, s'est donné le mal de détruire le lien, mais encore ça pourrait vouloir dire que les Slashers n'en ont plus besoin.

— Mais à quoi bon détruire une chose pareille ?

— Ils ne l'auraient pas fait s'ils n'avaient pas disposé d'un autre moyen d'aller à Paris.

— Vous voulez dire qu'ils auraient déjà les coordonnées de l'OVA ? !

— Soit ça, soit ils sont sur le point de les obtenir.

La chose qui ennuyait Auger dans cette lueur rose finit par se frayer un chemin vers sa conscience embrumée par la douleur. Elle se sentit soudain glacée. Même la douleur passa au second plan de ses préoccupations.

— Floyd, vous voulez bien aller jeter un coup d'œil par le hublot ?

— Pourquoi ? Vous pensez qu'il pourrait y avoir quelqu'un dehors ?

— Faites-le, c'est tout.

Elle le suivit des yeux avec angoisse.

— Maintenant, dites-moi ce que je suis censé chercher.

— Dites-moi si Mars a l'air plus grosse que la dernière fois.

Floyd jeta un coup d'œil puis la regarda. La lumière et l'ombre se succédaient sur son visage avec une régularité de métronome. Son expression lui dit tout ce qu'elle avait besoin de savoir.

— Ce n'est pas bon, hein ? demanda Floyd.

— Retournez vous asseoir. Vite.

— Quel est le problème ?

— Le problème, c'est que nous ne sommes pas en orbite autour de Mars. Si cette planète a l'air d'avoir grossi, c'est qu'elle se rapproche. Nous tombons dessus. Je pense que nous sommes entrés dans la stratosphère.

Floyd s'empressa de regagner son siège et de boucler son harnais.

— Comment le savez-vous ?

— Je n'ai pas tout de suite compris. Et puis j'ai eu un mauvais pressentiment. Nous avons été éjectés du portail avec une certaine vitesse relative – des centaines de mètres à la seconde, au moins. Il y avait une chance que nous ayons été propulsés dans la direction opposée par rapport à Mars…

— Il faut croire que ce n'était pas notre jour de chance.

— Non, dit-elle. Apparemment pas. Nous sommes sortis selon un angle défavorable. Nous rentrons dans l'atmosphère à toute vitesse.

— Alors c'est vraiment grave ?

— Vous avez déjà fait des vœux sur une étoile filante, Floyd ? Eh bien, c'est le moment ou jamais. Vous allez même être l'étoile.

— Qu'est-ce qui va se passer ?

— Eh bien, nous allons nous embraser et mourir. Avec un peu de chance, nous serons écrasés par la gravité et inconscients avant que ça ne se produise.

— C'est une façon intéressante d'envisager la chance…

— Cette capsule n'a jamais été prévue pour l'insertion atmosphérique, reprit Auger. Peu importe l'angle sous lequel nous l'intégrerons.

— Ce n'est pas comme ça que ça doit se passer, Auger. Pas après tout ce que nous avons fait.

— On n'y peut rien, dit-elle. Nous ne pouvons pas diriger ce module. Nous ne pouvons ni le ralentir ni l'accélérer. Nous ne pouvons même pas l'empêcher de tourner sur lui-même.

La lumière, d'abord diffuse, s'était intensifiée et clignotait de tous les tons de bleu et de rose, comme un patchwork de lumière pastel enroulé autour du vaisseau. C'était fascinant et plutôt beau. En d'autres circonstances, ils se seraient probablement émerveillés.

— Peut-être que si la coque n'était pas déjà sévèrement amochée…, dit-elle en laissant Floyd tirer ses propres conclusions.

— Sauf qu'elle l'est.

— Je regrette, dit-elle. Tout ça, c'est ma faute.

La lumière devint éblouissante, d'un blanc dur, et au même instant la capsule trembla violemment. Le mouvement de rotation devint erratique, et dans toute la cabine se firent entendre des hurlements et des gémissements de métal supplicié alors que les tensions aérodynamiques et thermiques de l'atmosphère martienne commençaient à faire jouer la carcasse du module. La force de gravité s'accrut de façon stupéfiante. Ça n'avait rien à voir avec les moelleuses insertions dans l'atmosphère terrestre qu'Auger avait connues lors de ses voyages. Un instant, tout ce qui la collait à son dossier était la douce et régulière pression de la rotation non contrôlée, et la seconde d'après elle était tirée et poussée dans tous les sens, précipitée contre les sangles de son harnais au risque de se blesser. Elle essaya de caler sa tête à son appui-tête, afin d'éviter de se briser le cou. Le trajet devint de plus en plus erratique, le bruit assourdissant. Elle commençait à avoir du mal à respirer, la gravité lui écrasait les poumons. Elle se sentait la tête vide, la conscience commençait à la fuir par bribes, discrètement, en pointillés.

— Floyd…, parvint-elle à dire. Floyd, vous m'entendez ?

Lorsqu'il répondit, c'est à peine si elle réussit à l'entendre, à travers le vacarme de la capsule torturée :

— Vous vous êtes bien bagarrée, Auger.

Comment il y arriva, elle ne le saurait jamais, mais il trouva la force de tendre la main vers elle. Elle sentit ses doigts se refermer sur les siens, l'ancrant dans l'espace et dans le temps, alors que tout le reste dans son univers se démantibulait, explosait en lambeaux de lumière et de fureur.

32

Elle revint à elle dans la blancheur fraîche, étincelante, sereine, qu'elle avait toujours assimilée au Paradis. Elle serait volontiers restée dans ces limbes jusqu'à la fin de l'éternité, préservée de tout souci, de toute angoisse. Mais la blancheur recelait des évocations obsédantes de structure : des ombres pâles et des reliefs surexposés qui se précisèrent, devinrent les détails d'une pièce et de ses occupants, tout de blanc vêtus.

L'un d'eux prit la forme d'une très belle fille entourée par un mirage de lumières clignotantes.

— Une petite merde rescapée, dit Cassandra.

Auger s'obligea à fouiller dans des couches de mémoire brumeuse, chancelante, à remettre de l'ordre dans des souvenirs épars. Réussit à dire :

— Vous…

Cassandra hocha la tête d'un air entendu.

— Oui. Moi. Contente que vous ne m'ayez pas oubliée. Il n'aurait plus manqué que vous souffriez d'une amnésie profonde. La situation est déjà assez compliquée comme ça.

Auger se rendit compte qu'elle était allongée sur un lit légèrement incliné, environné de machines clignotantes, certaines si petites qu'on aurait pu les prendre pour des grains de poussière. D'autres étaient aussi grosses que des libellules ou des oiseaux-mouches et irisées par toutes sortes de schémas moirés grouillants de détails microscopiques. Il lui vint vaguement à l'esprit que malgré l'absence des systèmes de monitoring qu'on voyait généralement au chevet des malades, dans les hôpitaux, elle était dans une sorte d'infirmerie ou de service de réanimation.

— Nous étions en chute libre…

— Et nous vous suivions, dans l'espoir d'intercepter votre capsule avant qu'elle ne réintègre l'atmosphère. Comme vous l'avez peut-être déjà compris, nous avons réussi à vous rattraper juste à temps. Notre médecine peut faire des merveilles, mais pas des miracles.

Auger se sentit emplie du soulagement intense d'avoir survécu. Puis elle se rappela qu'elle n'était pas seule.

— Et Floyd ? Comment…

— Bien. Il est en observation dans une autre chambre, mais il ne requiert pas les soins urgents dont vous aviez besoin.

— Et la capsule ?

— Elle a disparu. Nous avons rejeté ses restes comme leurre. Mais ne vous en faites pas : nous avons déchargé la cargaison d'abord.

— La cargaison ?

— Les archives. Une collection très intéressante, je dois dire.

— Je ne transportais pas de cargaison. C'était bien la dernière chose que j'avais en tête quand nous avons quitté T2.

Puis elle repensa au cyberserpent. Pendant qu'une partie de lui s'occupait du sabotage du lien, une autre partie chargeait dans le module les documents accumulés par Susan White.

Seule une machine pouvait être aussi stupide, se dit Auger.

— D'accord. Maintenant, vous pourriez me dire ce que vous faites ici ?

— Quand nous ne vous sauvons pas la vie ? J'aurais cru que c'était évident. Je suis une espionne, Auger. Depuis que nous avons eu vent des rumeurs selon lesquelles vous, les Threshers, aviez rouvert le portail de Phobos, j'ai essayé de me glisser dans les petits papiers de Caliskan afin de découvrir ce qui se passait. Et ça a plutôt bien marché. Ce petit voyage sur Terre était des plus ravigotants.

— J'ai toujours dit que vous ne m'inspiriez pas confiance.

— L'ennui, c'est qu'il n'y a personne d'autre à qui vous pouvez vous fier. Je suis votre dernier et votre meilleur espoir.

— Je crois que je vais tenter ma chance avec Niagara, dit Auger.

— Oh oui, le cher, le fiable Niagara ! Je vous casse le morceau tout de suite, ou plus tard ? Niagara était aussi un espion. La différence, c'est que lui il travaillait pour les vraiment méchants.

Les murs blancs, incurvés, se fondaient sans joint visible avec le plafond et le sol. De fins fils d'or serpentaient à travers le blanc, décrivaient des tourbillons calligraphiques qui suintaient et coulaient d'une façon apaisante à un niveau fondamental, primitif.

— Je ne vous crois pas, dit Auger en se concentrant sur Cassandra. C'est Niagara qui nous a montré comment faire fonctionner le lien ; pourquoi aurait-il fait une chose pareille s'il travaillait contre nous ?

Cassandra soupira et mit une main sur sa hanche.

— Parce qu'il avait besoin que le lien fonctionne, petite sotte. Ecoutez, je vais vous mettre les points sur les *i* : vous vous êtes tous fait avoir. Niagara avait été infiltré, et travaillait pour une faction marginale, particulièrement néfaste, des agresseurs. Ce n'était pas du tout un sympathisant modéré, mais votre pire ennemi.

— C'est gentil à vous de nous prévenir.

— Et c'eût été gentil de la part de votre gouvernement de nous informer qu'il avait trouvé le portail de Phobos, contra-t-elle. Si vous n'aviez pas été si avides de nous le cacher, nous aurions plus vite découvert les activités de Niagara.

— Ou vous l'auriez mieux contrôlé.

— Vous allez continuer longtemps comme ça, Auger ? Ça vous tuerait de me faire confiance ?

— Je ne peux pas vous faire confiance, Cassandra. Vous m'avez menti sur Terre en vous faisant passer pour ce que vous n'étiez pas.

— Sur l'ordre exprès de vos autorités, pas à mon initiative. Je vous aurais volontiers fait savoir que j'étais une citoyenne de la Fédération. C'est Caliskan qui tenait particulièrement à cette mascarade.

— Ça n'excuse pas le fait que vous étiez prête à témoigner contre moi au tribunal. Ils m'auraient jetée aux chiens.

— Et vous l'auriez mérité. Rien ne vaut la peine que l'on risque une vie humaine comme vous l'avez fait, Auger. Surtout pour une inutile relique en papier vieille de deux cents ans.

— C'est pour ça que vous m'avez sauvée ? Pour me mettre le nez dedans ?

— Je détecte une note de contrition, là ?

— Détectez ce que vous voulez. Vous ne m'avez toujours pas expliqué ce que vous faisiez autour de Mars, si vous êtes tellement amicale.

— Nous nous efforcions de limiter la casse, répondit Cassandra. Il ne vous a pas échappé que c'est la guerre civile dans les Etats fédérés. Le problème s'est maintenant étendu au système intérieur.

— Et Phobos en a été l'une des premières victimes. J'espère que vous êtes fière de vous.

— Oh oui, vous ne pouvez pas imaginer à quel point. Surtout que cinquante-quatre de mes amis modérés sont morts en essayant de défendre votre précieuse petite lune !

— Je suis désolée, répondit Auger, un ton plus bas.

— Ça n'a pas d'importance. Ce n'étaient que des Slashers, après tout, dit-elle amèrement.

— Je n'aurais jamais imaginé…

— Les agresseurs s'intéressaient particulièrement à Phobos depuis quelque temps, poursuivit Cassandra. Nous avions beau épier chacun de leurs mouvements, nous efforcer d'infiltrer leurs cercles, nous ignorions ce qui les excitait tellement à propos de Phobos.

— Maintenant, vous le savez.

— Vous étiez dans le transit hyperweb quand la lune a été détruite, n'est-ce pas ?

— Y a-t-il encore des choses que vous ignoriez à notre sujet ?

— Oh oui, beaucoup, répondit Cassandra. Je ne lis pas dans votre esprit. Nous ignorons où menait le portail, et ce que vous faisiez à l'autre bout. Nous ne savons pas exactement ce que Niagara voulait en faire, sauf que la Pluie d'Argent joue un rôle dans ses plans. Mais nous avons découvert un détail bizarre au sujet de l'homme…

— Floyd ?

— Vous n'auriez pas dû l'amener ici avec vous.

— Je n'avais pas le choix.

Auger s'efforça de se redresser sur son lit, qui se rajusta sans effort pour la soutenir. Sous le drap blanc, satiné, elle portait une sorte de chemise de nuit d'hôpital. Elle tendit la main vers son épaule blessée.

Pas de douleur. Pas d'inflammation. Elle passa la main sous le col de la chemise de nuit et repéra l'emplacement de la blessure. Lisse comme une peau de bébé. Rien ne révélait sa récente guérison, en dehors d'un léger picotement.

— Nous avons extrait la balle, dit Cassandra. Vous avez eu beaucoup de chance.

— Où sommes-nous ?

— A bord de notre vaisseau, celui qui a récupéré votre capsule dans l'atmosphère martienne. Nous l'appelons…

Son syrinx joua une petite mélodie, à laquelle Auger ne trouva rien de musical.

— Nous sommes toujours dans les parages de Mars ?

— Non, nous retournons vers la Terre. Ou plutôt l'espace circumterrestre. Mais il y a des complications.

— Il faut que je parle à Caliskan.

— Il vous attend. C'est un message de lui, probablement émis d'un vaisseau, qui nous a incités à vous tenir à l'œil. Nous essayons encore de remonter à la source. Quand nous l'aurons retrouvée, nous pourrons ouvrir un canal de transmission à faisceau étroit.

— Je peux voir Floyd, en attendant ?

Cassandra esquissa un geste précis, et les nanomachines se penchèrent sur son lit. Les plus petites s'approchèrent du nuage vacillant qui entourait

Cassandra et l'intégrèrent. Elle inspira et le nuage diminua de moitié.

— Vous pouvez vous déplacer, annonça-t-elle après avoir digéré les informations transmises par les machines. Mais pas d'imprudences.

Auger se redressa, et aussitôt d'autres oiseaux-mouches et libellules surgis de nulle part vinrent l'assister, exerçant une douce pression aux endroits nécessaires, tant et si bien que c'était à peine si ses pieds effleuraient le sol. Lorsqu'elle fut levée, le drap se souleva, s'enroula autour d'elle, lui faisant comme une sorte de robe lâche, vaporeuse.

— Par ici, dit Cassandra.

Les fils dorés qui parcouraient les murs se réorganisèrent pour dessiner les contours d'une porte à l'air vaguement persan. La porte s'ouvrit comme une bouche, et elles se retrouvèrent dans un couloir pareil à une trachée, sans plancher ou plafond identifiable. Le boyau, qui faisait des tours et détours, les amena vers un mur nu dans lequel, à leur passage, s'ouvrit une porte.

Laquelle donnait sur une petite chambre de réveil occupée par un seul lit. Floyd dormait, allongé sur le dos, un scintillement de machines autour de la tête. Les Slashers lui avaient donné une robe similaire à celle d'Auger. Son visage rigoureusement atone faisait penser à un masque, et il n'y avait plus trace de sa blessure à la tête.

— On dirait qu'il est mort, dit Auger.

— Il est juste inconscient. Nous le maintenons dans cet état pour le moment.

— Pourquoi ?

— Nous ne voulions pas qu'il s'inquiète.

Le nuage de Cassandra se mêla aux machines qui entouraient Floyd, et certains échanges d'information eurent lieu.

— Quand nous avons guéri sa blessure à la tête, nous avons examiné son ADN, évidemment. Il s'est révélé très particulier. Il n'a aucun des marqueurs chromosomiques qui l'identifieraient comme le descendant d'un individu qui aurait vécu les excursions du début du vingt et unième siècle…

— Normal, répondit Auger.

— Il faudrait une réécriture extensive pour enlever ces marqueurs. Pourquoi quelqu'un se serait-il donné tant de mal ?

— Personne ne l'a fait.

— C'est bien ce que nous pensions. Pour un peu, on dirait un homme du passé, d'avant le vingt et unième siècle, fit Cassandra en portant un doigt à sa lèvre inférieure.

— Bien vu. Et qu'avez-vous imaginé d'autre ?

— Il doit venir de l'hyperweb, de l'autre bout du lien. Qu'avez-vous trouvé là-bas, Auger ?

— Si je ne vous le dis pas, vous le lirez dans ma mémoire, n'est-ce pas ?

— Si j'étais amenée à penser que vous déteniez une information d'importance stratégique, je n'aurais pas le choix, je le crains. Désolée, mais c'est la guerre.

Il refit surface en entendant la voix d'Auger et vit qu'elle le regardait sur un fond mouvant, d'un blanc immaculé.

— Floyd, réveillez-vous. Tout va bien.

Il avait l'esprit aussi clair et net que le ciel à l'aube. Ce qui le choquait vaguement, à un certain niveau. Il aurait dû avoir droit à une période de grâce pendant laquelle il aurait été groggy, désorienté. Même ses souvenirs lui semblaient lumineux et pétillants, comme si on les lui avait sortis de la tête pour les astiquer un bon coup.

Il passa sa langue sur ses dents. Pas une seule n'était cassée. On aurait dit des gargouilles de cathédrale qui auraient été démontées et sablées.

— Que s'est-il passé ? demanda-t-il.

— Nous avons été sauvés, répondit Auger.

Elle était debout à son chevet, portant une sorte de toge en satin qui bougeait autour d'elle d'une façon bizarre, troublante, coulant comme un de ces poissons très plats qui hantent les hauts-fonds.

— Tout va bien, pour le moment, du moins.

Il se redressa, porta la main à ses cheveux. Aucun signe de blessure, mais on lui avait rasé le crâne, là où il avait pris un coup.

— Qu'est-ce que c'est que cet endroit ?

— Nous sommes à bord d'un vaisseau.

— Un vaisseau spatial ?

— Oui. Vous pouvez encaisser ça, hein ? Je veux dire, après ce qui vous est arrivé, un vaisseau spatial n'est pas la chose la plus bizarre au monde, n'est-ce pas ?

— Ça ira, répondit Floyd. Qui pilote ce bazar ? Les bons ou les méchants ?

— Je connais la femme qui a l'air de s'en occuper. C'est une Slasher modérée appelée Cassandra. J'ai déjà eu affaire à elle sur Terre. Disons qu'on peut avoir relativement confiance en elle.

— Vous n'avez pas l'air convaincue.

— Ces gens se sont occupés de nous. Ça ne veut pas dire qu'ils ont ma reconnaissance automatique. Pas avant de savoir ce qui se passe, et où ils nous emmènent au juste.

— Ils ne vous l'ont pas dit ?

— Ils sont censés se diriger vers l'endroit d'où Caliskan a émis un message. C'est tout ce que je sais.

Floyd se passa la main sur le visage. Ils l'avaient même rasé. De plus près qu'il ne l'avait jamais été.

— Vous ne les aimez pas beaucoup, hein ?

— Je les aime encore moins depuis que... Enfin, reprit-elle en secouant la tête, si elle veut tout savoir, elle n'a qu'à faire ce qu'il faut pour ça. La seule personne à qui je veux parler, c'est Caliskan.

Floyd se redressa. Il s'apprêtait à demander à Auger si elle pouvait lui trouver à boire quand sa soif disparut subitement, comme s'il l'avait imaginée.

— Qu'avez-vous dit à cette Cassandra ? demanda-t-il.

— Tout. Si elle m'avait soupçonnée de lui faire des cachotteries, de toute façon, elle aurait lu dans mon esprit, alors...

— Comment me... comment prend-elle ma présence ici ?

— Je crois qu'elle ne trouve pas que ce soit une bonne idée.

— Eh bien, on est deux, répondit Floyd. Mais il ne servirait à rien de me plaindre, n'est-ce pas ?

— Je regrette vraiment tout ça.

— Auger... faites-moi une faveur et cessez de vous excuser, d'accord ? Je n'ai aucun regret.

Elle eut un sourire.

— Je n'en crois pas un mot, Floyd. Mais je suis contente quand même que vous vous en soyez sorti.

— Je suis content qu'on s'en soit sortis tous les deux. Maintenant, si vous me donniez un baiser avant qu'ils viennent me chercher pour me mettre dans la cage aux singes ?

Au début, Auger pensa que Cassandra s'était égarée : elle les avait conduits dans une sorte de salle d'attente, ou peut-être un lieu de détente, mais sûrement pas dans une salle tactique. C'était encore une chambre blanche, brillamment éclairée, alors qu'elle s'attendait à des rouges atténués, propices à la vision nocturne. Plutôt que des écrans où défileraient des messages urgents, les murs offraient une blancheur uniforme, striée de fils d'or. Au milieu, une table en forme de champignon montait du sol, entourée par une demi-douzaine de chaises, très… champignonnesques elles aussi. Elles lui faisaient l'impression d'être spongieuses et instables, comme les meubles d'une maison de pain d'épice. Six Slashers étaient assis là, les yeux fermés, ou mi-clos, dans une attitude détendue. L'un d'eux avait un coude sur la table, le menton dans la main. Une femme, qui aurait pu passer pour une enfant, appuyait ses doigts recourbés contre son front, comme si elle était en méditation. Les quatre autres avaient les mains mollement posées sur les cuisses. Personne ne parlait. On aurait dit qu'ils attendaient leur tour dans un jeu de salon lent et ennuyeux. Un nuage dense, mouvant, de machines scintillantes planait au-dessus de la table, les englobant.

— Tunguska, dit Cassandra, pouvez-vous nous consacrer suffisamment de vous-même pour nous parler ?

Celui qui avait le coude sur la table tourna imperceptiblement la tête dans leur direction. C'était un grand homme à la peau noire et au visage rond, aux yeux tristes sous des paupières lourdes. Ses longs cheveux noirs argentés étaient noués en catogan.

— J'aurai toujours tout mon temps pour toi, Cassie, dit-il d'une voix très lente, très grave.

— Tunguska est mon programmeur de combat, dit Cassandra. C'est aussi mon ami et mon allié. Nous nous connaissons depuis longtemps.

— Je ne savais pas qu'un concept démodé comme l'amitié était admis au sein des Etats fédérés, dit Auger.

— Alors, vous en savez encore moins à notre sujet que vous ne le pensez. Tunguska, fit Cassandra, nos invités se posent des questions. Tu pourrais leur exposer la situation ?

— Je vais voir ce que je peux faire.

Tunguska se tourna vers le mur, esquissa prestement quelques gestes et une zone s'assombrit. Des cercles et des sphères se mirent en place : le système solaire, vu de dessus. L'image se recadra sur le système intérieur, jusqu'à l'orbite de Mars. La planète était représentée par une sphère rouge, exagérément grossie, accompagnée par une lune intacte et la tache luisante qui avait récemment été Phobos.

— L'effondrement du quasi-trou de ver a anéanti tous les combattants dans un rayon de plusieurs dizaines de kilomètres autour de la lune, dit Tunguska d'une voix aussi lente et mesurée que s'il récitait un sermon. Mais il y a encore une grande concentration de vaisseaux à la périphérie de Mars. Nous détectons au moins deux cents signatures de poussée distinctes.

— A qui appartiennent ces vaisseaux ? demanda Auger.

— A tous ceux qui ont leur mot à dire dans le contrôle du système intérieur. Soixante-dix pour cent des combattants actifs sont constitués par diverses factions fédérées, vingt pour cent sont des EUPT, et le reste est une constellation de non-alignés : des groupes lunaires dissidents, entre autres.

Pendant l'exposé de Tunguska, des icônes se positionnaient, formant un essaim vibrionnant de drapeaux et d'emblèmes autour de Mars. Il était à peu près impossible d'y comprendre quoi que ce soit.

— Quelqu'un a réussi à quitter Phobos vivant ? demanda Auger.

— Nous suivons à la trace un certain nombre de vaisseaux spatiaux lents qui semblent avoir quitté la lune avant le gros de l'attaque.

— Pourquoi ? demanda Cassandra. Vous pensiez à quelqu'un en particulier ?

— J'avais une amie…, commença Auger, d'une voix chancelante. Je ne la connaissais pas vraiment très bien, mais j'espère de tout mon cœur qu'elle a réussi à s'en sortir à temps.

— J'ai bien peur de ne rien pouvoir vous garantir, répondit Cassandra.

Et, ayant peut-être lu quelque chose sur son visage, elle ajouta :

— Enfin, il est toujours possible que certaines personnes…

— Il y a une bonne chance qu'elle s'en soit sortie, dit Tunguska.

— Oublions ça, fit Auger.

La dernière chose dont elle avait besoin, c'était de paroles lénifiantes. Elle espérait seulement que Skellsgard avait pu prendre place dans l'un des vaisseaux qui avaient fui au début.

— Maintenant, je vous demande juste une réponse directe : qui est en train de gagner ?

— Si ça ne vous fait rien, dit Tunguska en s'adressant à Cassandra, j'ai vraiment besoin de me concentrer sur la tâche en cours, ou la réponse à cette question risque de ne plaire à aucun de nous. Ravi de vous avoir rencontrés, fit-il avec un hochement de tête en direction de Floyd et d'Auger. J'espère que vous rentrerez chez vous sains et saufs.

Il pencha la tête vers la table et ferma les yeux.

— Je vais répondre à votre question, fit Cassandra. L'issue du conflit n'est pas claire pour le moment. Si c'était une guerre ouverte entre des positions fédérées ou threshers, la victoire appartiendrait sans doute aux forces fédérées, au moins autour de Mars. Mais les modérés se sont rangés au côté des Threshers. Ce qui a pour effet d'égaliser les chances.

— Eh bien, espérons que la situation atteindra une position de blocage, dit Auger.

Floyd, debout à côté d'elle, opina du chef, partageant manifestement son point de vue, mais Cassandra secoua la tête.

— Je crains que ce ne soit un vœu pieux. Les modérés ont déployé tous leurs moyens dans le système intérieur, mais les agresseurs ont encore des forces de réserve. A l'heure où je vous parle, ils sont en approche, sur des trajectoires à haute énergie.

— Mais c'est dingue ! dit Auger. Il se pourrait qu'ils aient la puissance de feu nécessaire pour nous reprendre Mars, et même pour s'emparer de Tanglewood et de tout le système intérieur. Mais les modérés ne les laisseront pas faire sans combattre, et ils ont encore ce petit problème de Terre brûlée à régler.

— Quel problème de terre brûlée ? demanda Floyd.

— Mon camp a entouré la Terre de bombes, répondit Auger. Une assurance pour empêcher les Slashers d'essayer de nous la reprendre.

— Vous voulez dire que vous préféreriez faire sauter la planète plutôt que de la laisser à quelqu'un d'autre ? !

— En gros, oui.

— Je déteste dire ça, Auger, mais vous êtes tous aussi cinglés les uns que les autres.

— Je parie que vous regrettez de vous être mouillé dans tout ça, hein, Floyd ? Enfin… Cassandra, où sommes-nous au juste, dans ce sordide petit merdier ?

— Quelque part dans les parages de Mars, répondit-elle.

Une nouvelle icône apparut dans l'image, entre Mars et la Terre, toutes les deux situées du même côté du Soleil.

— C'est nous ?

— C'est nous, confirma Cassandra. Nous suivons une trajectoire à haute énergie depuis que nous vous avons tirés de la stratosphère, et il y a un deuxième vaisseau juste derrière nous.

— Une trajectoire à haute énergie ? releva Auger en secouant la tête. On n'a même pas l'impression de bouger…

— Faites-moi confiance, nous nous déplaçons ; nous exécutons même des schémas d'évasion plutôt heurtés.

Ça ne collait pas. Auger avait entendu bien des choses à propos de la technologie avancée des Slashers, mais elle n'avait jamais entendu dire qu'ils avaient mis au point le moyen d'annuler l'accélération. Peut-être avaient-ils encore plus d'avance sur les EUPT que les services de renseignements ne le leur avaient jamais laissé supposer.

— Que savez-vous de ce second vaisseau ? demanda-t-elle.

— Nous pensons qu'il pourrait s'agir de Niagara, ou de l'un des alliés. C'est un appareil de conception fédérée, rescapé de la concentration originale d'éléments agresseurs. Il se peut qu'il réagisse à un signal de Caliskan émis depuis Tanglewood.

— Il faut que nous y arrivions avant lui, dit Auger.

— C'est plus ou moins l'idée, répondit laconiquement Cassandra. Dans des conditions normales, nous y serions en huit heures. Malheureusement, le vaisseau qui nous suit fait tout pour nous mettre des bâtons dans les roues. Ces manœuvres évasives prennent du temps, et fatiguent nos moteurs.

— J'ai peut-être raté un épisode, dit Auger, mais je ne ressens absolument pas ces manœuvres.

— Mmm, dit pensivement Cassandra. Je vais vous montrer quelque chose…

Elle les mena vers l'autre bout de la salle, ouvrit une porte et s'arrêta dans un renflement de parois convexes où elle créa une vitre d'observation.

— Après, je vous montrerai autre chose, qui a à voir avec les dix-huit blessés que nous avons à bord.

Auger s'illumina, pensant à Skellsgard. Peut-être était-elle saine et sauve, tout compte fait.

— Des réfugiés de Phobos ?

— Non, je regrette. Je sais que vous voudriez que je vous donne de bonnes nouvelles de votre amie, et je voudrais vraiment vous faire plaisir, croyez-moi, mais…

La vitre d'observation donnait sur une vaste soute. Cassandra alluma, révélant la forme trapue, épurée, d'un engin spatial de fabrication thresher : le genre d'appareil capable d'écrêter l'atmosphère, d'y rentrer, d'en ressortir et de se poser sur une planète comme Mars ou Titan, ou sur l'une des tours d'atterrissage en altitude de Vénus. Il faisait une vingtaine de mètres de longueur, et tenait tout juste dans la soute. Il était équipé de grosses propulsions massives et avait sous le ventre des capsules qui ressemblaient à des œufs d'insecte. Près du revêtement noir, calorifuge, du nez, sur la carlingue écorchée, Auger distingua un logo représentant un cheval volant, vert.

— Un vaisseau de la Pegasus Intersolar, dit-elle.

— Oui, dit Cassandra. En réalité, c'est l'une des navettes transatmosphériques du *Vingtième-Siècle-SA*, le liner.

L'appareil était arc-bouté sur d'énormes pistons absorbeurs de choc, qui le maintenaient par tous les côtés. Auger le vit basculer d'un côté et de l'autre, comme s'il était soumis à des forces latérales violentes.

— J'ai pris le *Vingtième* jusqu'à Phobos, dit-elle avec un sentiment légèrement nauséeux. Que fait ici l'une de ses navettes ?

— Il a été intercepté par des pirates. Des vaisseaux hostiles l'ont arraisonné hors de portée des forces de la loi du système.

— Des Slashers ?

— Pas forcément, non. D'après les témoins visuels, ils se comportaient comme de vulgaires pirates. Par bonheur, le liner n'était pas plein. La plupart des passagers et de l'équipage ont pu fuir à bord des navettes.

— Et les pirates les ont laissés partir ? demanda Auger, incrédule.

— Ils n'avaient rien à gagner à massacrer tous ceux qui se trouvaient à bord. Il n'y avait pas assez de place pour tout le monde dans les navettes, et certains membres de l'équipage ont préféré rester à bord. On les a laissés s'enfermer dans un compartiment sécurisé avec des vivres et tous les moyens de survie. C'est là qu'on les a retrouvés, quand le *Vingtième* a dérivé à portée de la police thresher.

— Dérivé ? répéta Auger, pensant avoir mal entendu.

— Il avait été éventré, confirma Cassandra. Je devrais même dire éviscéré. Tout son système de propulsion avait été volé.

— C'est dingue !

— Il y a eu tentative de maquillage, afin d'essayer de faire passer ça pour une opération de piratage habituelle, mais personne n'est dupe. Ce qui intéressait les pirates, c'était le cœur de propulsion.

— Mais qui pourrait vouloir le cœur de propulsion d'un vieux rafiot comme le *Vingtième* ? Les Slashers ne demanderaient pas mieux que de vendre un moteur plus efficace à n'importe qui, pourvu qu'ils y mettent le prix.

— C'est bien ce qui me préoccupe, dit Cassandra. L'opération de piratage d'un moteur comme celui du *Vingtième* n'a pas dû être simple. Il a fallu organiser un rendez-vous entre plusieurs vaisseaux, dont un assez gros pour contenir tout le moteur. Ce n'est pas le genre de mécanique qu'on démonte pièce par pièce.

— Ça n'a aucun sens, répondit Auger.

— Il doit bien y en avoir un, pourtant... Sinon, pourquoi voler un moteur à antimatière quand on peut obtenir des propulsions infiniment plus sûres, et tout aussi puissantes ? Le seul usage pratique d'un tel engin serait...

— Une bombe, comprit Auger.

— Pardon ?

— Réfléchissez, Cassandra. Ça ne peut être qu'une bombe. C'est une chose que vos propulsions sont incapables de leur fournir. Vos moteurs ponctionnent l'énergie du vide par petites doses contrôlées. Je le sais, j'ai vu les brochures.

— C'est une technique éprouvée, allégua Cassandra, sur la défensive. La réaction potentielle dans le vide est autolimitée : si la densité d'énergie excède une limite critique, elle se coupe…

— En d'autres termes, c'est très utile pour obtenir des propulsions sûres, mais pas très avantageux en tant que cocktail Molotov.

A côté d'elle, Floyd eut un sourire.

— Je commençais à me dire que j'allais assister à toute la conversation sans y comprendre un seul mot, et voilà que vous avez tout gâché.

— J'avoue que je n'ai pas idée de ce qu'est un cocktail Molotov, dit Cassandra. C'est une sorte d'armement ?

— On peut dire ça, confirma Floyd.

— Je ne comprends pas quand même. Vous voulez dire qu'on aurait pu voler ce moteur à antimatière pour en faire une bombe… Mais quel intérêt ? Un vaisseau assez gros pour le contenir ne pourrait jamais s'approcher assez près d'une planète ou d'un habitat pour y provoquer des dégâts sérieux. Il serait intercepté et détruit dans l'espace interplanétaire, à plusieurs secondes-lumière de sa cible. Il suffit de lancer une alerte à l'échelle du système…

— Allez-y, lancez votre alerte, dit Auger, mais je doute que ça change quoi que ce soit. Je pense que vous aurez beaucoup plus de mal à suivre ces vaisseaux que vous ne le pensez. Et de toute façon je ne crois pas qu'ils aient l'intention d'utiliser cette antimatière dans ce système.

— Vous me donnez de plus en plus envie de jeter un coup d'œil dans votre crâne, dit Cassandra d'un ton menaçant. Je pensais que nous avions un accord...

— Parlons plutôt de la seconde chose que vous vouliez nous montrer.

— Il s'agit des rescapés du *Vingtième*. Et, dans une certaine mesure, de vous.

Elle fit disparaître la fenêtre, les conduisit un peu plus loin dans le couloir et ouvrit une autre porte dorée.

La pièce qui se trouvait au-delà était une sorte de dortoir. A l'intérieur, le long de deux murs incurvés, étaient rangés une vingtaine de conteneurs en forme de cercueil. Ils avaient aussi l'allure spongieuse, végétative, des meubles extrudés du sol, dans lequel leur base se fondait. Des radicelles pulpeuses les reliaient entre eux et aux parois.

— C'est là que nous conservons les dix-huit passagers et l'équipage de la navette, dit Cassandra en invitant Auger à se rapprocher de l'une des cosses.

A travers le couvercle arrondi, luisant, veiné comme une feuille, on distinguait vaguement la tête et le haut du corps d'une grande femme à la peau sombre, encastrée dans ce qui ressemblait à une sorte de support matriciel épais, bleu turquoise. Auger pensa reconnaître l'une des passagères qu'elle avait vues à bord du *Vingtième*.

— Elle est malade ? demanda Auger.

— Non, répondit Cassandra. Vous voyez le gel bleuâtre dans lequel elle flotte ? Des nanomachines à l'état pur ; elle en est complètement envahie, jusqu'au niveau cellulaire.

— Qui vous a donné la permission de faire ça ?! s'exclama Auger, outrée. Ces gens sont des Threshers.

La plupart n'auraient jamais accepté qu'on leur injecte des machines !

— Ils n'avaient pas le choix, j'en ai bien peur, répondit Cassandra. C'était ça ou mourir. Il sera toujours temps de parler d'accord par la suite.

— Mourir de quoi ? Vous venez de dire qu'ils n'étaient pas malades !

— C'est le schéma d'évasion, vous comprenez. Nous supportons dix g, ce qui est déjà assez terrifiant, mais nos manœuvres aléatoires ajoutent cent ou deux cents g à cette accélération nominale, ce qui est intolérable pour un organisme non modifié. Sans le secours de ces machines, ils seraient morts.

— Alors, pourquoi ne le sommes-nous pas ? demanda Auger.

— Je vais vous montrer. Je vous ai parlé des dix-huit réfugiés du *Vingtième*, dit Cassandra en les emmenant vers le fond du dortoir, mais si vous comptez, vous constaterez qu'il y a vingt cercueils dans cette salle. Nous ne nous serions pas donné la peine de créer les deux cercueils supplémentaires sans de bonnes raisons…

Elle leur indiqua les deux dernières cosses placées le long du mur du fond.

— Vous êtes dans ces deux-là.

— Attendez…, commença Auger.

— Vous n'avez aucune raison de vous inquiéter, dit Cassandra. Regardez. Vous verrez que vous êtes parfaitement indemnes.

Auger scruta les profondeurs translucides du premier sarcophage. En suspension dans le même gel bleu que celui où reposait la femme gisait la forme endormie de Floyd, les yeux clos, le visage figé dans un masque serein. Elle s'écarta pour le laisser regarder, et jeta un coup d'œil à son propre corps dans l'autre conteneur.

— Pourquoi est-ce que j'ai l'impression que tout tourne au cauchemar ? demanda Floyd.

Auger lui serra la main dans l'espoir de le réconforter un peu. Comme si elle était vraiment rassurée elle-même… Enfin, si troublée qu'elle fût, elle n'imaginait même pas ce que Floyd pouvait ressentir.

— Tout va bien, dit-elle. N'est-ce pas, Cassandra ?

— Je ne voulais pas vous inquiéter, répondit celle-ci. Sachant ce que les Threshers pensent de nos machines…

— Elle dit la vérité, Floyd. Nous sommes sur un vaisseau spatial, et on nous a sauvé la vie. Je suis à peu près sûre de ça, au moins. Mais nous ne nous sommes pas encore réveillés.

— Je me sens assez réveillé pour un gars qui dort…

— Vous êtes pleinement conscient, dit-elle. Mais ce sont des machines qui font croire à votre cerveau que vous vous déplacez. Tout ce que vous voyez ou sentez est faux. En réalité, vous êtes dans ce caisson.

— C'est la seule façon de vous maintenir en vie, dit Cassandra, manifestement soucieuse. L'accélération nous aurait tous tués, à présent.

— Alors vous êtes… ? commença Floyd, ne sachant pas très bien comment formuler sa question.

— Dans un autre conteneur, comme tous mes collègues, dans un endroit ou un autre du vaisseau. Je regrette d'avoir dû vous faire ce pieux mensonge, mais à part ça tout ce que je vous ai dit était vrai.

— *Tout ?* insista Auger.

Cassandra dégagea une portion du mur et créa une grille en trois dimensions où elle plaça la forme minuscule de leur vaisseau. Sa coque élancée, flexible, louvoyait en s'infléchissant et en se déformant à chaque changement de direction.

— C'est notre trajectoire en temps réel, dit-elle. Vous en avez eu un indice quand je vous ai montré la navette captive. J'aurais pu retravailler l'image – ça n'aurait pas été difficile –, mais j'ai préféré m'abstenir. Vous vous en seriez rendu compte, tôt ou tard.

— Nous allons vraiment bien ? demanda Auger.

— Absolument, répondit Cassandra, bien que les processus de guérison soient encore en cours. Le temps que nous arrivions à Tanglewood, vous serez tous les deux en parfaite santé.

— *Si* nous arrivons, rectifia Auger.

— Restons optimistes, d'accord ? répondit Cassandra avec un sourire. D'après mon expérience, il n'y a pas de raison de s'inquiéter de ce qu'on ne peut changer.

— Même de la mort ?

— Surtout de la mort.

33

Auger dégustait une orange, Floyd picorant une grappe de raisin à côté d'elle, quand Cassandra apparut à travers un rideau qui ondoyait dans une brise imaginaire.

La Slasher fit apparaître une chaise de nulle part et s'assit.

— Comment vous sentez-vous ?

— C'est le meilleur fruit que j'aie jamais mangé, ronronna Auger.

— Le meilleur fruit que vous n'avez jamais mangé, rectifia Cassandra avec un sourire amusé. Soit dit en passant, ce n'est pas du jeu : comment de vrais mets pourraient-ils rivaliser avec la stimulation directe du centre du goût ?

Ce rappel du fait que l'orange n'était que le fruit de son imagination coupa à Auger le peu d'appétit qui lui restait.

— C'est comme ça tous les jours, pour vous ? demanda-t-elle.

— Plus ou moins.

— Je suppose qu'on finit par s'y habituer. Pouvoir ressentir tout ce qu'on veut, quand et où on veut...

— Ça peut paraître alléchant, répondit Cassandra. Mais c'est comme si un enfant pouvait manger tous les bonbons qu'il voulait. En réalité, on apprend à vivre avec ce qu'on a, et au bout d'un moment l'attrait de la nouveauté finit par s'émousser. Les machines de mon environnement peuvent restructurer n'importe quelle pièce – n'importe quel espace – en fonction de mes besoins immédiats. Si les machines ne peuvent pas réagir assez rapidement, ou s'il y a un conflit avec les desiderata de quelqu'un d'autre, je peux ordonner aux machines que j'ai dans la tête de parvenir au même résultat en manipulant mes perceptions. Si un souvenir me perturbe, je peux l'éradiquer, l'enfouir, ou le programmer à n'émerger que s'il est utile que je me rappelle mes erreurs. S'il y a une émotion que je trouve déplaisante, je peux la déconnecter ou l'amoindrir.

— Comme l'angoisse de l'avenir ?

— L'angoisse est un outil utile : elle nous oblige à faire des projets. Mais quand un excès d'angoisse nous pétrifie, il faut la réprimer. C'est une question d'équilibre, vous comprenez. Tout ça peut vous paraître miraculeux, mais pour moi ça fait simplement partie de la texture de ma vie.

Cassandra s'appuya à son dossier, faisant craquer le bois, tendit la main vers un compotier posé sur une table, prit une pomme et mordit dedans. Floyd repoussa son assiette.

— Pour moi, ça ressemble au paradis. Tout peut arriver, ou au moins vous pouvez faire en sorte de croire que vous y êtes. Et vous vivez éternellement.

— Le peuple de Cassandra n'a pas de passé, dit Auger. Nous n'en avons pas beaucoup, mais le peu que nous avons est sacro-saint.

— Je ne suis pas sûr de vous suivre, dit Floyd.

— Tous les êtres actuellement vivants sont les descendants de gens qui, lors du Nanocauste, vivaient dans l'espace, expliqua Auger. Personne, à la surface de la planète, n'en a réchappé, de sorte que nous sommes tous issus de gens qui avaient commencé à coloniser le système solaire. N'est-ce pas, Cassandra ?

— C'est assez vrai.

— Mais le voyage dans l'espace était difficile, à ce moment-là. Il fallait justifier chaque gramme, discuter, légitimer le transport du moindre gramme supplémentaire. On n'emportait pas de livres quand on pouvait se contenter de textes scannés, préservés dans des mémoires numériques. On n'emportait pas de films ou de photos alors qu'il était si facile de les digitaliser. On n'emportait même pas d'animaux ou de fleurs, l'idée était qu'on se débrouillerait avec des transcriptions de leur ADN.

— Idem pour nos ancêtres, ajouta Cassandra. La seule différence, c'était que le peuple d'Auger – les ancêtres des EUPT – considérait le digital avec un peu moins d'enthousiasme que nous. Leur circonspection était justifiée, ainsi que les événements l'ont prouvé.

— Nous avons emporté dans l'espace des artefacts concrets, palpables, dit Auger. Quelques livres, des photos. Même quelques animaux. A quel prix ! Mais nous sentions que la conservation de toutes ces connaissances sous forme digitale nous rendait vulnérables. Après le Nanocauste, quand nous avons vu les machines débloquer à cette échelle cataclysmique, nous nous sommes embarqués dans un programme express de conversion du maximum d'informations enregistrées électroniquement en un format analogue, concret. Nous avons fabriqué des presses pour imprimer des livres. Nous avons gravé des images digitales sur des plaques chimiques. Nous avons fait fabriquer du papier par des usines aussi vite que nos imprimantes pouvaient l'avaler. Nous avions même des armées de scribes qui recopiaient des textes à la main, sur du papier, au cas où les imprimantes tomberaient en panne avant que le travail soit achevé. Nous avons fait tout ce qui était en notre pouvoir – tout ce à quoi nous avons pu penser – pour réaliser des copies que nous pouvions toucher et sentir, comme au bon vieux temps. Et ça a presque marché. Seulement, nous avons manqué de temps.

— On appelle ça l'Oubli, dit Cassandra. Il s'est produit une cinquantaine d'années après le Nanocauste. Nos sociétés respectives avaient retrouvé une certaine stabilité, elles étaient redevenues relativement autosuffisantes, après la mort de la Terre. Personne ne sait encore vraiment à ce jour ce qui l'a provoqué. On parle parfois de sabotage, mais je crois plutôt à un accident. Ce n'était qu'un de ces événements qui n'attendent que l'occasion de se produire.

— Les enregistrements digitaux se sont effacés, dit Auger. En l'espace d'une nuit, une sorte de virus, ou de ver, s'est répandu dans toutes les archives liées au système. Les textes se sont changés en un magma incompréhensible. Les images, les films, la musique même se sont brouillés, réduits à l'incohérence.

— Certaines archives ont survécu, reprit Cassandra. Mais après l'Oubli nous ne pouvions pas être sûrs de leur fiabilité.

— Nous avons presque tout perdu, dit Auger. Il ne nous restait plus que des bribes du passé. Autant essayer de reconstituer l'intégralité de la connaissance humaine à partir de quelques livres récupérés dans une librairie en flammes...

— Et les institutions ? demanda Floyd. Elles ne gardaient pas les originaux de tout ce matériel ?

— Elles s'étaient ingéniées, depuis des années, à réduire leurs collections en purée, répondit Auger. Elles s'étaient empressées de les détruire à partir du moment où tout ce volume encombrant avait pu être ramené à une microfiche, un disque optique, un fichier dans une mémoire flash, ou ce qu'on présentait, à l'époque, comme le moyen d'entreposage ultime.

— Le son parfait, pour toujours et à jamais ! déclama Cassandra, comme si elle récitait un slogan publicitaire. Enfin, vous voyez l'idée. Dommage que ça n'ait pas marché... Vous voyez maintenant pourquoi nous avons suivi deux chemins divergents. Les Threshers croient qu'il faut empêcher l'Oubli de se reproduire un jour. Et pour ça ils refusent jusqu'aux technologies qui pourraient leur offrir l'immortalité.

— Personne n'est immortel, rectifia sèchement Auger. On n'est immortel que jusqu'au Nanocauste suivant, ou l'Oubli d'après, ou jusqu'à ce que le Soleil implose. Et ceux qui n'aiment pas la vie sous la règle de fer du Comité Threshold peuvent toujours déserter pour les Etats fédérés.

— Ça, c'est vrai, dit Cassandra. Alors que nous, les Slashers, nous avons décidé de ne pas nous soucier du passé. Nous l'avons déjà perdu une fois, à quoi bon craindre de le perdre à nouveau ? Nous vivons dans l'instant.

Elle tendit la main et modifia radicalement la pièce. Les murs blancs reculèrent et ils se retrouvèrent dans un espace de la taille d'une cathédrale, puis d'un gratte-ciel. Le volume continua son expansion, jusqu'à ce que les murs soient à des kilomètres ou des dizaines de kilomètres d'eux. Le plafond se rua à l'assaut du ciel, se teinta en bleu, une couche de nuages apparut en dessous. La fenêtre ouverte de la pièce donnait maintenant sur une nuit étoilée.

C'était une démonstration magistrale, mais Cassandra n'avait pas fini. Elle plissa les paupières et les parois éloignées papillotèrent, s'emplirent d'immenses détails sculpturaux : des colonnes effilées et des caryatides aussi grandes que des montagnes, des arcs-boutants et des arches, dressés sur des abîmes insensés d'espace vide. Elle ouvrit des vitraux dans les parois, les fit traverser par un spectre lumineux comme Auger n'en avait jamais imaginé. Cassandra avait dû faire subir au cerveau d'Auger une mutation fondamentale qui modifiait son câblage perceptif même. Non seulement elle voyait des couleurs d'une beauté poignante, jusqu'alors inconnues d'elle, mais encore elle pouvait les entendre, les sentir.

Elle n'avait jamais rien vu de si beau, de si triste, de si merveilleux.

— Arrêtez, je vous en prie, dit-elle, bouleversée.

Cassandra ramena la salle à ses dimensions primitives.

— Pardon, dit-elle, mais il m'a semblé qu'une démonstration s'imposait pour illustrer ce que je veux dire par « vivre dans l'instant ». C'est le genre d'instants dont je voulais parler.

— Juste une question, intervint Floyd. Si vous pouvez faire ça, si vous pouvez avoir tout ce que vous voulez, où et quand vous voulez… Alors, pourquoi certains d'entre vous tiennent-ils tellement à mettre la main sur la Terre ?

— Ça, c'est une sacrée question, dit Cassandra.

— Eh bien, répondez-y, insista Auger.

— Nous voulons la Terre parce que c'est la seule chose que nous ne pouvons pas avoir, répondit Cassandra. Et ça, pour certains d'entre nous, c'est insupportable.

Cassandra était là lorsque le couvercle veiné du sarcophage s'éclipsa.

— Eh bien, Auger ? La réintégration n'a pas été trop pénible ?

— Je survivrai. Vous pouvez m'aider à sortir de ce truc-là ?

— Mais bien sûr.

Un autre Slasher aidait Floyd à sortir de son sarcophage. Auger regarda autour d'elle, les yeux larmoyants, pendant que les dernières gouttes de fluide bleu formaient de gros grumeaux et réintégraient le caisson ouvert.

— Venez, dit Cassandra. On vous attend au briefing. Nous sommes très près de la Terre.

Ils regagnèrent la salle tactique, qui était telle que dans les souvenirs d'Auger, en dehors de l'absence des autres Slashers.

— Ils sont toujours dans leur caisson d'accélération, expliqua Cassandra. Si la situation nous amène à faire des manœuvres brusques, ils seront mieux à même de les gérer.

— Niagara nous pourchasse toujours ?

— Niagara – ou celui qui était dans ce vaisseau – n'est plus un problème. Il a rencontré un de nos missiles juste avant que nous arrivions au cordon extérieur de défense de Tanglewood.

— Quoi ? Il est mort ?

— Quelqu'un est mort. Maintenant, est-ce Niagara ou non ? Si ce n'est pas lui, nous le retrouverons tôt ou tard.

— Ça vaudrait mieux.

— Peut-être que je pourrais vous aider davantage si vous me disiez pourquoi il était tellement important que vous repreniez contact avec Caliskan.

— Je vous ai dit tout ce que vous aviez besoin de savoir, répondit fermement Auger.

— Vous ne m'avez raconté que la moitié de l'histoire.

— Et je ne vous fais pas encore tout à fait assez confiance pour vous raconter le reste. Peut-être, quand j'aurai parlé à Caliskan... Vous êtes assez près pour lui envoyer un message par faisceau étroit ?

— Il y aura toujours un léger risque d'interception... Mais oui, nous sommes assez près, maintenant.

D'un geste élégant – qu'Auger soupçonna d'être aussi théâtral que le reste – Cassandra transforma une partie du mur en écran plat. Pendant un moment il resta vierge, attendant de s'animer.

— Vous pouvez parler, annonça-t-elle à Auger.

— Caliskan, commença-t-elle. Ici Verity Auger. Je crois que vous vouliez avoir de mes nouvelles. Je suis saine et sauve, à une demi-seconde-lumière de Tanglewood, mais je suis à bord d'un vaisseau slasher, alors il va falloir que vous tiriez quelques ficelles pour que je puisse me rapprocher sans que l'enfer se déchaîne.

Une seconde ou deux plus tard, le panneau s'illumina et fut parcouru de bandes de couleurs primaires, qui s'organisèrent rapidement pour former une image pixellisée vacillante, à faible résolution, d'un homme aux cheveux blancs. Des reflets jouaient sur ses lunettes.

— C'est Caliskan ? demanda Floyd.

— L'homme qui m'a envoyée à Paris, et le seul qui ait une chance de mettre de l'ordre dans ce merdier, répondit Auger.

— C'est marrant, son visage me dit quelque chose… J'ai l'impression de le connaître, dit Floyd en regardant l'image plus attentivement.

— Impossible, répondit Auger. Vous n'avez pas pu le rencontrer.

Floyd porta ses doigts à un képi imaginaire en un salut ironique.

— Si vous le dites, chef.

— Auger… Vous êtes vivante. Vous ne pouvez pas imaginer le plaisir que ça me fait. Transmettez mes remerciements à Cassandra, je vous en prie. Je n'osais imaginer que vous sortiriez vivante de la catastrophe de Phobos.

— Nous y sommes arrivés, monsieur. Nous en sommes sortis.

Elle attendit la réponse. Le délai d'une seconde était juste assez long pour imposer une certaine rigueur à la conversation, comme s'ils parlaient une langue dans laquelle ils n'étaient à l'aise ni l'un ni l'autre.

— « Nous » ? Comment ça, Auger ? Skellsgard m'a pourtant dit que les bébés de guerre avaient tué Aveling et Barton avant que vous l'aidiez à s'échapper.

— C'est vrai, monsieur. Je suis avec un homme appelé Floyd, qui est originaire de T2.

Derrière Caliskan, elle distinguait les angles, les espars et les instruments caractéristiques d'une cabine de vaisseau spatial : un vaisseau thresher moderne, mais un peu moins avancé que le bâtiment slasher où elle avait repris connaissance.

— Pour une nouvelle…, commença-t-il.

— J'ai beaucoup de choses à vous dire, coupa Auger. Vous pourriez nous ménager une approche avec les autorités de Tanglewood ?

— Vous n'êtes pas au courant, Auger ? Il n'y a plus d'autorités. L'administration de Tanglewood a disparu dans la nature. J'ai eu le plus grand mal à échapper aux pirates et aux pillards, et pourtant j'ai une navette rapide.

— Mes enfants sont à Tanglewood…

— Non, dit-il. Peter les a emmenés il y a quelques jours déjà. Nous avons compris, juste après le retour de Skellsgard, que le pire n'allait pas tarder. Vos enfants sont en sécurité.

— Où sont-ils ?

— Peter a cru préférable de ne le dire à personne. Il a dit qu'il prendrait contact avec vous dès que la situation se serait un peu tassée.

Auger ferma les yeux et éleva silencieusement une petite prière d'action de grâces.

— Monsieur, reprit-elle, j'ai des nouvelles importantes. Il faut vraiment que je vous parle. Je sais ce que Susan White avait découvert, et c'est énorme. Il faudra agir d'urgence, faire appeler tous vos contacts à l'aide avant qu'il ne soit trop tard.

— Tout va bien, dit Caliskan. Nous avons reconstitué la plupart des détails grâce à Skellsgard. C'était remarquablement courageux de votre part de la renvoyer comme vous l'avez fait.

— Elle va bien ?

— Oui, elle va bien. Elle est saine et sauve.

Encore une dette à inscrire au tableau : ses enfants étaient en sécurité, et sa petite pote bougonne de Phobos aussi.

— J'ai besoin de vous voir, insista-t-elle. Pouvez-vous suggérer un point de rencontre convenable ?

— J'ai déjà une idée en tête. Un endroit où les pirates et les pillards n'oseront pas nous suivre. Je soupçonne même les Slashers d'hésiter à le faire.

Elle sut aussitôt de quoi il parlait, et elle en eut la chair de poule.

— Vous plaisantez, Caliskan…

— Oh, pas du tout ! Le vaisseau dans lequel vous vous trouvez a-t-il des capacités transatmosphériques ?

— Eh bien ? fit-elle en se tournant vers Cassandra.

— Nous sommes parés de ce côté-là. Mais aller sur Terre… commença Cassandra, qui avait elle aussi, apparemment, compris où Caliskan voulait en venir. Ce n'est pas un simple problème de rentrée dans l'atmosphère. Un vaisseau thresher pourrait être assez résistant pour que les furies ne constituent pas un problème immédiat, mais nous sommes… vulnérables.

— Je pensais que les Slashers avaient trouvé la parade contre les furies, maintenant. N'est-ce pas pour ça que vous avez tellement hâte de faire main basse sur la Terre ?

— Des contre-mesures, pour l'heure expérimentales, répondit Cassandra. Et dont j'ai le regret de vous informer que ce vaisseau n'est pas équipé.

Auger se retourna vers Caliskan.

— Impossible. Elle dit que le vaisseau n'est pas équipé pour repousser les furies. Il va falloir que nous trouvions un autre point de rendez-vous…

— Dites-lui de ne pas s'en faire, la coupa Caliskan. J'ai les données en temps réel des stations de monitoring des Antiquités. Le taux de furies près du lieu de rendez-vous que je vous propose est faible. Nos ennemis n'ont pas ces informations, et c'est pour ça qu'ils ne sont pas pressés d'y aller.

— Ça vous paraît raisonnable ? demanda Auger en se tournant vers Cassandra.

— Il parle d'un taux faible, pas nul, releva celle-ci. Je ne peux pas prendre le risque de faire entrer le vaisseau dans l'atmosphère, surtout avec dix-huit rescapés à bord.

— C'est très important…

— Dans ce cas, dit Cassandra, nous devons envisager un moyen de transport alternatif.

— Vous voulez parler de la navette du *Vingtième* ?

— Il ne reste pas beaucoup de fuel à bord, mais elle devrait être encore capable de faire l'aller et retour.

— Elle peut se piloter toute seule ?

— Pas la peine, dit Cassandra. Je pourrai m'en charger.

— Nous vous suivrons, répondit Auger en se tournant vers l'écran, mais il nous faudra quelques minutes pour coordonner la manœuvre. Ne prenez pas trop d'avance.

— Faites au mieux, dit Caliskan. Et si vous avez rapporté des documents de Paris, ce serait peut-être le moment de me les remettre. Compte tenu de ce qui est arrivé autour de Mars, il se pourrait que ce soit la dernière livraison que nous verrons jamais.

— Il n'y a pas grand-chose, dit Auger. Juste quelques cartons que le cyberserpent a déposés à bord de la capsule avant de saboter le lien.

— Vous travaillez encore pour les Antiquités. Apportez tout ce que vous avez. Et puis suivez ma trajectoire avec précision, si baroque qu'elle vous paraisse.

— Où nous emmenez-vous, monsieur ?

— Dîner quelque part, répondit Caliskan. Avec le fantôme de Maupassant. Espérons qu'il ne nous en voudra pas de notre intrusion.

34

Ils entrèrent dans l'atmosphère. La réinsertion fut plus mouvementée qu'Auger ne s'y attendait. Le coefficient aérodynamique du vaisseau slasher avait été sévèrement compromis. D'après Cassandra, il avait perdu trente pour cent de sa masse au cours de la poursuite, larguant des fragments de sa carcasse à titre de leurres pendant que la section principale effectuait des virages en épingle à cheveux, des embardées et des écarts de plus en plus désespérés.

— Caliskan a réussi à passer ? demanda Auger.

— Nous suivons toujours son vaisseau. Il est à une vingtaine de kilomètres devant nous, et il décélère. Il a l'air de se diriger à vitesse supersonique vers le nord de l'Europe, et plus précisément…

— Paris, dit Auger. Ça ne peut être que Paris.

— Vous avez l'air bien sûre de vous.

— Je le suis.

— Qu'est-ce que c'est que cette histoire de dîner avec Maupassant ? Un de vos collègues ?

— Pas exactement, dit Auger. Vous allez voir…

— Vous me permettez de mettre mon grain de sel ? demanda Floyd.

— Allez-y.

— Je vous ai dit que le visage de ce Caliskan m'était familier… Eh bien, c'est vrai. J'ai déjà eu affaire à lui. Et je crois que je sais où.

— Vous n'avez pas pu le rencontrer. Il a toujours été dans l'espace de T1. Il n'aurait jamais pu passer par le portail sans que ça se sache.

Cassandra se pencha en avant sur son siège.

— Peut-être que nous devrions écouter Floyd. Il se pourrait que ce soit intéressant, s'il est tellement certain de ce qu'il dit.

— Ne l'encouragez pas… commença Auger.

— Mais si Caliskan avait connaissance du lien avec Phobos, ne serait-il pas envisageable qu'il l'ait emprunté ?

— Non, dit-elle fermement. Skellsgard me l'aurait dit…

— A moins qu'elle n'ait eu l'ordre exprès de ne pas vous en parler, risqua Cassandra.

— J'ai confiance en elle.

— Elle ne savait peut-être pas non plus ce qui se tramait.

— Si c'est vrai, alors nous ne sommes même pas sûrs de pouvoir encore faire confiance à Caliskan. Et dans ce cas à qui peut-on se fier ?

— Je mise encore sur lui, répondit Cassandra. Mes informateurs ne m'ont jamais laissée penser qu'il pouvait avoir des motivations cachées.

— Ils se trompent peut-être.

— Ou bien c'est Floyd qui se trompe, dit Cassandra en consultant un instant ses nanomachines. Il y a une autre explication possible…

— Laquelle ? demanda Auger.

— D'après la fiche biographique que nous avons sur Caliskan, il avait un frère.

— Oui…, dit lentement Auger. Il m'en a parlé.

— A quel propos ?

— Caliskan savait que j'avais une dent contre les Slashers, mais il disait que si quelqu'un avait le droit de leur en vouloir, c'était bien lui, à cause de ce qui était arrivé à son frère…

— D'après sa fiche biographique, reprit Cassandra, son frère est mort lors des dernières étapes de la réoccupation de Phobos, quand nous en avons évacué les Slashers.

— C'est ça, confirma Auger. C'est ce qu'il m'a dit.

— Peut-être qu'il le croyait aussi. Mais… imaginez que son frère ne soit pas mort ?

— Ça pourrait être ça, intervint Floyd. Vous savez que le lien était ouvert juste avant la réoccupation. C'est la seule façon dont ces enfants ont pu passer.

— Mais le frère de Caliskan ne se battait pas du côté slasher, objecta Auger.

— Peut-être qu'ils l'ont eu, risqua Floyd. Peut-être qu'ils l'ont capturé et exécuté plus tard. Peut-être qu'il s'était faufilé à travers en même temps.

— Et vous seriez tombé sur lui par hasard, sur T2 ? !

— Je vous dis juste ce que j'ai vu.

— Vous ne m'avez pas parlé de ces enfants, dit Cassandra.

— Ce n'étaient pas des enfants, rectifia Floyd. Ils étaient comme vous… Enfin, en plus moche, ajouta-t-il après réflexion.

Auger poussa un soupir. Maintenant que Floyd avait vendu la mèche, Cassandra ne leur laisserait pas de répit tant qu'ils ne lui auraient pas fourni une explication.

— L'Infanterie néotène. Des bébés de guerre. Ils ont dû ouvrir le lien avec l'OVA au cours de l'occupation de Phobos, il y a vingt-trois ans.

— Et ils seraient restés là-bas depuis ? !

— Ils ne sont pas particulièrement agréables à regarder, maintenant.

— Et pour cause : ils devraient déjà être morts, dit Cassandra. Ces néotènes de première ligne n'avaient jamais été conçus pour la longévité. Les survivants doivent être proches de la fin de leur vie.

— Ils en ont bien l'air. Et l'odeur, ajouta Auger avec dégoût.

— Et si vous me disiez plutôt ce qu'ils fabriquaient là-bas ? Comme je disais, si vous ne voulez pas parler, je peux toujours vous pomper le cerveau. Je préférerais ne pas y être obligée, mais…

— Je n'ai que des hypothèses, dit Auger. Ils fabriquaient je ne sais quoi, une sorte de machine – un capteur d'ondes gravifiques, je crois – pour déterminer la localisation physique de l'OVA. Mais pour construire leur engin ils devaient faire avec la technologie locale.

Cassandra rumina l'information et hocha sèchement la tête.

— Et le but de ces données, une fois qu'ils les auront ?

— Leur permettre d'atteindre la coque de l'extérieur.

Le vaisseau tangua, heurtant une turbulence. Le sol frémit, comme s'il allait s'extruder autour d'eux et les entourer en une étreinte protectrice.

— Qu'est-ce qu'ils veulent faire avec l'OVA ? demanda Cassandra en fronçant les sourcils.

— Le dépeupler. Ensemencer l'atmosphère de la réplique de Terre avec la Pluie d'Argent.

— C'est monstrueux.

— Comme tous les génocides. Surtout à cette échelle.

— D'accord, poursuivit Cassandra, les sourcils froncés, en assimilant la nouvelle information. Et pourquoi ne pas livrer la Pluie d'Argent par le lien proprement dit ?

— Impossible. Il y a une barrière qui l'empêcherait d'entrer dans le monde de Floyd. Le seul moyen est de passer par la porte de derrière.

— Ça ne règle pas le problème de la traversée de la coque, fit Cassandra. Ah, attendez une minute : nous avons déjà réglé ça, non ?

— Le vol de la propulsion à antimatière du *Vingtième*, acquiesça Auger.

— C'est leur… comment avez-vous appelé ça ? Leur truc Molotov ?

— On dirait bien, oui.

— Les néotènes n'auraient jamais pu assembler ça tout seuls, dit Cassandra. Ils ont de la ressource, ils sont malins, mais ils n'ont jamais été conçus pour imaginer des stratégies, surtout pas sur vingt-trois ans. Ils n'ont pas pu fomenter ce plan tout seuls.

— On sait, maintenant, pour Niagara.

— Mais Niagara ne pouvait pas communiquer facilement avec les néotènes. Ces pseudo-enfants avaient besoin d'être dirigés et coordonnés, besoin qu'on leur donne des ordres. Des Slashers dans la phase adulte, peut-être, suggéra Cassandra.

— Non, objecta Auger. Pas à moins qu'ils n'aient été prêts à vivre sans leurs machines. Ce qui convenait aux bébés de guerre : ils sont purement biologiques, sans implants. Mais quelqu'un comme vous, avec toute la nanotechnologie que vous avez dans le ventre, n'aurait jamais pu les suivre à travers la censure.

— Alors, un être humain normal, comme le frère de Caliskan…

— Possible, s'il avait décidé de changer de camp.

— Et il n'était peut-être pas tout seul, reprit Cassandra. Beaucoup de gens sont morts ou ont disparu pendant la réoccupation.

— Ils pourraient être encore tous vivants, dit Auger. Vivants, dans l'OVA, et tripatouillant le cours de l'histoire.

— Mais pourquoi s'en mêleraient-ils ? demanda Cassandra.

— Pour maintenir le statu quo. Pour empêcher le peuple de Floyd de mettre au point la technologie et la science qui auraient pu en faire une menace pour leur plan grandiose, dès qu'ils auraient réalisé leur véritable situation.

— Avec le temps et une accumulation de changements aléatoires, les deux lignes temporelles auraient inévitablement fini par diverger, dit Cassandra. Comment pouvez-vous être sûre qu'il y a eu une intervention consciente ?

— Parce que c'est beaucoup trop délibéré. Dans la ligne temporelle de Floyd, il n'y a jamais eu de Seconde Guerre mondiale. Celui ou ceux qui ont pris le lien il y a vingt-trois ans en savaient juste assez sur le cours des événements en 1940 pour les changer. Ils n'avaient qu'à transmettre les bons renseignements à ceux qu'il fallait. Le point crucial était l'invasion allemande dans les Ardennes. Elle a bien failli échouer dans notre ligne temporelle, mais les Alliés n'ont jamais su à quel point les forces d'assaut étaient vulnérables. Personne n'a agi. Alors que dans la ligne temporelle de Floyd ils l'ont fait. Ils ont envoyé des bombardiers pilonner ces tanks. L'invasion allemande de la France a fait un gros bide.

— Et il n'y a jamais eu de deuxième guerre globale. Je suppose que, grâce à ça, des millions de vies ont été épargnées.

— Au minimum.

— Ça en fait plutôt une bonne chose, non ?

— Non, répondit Auger. Parce que ces vies n'ont été sauvées que pour permettre d'anéantir aujourd'hui plusieurs milliards d'individus. Ce n'était qu'une intervention purement technique. L'enjeu n'était pas la préservation de millions de vies. Le but était de garder ces gens dans le noir.

— Alors un crime a vraiment été commis. Les pseudo-enfants seront bientôt morts. Mais leur chef ou leurs chefs au pluriel, doivent être identifiés et traînés devant la justice.

— Encore une raison de chercher l'OVA, dit Auger. Il faut le trouver avant qu'un crime n'en devienne un autre.

— Les alliés de Niagara doivent vraiment être sur le point d'agir, dit Cassandra. Ils n'auraient pas piraté le *Vingtième* à moins d'être prêts à attaquer l'OVA. C'est très grave.

— C'est vous qui le dites, fillette, commenta Floyd.

— Plus j'y pense, dit Cassandra, plus je me demande si toute l'attaque contre Tanglewood et la Terre n'était pas une manœuvre de diversion. Ils n'ont jamais vraiment eu l'intention de récupérer notre Terre en ruine, hein ? Ils visaient un butin beaucoup plus gros.

— Nous devons mettre fin à leurs agissements, dit Auger.

— D'accord, dit Cassandra. Mais vous croyez que Caliskan nous aidera ? Vous pensez même qu'on peut lui faire confiance, si son frère est bel et bien un traître ?

— Il croit son frère mort, dit Auger. Et moi je suis encline à le croire, lui. De toute façon, nous n'avons pas le choix ; nous sommes condamnés à lui faire confiance. Il a des contacts et même des alliés dans les Etats fédérés.

— Moi aussi, dit Cassandra.

— Mais Caliskan a une certaine influence politique. Il pourrait au moins dévoiler le plan slasher, et peut-être leur mettre le nez dedans, les empêchant d'agir.

— Ça pourrait être un piège dit Floyd.

— J'essaie désespérément de ne pas réfléchir à cette possibilité, répondit Auger.

Le visage de Cassandra devint atone pendant que les nanomachines la gavaient d'informations concernant l'approche de Paris.

— Piège ou non, nous sommes en plein dans la couche de nuages, maintenant. Nous ralentissons à vitesse subsonique. Je n'ai pas envie de descendre davantage avec ce vaisseau. La densité de particules est déjà trop élevée à mon goût.

— Si on envisageait de faire reprendre du service à la navette du *Vingtième* ?

— C'est le moment ou jamais, acquiesça Cassandra. Suivez-moi.

Ils crevèrent une couverture de nuages grondants, noirs comme du charbon, sillonnés par des salves léthargiques d'éclairs rosâtres.

— Vous suivez toujours Caliskan ? demanda Auger.

— Tant bien que mal, répondit Cassandra en se détournant brièvement de l'antique console de pilotage. Vous avez réussi à trouver qui était le Maupassant dont il parlait ?

— Oui, répondit Auger. Je crois savoir de qui il parlait. Peu importe si nous perdons sa trace, nous arriverions quand même au lieu de rendez-vous.

— Il n'aurait pas pu vous dire tout simplement où vous poser ? demanda Floyd.

— Caliskan aime ce genre de petits jeux, lâcha Auger dans une grimace.

Autour d'eux, la coque craquait et grinçait comme un vieux fauteuil à bascule.

— La densité des nuages diminue, annonça Cassandra. Je crois que le pire est derrière nous.

Par les parois vitrées de la cabine, le gris prit un aspect liquide, torrentueux, qui évoquait une vitesse énorme. Le vaisseau traversa encore deux ou trois écharpes de nuages diffus avant d'entrer dans l'air cristallin au-dessus de la cité. C'était une vraie nuit parisienne, noire comme de la poix. Les seules sources d'éclairage étaient les lumières artificielles installées par les Antiquités sur les bâtiments et les tours, ou projetées par les dirigeables en altitude et les drones. De temps en temps, les éclairs qui déchiraient les nuages mettaient en évidence les circuits grâce auxquels les nuages communiquaient, gravant un fantôme en négatif de ces schémas sur les rues et les bâtiments prisonniers des glaces.

Ils étaient à une altitude de cinq kilomètres environ, ce qui leur offrait une vision panoramique de la cité jusqu'aux douves artificielles constituées par le Périphérique.

— Je ne suis pas sûre que ça vous plaise, dit Auger à Floyd, mais bienvenue à Paris.

Floyd regardait par les petites vitres incrustées dans le ventre de l'habitacle.

— Vous disiez donc la vérité depuis le début, fit-il comme s'il luttait pour digérer l'énormité de cette révélation.

— Vous aviez encore des doutes ?

— Des espoirs.

Elle attira son attention vers les tours qui défendaient le périmètre. Des projecteurs fixés en haut lançaient des éclairs rythmiques rouges et verts.

— C'est le Périphérique, dit-elle. Un anneau routier qui fait le tour de la ville. Ça n'existe pas dans votre Paris.

— Et le mur ? C'est quoi ?

— Une falaise de glace blindée, renforcée de métal et de béton, de capteurs et d'armes, afin de maintenir à l'écart les plus grosses furies, celles qui sont d'une taille suffisante pour qu'on les voie. Il y en a quand même qui réussissent à passer de temps en temps. Elles sont rapides.

Le problème de Paris était le réseau en toile d'araignée du métro et des tunnels routiers qui offraient de nombreuses voies d'accès depuis la périphérie. La moitié de ces tunnels étaient bloqués par des éboulements, mais les machines hostiles trouvaient toujours un moyen de se faufiler, ou bien elles empruntaient le réseau de canalisations et d'égouts, plus ancien. Quant aux plus petites, elles s'insinuaient par les galeries électriques, les lignes de fibre optique et les tuyaux de gaz. Si nécessaire, elles pouvaient même forer de nouveaux tunnels. On aurait pu les stopper, voire les détruire, mais au prix de dégâts inacceptables infligés à une ville que les chercheurs s'efforçaient de préserver et d'étudier.

— Je ne reconnais pas grand-chose, dit Floyd.

— La ville a été prise par les glaces plus de cent ans après votre époque, commenta Auger. Enfin, il y a malgré tout des points de repère bien reconnaissables. L'exercice consiste à apprendre à regarder sous la glace.

— J'ai l'impression de contempler le visage d'un ami sous un linceul...

— Ça, c'est la boucle de la Seine, dit Auger en tendant le doigt. Le Pont-Neuf. Notre-Dame et l'île de la Cité. Vous les reconnaissez, maintenant ?

— Oui, dit Floyd avec une tristesse qui lui fendit le cœur. Oui, je les vois, maintenant.

— Ne nous détestez pas trop pour ce que nous avons fait, dit-elle. Nous avons fait ce que nous pouvions.

Au-dessus d'eux, les nuages bouillonnaient, comme animés d'une intelligence étrange, inconsciente. Le vaisseau tanguait et se cabrait, plongeant toujours plus bas.

— Je peux vous demander où vous comptez vous poser ? demanda Cassandra.

— Emmenez-nous rive gauche, dit Auger. Vous voyez ce rectangle de glace plate ?

— Oui.

— C'est le Champ-de-Mars. Positionnez-vous dans l'axe et maintenez-vous à une altitude de trois cents mètres.

Elle sentit que le vaisseau réagissait avant même la fin de sa phrase. Les servomoteurs craquèrent comme des mâchoires, sous ses pieds, et les surfaces de vol se redéployèrent.

— Il y a quelque chose de significatif dans le secteur ? demanda Cassandra.

— Oui.

Un éclair lumineux choisit ce moment pour crever les nuages, frappant très près de la souche décapitée, écrêtée, de la tour Eiffel, au bout du Champ-de-Mars.

— C'est là que nous allons, annonça Auger.

— Près de la structure de métal ?

— Oui. Essayez de nous poser sur l'étage supérieur.

— C'est en pente. Je ne suis pas sûre que ce moignon de métal…

— Il tiendra, répondit Auger. Vous regardez sept mille tonnes de ferraille. Si elles ont survécu deux cents ans dans la glace, je pense qu'elles supporteront notre poids.

La glace avait eu deux siècles pour avaler le tiers inférieur de la tour de trois cents mètres de haut. Une catastrophe oubliée, qui n'avait pas eu de témoins, avait arraché la pointe de la tour, ne laissant aucune trace des fragments dans la cuvette de Paris. Les deux premiers étages avaient subsisté, ainsi que la base du troisième, beaucoup moins large et penchée vers la Seine prise par les glaces.

— Je vois un vaisseau spatial posé au troisième niveau, dit Cassandra. Les propulsions sont encore chaudes. La taille et la fonction correspondent au type de navette que Caliskan utilise.

— C'est notre point de rendez-vous. S'il a été gentil, il nous a laissé la place de nous poser.

— Ce sera juste, dit Cassandra.

— Faites au mieux. Si nécessaire, vous n'aurez qu'à rester en vol stationnaire le temps que nous débarquions. Ou que nous faisions monter Caliskan à bord.

— Et le dénommé Maupassant ?

— Il ne sera pas des nôtres. Il est mort depuis près de quatre siècles.

— Alors, qu'est-ce que…

— C'est une petite plaisanterie caliskanesque, dit Auger. Il savait que je comprendrais. Maupassant détestait cette tour. Au point qu'il tenait à y déjeuner tous les jours, sous prétexte que c'était le seul endroit de Paris où elle ne lui gâchait pas la vue.

La tour se dressa sous l'appareil. Sa déformation était encore plus apparente vue d'en haut. D'au-dessus du troisième étage, on voyait la colonne de résille métallique s'incurver vers l'intérieur, telle une falaise érodée, et le côté opposé était tellement incliné par rapport à son angle originel que le fer forgé avait commencé à se plisser comme la peau d'un chien.

La foudre frappa à nouveau, tout près. Le jeu des ombres et des lumières donnait l'impression que toute la structure bougeait. On aurait dit une gelée tremblotante.

— Descendons, Cassandra, dit Auger. Plus vite nous serons en bas, mieux ce sera.

Le troisième étage était une plate-forme de métal carrée, inclinée de cinq ou six degrés par rapport à l'horizontale, traversée par des poutres et des étais déchiquetés, et par les colonnes qui avaient jadis soutenu les cabines d'ascenseur. La plate-forme était encore presque complètement entourée par des rampes d'acier incurvées. La navette de Caliskan, un vaisseau en forme d'hameçon, était garée dans un coin, la queue dépassant dans le vide.

— C'est son appareil, dit Auger. Vous pouvez vous poser ?

— Je vais essayer.

Cassandra actionna une série de commandes.

— Les patins d'atterrissage sont sortis et verrouillés. Nous allons brûler du carburant lors de l'atterrissage et du décollage, nécessairement verticaux, mais ça on n'y peut rien.

Le vaisseau resta un instant en vol stationnaire et glissa latéralement alors que Cassandra jouait avec les tuyères de poussée vectorielle. Ils tombèrent un peu, maintinrent l'altitude, puis redescendirent. A l'approche de la plate-forme, les jets de réaction chassèrent des fragments de métal qui filèrent sur la dalle d'acier, s'écrasèrent sur les garde-corps et tombèrent à travers. Puis l'appareil se posa, les patins absorbant l'impact en souplesse.

Cassandra coupa très vite les moteurs afin d'économiser l'énergie au maximum.

— Ça devrait aller. Pour l'instant, ajouta-t-elle.

— Beau travail, commenta Auger. Puisque je vous vois si bien lancée, vous pourriez rouvrir un canal vers Caliskan ?

— Un instant…

L'un des écrans vacilla, puis l'image de Caliskan apparut. Il écarta ses cheveux blancs en désordre de son front luisant.

— Vous êtes bien amarrés ?

— Oui, répondit Auger. Mais je ne suis pas sûre qu'il nous reste assez de carburant pour remonter en orbite.

Elle jeta un coup d'œil à Cassandra, qui esquissa une grimace et un geste de la main traduisant l'incertitude.

— Vous êtes combien à bord ? demanda-t-il.

— Trois, répondit-elle. Plus la charge utile. Mais Cassandra espère remonter avec la navette. Je viendrai seule avec Floyd à bord de votre appareil.

— Il devrait y avoir assez de place pour nous trois, et pour la cargaison. Vous pensez arriver à traverser ?

— Ça dépend du taux de furies, répondit Auger.

Il jeta un coup d'œil vers un cadran invisible pour eux.

— Il est assez bas pour que ce ne soit pas un problème, pourvu que vous portiez un équipement environnemental normal. Pas de précautions particulières à prendre. Faites seulement attention où vous mettez les pieds.

— Pourquoi nous avoir fait venir ici ? Je veux dire, je comprends que l'orbite n'est pas un endroit très sûr…

— Précisément à cause du taux de furies, Auger. Les grosses machines ne montent jamais aussi haut. La monstruosité de M. Eiffel est l'endroit le plus sûr de la ville.

35

Floyd et Auger prirent pied sur le sol incliné du troisième étage de la tour Eiffel. Au-dessus de leurs têtes, les mouvements ininterrompus des nuages donnaient l'impression vertigineuse que toute la structure avait choisi ce moment précis pour s'effondrer. Floyd n'avait jamais aimé les hauteurs, et l'endroit semblait propice à tous les cauchemars de vertige qu'il avait pu faire. Ils marchaient sur un plan incliné glissant, plein d'obstacles, de trous et de points faibles, à près de trois cents mètres dans les airs… au milieu d'un tourbillon… engoncés dans des costumes lourds et encombrants qui limitaient leur champ de vision et rendaient maladroit chacun de leurs pas et de leurs gestes. Sans compter qu'ils transportaient quatre énormes caisses pleines de livres, de journaux et d'enregistrements phonographiques.

— Ça va, Floyd ? demanda Auger.

Sa voix, retransmise dans le casque du scaphandre que la Slasher appelée Cassandra venait de lui verrouiller sur la tête, lui paraissait étrangement stridente.

— Disons que la dernière fois que je me suis levé je n'avais pas spécialement envisagé de me traîner sur la carcasse dévastée de la tour Eiffel…

— Allez, Floyd, essayez de prendre les choses du bon côté. Vous imaginez les histoires formidables que vous pourrez raconter à vos petits-enfants ?

— J'imagine surtout la partie de plaisir que ce sera de trouver quelqu'un qui voudra bien me croire.

Avec un gémissement audible et très consternant d'acier torturé, le pont bascula et son inclinaison s'accrut brutalement. Des débris épars glissèrent vers eux en crissant sur les surfaces métalliques. Floyd plongea, lâchant la caisse qu'il trimbalait. Une traverse glissa et la heurta par le côté, l'entraînant dans sa course. Il chercha désespérément une prise afin de se rattraper et d'éviter de finir comme la caisse, qu'il regarda dériver jusqu'au bord de la plate-forme et plonger dans le vide, répandant, au-dessus de Paris, son contenu de livres, de journaux, de magazines et de disques.

— Floyd ! Ça va ? hurla Auger.

— Moi, ça va, mais je viens de perdre l'une des caisses !

Il l'entendit jurer, puis ravaler sa colère.

— On n'y peut rien. Mais toute cette structure semble sur le point de flancher. Ça doit être le poids des vaisseaux.

Des éclairs stroboscopiques flashèrent sur l'horizon, plus intenses que jamais.

— On dirait une méchante tempête électrique, observa Auger. J'aimerais bien être repartie d'ici avant qu'elle ne soit sur nous.

— Moi aussi, dit Floyd avec conviction, en se relevant. J'ai assez profité de la vue pour toute ma vie. C'est très surfait, d'ailleurs.

Floyd vit un escalier incliné se déployer à partir de l'éperon d'argent du vaisseau de Caliskan. Une silhouette en scaphandre se pencha depuis le haut de la rampe, leur fit signe d'approcher avec sa main gantée. Puis la silhouette commença à descendre les marches et rencontra Auger à mi-chemin. Celle-ci lui tendit la première de ses deux caisses, attendit pendant qu'il la chargeait dans le vaisseau, puis lui remit la seconde. Ensuite, elle revint vers Floyd et l'aida à déposer la caisse restante. Il la rejoignit sur l'escalier et reconnut le visage de l'homme en scaphandre : il l'avait vu sur les écrans des Slashers. Caliskan.

Celui-ci les fit monter à bord par un sas à peine plus grand qu'un placard. La porte extérieure se referma, faisant taire la tempête, comme quand on soulève l'aiguille d'un phono. Les caisses étaient empilées dans un coin, telles des ordures attendant d'être jetées.

Lorsqu'ils eurent franchi la porte intérieure, Caliskan enleva son casque et leur fit signe de l'imiter.

— Vous avez réussi, dit-il en remettant un semblant d'ordre dans ses cheveux avec ses mains. C'était un peu juste, hein ?

— Je pourrais parler à Cassandra ? demanda Auger. Je voudrais lui dire qu'elle peut repartir.

— Bien sûr, répondit Caliskan en les faisant entrer dans la partie avant, étroite, de son petit vaisseau.

Ce n'était que tuyaux, montants d'acier et plaques de métal nu, et à peu près aussi chaleureux et confortable que l'intérieur d'un sous-marin de poche.

— Le canal est encore ouvert. Je veillerai à ce qu'elle soit remerciée de son aide comme il convient, quand tout ce bordel sera calmé.

— Cassandra, vous m'entendez ? fit Auger.

— Fort et clair.

— Partez, maintenant. Nous allons nous débrouiller.

— Caliskan pourra vous emmener à bord de son vaisseau ? demanda-t-elle.

Caliskan se pencha dans le champ de la caméra.

— Je m'occuperai d'eux, ne vous inquiétez pas.

Maintenant qu'il le voyait en chair et en os, Floyd était plus sûr que jamais de l'avoir déjà rencontré – lui ou peut-être son frère. Caliskan regarda à travers un hublot circulaire ouvert dans la paroi du vaisseau.

— Pourquoi est-ce qu'elle ne décolle pas ? Elle n'a pas vu que la structure était on ne peut plus instable ?

Les éclairs flashèrent à nouveau, soulignant durement les traits de Caliskan, comme sur une photo détourée.

— L'orage approche, observa Floyd.

— Cassandra, appela Auger. Il y a un problème ?

Il n'y eut pas même un craquement en réponse. L'écran était vide. Avec un regard préoccupé, Caliskan s'assit au poste de pilotage et commença à actionner des commandes, méthodiquement au départ, puis avec une précipitation croissante.

— J'ai l'impression qu'il y a un problème, dit-il après une minute de ce petit manège.

— Une infiltration de furies ? demanda Auger d'une voix alarmée.

— Non… Le taux était vraiment très faible.

— Alors ?

— Alors, tout est mort, y compris les moniteurs. Le vaisseau est passé sur les générateurs de secours. Seules les fonctions de base sont assurées.

Il eut un hochement de tête en direction du hublot.

— Compte tenu de l'âge du vaisseau dans lequel vous êtes arrivés, il se pourrait que Cassandra ait les mêmes difficultés.

— Mais si ce ne sont pas les furies…, commença Auger.

Il y eut un autre éclair, plus proche et plus brillant que les précédents, et surtout plus violent. Un grondement métallique ébranla la plate-forme, transmettant des ondes de choc au vaisseau. Floyd eut l'impression qu'un train de marchandises passait.

— Je ne sais pas ce qui se passe, dit Auger, mais il faut qu'on se tire d'ici avant que l'orage frappe ou que la tour s'effondre. Ou les deux.

— Nous ne sommes pas près de partir d'ici, dit Caliskan. Je ne pense pas que ce soient des éclairs.

— Si ce ne sont pas des éclairs…, fit Auger, d'une voix soudain étranglée.

Lorsque Floyd entrevit son visage, son expression suffit à lui inspirer une sainte terreur.

— Qu'est-ce que c'est ? demanda-t-il en tendit la main vers elle.

— La Terre brûlée, répondit Auger. Ça a commencé. Un bombardement de missiles à partir de l'orbite.

— J'ai bien peur qu'elle n'ait raison, répondit Caliskan. Pour moi, ces éclairs évoquent plutôt des frappes nucléaires. A des centaines de kilomètres de là, et… on dirait qu'elles se rapprochent.

Auger se prit le visage à deux mains.

— Comme si nous n'avions pas encore assez dévasté cette planète…

— On s'en fera pour la planète plus tard, dit Floyd. Pour le moment, c'est notre peau qui a la priorité. Comment allons-nous faire décoller ce truc-là ? Pourquoi les vaisseaux ne marchent-ils plus ?

— Ils sont endommagés par les pulsations électromagnétiques, répondit Caliskan. Ces vaisseaux sont de conception thresher, et ils sont très dépendants de l'électronique. Ils ne sont pas conçus pour tolérer ce genre de conditions atmosphériques.

Floyd n'avait pas idée de ce que Caliskan pouvait bien raconter, mais il supposa que c'était grave.

— Vous allez réussir à le faire repartir ?

— Je ne sais pas, répondit Caliskan en s'acharnant sur les commandes comme s'il espérait les ranimer. Quand le système tente de se réactiver, il retombe aussi sec en rideau parce que les sous-systèmes sont encore défaillants. Si je pouvais court-circuiter la séquence de rebootage...

Ses doigts dansaient avec une rapidité démente sur son clavier, pendant que des colonnes de chiffres pâles et des symboles défilaient sur l'affichage.

— Continuez à essayer, dit Auger en remettant son casque. Je vais voir si Cassandra a eu plus de chance que nous...

— Pas la peine, dit Floyd en jetant un coup d'œil par le hublot vers l'autre vaisseau. Regardez. Elle vient par ici. Elle a dû décider qu'il était trop risqué de rester à bord de son appareil...

Cassandra avait revêtu un scaphandre spatial trouvé à bord de la navette. Soit l'inclinaison de la plate-forme s'était accentuée, soit les bourrasques s'étaient intensifiées, en tout cas, elle avançait laborieusement, pliée en deux comme une vieille femme au dos cassé, chaque pas semblant être le fruit d'une pénible réflexion. De temps à autre, un bout de métal arraché glissait sur le sol ou tranchait l'air, la manquant de peu.

— Doucement, souffla Floyd.

Il parcourut du regard la minuscule cabine du vaisseau de Caliskan, se demandant comment ils allaient tous tenir à bord, au cas très improbable où il réussirait à reprendre l'air.

— On dirait que les frappes nucléaires se sont un peu espacées, constata Auger en regardant par l'autre hublot. Peut-être qu'il y a quelqu'un, là-haut, qui a encore un peu de bon sens.

— Ne comptez pas trop là-dessus, répondit Caliskan.

L'inclinaison de la plate-forme métallique s'accentua à nouveau. Floyd sentit avec horreur les signes avant-coureurs du dérapage alors que le vaisseau de Caliskan commençait à perdre son adhérence sur le plancher de métal.

— On va basculer par-dessus bord, dit-il, une nausée lui tordant l'estomac.

Tout à coup, ils s'immobilisèrent à nouveau, et l'inclinaison du sol sembla se rapprocher de l'horizontale. Il regarda Auger, puis Caliskan, mais à en juger par leur expression ils n'y comprenaient apparemment pas grand-chose non plus.

— Cassandra est presque là, dit Floyd. Vous devriez abaisser la rampe.

Et puis Cassandra ralentit son approche. Avec un effort évident, elle se raidit pour affronter le rugissement de la tempête et regarda sur sa gauche. Floyd suivit son regard aussi loin que l'angle restreint du hublot le permettait, et vit ce qui l'avait fait s'immobiliser.

— Il faut vraiment que vous voyiez ça, dit-il.

— Quoi donc ? répondit Auger, de l'autre côté de la cabine.

— Venez voir par vous-même.

Il attendit jusqu'à ce que son visage soit plaqué à côté du sien contre le même hublot.

Juste derrière la passerelle d'observation, un objet gigantesque montait majestueusement, entrant dans leur champ de vision : un bulbe énorme, où étincelaient des lumières mystérieuses organisées selon des courbes, des tourbillons et des symboles énigmatiques qui suggéraient le marquage lumineux d'un monstre marin tentaculaire, titanesque, comme monté des profondeurs pour engloutir leur pauvre petit vaisseau sans défense. Cassandra se dressait en ombre chinoise sur le fond de cette montagne de lumière mouvante, les bras légèrement écartés dans une attitude accueillante – ou implorante.

— Caliskan, dit Auger. Je pense que nous venons de recevoir de l'aide…

Caliskan regarda par-dessus son épaule sans cesser de pianoter sur le clavier.

— Que dites-vous ?

— Il y a une gigantesque masse de quincaillerie slasher qui monte le long de la tour…

Caliskan quitta le panneau de commande et prit la place de Floyd devant le hublot.

— Cette monstruosité a dû nous suivre, dit Floyd.

— Et Cassandra va vers elle, annonça Auger.

Caliskan retourna à ses commandes, laissant Floyd reprendre sa position auprès d'Auger.

— Mais que fait-elle ? s'étonna-t-il.

— Je ne sais pas, répondit Auger. On dirait qu'elle essaye de communiquer avec le…

Tels des rayons de soleil crevant les nuages, une multitude de rayons lumineux jaillirent d'une ouverture dans le ventre renflé du monstrueux vaisseau et déchirèrent le corps de Cassandra, agitant sa petite silhouette comme un drapeau. Quand les rayons lumineux disparurent, Cassandra était toujours là, debout, mais on voyait la lumière briller à travers les trous dentelés ouverts dans son corps. Puis elle s'effondra en tas, comme une poupée de chiffon, et la tempête, dont la violence allait croissant, la poussa vers le bord de la plate-forme métallique. Son corps inerte roula sur lui-même, fut arrêté par les montants de la rambarde, et y resta plaqué comme une loque qu'on aurait mise à sécher.

Des éclairs blancs, durs, trouèrent l'horizon.

L'énorme vaisseau commença à pivoter et dirigea une autre partie de sa structure dans l'axe de la plate-forme. Il était aussi énorme que le *Hindenburg*, estima Floyd, ou qu'un transporteur d'avions. Peut-être même plus. Une extravagance pareille n'avait rien à faire là, dans le ciel.

— On dirait qu'ils sont venus pour l'un de vous deux. Ou les deux, remarqua Caliskan, le visage grave.

— C'est vous qui les avez fait venir ? demanda Auger.

— Non. J'essayais de vous protéger d'eux. Ils doivent avoir une parade contre les furies. Ou bien ils veulent si terriblement je ne sais quoi qu'ils prendront tous les risques pour l'obtenir.

Le vaisseau slasher présentait maintenant son profil à la tour. Floyd repensa à un objet qu'il avait vu une fois dans un musée : un calmar remonté des profondeurs et conservé dans le formol, ses tentacules tirebouchonnés en une unique spirale. Le vaisseau avait un peu la même forme de fer de lance. Les symboles lumineux visibles sur ses flancs semblaient recouverts d'une couche de gelée translucide. Le bâtiment se rapprochait avec la lenteur d'un banc de brouillard luminescent.

— Ça n'a aucun sens, dit Auger. Je ne connais rien de leurs plans qu'ils ne sachent déjà eux-mêmes, et s'ils voulaient nous tuer ils auraient pu le faire depuis longtemps…

— Alors peut-être que je me suis trompé, dit Caliskan avec une soudaine nervosité. Peut-être que ce n'est pas Floyd et vous qui les intéressez, en fin de compte.

— Alors, ça ne laisse qu'une possibilité, répondit Floyd. Si ce n'est pas nous, si ce n'est pas vous, ça doit être quelque chose que nous avons apporté avec nous.

— Les documents, fit Auger.

Caliskan actionna une dernière fois les commandes et abandonna, résigné.

— Mettez vos casques et trouvez un coin où vous cacher sur la plate-forme.

— Ils vont nous trouver, dit Auger.

— Ils vous trouveraient aussi bien à bord de ce vaisseau. Dehors, avec la tempête et les interférences électriques, si vous vous bagarrez, vous avez une chance de rester en vie jusqu'à l'arrivée des renforts.

Auger soupesa les options.

— Je pense qu'il a raison, Floyd, conclut-elle sans enthousiasme.

— Vous n'avez pas le temps d'attendre que le sas effectue son cycle de dépressurisation, dit Caliskan. Il va falloir que je fasse sauter la porte extérieure dès que vous serez dedans.

Il passa la main sous son siège et en sortit un objet fondu qui ressemblait à l'idée que Salvador Dali aurait pu se faire d'un pistolet automatique.

— Prenez ça, dit-il en le tendant à Auger. Je suis sûr que vous trouverez le moyen de le faire marcher.

— Et vous ? demanda-t-elle.

— J'en ai un autre. Je vais tâcher de vous couvrir jusqu'à ce que vous soyez à l'abri.

— Merci.

Auger glissa l'arme dans la ceinture utilitaire de son scaphandre, puis elle aida Floyd à mettre son casque et à le verrouiller. Sa voix lui parvint, ténue et bourdonnante, par le circuit audio :

— Il doit y avoir un escalier qui descend vers l'étage inférieur. Essayons de le trouver.

— Allez-y, dit Caliskan. Vite !

Floyd franchit en premier la porte explosée. Il heurta durement le pont métallique, manquant atterrir à plat ventre. Il regarda en arrière juste à temps pour voir sortir Auger, un éclair figeant son expression derrière son casque de verre.

— A partir de maintenant, on ferait mieux d'observer le silence radio, dit-elle. Restez près de moi, on pourra crier si on a besoin de se faire entendre.

La paroi lumineuse du vaisseau slasher effleurait le troisième étage, le faisant osciller. Ce mastodonte aurait pu rentrer dans la tour et l'écraser comme une maquette en allumettes, la réduisant en échardes.

— Auger, vous avez une idée…

— Floyd, siffla-t-elle. Pas maintenant. Ils écoutent certainement nos transmissions.

Ils se déplaçaient accroupis, en crabe, en s'abritant derrière les débris, se faufilant d'ombre en ombre. Lorsqu'ils furent arrivés à ce qui semblait être le haut de la cage d'escalier, Auger posa une main sur l'épaule de Floyd et lui indiqua, à travers un tas de ferraille et de plaques de métal tordues, l'énorme masse du vaisseau. Elle lui fit, d'un doigt sur la visière de son casque, signe de se taire.

Une porte s'était ouverte sur le côté, formant un pont-levis au-dessus du vide entre le vaisseau en vol stationnaire et le troisième étage de la tour Eiffel. Des silhouettes émergeaient de l'ouverture brillamment illuminée : six personnages en scaphandre – des bulles blindées, sans joint apparent, brillantes et aux reflets changeants, comme si elles étaient faites de mercure. Ils s'avancèrent lentement sur le pont improvisé et, arrivés au niveau de la plate-forme inclinée, y prirent pied et poursuivirent leur approche avec circonspection. Ils marchaient droit, en posant le pied de façon délibérée avant de déporter leur poids et d'avancer l'autre pied.

Auger appuya sur le dos de Floyd comme si elle voulait le faire rentrer dans le sol. Ce qu'il fit, d'une certaine façon, en trouvant les marches de métal bosselé qui menaient vers le niveau inférieur. Il ne voulait pas penser à la distance sur laquelle ces marches descendaient – ou non, d'ailleurs.

Elle effleura son casque avec le sien, lui parla à travers le verre :

— Il faut qu'on descende.

— Je veux savoir ce que ces types attendent de Caliskan.

— Laissez tomber, Floyd. Vous ne comprenez pas que ce n'est pas lui qui nous a tendu un piège ?

— Fillette, quelqu'un nous en a tendu un, et j'ai eu des doutes à propos de ce type à la minute où je l'ai vu.

— Eh bien, peut-être que c'est quelqu'un qui l'a piégé, dit Auger. C'est tellement difficile à imaginer ?

Les hommes en scaphandre d'argent se déployèrent et se frayèrent prudemment un chemin dans le labyrinthe de pièges et de chausse-trappes qu'était la surface de la plate-forme. Ils étaient encordés par un réseau de fils d'argent ténus, directement extrudés par leurs scaphandres et qui formaient une sorte de hamac mouvant au-dessus de leurs têtes, les reliant par le haut de leurs casques.

Caliskan apparut à l'entrée de son vaisseau, l'arme au poing. Il s'abrita derrière le montant de la porte, visa le plus proche trio d'hommes qui avançaient vers lui et les zappa : une ligne de lumière brillante jaillit du canon, atteignant le personnage central. Son armure métallique s'évapora en un éclair, révélant un être humain qui faisait le dos rond. Caliskan recula, ajouta un système à son arme et tira un autre coup en direction de l'homme désormais vulnérable, dont le bras droit disparut dans un nuage au niveau du coude. Il se plia en deux. Mais avant que Caliskan ait eu le temps de faire feu à nouveau les armures d'argent des deux hommes indemnes qui l'entouraient devinrent diffuses et s'expansèrent pour englober leur camarade dans une cape protectrice.

Caliskan réarma et projeta un autre rayon mortel vers les armures d'argent fusionnées. A présent, elles résistaient : elle s'enflaient, vacillaient brièvement, mais ne se dissipaient pas. Floyd se demanda quand les hommes riposteraient au lieu de se contenter d'encaisser. Il n'avait pas plus tôt pensé cela qu'une lumière émanant du vaisseau vint frapper Caliskan à la tête.

Il s'effondra à côté de son vaisseau et son arme lui échappa.

Floyd considéra que ça répondait aux doutes que l'homme lui inspirait.

Les six hommes n'avaient qu'un blessé à déplorer. Pendant que trois d'entre eux enjambaient le corps de Caliskan et commençaient à examiner son vaisseau, les trois autres poursuivirent leur chemin le long de la plate-forme vers Cassandra, toujours drapée sur la rambarde comme une marionnette dont on aurait coupé les fils.

Auger tapota le coude de Floyd et lui montra l'escalier qui descendait. Floyd lui fit signe d'attendre, partagé entre la peur et le besoin dévorant de savoir ce qui intéressait ces hommes. Cassandra était morte. Pourquoi son corps les intéressait-il tellement ?

Une explosion plus brillante que les précédentes déchira l'horizon. Floyd ferma précipitamment les yeux, mais il vit tout en négatif alors que la lumière traversait tout, même le métal. Quelques secondes plus tard, la vibration, qui rappelait le passage d'un train de marchandises, ébranla à nouveau la tour.

— Ça se rapproche, dit Auger.

Elle avait la main posée sur la forme fondue de l'arme que Caliskan lui avait donnée, mais elle ne l'avait pas encore enlevée de sa ceinture.

Il risqua à nouveau un coup d'œil vers l'autre bout de la plate-forme. Les trois silhouettes étaient debout devant la forme inerte de Cassandra. Leur armure d'argent avait fusionné et extrudait à présent, au niveau de la poitrine, un tentacule épais, ramifié, aussi gros que la cuisse. Avec une sorte de vulgarité inquisitrice, le tentacule palpa Cassandra en différents endroits, sans violence, méthodiquement, comme s'il essayait de détecter le moindre souffle de vie.

— Que cherchent-ils ? demanda Floyd d'une voix tremblante.

— Je ne sais pas, répondit Auger.

Les trois silhouettes reculèrent d'un même mouvement. Le tentacule d'argent prit soudain de l'élan et plongea dans la poitrine de Cassandra. L'ensemble fit encore un pas en arrière, enlevant le corps empalé de la rambarde. Puis le tentacule fit un mouvement brusque, trop rapide pour que le regard le suive, et le corps embroché éclata en cinq ou six morceaux.

Le tentacule ensanglanté réintégra l'armure fusionnée et au bout de quelques instants les trois hommes se séparèrent, redevenant des entités distinctes. Ils regardèrent autour d'eux, s'écartèrent les uns des autres et recommencèrent à fouiller le pont.

— Quelle que soit la raison pour laquelle ils sont venus ici, ils n'ont pas fini, dit Auger.

Elle tira le pistolet fondu et le pressa contre sa poitrine, prête à en faire usage.

Floyd baissa les yeux. Elle avait dû déjà se rendre compte que l'escalier n'offrait aucune issue. Il finissait à moins d'une douzaine de marches en dessous d'eux, suspendu inutilement au-dessus du vide. Il y avait au moins une trentaine de mètres entre ce niveau et celui du dessous, et les moyens d'y arriver se limitaient à la cage d'ascenseur – à supposer qu'elle ne soit pas interrompue elle aussi – et aux montants qui formaient les pieds de la tour.

Ils ne fuiraient pas par-là.

Floyd jeta un coup d'œil vers le vaisseau de Caliskan. Deux hommes étaient entrés dedans et le troisième attendait dehors. Floyd tapota l'épaule d'Auger pour attirer son attention juste au moment où l'un des hommes ressortait avec une caisse. Un instant plus tard, le deuxième revenait avec les deux derniers cartons de documents.

Floyd jeta un coup d'œil aux trois autres. Ils avaient abandonné les restes de Cassandra. Quoi qu'ils soient venus chercher, ils ne l'avaient apparemment pas trouvé sur elle – ni dedans.

Il ramena son attention vers les autres, sentant qu'Auger changeait de position, levant son pistolet d'argent. Deux hommes étaient debout dehors avec les trois caisses, le troisième était retourné à l'intérieur.

— Doucement, dit-il à Auger.

C'est alors qu'il remarqua un élément nouveau, tout près d'eux : une trace métallique dans l'air, comme un millier d'abeilles scintillantes, qui faisait mouvement vers la tour en luttant contre la force du vent. Il pensa d'abord que le phénomène était lié aux hommes qui avaient tué Cassandra et Caliskan. Mais la traînée s'approchait d'eux furtivement, par une série de feintes, suggérant qu'elle était aussi soucieuse qu'Auger et Floyd d'éviter d'attirer leur attention. Elle se positionna au-dessus d'eux, en se dissimulant dans des recoins. Elle s'infléchissait et coulait, formant des schémas et des formes fugitives.

Floyd tapota l'épaule d'Auger pour lui montrer le phénomène, qu'elle n'avait pas encore repéré. Elle tiqua et tourna son arme vers la nuée qui eut une sorte de mouvement de recul, mais ne quitta pas l'abri de la cage d'escalier. Le pistolet tremblait dans la main d'Auger, qui s'abstint toutefois de tirer. Et puis, très lentement, elle abaissa son arme.

Pendant quatre ou cinq secondes il ne se passa rien.

Soudain, le halo d'étoiles clignotantes plongea sur Auger, s'enroula autour de son casque. Auger se débattit, essaya de les chasser comme des mouches, poussa un cri de terreur et de douleur... puis fut brutalement réduite au silence. Horrifié, Floyd regarda le nuage scintillant se contracter et s'insinuer dans son casque, la réduisant à l'immobilité.

L'escalier s'ébranla alors, des boulons rouillés se détachèrent et tombèrent dans le vide, en dessous d'eux. Des tonnes de métal s'écrasèrent à travers les plaques rouillées de la plate-forme du troisième étage et continuèrent à tomber, à dégringoler vers le pied de la tour. Des cris et des gémissements de métal torturé trouèrent la nuit.

Pour Floyd, ce fut comme un déclic. Il se précipita sur Auger, écarta ses doigts raides et lui prit son arme. Le pistolet semblait avide de se laisser faire, et il eut l'impression qu'il grouillait dans sa main comme s'il était vivant, aussi fragile et léger qu'une feuille d'aluminium.

Auger était restée parfaitement immobile, une constellation de lumières clignotantes vibrionnant derrière le verre de sa visière.

Ils avaient donc réussi à l'avoir. Ce sera bientôt mon tour, présuma Floyd. Il n'avait aucun moyen de quitter cette tour, et les Slashers, qui venaient de les repérer, arrivaient droit sur eux.

Il pointa l'arme sur la plus proche silhouette d'argent et appuya sur le bouton pareil à un téton qu'il espérait être une détente.

L'arme s'anima dans sa main, se tortilla comme une anguille et cracha une décharge. L'étrange armure de la silhouette se désagrégea comme de la cendre dans le vent. Floyd tira à nouveau, touchant le Slasher désormais à découvert. Il tomba sur le pont, parmi l'amas de métal tordu, déchiqueté.

Les cinq autres joignirent alors leurs forces. Les trois qui se trouvaient près du vaisseau de Caliskan se rapprochèrent en faisant fusionner leurs armures. Les deux autres en firent autant et commencèrent à s'avancer vers le trio. Floyd visa le plus gros groupe avec son arme. Il sentit qu'elle changeait encore de forme dans ses mains, fit feu et l'armure d'argent se dissipa, se dispersa en tourbillons scintillants. Cette fois, les dégâts furent beaucoup moins importants, les armures combinées formant une sorte de bouclier renforcé.

A côté de lui, Auger remua.

— Donnez-moi ça, dit-elle.

Elle lui prit l'arme des mains avant qu'il ait eu le temps de répondre. Elle procéda rapidement à quelques réglages, sortit de sa cachette et tira, avec une vitesse et une précision surprenantes, des giclées successives, jusqu'à ce que le canon soit aussi brillant que du fer fondu. Ses premiers coups avaient contraint les Slashers à s'abriter, les suivants avaient été dirigés sur le vaisseau proprement dit, et plus particulièrement ses hublots.

Elle se tapit à nouveau à l'abri.

— J'ai gagné un peu de temps. J'espère que ça suffira.

— On peut parler ?

— Pour l'instant, oui. Mes renforts brouillent leurs communications et leurs activités de capteurs.

— Vos renforts ? !

— Je vous expliquerai.

Floyd baissa les yeux juste à temps pour voir une trace lumineuse floue filtrer dans l'espace séparant les montants de la tour, entre le deuxième et le troisième étage. Il la suivit de son mieux à travers une sombre complexité de montants métalliques, distingua une autre masse mouvante de lumières qui éclipsait la première. Floyd suivit les formes minces, souples, qui s'incurvaient vers le haut. Elles atteignirent un point culminant avant de faire demi-tour et de replonger vers la base de la tour. Elles se déplaçaient si vite qu'elles traçaient des lignes déchiquetées dans l'air, des vortex qui aspiraient les débris épars.

— Expliquez-moi, s'il vous plaît, dit-il.

— Je vais essayer. Vous avez vu ce qui vient d'arriver ?

— Quand je vous ai vue mourir, vous voulez dire ?

— Personne n'est mort. Surtout pas Auger. Mais ce n'est pas elle qui vous parle, là, tout de suite.

— Vous vous sentez bien, fillette ?

— C'est à Cassandra que vous parlez. Les petites machines que vous avez vues m'appartiennent.

— Mais on vous a vue mourir !

— Vous avez vu mourir mon corps. Mais les machines ont réagi à temps. Elles ont fui mon corps à l'instant de la mort, avant que les agresseurs de Niagara aient eu le temps de les subsumer et de les interroger. Maintenant, elles utilisent Auger comme hôte de secours.

— C'est ce que vous… venez de faire ?

— Ce n'est pas si facile, dit-elle, sur la défensive. Ces machines ne peuvent encoder et transférer qu'une ombre de ma personnalité et de mes souvenirs. Croyez-moi, mourir n'est pas une chose que j'envisage de gaieté de cœur. Surtout ici.

Floyd leva à nouveau les yeux. Les hommes d'argent avaient stoppé leur lente progression. Ils hésitaient, dissimulés entre leur vaisseau et la proie qu'ils recherchaient.

— Peut-être qu'on pourrait remettre cette conversation à plus tard…, commença-t-il.

— Je veux que vous sachiez ce qui se passe, Floyd. Je vais contrôler Auger jusqu'à ce qu'on soit sortis de ce merdier. Et puis elle décidera ce qu'elle veut faire de moi.

— Quelles seront les solutions à sa disposition ?

— Elle pourra continuer à m'héberger jusqu'à ce que nous trouvions un hôte fédéré convenable, ou elle pourra m'ordonner de partir et de mourir. Quoi qu'il arrive, je vous assure qu'elle n'a rien à craindre.

— Elle vous a autorisée à faire ça ?

— Je n'ai pas pris le temps de le lui demander. Les choses, comme vous l'avez sans doute remarqué, arrivent à un point culminant.

L'énorme vaisseau slasher était attaqué. Des engins plus petits – deux au moins – l'assaillaient avec des rayons lumineux qui obligèrent Floyd à plisser les yeux. Il se força à détourner le regard.

— Vos tuniques bleues ? demanda-t-il.

— Pardon ? J'ai demandé de l'aide dès que nous avons quitté Mars, mais je ne savais pas combien de vaisseaux seraient en mesure de réagir.

— On va gagner, ce coup-là ?

— Ça risque d'être juste.

Le plus gros vaisseau ripostait. Floyd risqua un coup d'œil entre ses paupières étrécies, vit des rayons lumineux parallèles jaillir des hublots intacts alignés sur ses flancs, les reliant aux assaillants aériens. Les trois vaisseaux de l'engagement se protégeaient avec des boucliers mobiles : des plaques galbées de matière translucide qui coulissaient sur la coque, se recourbaient et fluctuaient pour s'ajuster à sa forme changeante. Lorsqu'un rayon faisait mouche, l'un des boucliers se précipitait pour absorber les dégâts, et ses bords se mettaient à briller comme une feuille de papier qui prenait feu. Au bout de quelques secondes, le bouclier se consumait, laissait la place à une sorte d'éruption de lumière et explosait en une pluie d'étincelles qui arrosaient le Champ-de-Mars.

Il devint vite évident que c'était le gros vaisseau qui souffrait le plus. Les mouvements de ses boucliers devenaient à la fois plus frénétiques et trop visqueux pour parer les assauts implacables des plus petits engins. Au tiers de sa longueur, une explosion déchira sa coque, faisant enfler la bulle translucide en plis pareils à des pétales évoquant la blessure de sortie d'une balle. Un quadrillage de machines étincelantes apparut à travers l'ouverture. Une série d'explosions plus petites se succédèrent jusqu'à la queue du vaisseau. Sous la couche translucide, les symboles lumineux commencèrent à se déformer et à fluctuer, perdant de leur netteté.

— Il est mourant, commenta Cassandra, par la voix d'Auger.

Les deux groupes slashers s'étaient redivisés en individus. Trois des hommes d'argent se ruèrent vers les caisses de documents, les ramassèrent et repartirent vers la rampe qui retournait au vaisseau blessé. Les deux autres, soudain apparemment indifférents au sort de leurs compagnons ou à leurs chances personnelles de salut, reprirent leur progression vers Floyd et Auger.

La rampe d'accès oscillait au gré des mouvements du vaisseau en péril, qui s'efforçait de maintenir sa position près de la tour. L'espace d'un moment, les trois hommes d'argent semblèrent sur le point de trébucher et de tomber dans l'abîme, emportant leur précieux fardeau avec eux. Mais ils arrivèrent à bon port et se ruèrent à l'intérieur alors que la rampe d'accès se rétractait lentement dans le vaisseau dont l'écoutille se referma comme la mâchoire d'une baleine repue.

De nouvelles déflagrations criblèrent le vaisseau sur toute sa longueur. La queue pendait maintenant plus bas que le nez comme si – absurdement – le bâtiment prenait l'eau. L'un des appareils assaillants avait pris un coup fatal et perdait lentement de l'altitude. Une fumée noire comme de l'encre sortait en bouillonnant d'une entaille dans son flanc. Floyd le regarda tomber en décrivant une spirale mortelle, tournoyante, jusqu'à ce qu'il finisse par exploser du côté de Montparnasse.

Les deux hommes d'argent se rapprochaient lentement de l'endroit où se tenaient Floyd et Auger/Cassandra.

— Bon, Floyd, il faut vraiment qu'on s'en aille. J'ai envoyé de petits nuages de machines dans les deux navettes, dans l'espoir de récupérer un certain contrôle.

— Et ?

— Les deux vaisseaux commencent à se remettre de la surcharge électromagnétique. Notre meilleure chance de nous tirer de là, c'est la navette de Caliskan : elle est plus petite, plus rapide, et elle risque moins d'être interceptée par les armes de défense.

— Alors, qu'est-ce qu'on attend ?

De l'autre côté des ruines du troisième étage, l'attention de Floyd fut alors attirée vers le bâtiment en perdition. Une trappe s'ouvrit sur son dos, et un objet en forme de pépin en jaillit à toute vitesse. Au départ, Floyd pensa que c'était encore une arme, mais l'objet continua à monter, crachant le feu par une extrémité fuselée.

— Qu'est-ce que c'est que ça ?

— Un véhicule de sauvetage d'urgence. Mais il n'ira pas loin.

Le petit vaisseau restant s'écarta brusquement du gros bâtiment, dans un effort évident pour intercepter l'autre appareil. Il y eut un bref échange de tirs entre les deux engins, puis le véhicule de sauvetage creva la couverture de nuages. La structure grise qui évoquait un édredon molletonné fut illuminée par un éclair en zigzag aussitôt suivi par un long roulement de tonnerre. Par une faille entre les nuages, Floyd entrevit une dernière fois l'engin qui se frayait un chemin vers l'orbite, striant la nuit comme une étoile filante.

— On dirait bien qu'il a réussi à s'en sortir, pourtant.

— Ils n'ira pas loin. Les intercepteurs de l'espace circumterrestre vont lui régler son compte.

Le bâtiment principal ne pouvait plus maintenir sa position ni son altitude. Sa coque enfiévrée par une danse de symboles brouillés avait basculé à quarante-cinq degrés et crachait des flammes et de la fumée. Il commença à pivoter et ses extrémités inférieures entrèrent en contact avec l'un des quatre supports principaux de la plate-forme. Toute la structure glissa latéralement de quelques mètres, dans un terrible bruit de métal supplicié. Par la cage d'escalier, Floyd vit des tonnes de ferraille s'abattre sur la ville. Mais le vaisseau agonisant n'était pas encore mort. Il tournait toujours sur lui-même, appuyé contre ce qui restait de la partie supérieure de la tour. Une autre secousse manqua les précipiter à bas de leur étroit abri.

— Regardez ! hurla Floyd.

Le petit vaisseau en forme d'hameçon qui avait été celui de Caliskan glissa par-dessus le bord de la plate-forme et dégringola en faisant des tonneaux et en rebondissant contre la résille métallique des pattes de la tour. Arrivé en bas, il explosa en une boule de feu grouillante de circonvolutions. Floyd sentit la tour basculer plus violemment que jamais. L'appareil avec lequel ils s'étaient posés avait glissé vers le milieu de la plate-forme, dont l'inclinaison s'accentuait. Il s'en fallait désormais d'un rien pour le précipiter dans le vide.

— Notre mode d'évasion préféré n'a pas supporté le climat du quartier, commenta Floyd.

— Eh bien, nous allons être obligés de nous rabattre sur l'autre. Nous ne saurons s'il peut voler qu'une fois à bord. Et à ce moment-là nous n'aurons plus la possibilité de revenir ici.

— Je suis prêt à courir le risque.

— C'est parti !

Auger quitta le couvert de la cage d'escalier, Floyd sur ses talons. Ils avancèrent en crabe, luttant contre les violentes bourrasques, s'abritant derrière des obstacles chaque fois que c'était possible. Auger tira à plusieurs reprises avec le pistolet, avec la précision inhumaine dont elle avait déjà fait preuve. L'arme n'infligeait que des blessures superficielles aux deux hommes d'argent – soit sa puissance commençait à diminuer, soit les hommes avaient renforcé leur armure –, les obligeant toutefois à ralentir leur marche en avant. Alors, un tentacule de lumière argentée sortit de leur armure fusionnée en direction du *Vingtième-Siècle-SA* pour bloquer l'accès à la porte. Le tentacule fléchissait et ondulait dans le vide. Dans le même temps, deux tentacules plus minces se dirigeaient vers

Auger et Floyd, s'agitant au-dessus d'eux comme deux cordages en folie. Auger fit feu à plusieurs reprises, visant les tentacules et le corps principal dont ils étaient issus. Sa précision était toujours infaillible, mais Floyd voyait qu'elle était plus économe de ses tirs.

— Ils sont affaiblis, dit-elle, haletante. Ils ne pourront maintenir indéfiniment leur blindage. Mais je vais manquer de jus.

Ils n'étaient plus qu'à une dizaine de pas de la navette, abrités de façon précaire derrière une masse de métal effondré. La porte était maintenant obstruée par la forme flexible du tentacule principal. Ils savaient qu'ils ne passeraient pas vivants à travers, pas après ce qui était arrivé à Cassandra.

— Nous n'allons pas renoncer comme ça, dit Floyd.

— Il n'en est pas question. Mais ces salves contrôlées ne suffisent pas. Je dispose encore de six décharges à puissance normale. Je vais les utiliser d'un seul coup. L'arme n'y résistera pas, mais ça n'a plus d'importance maintenant.

— Faites ce qu'il faut.

Elle procéda aux ajustements nécessaires sur l'arme.

— Quoi qu'il arrive, dit-elle, vous allez piquer un sprint jusqu'au sas et entrer dans le vaisseau. Si je ne suis pas derrière vous, ne restez pas sur place.

— Je n'irai nulle part sans vous.

— Les machines s'occuperont de tout. Espérons seulement que nous n'en arriverons pas là.

Les tentacules qui s'agitaient au-dessus d'eux commencèrent à descendre en s'étrécissant, formant des lames effilées, pareilles à des fleurets.

— Quoi que vous ayez prévu de faire, dit Floyd, ce serait le moment…

Elle pointa l'arme en la tenant à bout de bras, visant le corps fusionné des Slashers. L'arme tira comme précédemment, mais beaucoup plus puissamment. Le rayon lumineux poignarda les silhouettes fusionnées, liquéfia leur blindage dans un éclair d'argent, et puis l'arme elle-même s'embrasa dans la main d'Auger et explosa dans une éruption de lumière. Elle jeta la masse fondue, lamentable, avec un cri de rage.

— Courez ! hurla-t-elle.

Les ultimes salves avaient infligé des dégâts considérables aux Slashers. Leur armure frémissait, tremblotait autour d'eux comme de la gelée. Les tentacules effilés s'étaient rétractés dans la masse principale, et celui qui barrait l'accès à la porte, tranché net, se tordait au sol comme un serpent décapité. L'accès à la navette était maintenant dégagé. Floyd se précipita et tira la poignée rayée, massive, qui servait à ouvrir le sas du dehors. A son grand soulagement, la porte s'éclipsa dans la coque et le laissa entrer dans le minuscule sas. Il regarda par-dessus son épaule, s'attendant à ce qu'Auger/Cassandra vienne se coller à lui d'un instant à l'autre.

Elle n'était pas là. Elle était encore à l'endroit d'où elle avait tiré ses dernières cartouches, mais elle était tombée sur le côté, son gant droit transformé en une horreur noire, calcinée par la fusion de l'arme. Elle rampait péniblement sur le sol métallique, centimètre par centimètre.

— Floyd, dit-elle avec difficulté. Fichez le camp ! Partez, tout de suite !

— Je ne vous laisserai pas !

Il jaillit de la navette et courut vers elle.

— Tirez-vous… d'ici…, bredouilla-t-elle.

Il s'agenouilla et la souleva au prix d'un effort presque insurmontable. Ils portaient tous les deux de lourds scaphandres, et Floyd n'était pas spécialement entraîné pour ce genre d'opération.

— Personne n'abandonnera personne, dit-il en essayant de rééquilibrer son poids dans ses bras afin de ne pas basculer lorsqu'il se redresserait. J'ai remarqué que vous étiez moins pressée d'abandonner le corps d'Auger que le vôtre…

— Mon corps était… à moi… j'étais libre d'en disposer, articula-t-elle. On… ne fait pas ça avec le corps d'un autre…

Floyd se redressa tant bien que mal, reprit son équilibre et repartit vers le vaisseau qui les attendait.

Arrivé à la porte de la navette, il déposa Auger dans le sas, se contorsionna pour entrer dans l'espace exigu, trouva la sœur jumelle de la manette rayée qu'il avait tirée de l'extérieur, l'abaissa violemment et attendit que la porte se referme.

En bas, au pied de la tour, le vaisseau slasher abattu avait heurté le sol. Tandis que la porte coulissait, Floyd le regarda mourir, le nez enfoncé dans la glace et le feu. La carcasse s'effondra sur elle-même, fleurissant de mille explosions miniatures. A côté, la tour s'ébranla, comme par sympathie, délogeant de nouveaux éléments de sa superstructure dévastée.

— Je pense que les vœux de Guy de Maupassant vont finalement être exaucés, dit l'Américain.

Il eut une ultime vision de la tour et du Champ-de-Mars alors que la navette remontait dans les nuages. Des explosions phénoménales déchirèrent ce qui restait de la carcasse du vaisseau fédéré écrabouillé. Des ondes de choc parfaitement circulaires s'éloignaient de la scène vers le bouclier du Périphérique. Paris était ébranlé. Lentement, comme une gigantesque girafe blessée, la tour acheva de s'effondrer. L'un des jambages qui supportaient la plate-forme du troisième étage ploya et se fragmenta en un million d'échardes de fer. Les trois autres piliers ne pouvaient supporter seuls ce qui restait de la structure. Ils essayèrent portant, pendant plusieurs longues secondes, mais un processus était amorcé, dont l'issue était inéluctable. Après des siècles de statu quo, la gravité l'emportait sur les poutrelles de fer tordues et les boulons rouillés. La tour accentua son inclinaison, et les derniers supports commencèrent lentement à fléchir sous l'effet des tensions conflictuelles. Des poutrelles de cent tonnes, libérées, se tordirent dans le vide. Alors que des milliers de tonnes de métal s'effondraient comme un château de cartes, un voile de glace réduite en poudre s'éleva de plusieurs centaines de mètres dans l'air, camouflant les derniers moments de la tour. Floyd vit le troisième étage s'incliner dans cette blancheur, au milieu d'un bredouillement d'éclairs déchiquetés, et puis il détourna les yeux, incapable de contempler le désastre jusqu'à la fin.

Il décida que, malgré tous ses défauts, il préférait son Paris à lui.

L'idée de ne jamais le revoir lui parut insupportable.

36

— Je suis bien conscient que les circonstances pourraient être meilleures, dit l'homme en uniforme d'un blanc éclatant, aux épaulettes et aux galons de capitaine, mais je veux que vous vous sentiez quand même comme chez vous à bord de ce vaisseau.

Tunguska proposa à Floyd un cigare prélevé dans un petit humidificateur en bois. Floyd refusa le cigare, mais accepta un doigt de whisky. Ils étaient assis dans des fauteuils de cuir, dans le salon luxueusement décoré de ce qui était un paquebot, un vaisseau de l'espace, un transatlantique volant. Par les hublots carrés, on ne voyait que la nuit battue par la pluie. Les ventilateurs du plafond tournaient laborieusement au-dessus de leurs têtes.

Floyd but la moitié de son whisky. Ce n'était pas le meilleur qu'il ait jamais goûté, mais ça faisait du bien après une journée pareille.

— Quelles nouvelles d'Auger ? demanda-t-il.

— Elle est stabilisée, répondit Tunguska. La blessure causée par l'arme défectueuse a été facile à soigner, et normalement elle n'aurait pas eu de séquelles.

— Que voulez-vous dire ?

— Elle a été choquée. Sans l'intervention des machines de Cassie, elle serait peut-être morte. Les choses étant ce qu'elles sont, les machines ont renforcé leur emprise sur elle. Elle est pour ainsi dire dans le coma.

— Elle va rester longtemps comme ça ?

— Impossible à dire, hélas. Même quand on est prêt à accepter consciemment de devenir l'hôte des machines d'une tierce personne, le processus n'est pas anodin. Le genre de transfert de champ que Cassandra a effectué à Paris...

Le capitaine illustra son propos d'un mouvement latéral effectué avec son cigare.

— Ç'aurait déjà été difficile, même si Auger avait été elle-même une Slasher, avec des années de préparation derrière elle et les structures nécessaires déjà présentes dans sa tête, prêtes à accueillir les nouveaux schémas. Mais Auger n'est qu'une humaine. Pour tout arranger, elle a été blessée peu après la prise de possession.

— Si Cassandra ne s'était pas emparée d'elle, nous serions tous les deux morts là-bas, non ?

— C'est plus que probable.

Tunguska prit un autre cigare, en coupa le bout avec une petite guillotine d'argent drôlement astucieuse. Il n'avait pas fumé le premier, ni même paru saisir à quoi il servait en dehors de sa fonction de base d'accessoire social.

— Mais Cassandra serait morte, si Auger ne l'avait pas hébergée.

— Je ne pense pas qu'elle se soit exactement portée volontaire pour cela.

— Faites-moi confiance, dit Tunguska, il y a forcément eu un certain degré de négociation, même
fugitive. On n'envahit pas la tête de quelqu'un comme
ça, quelle que soit l'urgence.

— Quelles sont les chances de récupération de Cassandra, maintenant ?

— Meilleures que si elle n'avait pas eu d'hôte. Ses
machines auraient survécu, mais sans l'ancrage d'un
esprit physique sa personnalité aurait commencé à se
dissocier.

— Et maintenant ?

— Elle a une chance. Grâce à Auger, ajouta-t-il en
poignardant le vide avec son cigare.

— Je pense qu'Auger vous a mal jugé, dit Floyd.

— Elle a mal jugé certains d'entre nous. Quant aux
autres, elle avait – j'ai le regret de le dire – entièrement raison.

Floyd avait déjà raconté à Tunguska tout ce qu'il
savait de la conspiration slasher. Il se trompait sans
doute sur certains détails, et il était dans le vague à
propos de certains autres qu'Auger aurait mieux
compris. Mais Tunguska avait hoché la tête d'un air
encourageant, et posé ce qui paraissait être plus ou
moins les bonnes questions, dans le bon ordre.

— Que va-t-il se passer, maintenant ? demanda
Floyd.

— Pour Auger ? On va la garder en observation
jusqu'à ce qu'on puisse trouver un nouvel hôte pour
les machines de Cassandra. Ce qu'elles sont en train
de faire à Auger n'est pas complètement clair, mais je
pense qu'il vaut mieux les laisser agir pour le moment.

— Mais elle va s'en sortir ?

— Oui. Maintenant, est-ce qu'elle sera la même…
c'est une autre histoire.

Floyd dorlota son verre entre ses mains et hocha la tête. Il n'y avait pas de raison de tirer sur le messager qui apportait de mauvaises nouvelles. Ce Tunguska faisait de son mieux.

— Avant que nous quittions Paris, dit-il, Cassandra a dit vous avoir donné l'ordre d'intercepter le vaisseau de sauvetage.

— Nous l'avons reçu, dit Tunguska.

— Alors ? Vous avez eu votre proie ?

Tunguska jeta un coup d'œil sur le côté, comme pour s'assurer qu'on ne risquait pas de surprendre leurs paroles.

— Pas exactement. Il semblerait que l'un des vaisseaux d'interception était corrompu. Celui qui avait les meilleures chances de capturer l'appareil fuyard l'a... comment dire ? laissé filer. C'est vraiment regrettable, ajouta-t-il en écartant largement les doigts devant lui.

— Vous ne pouvez le laisser échapper...

— Nous avons fait de notre mieux, mais un autre vaisseau, plus rapide, l'attendait dans l'espace translunaire, dans l'ombre de l'un de nos capteurs temporaires. Très futé.

— Et ce vaisseau plus rapide... il est gros ?

— Assez pour transporter le système d'antimatière du *Vingtième-Siècle-SA*, si c'est ce que vous voulez savoir. On ne peut pas être sûr que c'est le vaisseau qui a participé à l'arraisonnement, mais compte tenu de tous les autres facteurs ça paraît plus que vraisemblable. En passant, nous avons établi qu'il y avait un lien entre ce vaisseau et Niagara.

— Il faut que vous l'arrêtiez.

— Pas facile, hélas. Son vaisseau est déjà sur une trajectoire très gourmande en énergie, qui mène au portail de Sedna.

— Eh bien, fermez-le, dit Floyd.

— Nous y avons bien pensé, mais il semblerait que les alliés de Niagara en aient le contrôle. Nous y aurons une présence militaire dans la journée – assez pour déloger les agresseurs, mais pas pour empêcher Niagara de pénétrer dans l'hyperweb.

— Et là, nous l'aurons perdu, fit lourdement Floyd.

Tunguska se tortilla dans son fauteuil, faisant crisser le cuir.

— Pas forcément. Au moins, nous savons qu'il va vers le portail de Sedna, et nous savons où il mène. Il y a une triade de portails à l'autre bout – Niagara sera bien obligé d'en choisir un. Si nous réussissons à ne pas nous laisser semer, nous arriverons peut-être à lire les signatures d'activation du portail et à déterminer le terrier de lapin vers lequel il aura foncé. Nous prendrons alors le risque d'entrer dans le lien hyperweb alors qu'un autre appareil est encore en transit. C'est une procédure non orthodoxe, même pour les vaisseaux fédérés, et nous serons obligés pour cela de désamorcer les procédures de sécurité des portails. Mais comme ça nous pourrons suivre Niagara sur une partie du chemin, sinon davantage.

— Pour ce que ça nous servira…

— C'est mieux que de faire demi-tour maintenant. Le vaisseau de Niagara est gros, et rapide en ligne droite, mais il ne pourra pas effectuer le transfert portail à portail aussi vite que nous. C'est à peu près notre seul avantage.

— Et vous n'avez encore aucune idée du coin de l'espace où Niagara se dirige ?

— Aucune, malheureusement. J'imagine que vous n'en avez pas idée non plus ?

— Si ce sont des idées brillantes que vous voulez, vous avez tiré le mauvais numéro, soupira Floyd.

Lorsqu'ils eurent fini leur verre, Tunguska conduisit Floyd dans le labyrinthe de coursives lambrissées qui menait à ses quartiers.

— Ce n'est pas génial, dit le Slasher en ouvrant la porte d'une chambre dans laquelle Howard Hughes aurait pu poser son avion.

— Je m'en contenterai, dit Floyd en palpant la porte en marqueterie de teck. C'est vrai, tout ça ?

— Parfaitement réel, répondit Tunguska. Notre vaisseau est vaste, et nous pouvons nous permettre de redéployer certaines ressources pour votre confort. Si nous avions besoin de récupérer cet espace, je m'efforcerais de vous prévenir bien à l'avance.

— Merci… enfin, je crois, répondit Floyd. Et Auger ?

— Vous serez informé s'il se passe quoi que ce soit.

— J'aimerais la voir.

— Tout de suite ? Elle ne pourra pas vous parler, l'avertit Tunguska.

— Bon, j'attendrai, répondit Floyd, mais j'aurais voulu qu'elle sache qu'il y a quelqu'un qui s'en fait pour elle.

— Je comprends, répondit Tunguska en le guidant dans la pièce. Vous avez fait certains sacrifices en venant ici, n'est-ce pas, monsieur Floyd ?

— Bah, il y a pire.

— Mais vous devez comprendre que vous n'êtes pas sûr de rentrer chez vous un jour ?

— Je ne le savais pas quand j'ai aidé Auger à se sauver.

— Et si vous l'aviez su, ça aurait changé votre décision ?

Floyd réfléchit un instant, soucieux de répondre avec franchise.

— Peut-être pas.

— Personnellement, j'en doute. Je ne suis peut-être pas un excellent juge de la personnalité humaine, mais quelque chose me dit que vous n'auriez pas agi autrement, même si vous aviez été pleinement conscient des conséquences. Et je trouve ça plutôt admirable, ajouta Tunguska en lui tapotant doucement le dos. Vous auriez renoncé à tout – le monde et les gens que vous aimez – pour sauver une autre vie humaine.

— Oui. Enfin, ne m'élevez pas tout de suite une statue, dit Floyd. Je me suis dit que ce serait bien d'aider Auger à rentrer chez elle. C'était une sorte d'égoïsme. Et puis rien ne dit que je n'arriverai pas à rentrer chez moi.

Tunguska l'étudia intensément pendant quelques instants, un doigt caressant doucement le dessous de son menton, qu'il avait lourd.

— Si on arrive à localiser l'OVA, vous voulez dire ?

— Oui.

— Eh bien, ce n'est pas faux. Mais ça ne réglera pas le petit problème de l'entrée dans la sphère. Les agresseurs vont tenter de déployer leur dispositif à antimatière, qui réussira ou non à faire un trou dedans. Et nous, nous ferons tout ce qui est en notre pouvoir pour les en empêcher. Si nous pouvons faire sauter le système antimatière prématurément, nous le ferons.

Floyd n'avait pas réfléchi à tous ces détails. Tunguska n'aurait pas pu lui dire plus clairement que l'expédition pouvait très bien se changer en mission suicide, si c'était la seule façon d'empêcher la Pluie d'Argent d'atteindre T2.

— Je suis désolé, ajouta Tunguska.

— Il n'y a pas d'autre moyen d'entrer dedans ?

— Aucun, à notre connaissance. Evidemment, si nous avons un jour le loisir d'étudier l'OVA, nous aurons tout le temps de chercher un moyen d'y arriver… mais s'il y a une chose dont nous manquons, c'est bien de temps.

— Vous devez faire tout ce qui est en votre pouvoir pour stopper la Pluie d'Argent, dit Floyd. C'est pour ça que nous avons risqué notre peau, Auger et moi. Pour ça aussi que Susan White, Blanchard et Cassandra sont morts, et tous les innocents qui ont été impliqués dans cette histoire.

— On peut encore espérer une issue satisfaisante, dit Tunguska avec un optimisme forcé. Tout ce que je dis, c'est qu'il faut nous préparer au pire.

Il laissa Floyd dans ses appartements pendant que le vaisseau se ruait à travers le système vers le portail. Floyd explora l'énorme pièce comme un hamster dans un labyrinthe. Elle était assez confortable, et il était évident que ses hôtes s'étaient donné beaucoup de mal pour qu'il se sente comme chez lui. Mais il ne pouvait s'empêcher d'être titillé par le soupçon que la vérité nue du vaisseau, tel qu'il se présentait à ses occupants habituels, lui aurait mieux convenu. De près, le décor et l'ameublement de la pièce avaient la même qualité schématique que le salon. Il aurait aussi bien pu se promener dans les rêveries de quelqu'un d'autre. Au lieu de le mettre à l'aise, ça lui tapait sur les nerfs.

A côté du bureau se dressait un énorme et vieux poste de TSF. Un soleil était sculpté dans le bois autour de la grille du haut-parleur. Il l'alluma et joua avec le bouton des longueurs d'onde. Il ne trouva qu'une station émettrice, sur laquelle un homme donnait des informations sur la situation dans le système, en insistant particulièrement sur les événements entourant le portail vers lequel ils se dirigeaient. Le speaker parlait à la manière d'un commentateur hippique, sur un ton tout à la fois traînant et accéléré. Son monologue monotone était ponctué de petits jingles : des coups de sifflet ou de cymbales, des notes frappées sur un xylophone. Ce n'était pas un vrai journal d'informations, Floyd le comprit très vite. Il aurait eu l'air démodé et aurait sonné faux, même en 1939. C'était un résumé de la situation réelle, présenté d'une façon censée être apaisante et rassurante pour lui.

Il écouta la radio pendant près d'une heure, ce qui était à peu près le maximum qu'il pouvait supporter. Le vaisseau de Niagara était arrivé au portail et avait réussi son insertion. Leurs craintes que les agresseurs tentent de faire effondrer le portail après l'avoir emprunté se révélaient infondées, du moins pour le moment. L'une des théories avancées était que l'équipe technique laissée en arrière avait refusé de suivre les ordres de détruire l'embouchure. Selon une autre théorie, la destruction de l'embouchure serait différée jusqu'à la dernière minute avant que les modérés reprennent le contrôle du portail, afin que l'onde d'effondrement n'ait pas le temps de rattraper et d'endommager le vaisseau de Niagara. Une troisième possibilité était que les agresseurs avaient décidé de garder le portail ouvert, malgré le risque de poursuite. Le refermer aurait mis en péril la possibilité d'accès futur à l'OVA, rendant tout leur schéma insensé. Ils voulaient stériliser T2, et faire admettre à tout le monde l'idée que c'était la seule et unique solution viable. Et puis, ils voulaient probablement parler droits de propriété...

Floyd éteignit le poste et repensa à Auger. Il y avait moins d'une semaine qu'elle était entrée dans sa vie, et pourtant il ne pouvait imaginer de passer un instant du reste de son existence sans elle. Toutes les autres préoccupations semblaient mesquines et triviales, par rapport à la nécessité de sa survie.

Et puis Tunguska revint le voir, un carton dans les bras, plein de ce que Floyd prit d'abord pour des papiers.

— Bonne nouvelle, Floyd. Auger va mieux.

— Vous avez trouvé un autre hôte ?

— Non, pas encore. Les machines de Cassandra n'ont pas l'air disposées à déménager, pour le moment, du moins. Elles ont peut-être imaginé de rester chez Auger jusqu'à ce que la crise soit résolue.

Floyd se leva.

— Je peux la voir ?

— J'ai dit qu'elle allait mieux, pas qu'elle avait repris connaissance, dit Tunguska avec un sourire compréhensif.

— Combien de temps avant qu'elle revienne à elle ? demanda Floyd en se rasseyant sur le lit.

— Le temps qu'elle soit prête à recevoir des visites, nous serons à l'intérieur du portail. Je vais vous demander de patienter jusque-là.

— D'accord. Je comprends qu'il ne servirait à rien de discuter.

— Non, hélas. Nous avons les intérêts d'Auger à cœur, mais nous sommes tout aussi soucieux du bien-être de Cassandra.

Tunguska tendit le carton à Floyd.

— Tenez, j'ai pensé que ça vous aiderait à passer le temps.

Floyd baissa les yeux. Le carton était plein de disques : des labels et des pochettes qu'il reconnaissait plus ou moins.

— Où avez-vous trouvé ça ? demanda-t-il, incrédule.

— Ce sont les marchandises que vous avez rapportées de T2, dit Tunguska, l'air assez content de lui.

— Je croyais qu'on les avait perdues !

— On les avait perdues. Ce sont des copies, reconstituées à partir des scans des objets d'origine. Vous pouvez remercier Cassandra d'avoir été aussi prévoyante.

Floyd prit l'un des disques. Un soixante-dix-huit tours : Louis Armstrong, avec le King Oliver's Creole Jazz Band, jouait *Chimes Blues*. L'original, produit sous le label Gennett, valait une tonne d'argent à l'état flambant neuf. Floyd en avait un exemplaire un peu rayé, qui valait un peu moins. Normal, il l'avait bien passé mille fois, essayant de comprendre les mouvements de basse de Bill Johnson.

C'était une réédition sous un label différent, que Floyd n'avait jamais vu. La pochette était faite d'un matériau étrange, lisse, qui ressemblait à du verre mouillé.

— C'est vous qui l'avez fabriqué ? demanda-t-il en palpant l'étrange objet.

— Ce n'est pas difficile, quand on dispose des éléments nécessaires.

Floyd renversa la pochette, prit le disque dans sa main. Il était très léger, comme si on l'avait pressé à partir d'un os de seiche, et donnait l'impression qu'il allait se briser en mille morceaux au moindre contact.

— Je n'étais même pas sûr que vous écoutiez encore de la musique. Auger n'a pas l'air d'aimer beaucoup ça. Et Susan White non plus.

— Auger vous en a parlé ?

— Je n'arrêtais pas d'y penser, mais les événements m'ont toujours empêché de lui poser la question. Quel est le problème, Tunguska ? La musique est considérée comme un art primitif, ici, comme les peintures rupestres ou la sculpture sur os ?

— Pas exactement, répondit Tunguska. On écoute encore de la musique dans les Fédérations, même si c'est une musique assez différente de tout ce que vous avez vraisemblablement entendu. Mais Auger et ses compatriotes n'ont tout simplement pas l'oreille musicale. Et c'est notre faute. Nous leur avons volé la musique.

— Comment peut-on voler la musique à quelqu'un ?

— Il n'y a qu'à élaborer, par génie génétique, une arme virale. Il ne vous a sûrement pas échappé que la musique jouait un rôle central dans le moral des nations en guerre. Maintenant, imaginez que vous leur enleviez ça, d'un seul coup. Nous avions déjà conçu une arme virale capable de tous les tuer, si on l'avait laissée contaminer un nombre d'hôtes suffisant. Mais nous ne voulions pas les éliminer, juste les convertir à notre idéologie, afin de renforcer nos propres nombres. Et puis un virus létal est plus difficile à répandre sur une vaste sphère de combat. Dès que les gens commencent à mourir, la quarantaine est imposée. Des mesures autoritaires sont prises pour l'empêcher de se diffuser. Alors nos chercheurs ont revu leur copie et modifié leur arme pour lui faire attaquer la partie de l'esprit associée au langage. Ils s'étaient dit qu'un virus de cette espèce aurait une meilleure chance de se répandre avant qu'on remarque ses effets.

— C'est dégueulasse, commenta Floyd.

— Mais pas encore satisfaisant, poursuivit Tunguska de sa voix sereine et mesurée. Nos prévisions ont montré qu'il en résulterait encore des dizaines de millions de morts, provoqués par le démantèlement de leur société, en raison du manque de communication entre les acteurs cruciaux. Alors nos grands penseurs ont une nouvelle fois remis leur ouvrage sur le métier. Et ils ont trouvé l'Amusica : un virus lié à certaines zones de l'hémisphère droit du cerveau, analogue aux *foci* du cerveau gauche associés à la perception et à la génération du langage. Ça a génialement marché. Les victimes de l'Amusica deviennent irrémédiablement sourdes à la musique : elles deviennent incapables d'en composer, d'en jouer ou d'en écouter. Chanter et siffler leur est impossible. Ça ne leur dit plus rien : ce n'est qu'une cacophonie sonore. Vraiment pénible pour certains individus.

— Alors Auger... Et Susan White ?

— L'Amusica s'est répandu très vite dans la société thresher. Le temps qu'on comprenne ce qui se passait, il était beaucoup trop tard pour y remédier. Des souches mutantes du virus sont encore en circulation. Et le virus est héréditaire : une fois qu'on a été contaminé, on le transmet à ses enfants... et aux enfants de ses enfants. Voilà l'avenir qui attend la plupart des gens, Floyd : un monde sans musique.

— La plupart ?

— Tout le monde n'est pas touché. A peu près un sujet sur mille échappe à la contamination ; nous ne savons toujours pas pourquoi. Ces veinards sont aussi détestés qu'enviés.

— Mais si vous pouvez enlever la musique aux gens... vous pouvez aussi la leur redonner ?

Tunguska eut un sourire indulgent.

— Nous avons essayé, comme preuve de bonne volonté, mais les volontaires hésitent à se soumettre à de nouvelles interventions neurales. Et on les comprend. La plupart des Threshers ne nous confieraient pas leur jambe cassée pour y mettre une attelle, alors le recâblage de leur cerveau… Et les rares volontaires… Eh bien, les résultats n'ont pas été fulgurants. S'ils se rappellent à quoi la musique ressemblait autrefois, ils se plaignent qu'elle leur paraisse maintenant sans saveur et dénuée d'émotion. Et il se peut qu'ils disent vrai.

— Ou alors ils sont comme tout le monde, dit Floyd. Personne ne m'a jamais enlevé la musique, mais je veux bien être damné si elle me paraît aussi bonne que quand j'avais vingt ans.

— J'avoue que c'est aussi un soupçon que j'ai eu. Mais, compte tenu du mal que nous avons fait, le moins que nous puissions faire est de laisser le bénéfice du doute à ces gens.

— Et vous, alors ? Si ce virus est partout, depuis le temps vous auriez dû l'attraper, non ?

— On aurait dû, sauf que les machines qui grouillent dans notre corps et notre esprit ont tenu le virus à distance. Maintenant que le sujet a été abordé, Floyd, je dois vous avertir que, comme vous n'avez pas de machines dans le sang…

Tunguska laissa sa phrase en suspens.

— Je risque d'attraper le virus, termina Floyd.

— Vous n'avez probablement rien à craindre pour le moment, poursuivit Tunguska. Il faudrait que vous soyez exposé à plus d'un porteur pour risquer d'être contaminé. Mais si vous deviez rester dans le système et vous déplacer librement dans la société thresher, vous finiriez par entrer en contact avec le virus, et alors…

Floyd regarda le disque, et son propre reflet qui le regardait.

— Je perdrais la musique, exactement comme Auger ?

— A moins que vous n'ayez la chance d'être le sujet sur mille qui est immunisé contre le virus… alors, oui, je dirais que c'est plus ou moins garanti.

— Merci de m'avoir prévenu, dit Floyd. J'apprécie.

Tunguska eut l'air un peu pris de court.

— Merci n'est pas exactement la réaction à laquelle je m'attendais. La haine et l'anathème, peut-être, mais la gratitude, sûrement pas.

— Il est un peu tard pour vous condamner. Ce qui est fait est fait, non ? Et je n'ai pas l'impression que vous en soyez particulièrement fier.

— Non, répondit Tunguska, l'air sincèrement soulagé. Pas vraiment. Et si nous pouvions faire quoi que ce soit pour nous rattraper…

— Quand vous aurez réglé le petit problème de cette guerre, vous pourrez peut-être essayer de trouver un remède. Mais pour l'instant nous devons empêcher Niagara de nuire.

— Il y avait quelque chose dont il avait besoin dans la cargaison, dit Tunguska. Mais lui sait ce qu'il cherchait, alors que nous l'ignorons. Or il nous serait déjà assez difficile de le trouver même si nous avions encore les objets, ou si Cassandra avait eu le temps de les scanner à un niveau de résolution suffisant…

— Attendez, dit Floyd en retournant encore une fois le disque entre ses mains. Si elle n'a pas eu le temps d'examiner le butin en détail, d'où vient cette copie ?

— Elle a manqué de temps pour examiner les livres et les périodiques comme elle l'aurait voulu. Mais pour les enregistrements phonographiques, en réalité, il n'est pas très difficile de procéder à un scan holographique du sillon. C'est beaucoup plus facile que de scanner un document papier à une résolution microscopique, à la recherche d'un message caché.

Floyd inclina la pochette dans un sens et dans l'autre.

— Mais s'il y avait un message caché, là, vous l'auriez manqué aussi.

— Un message caché… comme les coordonnées de l'OVA ? Oui. Mais vous savez que pour indiquer cette position il suffirait d'une minuscule quantité de données. Quelques digits, faciles à dissimuler n'importe où.

— Autant chercher une aiguille dans une botte de foin.

— Je pensais juste que les disques vous aideraient à passer le temps. Comme vous aimez la musique…

— Oui, dit Floyd. J'aime beaucoup ça. Et je suis sensible à l'attention. Mais s'il n'y a rien pour passer ces…

— Allons, allons, fit Tunguska avec une lueur amusée dans le regard. Vous ne pensez pas que j'aurais pu oublier ça ?

Il regardait derrière Floyd, en direction de la table de chevet et du poste de TSF. Floyd se retourna. Il y avait là un phonographe, un bon appareil, à un endroit où il n'était pas, une minute plus tôt.

— Très impressionnant, le tour de passe-passe, dit Floyd avec un sourire.

— Profitez bien de la musique. Je reviens dès que j'ai du nouveau.

Après son départ, Floyd posa le disque sur le tourne-disque et abaissa la tête de lecture sur le sillon. Il y eut un craquement alors que la pointe de diamant cherchait la piste, un silence seulement troublé par un crépitement d'électricité statique, et la musique commença : la trompette d'Armstrong et le piano de Lil Hardin emplirent la pièce, clairs, forts et doux comme une petite pluie fraîche par une chaude journée d'été. Floyd eut un sourire – c'était toujours un bonheur d'entendre Satchmo, mais la musique n'arrivait pas à lui redonner le moral. Peut-être qu'il s'en faisait trop pour Auger et tout ça pour que la musique ait l'effet attendu. Sa vieille copie Gennett râpeuse avait une vie qui manquait à cette version. Quelque part entre Paris et le vaisseau de Cassandra, une étincelle essentielle avait fui la musique. Floyd enleva la galette de la platine et la remit dans la pochette. Il parcourut les merveilles du carton, trouva d'autres enregistrements de jazz, en essaya quelques-uns avant de renoncer. Peut-être que ce n'étaient pas les enregistrements mais plutôt l'appareil, ou l'acoustique de la pièce… en tout cas, ça n'allait pas. Autant écouter quelqu'un siffler un air.

Bien essayé quand même, Tunguska, se dit-il.

Il s'allongea sur le lit, les mains croisées derrière la tête. Il ralluma le poste de radio, mais les nouvelles étaient toujours les mêmes.

— Vous pouvez lui parler, maintenant, dit Tunguska. Mais allez-y doucement. Elle a été rudement éprouvée au cours des derniers jours.

— Je vais y aller comme sur des œufs.

— Bon. A part ça, Floyd, comment trouvez-vous ces disques ?

— C'était une attention délicate, répondit Floyd.

— C'est-à-dire… « c'est l'intention qui compte » ?

— Désolé, Tunguska, mais il leur manque quelque chose. Peut-être qu'il faudrait changer l'aiguille du phono. Ou alors, c'est moi.

— Je voulais juste que vous vous sentiez comme chez vous.

— Et j'apprécie l'intention. Mais ne vous en faites pas pour moi, d'accord ? Ça va.

— Vous encaissez bien, Floyd. Je vous admire pour ça.

Tunguska le conduisit dans la chambre d'un blanc éclatant d'une salle de soins intensifs.

— Je vais vous laisser tous les deux, dit Tunguska. S'il y a le moindre problème, les machines m'en informeront.

Il recula à travers le mur blanc, qui se referma hermétiquement derrière lui, comme un bol de crème.

Auger était assise dans son lit, plus ou moins réveillée. Un brouillard de machines argentées papillonnaient autour de sa tête et du haut de son corps. Elle le vit approcher et, malgré sa lassitude évidente, réussit à lui sourire.

— Floyd ! Je pensais qu'ils ne me laisseraient jamais vous voir. Je commençais à me demander si vous alliez vraiment bien.

Il s'assit sur un piédestal en forme de champignon à côté de son lit, lui prit la main et la caressa. Il s'attendait à ce qu'elle retire sa main, mais au contraire elle referma ses doigts sur les siens, comme si elle avait besoin de ce contact humain.

— Moi, ça va, dit-il. Tunguska voulait que vous vous reposiez, le temps de remettre de l'ordre dans vos idées. Ça va mieux, maintenant ?

— J'ai l'impression d'être ici depuis cent ans, et que ma tête sonne depuis tout ce temps. On dirait qu'une petite assemblée parlementaire est en réunion sous mon crâne.

— Les machines de Cassandra, je suppose. Vous vous rappelez ce qui s'est passé ?

— Pas tout. Je me souviens que Cassandra est morte… et c'est à peu près tout.

Elle écarta une mèche de cheveux trempés de sueur de ses yeux.

— Vous vous souvenez que ses machines vous ont demandé l'autorisation d'établir leur campement dans votre tête ?

— Je me rappelle avoir eu très peur, mais je savais que je devais dire oui, et de toute façon je n'avais pas le temps de réfléchir.

— C'est très courageux, ce que vous avez fait, dit Floyd. Je suis fier de vous.

— J'espère que ça en valait la peine.

— Oh oui, alors. Pour le moment, en tout cas. Vous savez où vous êtes ?

— Oui. De toute façon, dès que je me rends compte qu'il y a quelque chose que j'ignore, l'information semble jaillir dans ma tête. Nous sommes de retour sur le vaisseau de Cassandra, sauf que c'est Tunguska qui dirige les opérations, maintenant.

— Vous pensez qu'on peut lui faire confiance ?

— Oui, absolument, dit-elle d'un ton résolu, comme si ça allait de soi.

Et puis elle fronça les sourcils, tout aussi soudainement moins sûre d'elle.

— Non… Attendez. Comment puis-je le connaître si bien ? Ça doit être un des souvenirs de Cassandra… C'est bizarre. Je ne suis pas sûre d'aimer ça.

Elle secoua la tête et grimaça comme si elle venait de mordre dans un citron.

— Tunguska dit que les machines de Cassandra semblent avoir un faible pour vous, dit Floyd.

— Ne me dites pas que je vais être condamnée à les héberger jusqu'à la fin de mes jours, dit-elle d'un ton désinvolte mais pas tout à fait assez convaincant.

— Probablement jusqu'à ce que la crise soit passée, pas davantage, dit Floyd d'un ton qu'il espérait rassurant. Vous vous souvenez, ce vaisseau de sauvetage dont Cassandra avait la certitude qu'ils allaient l'abattre ?

— Oui, répondit Auger au bout d'un moment.

— Eh bien, il a réussi à s'enfuir. Il a effectué un rendez-vous avec un vaisseau plus gros, plus rapide. D'après Tunguska, tout accuse Niagara.

A ces mots, Auger sembla recouvrer ses esprit. Elle s'assit toute droite dans son lit et repoussa ses cheveux en arrière.

— Nous devons arrêter ce vaisseau avant qu'il arrive à un portail. Rien d'autre n'a d'importance.

— Nous avons essayé, dit Floyd.

— Et alors ?

— Il a déjà pris le contrôle du portail.

— Je croyais vous avoir entendu dire que nous étions à sa poursuite.

— En effet. Tunguska a envoyé des renforts pour reprendre le contrôle du portail. Ses gens le maintiennent ouvert pour nous. Nous sommes dans l'hyperweb en ce moment même.

Elle regarda autour d'elle comme si elle doutait de ses paroles. Floyd aussi avait eu du mal à croire qu'un transit dans le portail puisse être aussi fluide, aussi peu excitant.

— Alors, où est Niagara, là, tout de suite ? demanda-t-elle.

— Quelque part devant nous, le long du tuyau.

— Je ne pense pas que deux engins l'aient jamais pris en même temps, dit Auger en fronçant les sourcils.

— Non. Ce n'est sûrement pas la procédure habituelle.

— Tunguska pense que nous avons une chance de rattraper le vaisseau de Niagara, ou de nous en rapprocher suffisamment pour l'abattre ?

— Je ne sais pas. Je pense qu'il est surtout préoccupé par ce qui se passera quand Niagara ressortira à l'autre bout. Il y a un risque que nous perdions sa trace.

— Ça ne doit pas arriver, dit Auger. S'il nous échappe, alors, c'est fichu. Tout votre monde, Floyd, tous ceux que vous connaissez, que vous avez jamais aimés, mourront en un instant.

— Je vais dire à Tunguska de jeter quelques chaises de plus dans la chaudière…

— Je suis désolée, dit-elle en se laissant retomber sur ses oreillers, vidée de son énergie. Je ne devrais pas en rajouter. Ça doit déjà être assez compliqué comme ça pour vous. Tunguska fait sûrement tout ce qu'il peut.

Et puis elle regarda Floyd avec acuité comme si un souvenir enfoui venait de remonter à la surface.

— Les coordonnées de l'OVA, dit-elle. Vous avez réussi à les découvrir ?

— Non. Tunguska est tombé sur un os. Il dit qu'il se peut que nous ne les trouvions jamais.

— Il nous manque un élément, là, Floyd. Quelque chose d'aussi évident que le nez au milieu de la figure.

Tunguska vint la voir un peu plus tard. C'était un homme gigantesque, mais il bougeait et parlait si calmement, l'air tellement détendu, qu'Auger ne pouvait que se détendre à son tour en sa présence. Sa seule existence semblait lui assurer que rien de mauvais ne pouvait arriver.

— Vous êtes venu m'autoriser à me lever ? demanda-t-elle. J'ai l'impression de rater tout un tas de choses exaltantes.

— D'après mon expérience, répondit Tunguska en s'extrudant un siège temporaire, l'exaltation en question est toujours plus agréable quand ce sont les autres qui sont concernés. Mais ce n'est pas pour ça que je suis venu. J'ai un message pour vous. Nous l'avons intercepté peu avant d'entrer dans le portail.

— Un message ? Quel genre ?

— Ça vient de Peter Auger. Vous voulez le voir ?

— Vous auriez pu me le dire avant.

— Peter a bien demandé qu'on ne vous embête pas avec ça avant que vous vous sentiez mieux. De toute façon, il n'y avait pas de possibilité de réponse. Nous avons dit à Peter que vous ne reprendriez pas conscience avant notre entrée dans l'hyperweb.

— Alors, il sait que je vais bien ?

— Oui, maintenant il le sait. Mais vous ne voulez pas que je vous passe le message ?

Sans attendre la réponse, Tunguska tendit la main vers un mur et y fit apparaître un écran sur lequel s'afficha une image plate, statique, de Peter, l'air un peu plus épuisé et moins soigné que d'habitude.

— Je vous laisse regarder ce message tranquillement, annonça Tunguska.

Il se leva et fit signe à son siège de réintégrer le sol.

L'image s'anima dès que Tunguska eut quitté la pièce.

« Salut, Verity ! dit Peter. J'espère que ce message te trouvera en bonne forme. Avant tout, sois rassurée : les enfants vont bien. Nous sommes sous la protection de Fédérés modérés, des amis de Cassandra, qui s'occupent très bien de nous. Tunguska veillera à ce que nous nous retrouvions quand toute cette dinguerie sera terminée. »

— Bon, articula Auger.

« Maintenant, parlons de toi, continua Peter. Je n'ai pas encore connaissance de tous les faits, et je ne pense pas les connaître avant que nous nous revoyions, mais je sais que tu vas relativement bien et que tu es en de bonnes mains. Je regrette ce qui est arrivé à Caliskan et à Cassandra. Je sais que tu en as pas mal bavé toi-même depuis que tu es revenue de T2. Peu importe ce qui s'est passé à l'autre bout du lien, en réalité. Tout ce que je peux dire, c'est que… Ecoute, je sais que ça va te paraître bizarre venant de moi, mais je suis fier de te connaître. Nous nous serions déjà estimés satisfaits si tu t'étais contentée de mener à bien la mission qu'on t'avait confiée, mais tu en as fait tellement plus. Tu as fait honneur à la mémoire de Susan White. Grâce à toi, elle n'est pas morte pour rien. »

Peter s'interrompit et tendit un petit afficheur plat sur lequel une forme complexe, en trois dimensions, tournait sur elle-même dans tous les sens. On aurait dit une sorte de flocon de neige métallique, ou d'étoile de mer.

« Je ne pense pas que tu puisses reconnaître cette chose. C'est un élément réplicant de la Pluie d'Argent

– la souche même sur laquelle les gens de Cassandra pensent que Niagara a fait main basse. »

Il avait raison : c'était la première fois qu'elle en voyait… et pourtant elle éprouva comme une étincelle de reconnaissance. C'étaient les machines de Cassandra qui l'avaient identifié.

« Officiellement, ça n'aurait jamais dû être possible, poursuivit Peter. Toutes les souches auraient dû être incinérées il y a vingt ans. Malheureusement, ça n'a pas été le cas. En violation patente du traité, les Etats fédérés en conservaient une réserve stratégique. Ils ont même dédié une petite équipe à son amélioration. »

— Les salauds ! fit Auger.

Il faut croire que Peter avait deviné, comme toujours, sa réaction, car il reprit, avec une lueur dans le regard :

« Enfin, nous serions mal placés pour le leur reprocher. Nous avons fait exactement pareil. La seule différence, c'est que nos équipes de recherche n'étaient pas tout à fait aussi inventives. Ou futées. »

Il inclina l'écran d'affichage afin de pouvoir le regarder lui-même.

« En réalité, ce que les chercheurs fédérés ont fait était très simple. La Pluie d'Argent originelle était un agent antibiologique à large spectre. Il ne faisait pas la différence entre les diverses espèces de micro-organismes. Animaux ou végétaux, il contaminait indifféremment tous les organismes vivants et les tuait tous au même moment préprogrammé : d'où la Zone Eradiquée, sur Mars. Excellent pour détruire une écologie entière… moins bien pour l'élimination chirurgicale d'une espèce donnée. Or c'est ce que la nouvelle variété est capable de faire : elle s'attaque spécifiquement à l'espèce humaine. Quand elle aura fini son œuvre, il ne restera plus un être humain en vie où que ce soit sur T2. Quelques semaines plus tard, il n'y aura même plus de cadavres. En dehors de ça, l'écosystème restera intact. Les villes s'effondreront et se déliteront. Les barrages céderont et disparaîtront. La nature reprendra ses droits. Les animaux ne remarqueront probablement même pas la différence. Si ce n'est que l'air paraîtra un peu plus pur aux oiseaux, et les océans un peu plus calmes aux baleines. Il n'y aura même plus de centrales nucléaires ni de vaisseaux pour échapper à notre contrôle et empoisonner l'environnement une fois leurs maîtres partis. Pour le reste de la planète, ce sera comme si une mauvaise fièvre avait brièvement frappé. Une fièvre d'un million d'années appelée *Homo sapiens.* »

Peter vida l'écran d'un mouvement de poignet et le fit disparaître.

« Pourquoi est-ce que je te raconte tout ça alors que Niagara a déjà l'arme ? Eh bien, parce que tu es notre seul espoir d'empêcher ça. Si cette arme est libérée dans l'atmosphère de T2, elle marchera. Il n'y a aucun espoir réel d'échec. Aucun antidote que nous pourrions libérer par la suite. La seule façon d'éviter ça est d'intercepter Niagara avant qu'il n'atteigne la Terre. Si on ne l'arrête pas, le meurtre des trois milliards d'habitants de T2 sera déjà assez épouvantable. Mais ça ne s'arrêtera pas là. Si la tentative échoue, nous pouvons espérer mettre fin à cette guerre de dingues. Nous avons peut-être perdu la Terre, mais nous n'avons pas perdu le système tout entier. Alors que si la Pluie d'Argent atteint T2 les tenants de la ligne dure de notre côté n'accepteront jamais un cessez-le-feu, même avec les modérés. Et ce sera l'escalade. La fin de tout. Nous perdrons, évidemment, ajouta-t-il avec un haussement d'épaules. Voilà, je me suis dit que tu devais être informée des enjeux. »

— Je sais, répondit Auger. Tu n'avais pas…

« Je sais, je sais, fit Peter en hochant la tête. Après tout ce que tu as subi, après tout ce que tu as fait pour nous, te demander encore ça… Ce n'est ni juste ni raisonnable. Mais nous n'avons tout simplement pas d'autre solution. Je sais que tu as la force, Verity. Et même plus que ça : le courage. Fais ce que tu peux, c'est tout, et puis reviens à la maison, avec nous. Tu as plus d'amis que tu ne penses, et tout le monde t'attend. »

Par la suite, elle eut encore un visiteur. Ou plutôt une visiteuse. La fille aux cheveux noirs entra dans la pièce sans demander la permission et s'assit crânement au pied de son lit, les mains nouées dans le dos comme une élève qui s'attend à se faire disputer pour un devoir en retard.

— Je peux me rendre transparente, si ça peut vous être agréable, dit Cassandra.

— Ne prenez pas cette peine. Je sais que vous n'êtes pas réelle.

— Je me suis dit que ce serait mieux d'apparaître en personne. Ça ne vous ennuie pas, hein ? Après ce que je vous ai fait subir, modifier votre codage perceptuel paraît plutôt anodin.

— De quoi s'agit-il, Cassandra ?

— De vous et de moi. De ce qui nous est arrivé, et de ce que nous allons faire.

— Pour moi, c'est très clair, répondit Auger. Vous avez piraté mon corps pour nous sauver à Paris.

— Je me suis aussi sauvée moi-même. Je ne peux nier l'intérêt personnel que j'avais à tout ça.

— Pourquoi ? Je suis sûre que vos machines auraient pu rester tranquillement à l'abri en attendant que le danger soit passé.

— Elles auraient pu, mais je n'aurais pas survécu longtemps sans un esprit hôte. La personnalité est une chose fragile, même dans les conditions idéales.

Auger eut une impression glacée de ce que Cassandra avait enduré.

— Combien de vous-même…

Mais elle ne put se résoudre à aller au bout de sa question.

— Quelle partie de moi a survécu ? Plus que je n'osais l'espérer. Beaucoup moins que je n'aurais voulu. Mentalement, j'ai eu le temps d'écrire un message dans une bouteille. Vous parlez à ce message.

— Et vos souvenirs ?

— En principe, les machines ne peuvent encoder et transcrire qu'une petite fraction de la mémoire. Mes souvenirs me font l'impression d'être à la fois intacts et ténus, comme un croquis de la vie plutôt que la vie elle-même. Ils n'ont pas de texture, je n'ai pas l'impression d'avoir véritablement vécu ces événements. C'est comme si ma vie était arrivée à quelqu'un d'autre, comme si je ne l'avais vécue que par procuration. Mais c'est peut-être l'effet que la vie fait toujours. L'ennui, c'est que je ne me rappelle pas s'il y avait une différence avant que je meure.

Elle regarda la pointe de ses chaussures pour se donner une contenance.

— Je suis désolée, Cassandra.

— Oh, ne vous méprenez pas… c'est mieux que d'être morte. Et quand nous aurons réglé ce merdier, j'ai encore une chance de réintégrer des souvenirs de secours archivés dans les banques mnémoniques des Fédérations. Si elles survivent.

— Espérons-le.

— On verra bien. C'est déjà formidable que je sois arrivée jusque-là. Je vous en remercie, Auger. Vous auriez pu dire non.

— Je ne me rappelle pas que nous en ayons discuté…

Cassandra eut une ébauche de sourire.

— Je reconnais que ça n'a pas été long. Et quand j'ai envahi votre esprit, le processus vous a probablement fait perdre quelques secondes de votre propre mémoire à court terme. Mais je vous assure que j'avais votre autorisation.

— Vous nous avez sauvés, lui rappela Auger. Et quand j'ai été blessée, quand Floyd est venu à mon aide, vous êtes restée avec moi.

— Qu'aurais-je pu faire d'autre ?

— Vous auriez pu fuir mon corps… M'abandonner à Paris. Je suis sûre que vos machines s'en seraient sorties le temps de trouver un autre hôte. Vous auriez pu vous débrouiller avec Floyd, après tout.

— Vous vous faites une idée fausse de nous, dit Cassandra. Je ne vous aurais jamais abandonnée. J'aurais préféré mourir plutôt que de vivre avec ça.

— Eh bien, je vous en suis reconnaissante.

— Vous m'avez sauvée, aussi. Après tout ce qui s'était passé entre nous, je n'osais y compter. Ma gratitude vous est acquise, Auger. J'espère seulement que, d'une certaine façon, ç'aura été une leçon pour nous deux.

— J'étais seule à avoir besoin d'une leçon, dit Auger. Je vous détestais parce que vous aviez dit la vérité à mon sujet.

— Eh bien, je vais vous faire un aveu. Tout en m'apprêtant à témoigner contre vous, j'admirais votre dévotion à votre travail. Vous aviez le feu sacré.

— Il a bien failli me brûler.

— Mais au moins ça ne vous était pas égal. Vous ne vouliez pas laisser faire.

— Ce merdier, dit Auger, nous le devons à des gens qui voulaient tous faire quelque chose. Des gens comme moi, qui croient toujours tout savoir, qui pensent toujours avoir raison et que tous les autres se trompent. Peut-être que ce qu'il faudrait, c'est qu'il y ait un peu moins de gens comme nous.

Cassandra changea de place, mal à l'aise.

— Ou des gens comme nous, mais des bons, rectifia-t-elle en haussant les épaules. Ecoutez, je vais en venir au fait. Tout ce que je viens de vous dire, je le pense, mais je suis venue vous voir pour une autre raison : la décision vous incombe, maintenant.

— Quelle décision ?

— Ce que vous allez faire de moi. Maintenant que vous êtes sur pied, vous n'avez plus besoin de moi dans votre tête pour vous maintenir en vie.

— Alors vous avez identifié un nouvel hôte ?

— Pas exactement. Tunguska me prendrait bien s'il avait la capacité de stockage... mais ce n'est pas le cas, pas avec tous les processeurs tactiques qu'il est obligé d'héberger. Idem pour le reste de l'équipage. Enfin, il y a des techniques qui pourraient permettre de conserver mes machines en suspension jusqu'à ce que nous regagnions la Fédération et que nous trouvions un hôte.

— Répondez-moi franchement : quelle serait la stabilité de cet état d'animation suspendue par rapport au fait de rester où vous êtes ?

— La procédure est dûment capable de…

— Non, franchement, insista Auger.

— Il y aurait des pertes additionnelles. Impossibles à quantifier, mais quasiment inévitables.

— Alors, vous restez où vous êtes. Pas de si, pas de mais.

Cassandra renvoya en arrière sa mèche de cheveux noirs.

— Je ne sais pas quoi dire. Je ne m'attendais pas à autant de gentillesse.

— De ma part ?

— De le part de n'importe quel Thresher.

— Alors je suppose que nous nous faisions toutes les deux des idées fausses les uns sur les autres. Espérons seulement que nous ne serons pas seules à pouvoir trouver un terrain d'entente.

— Il y en aura d'autres, dit Cassandra. Mais nous aurons un rôle à jouer. Quand nous aurons réglé son compte à Niagara et regagné Sedna, il y aura de vilaines blessures à panser.

— S'il reste des survivants.

— Espérons que nous éviterons le pire. S'ils réussissent… Si les Threshers progressistes et les Slashers modérés arrivent à mettre leurs divergences de côté, alors il y aura peut-être de l'espoir pour nous tous. Enfin, un exemple de coopération pourrait tout changer.

— Un exemple comme nous, vous voulez dire ?

La fille aux cheveux noirs hocha la tête.

— Je ne dis pas qu'il faudrait que je reste dans votre tête pour toujours, mais quand la paix sera négociée, quelqu'un en qui les deux parties auraient confiance pourrait jouer un rôle très important, en vérité.

— A moins qu'ils ne décident de ne pas nous faire confiance du tout.

— C'est un risque, convint Cassandra. Mais je suis prête à le courir. Et puis, ajouta-t-elle comme si elle s'amusait beaucoup, on ne sait jamais.

— Quoi donc ?

— Ça pourrait être le début d'une belle amitié.

Après pas mal d'insistance, Tunguska finit par céder et autorisa Auger à se promener dans le vaisseau. Elle se sentait fraîche et reposée, les voix dans sa tête n'étaient plus aussi obsédantes. Un drap intelligent suivait chacun de ses mouvements, préservant sa pudeur d'une façon assez flatteuse, à ce qu'il lui semblait, d'après les reflets qu'elle saisissait dans les surfaces brillantes ou les miroirs. Il n'y avait pas si longtemps, l'idée de partager une telle intimité avec une machinerie slasher l'aurait consternée. Maintenant, chaque fois qu'elle essayait de susciter en elle le réflexe de dégoût approprié, il ne se produisait tout simplement pas. En dépit de son petit tête-à-tête avec Cassandra, elle se demandait si c'était parce que les machines censuraient subrepticement ses pensées, ou si les événements des derniers jours avaient fini par l'amener à admettre que tout ce qui concernait les Slashers n'était pas automatiquement répugnant. En même temps, elle se demandait également si elle avait vraiment besoin d'une réponse. La pure et simple vérité était qu'elle ne les détestait plus d'emblée. Et elle était aussi étonnée que honteuse d'avoir pu gâcher tellement d'énergie sur des principes infondés. L'acceptation et la tolérance auraient été le chemin le plus simple et le moins fatigant.

Assis à une table, Tunguska et Floyd regardaient des schémas défiler sur le mur, en face d'eux. Comme Auger s'approchait, une chaise monta du sol, par anticipation. Elle s'assit entre les deux hommes. Tunguska portait un costume de flanelle blanche, ouvert sur son large torse imberbe, et Floyd une chemise blanche, impeccable, et un pantalon noir retenu par des bretelles élastiques à rayures. Ce n'étaient assurément pas les vêtements avec lesquels il avait quitté Paris, et elle se dit que Tunguska avait dû les matérialiser pour lui. Elle se demanda s'il les avait déterrés d'un obscur souvenir, ou s'il avait suivi les directives de Floyd.

— On a un écho du vaisseau de Niagara, annonça Tunguska avec un geste en direction d'un écran mural.

Des fils d'or formaient une carte dont les courbes évoquaient les schémas de navigation du module, en beaucoup plus complexe. Des symboles énigmatiques planaient dans des petits carrés sur le pourtour du diagramme, reliés par des lignes fines à des nœuds des courbes de niveau. Alors que les chiffres changeaient et se fondaient, les symboles évoluaient, décrivant des configurations plus énigmatiques les unes que les autres.

— Nous envoyons des signaux acoustiques le long du lien, poursuivit Tunguska, à l'aide de la même strate de propagation à haute vitesse que vous employez pour les canaux de navigation et de communication.

— On aurait pu croire que vous auriez trouvé un système plus sophistiqué, depuis le temps, fit Auger.

— Nous avons expérimenté diverses solutions, mais la technique acoustique est encore la seule méthode fiable à notre disposition. Comme vous le savez sans doute, il est compliqué d'envoyer un signal quand il y a un module dans le tuyau. Le module fait office de miroir. Il nous renvoie les signaux avec une efficacité à haute résolution.

— Et vous avez un signal de Niagara ?

— Faible, répondit Tunguska, mais indéniable. Avec un appareil plus petit, il pourrait tenter différentes manœuvres pour atténuer le signal de rebond. Mais ce gros et grand vaisseau ne risque guère de passer inaperçu.

— D'accord, fit Auger. Si vous pouvez faire rebondir un signal dessus, vous pouvez dire à quelle distance nous en sommes.

— Oui. Sauf que la distance spatiale est un concept plutôt fluctuant dans le transfert hyperweb...

— D'accord. Donnez-moi quand même votre meilleure estimation.

— Son vaisseau doit être à deux cents kilomètres devant nous. Compte tenu de la vitesse de propagation habituelle, il devrait sortir une heure avant nous, à peu près.

— Deux cents kilomètres, répéta Auger. Ça n'a pas l'air énorme.

— Ça ne l'est pas, confirma Tunguska.

— Et vous ne pourriez pas projeter devant nous quelque chose qui couvrirait la distance avant que son vaisseau ne quitte le tunnel ?

— Si, répondit Tunguska. Mais je voulais vous en parler avant de faire quoi que ce soit.

— Si vous avez une solution, mettez-la en œuvre, nom de Dieu !

— J'ai des armes à rayon, dit Tunguska. Mais elles ne marchent pas très bien dans l'hyperweb pour la même raison que les pulsations électromagnétiques sont inefficaces : à cause de la dispersion sur le revêtement du tunnel. Restent les missiles. Nous avons six missiles à ogive explosive et propulsion extra-drive…

— Eh bien, utilisez-les !

— Ce n'est pas si simple. Les objets soumis à la poussée ont un comportement imprévisible dans l'hyperweb : c'est pour ça que nous surfons sur l'onde péristaltique de l'embouchure au lieu d'utiliser notre propre énergie.

— Ça vaut tout de même le coup d'essayer, non ?

Tunguska n'éleva pas le ton, mais son visage commençait à trahir sa préoccupation.

— Il faut que vous compreniez les risques. Avec une arme à rayon, si nous arrivons à nous rapprocher suffisamment pour éviter l'effet de dispersion, nous avons un degré de contrôle chirurgical. Nous pourrions infliger à son vaisseau des dégâts suffisants pour l'empêcher d'atteindre le portail suivant.

— Lui infliger des dégâts ? Je ne vois pas l'intérêt. Je me fous des interrogatoires ou de ce que vous lui ferez subir si vous lui mettez le grappin dessus. Je veux que vous l'éliminiez nettement et sans bavure !

— Ne sous-estimez pas la valeur de l'interrogatoire, dit poliment Tunguska du ton légèrement réprobateur d'un maître indulgent. Cette conspiration n'est sûrement pas le fruit d'un seul homme. Si nous perdons Niagara, nous perdons tout espoir de capturer ses associés. Et ce qu'ils ont tenté une fois, ils pourraient le tenter à nouveau.

— Mais vous venez de dire que vous ne pouviez l'anéantir !

— Pas dans l'hyperweb, dit-il en levant le doigt. Mais si nous pouvons intercepter son vaisseau dans l'espace dégagé entre les portails… alors nous pourrions avoir une chance.

Auger secoua la tête.

— Il y a trop de risques qu'il nous échappe.

— Nous avons toujours les missiles, dit Tunguska. Mais s'il y a une chose qu'ils ne sont pas, c'est chirurgicaux.

Elle imagina un banc de missiles fuselés, pareils à des requins, qui embrochaient le vaisseau de Niagara et le faisaient exploser dans une orgie silencieuse de lumière.

— Je ne verserai pas une larme sur lui.

— Ni sur votre propre mort, qui s'ensuivrait inévitablement ? Ce serait un suicide, Auger. Son vaisseau transporte votre système Molotov. Ça fait assez d'antimatière pour fendre une lune en deux, et il n'est qu'à deux cents kilomètres devant nous.

Tunguska avait raison. Evidemment. Elle était tellement obnubilée par la destruction de Niagara qu'elle n'avait pas vraiment réfléchi à ses implications.

— Quand même, dit-elle en s'obligeant à articuler distinctement. Nous devons le faire quand même.

— Je m'attendais à ce que vous disiez ça, acquiesça gravement Tunguska. Je voulais seulement m'en assurer.

— Et Floyd ? demanda-t-elle d'une voix frémissante, alors que les conséquences de ce qu'elle venait de décider s'imposaient à elle.

— J'ai ai déjà discuté avec lui, répondit Tunguska. Nous sommes arrivés à la même conclusion.

— C'est vrai ? demanda-t-elle en se tournant vers lui.

— Si c'est le seul moyen, répondit Floyd en haussant les épaules.

Le regardant toujours dans les yeux, elle ajouta :

— Eh bien, lancez vos missiles, Tunguska. Et vite, avant que l'un de nous ne change d'avis.

Un imperceptible tremblement parcourut le sol.

— C'est fait, annonça Tunguska. Ils sont lancés, et ils filent vers leur cible.

37

A deux cents kilomètres de là, dans le tuyau, pensa-
t-elle. Autant dire rien en termes spatiaux. Les missiles
auraient dû franchir cette distance en un clin d'œil.
Mais l'hyperweb paraissait déjouer toutes les tentatives de propulsion plus rapide que celle des ondes
péristaltiques. D'après les éléments de télémétrie
fournis par Tunguska, les missiles filaient devant le
vaisseau selon les courbes d'accélération attendues en
fonction de leur masse et de leur poussée, exactement
comme s'ils avaient été lancés dans l'espace extérieur.
Ils réussissaient même par moments à leur faire renvoyer une pulsation électromagnétique ou à lire le
signal acoustique induit par le cône de réaction qui
s'évasait sur les parois du tunnel. Soudain, la situation
évolua : ils ralentirent, leur vecteur d'accélération se
dégrada comme s'ils avaient volé dans une mélasse
cosmique. Le faible murmure des missiles, qui allait
en s'atténuant, ne rapportait aucune anomalie… et
pourtant ils ne filaient plus vers l'avant à une vitesse
suffisante pour intercepter le vaisseau de Niagara.

Tunguska regardait avec un déplaisir manifeste
l'éventail d'écrans tactiques – qui leur étaient surtout
destinés, à Floyd et à elle, se dit Auger.

— C'est bien ce que je craignais, dit-il. Impossible de dire si l'un d'eux atteindra Niagara à temps.

— On le saura quand ça arrivera ? demanda-t-elle.

— Vous voudriez le savoir ?

— Je voudrais être sûre que nous avons réussi avant de…

Elle n'acheva pas sa phrase. A quoi bon énoncer une évidence ?

— Il est peu probable que vous ayez ce luxe, hélas. Rien ne permet de prévoir comment la boule de feu de matière-antimatière reviendra en arrière dans le tuyau, mais il est vraisemblable que ça ira très vite. Nous n'aurons pas le temps de nous féliciter de notre victoire. D'un autre côté, notre mort sera miséricordieusement rapide.

Auger n'avait pas besoin qu'on lui rappelle que si l'un des missiles atteignait sa cible leur sort était scellé. Elle essayait vainement de repousser cette idée, qui n'arrêtait pas de revenir au premier plan de ses pensées.

— On sentira quelque chose ? demanda Floyd.

— J'en aurai l'intuition, répondit Tunguska. Quand la boule de feu heurtera la coque de mon vaisseau, l'information des capteurs extérieurs parviendra à mon crâne un instant avant l'onde de destruction proprement dite.

— Et vous aurez le temps de formuler une pensée ? demanda Auger en serrant très fort la main de Floyd. Assez de temps pour retirer une miette de réconfort du fait que votre sacrifice n'aura pas été vain ?

— Peut-être, répondit Tunguska avec un sourire. Ça n'a pas besoin d'être une pensée très compliquée, après tout.

— Je ne suis pas sûre de vous envier, dit Auger.

— Enfin, c'est comme ça. Je pourrais déconnecter le lien entre mes machines neurales et les capteurs de la coque, mais je n'en ai pas le cœur.

Il regardait les images murales lorsque son expression changea.

— Qu'y a-t-il ? demanda Auger.

— Ce que j'anticipais, hélas. La télémétrie des missiles est silencieuse.

— Est-ce que ça veut dire qu'ils sont inactivés ? demanda Floyd.

— Pas forcément. Juste que les données qu'ils essaient de nous renvoyer ne nous parviennent plus. Et il est à craindre que les missiles ne captent pas davantage les signaux que nous leur envoyons. Ils ont dû passer sur mode vol autonome.

— Je ne sais pas pourquoi, mais je préférais quand on avait la preuve qu'ils étaient là, dit Floyd.

— Moi aussi, répondit Tunguska.

Il tendit la main, la posa sur les leurs, et ils restèrent assis là, en silence, attendant n'importe quoi. Ou rien.

Mais Auger n'avait pas envie de silence. Il laissait trop de place à certaines pensées. Elle voulait le rythme léger de la conversation, les petites histoires, parler de la pluie et du beau temps. Pouvoir penser à n'importe quoi sauf à ce mur mortel de lumière furieuse, à l'enfer qui pouvait, à tout moment, les engloutir. Plus vite que la nouvelle qu'ils avaient réussi. Depuis combien de temps les missiles avaient-ils été lancés ? Des minutes ? Des heures ? Elle avait perdu toute notion du temps. Mais que dire ? Tout ce qui lui venait à l'esprit lui paraissait futile, dérisoire. Chaque seconde pouvait être la dernière de leur vie, et elle n'arrivait pas à imaginer une parole digne de troubler cet instant. Le silence valait mieux. Il avait sa propre dignité.

Elle regarda Floyd et le Slasher, et comprit que leurs pensées suivaient exactement le même cheminement. Comme en signe d'aveu implicite, ils se serrèrent plus fortement les mains.

Soudain, un changement convulsif se produisit sur les écrans muraux. Auger enregistra le phénomène en un instant, et eut un autre instant pour en tirer les conclusions qui s'imposaient : l'un des missiles avait dû atteindre son but, et leur vaisseau avait détecté le feu d'enfer approchant.

Mais les voix qu'elle avait dans la tête et qui se tenaient coites depuis peu lui dirent que non, ce n'était pas ce qui se passait.

Ce n'était pas une bonne nouvelle, mais elle avait une saveur différente, légèrement moins âpre.

L'instant d'après, le vaisseau amorça une manœuvre d'évasion radicale. Auger n'eut que le temps de sentir son poids se déplacer dangereusement d'un côté, puis sa robe se raidit pour lui offrir un cocon protecteur, et le mobilier, le sol et les parois formèrent une matrice protectrice autour d'elle.

Ensuite, il y eut un moment affreux quand le vaisseau lui enfonça de force un tube respiratoire dans la gorge.

Deux ou trois images noires...

Et les informations affluèrent à sa conscience, transmises par les machines de Cassandra qui s'adressaient à Tunguska et au reste du bâtiment.

L'un de leurs propres missiles s'était verrouillé sur eux. Les propriétés spatiales particulières du tunnel hyperweb avaient abusé son système de navigation, et l'écho balbutiant des signaux électromagnétiques chaotiques lui avait fait négliger le message selon lequel le vaisseau de Tunguska était un ami et non un ennemi. Le vaisseau s'était replié sur lui-même, incurvant sa coque au dernier moment pour esquiver l'ogive mortelle. Alors, une fois dans la portion de tunnel qui se trouvait derrière le vaisseau, une commande d'explosion d'urgence avait germé dans le petit esprit meurtrier du missile et entraîné son autodéclenchement.

L'explosion avait provoqué une altération locale de la géométrie du tunnel, renvoyant des ondes de choc dans toutes les directions, et des réverbérations énergétiques plongèrent le blindage protecteur du vaisseau de Tunguska et les tissus vivants, mous, de ses passagers dans une tempête de photons à ondes courtes.

Percevant un autre danger, le vaisseau maintint ses occupants dans la protection du matelassage anti-*g* tout en braquant vers l'avant l'ensemble des capteurs susceptibles de grappiller la moindre information sur l'état du tunnel. Les échos de l'explosion avaient aveuglé les acoustiques, pour le moment, du moins. Le vaisseau passa frénétiquement sur des systèmes de secours auxquels il ne se serait jamais fié en vol normal. Les lasers neutrinos et les pulsations électromagnétiques à large spectre scrutaient la bouche avide, éclatante de lumière.

Deux autres missiles se ruaient vers eux, à la recherche d'une cible.

Des signaux annonciateurs de détonation furent transmis à la puissance maximale. Des armes à rayon se déployèrent, prêtes à se déclencher si les missiles ne se détruisaient pas d'eux-mêmes.

L'un des deux s'anéantit dans une explosion contrôlée, et les amortisseurs étouffèrent l'onde de choc. L'autre missile négligea l'ordre d'autodestruction et accéléra encore en vue de l'interception finale. Le vaisseau fit des écarts et se reconfigura, poussant ses limites structurelles au-delà de toutes les marges de sécurité concevables. Des annonces stridentes d'avaries irréparables s'entrechoquaient dans le cerveau d'Auger. Le vaisseau pourrait encore supporter quelques dégradations, mais guère plus.

Les armes à rayon oscillèrent fortement et se verrouillèrent sur le troisième missile égaré. Elles firent feu, impactant à deux kilomètres seulement du vaisseau, sur l'avant. Ses systèmes d'amortissement étant déconnectés, l'explosion de ce missile fut la plus violente des trois.

Ils se ruèrent dans la boule de feu. Le vaisseau hurla, se convulsa, en proie à une souffrance cybernétique…

Et puis il fut de l'autre côté.

Plus vite que le langage, une pensée germa dans la tête d'Auger.

— Nous avons déployé six missiles, dit Tunguska. Trois sont revenus. Il en reste trois.

A la vitesse de l'éclair, le nuage de machines qu'elle avait dans la tête échafauda une réponse. Est-ce Auger qui répondit, ou Cassandra ? Impossible à dire.

— Combien d'autres frappes de proximité pourronsnous encaisser ?

— Aucune, répondit Tunguska.

Au cours des cinq minutes suivantes, deux autres missiles revinrent. Le premier avait été endommagé par des heurts fulgurants contre les parois du tunnel. Les armes à rayon le prirent en chasse et le neutralisèrent implacablement, à la limite même de détection : soixante-cinq kilomètres.

L'autre missile obéit à l'ordre d'autodestruction et s'anéantit dans un éclair amorti qui n'infligea que des dégâts mineurs.

— Plus qu'un, dit Tunguska.

— Ce n'était peut-être pas une si bonne idée, tout compte fait, observa Auger avec un sourire torve.

— Nous n'avions pas le choix, répondit flegmatiquement Tunguska.

Moins de dix minutes plus tard, le sixième missile s'annonça, sur une trajectoire d'interception à haute vitesse. Il n'obéit pas à l'ordre d'autodestruction, même quand il fut très près. Les armes à rayon de Tunguska l'ouvrirent comme on étripe un poisson, mais l'ogive refusa d'exploser. Le missile obliqua brusquement et s'enfonça à angle droit dans la paroi du tunnel. Bien qu'à moitié aveuglés, les capteurs acoustiques suivirent sa progression alors qu'il s'enfonçait dans le laminage fortement éprouvé de l'espace-temps artificiel. Quelque part dans les profondeurs du revêtement, il finit par exploser, et la paroi entière fit un ventre vers l'extérieur.

— C'était le numéro six, dit Auger. Ils sont tous neutralisés. Nous sommes tirés d'affaire.

— Non, dit Tunguska. Ce n'est pas sûr. Le dernier... ce n'était pas un des nôtres.

— Mais vous en avez envoyé six...

— Et il en est revenu cinq. Le dernier était un cadeau de Niagara. Bon, au moins, on est sûrs qu'il sait que nous sommes là.

Le temps que le vaisseau de Tunguska ressorte du portail, les systèmes d'autoréparation avaient remédié aux plus grosses avaries subies par le vaisseau. Certains dégâts ne pourraient être réparés que par des spécialistes, ce qui devrait attendre le retour du vaisseau dans l'espace de la Fédération, mais pour le moment il était encore capable de continuer la poursuite, bien qu'avec une efficacité réduite. Les techniciens dorlotaient l'extra-drive afin de lui faire retrouver sa pleine puissance.

— Si seulement nous pouvions connaître la direction que Niagara a prise…, dit Tunguska.

Auger se pencha en avant, les coudes sur le rembourrage antichocs de la table extrudée. Le vaisseau avait libéré ses occupants. Ils avaient tous reçu des doses de pan-AC, et les minuscules machines nageaient maintenant frénétiquement dans leurs organismes afin de remédier aux dégâts génétiques dus aux radiations émises par les missiles dont l'explosion n'avait pas été amortie.

— Je pensais que vous espériez le saisir entre les portails…

— C'était l'idée, confirma le Slasher. Malheureusement, Niagara était un peu trop rapide. Se sachant poursuivi, il a dû rogner sur les marges de sécurité.

— Cette attaque de missiles s'est bel et bien retournée contre nous, commenta Floyd.

— Pas forcément, dit Tunguska. Niagara peut croire que sa frappe de riposte nous a détruits. Tout ce vacarme l'a empêché d'envoyer un écho vers nous.

— Quoi qu'il en soit, il a pu aller n'importe où, conclut Auger. Fin de l'histoire, non ?

— Je conviens qu'il y a un certain nombre d'inconnues…

— Ça nous aiderait de savoir par quelle porte il est sorti, observa Auger.

Ils avaient parcouru des milliers d'années-lumière dans l'hyperweb et se retrouvaient de l'autre côté de la galaxie. Peu importait les détails. Ils avaient encore au moins une transition devant eux, peut-être davantage. Compte tenu de la topologie complexe du réseau hyperweb, la poursuite de Niagara pouvait les emmener à peu près n'importe où.

— Même si Niagara avait réussi son insertion suivante avant que nous émergions, dit Tunguska, j'espérais détecter un signal net du portail qu'il aurait utilisé…

— Et alors ? fit Auger en tapotant impatiemment du bout de ses ongles sur la table.

Les quatre portails voisins étaient tous ancrés à des rocs anonymes en orbite autour d'une étoile binaire sombre, compacte, où aucune formation planétaire majeure n'avait jamais eu lieu. C'était un endroit infernal, sinistre, crépitant de particules à haute énergie mâchurées et recrachées par la magnétosphère siamoise extravagante propre aux étoiles binaires.

— A poussée maximale, en faisant fi de toutes les mesures de sécurité, il aurait pu atteindre n'importe lequel des trois portails de sortie juste avant notre éjection, dit Tunguska. Il devait escompter que le système Molotov supporterait ce genre d'accélération sans que son mécanisme de confinement le lâche… Mais évidemment il était prêt à prendre le risque.

— Vous voyez une signature de cône de réaction ? demanda Auger.

— Non. Les radiations ambiantes sont trop violentes pour nous permettre de capter les produits d'ionisation.

— Et les portails ? demanda-t-elle. On n'a pas trouvé celui qu'il a utilisé ?

— Il n'y a personne aux portails. Juste des équipes de maintenance qui effectuent des visites de routine. A part ça, ils s'entretiennent tout seuls. Et les machines racontent toutes la même histoire, poursuivit Tunguska, devançant sa question. Elles ont toutes été activées, réglées pour l'insertion dans l'embouchure et l'effondrement contrôlé. Niagara a envoyé des signaux d'activation aux trois, afin de brouiller les pistes.

— Il faut reconnaître que le bonhomme est malin, commenta Floyd.

Auger se prit la tête dans les mains, en proie à une frustration terrible dirigée contre Tunguska. Malgré toute sa technologie et sa sagesse glacée, le Slasher était impuissant face à la ruse de l'adversaire. C'était injuste, mais elle ne pouvait s'empêcher de lui en vouloir. De la part d'un sorcier, elle attendait des miracles, pas des excuses.

— C'est nul ! Vous n'avez vraiment aucun indice ? Il n'avait qu'un vaisseau, pourtant ! Il n'a pu emprunter qu'un seul de ces portails…

— C'est la seule faille, dit Tunguska. L'un des portails montre une signature d'effondrement légèrement différente des deux autres. Si je devais parier, je dirais que c'est celui qu'il a emprunté.

— Je ne vous demanderai pas combien vous seriez prêt à miser, dit-elle avec une grimace. S'il faut nous en remettre à la chance, saisissons-la. Une fois à l'intérieur, nous pourrons faire rebondir un écho sur lui ?

— Peut-être, dit Tunguska. Mais l'absence d'écho ne prouvera pas forcément que nous avons choisi la mauvaise porte. Il se pourrait qu'il soit simplement trop loin.

— D'autres options ?

— Non. C'est pour ça que j'ai déjà mis le cap sur le portail qui affiche la signature atypique. Dès que la propulsion sera réparée, nous passerons sur vitesse maximale. Malheureusement, il se peut que nous courions après une ombre, je vous le rappelle. Même si cette signature est réelle, elle est à la limite de lisibilité. Une heure de plus et nous ne l'aurions jamais vue.

— Alors, il n'y a pas une minute à perdre.

Tunguska remplaça l'image schématique du système de portail quadruple par la carte en verre fracturé du réseau hyperweb galactique. Il zooma sur une petite zone, mettant en relief une conjonction de quatre filaments.

— Voilà où nous sommes, dit-il. Et selon nos estimations voilà où Niagara va émerger, après un transit de huit heures.

Il leur indiqua un autre point de la carte, plus loin sur le vaste cadran de la galaxie.

— Un autre amas de portails, dit Auger.

— Six en tout, y compris celui par lequel nous arriverons. Il n'y a pas d'OVA dans le secteur, alors ça ne peut pas être sa destination finale. Il empruntera encore un autre portail.

— Nous n'avons plus qu'à espérer que le même truc marchera une deuxième fois.

— Je crains que non, répondit Tunguska. Le temps écoulé entre son départ et notre arrivée sera trop important. Il n'y aura pas de différence décelable entre les portails. Autrement dit, à moins qu'il n'ait un sacré problème, nous l'avons perdu.

— Nous ne *pouvons* pas le perdre, dit Auger. C'est tout simplement exclu.

— Nous serons peut-être obligés de nous résigner, pourtant. Il connaît le chemin de l'OVA, et pas nous ; c'est aussi simple que ça.

— Cassandra aurait dû regarder ces documents plus en détail, dit Auger avec l'étrange sentiment de faire son autocritique, comme si elle se reprochait à elle-même une négligence ou un échec, tout aussi inadmissibles.

— Elle a fait au mieux, dit Tunguska. Sur le moment, elle n'avait qu'une vague idée de leur importance stratégique. Nous avons eu de la chance d'avoir ce que nous avons eu.

— De la chance ? lança Auger. Nous n'avons tiré aucune information des caisses de documents !

— Je suis désolé, dit Tunguska. Si je pouvais faire quelque chose… Nous allons continuer la poursuite, évidemment, en espérant avoir un coup de chance.

— Encore la chance ? C'est ce que vous avez de mieux à proposer ?

— Hélas oui.

Et puis, dans le silence retombé, Floyd leva la main pour prendre la parole.

— Je peux faire une suggestion ?

38

Pendant qu'ils se traînaient vers le portail suspect à l'allure de croisière de 1 g, l'extra-drive n'étant pas encore réparée, Floyd entraîna Auger et Tunguska vers son appartement.

— Vous avez intérêt à ce que ça vaille le déplacement, dit Auger.

— Vous avez mieux à faire, dans l'instant ? C'est ça ?

— Non, mais… Floyd, je ne voudrais pas que vous nous donniez de faux espoirs. Je sais que vous êtes plein de bonnes intentions, mais vraiment…

Il braqua sur elle un regard de bête blessée.

— Mais vraiment… quoi ?

— C'est un problème très… technique, dit-elle.

— Ce qu'elle veut dire, intervint Tunguska d'un ton apaisant, c'est qu'il y a des sujets sur lesquels on peut raisonnablement espérer que vous ayez un avis utile, et d'autres sur lesquels c'est… moins raisonnable.

— Je vois, fit Floyd, les dents serrées.

— Et je crains que le problème de la navigation hyperweb ne tombe résolument dans cette deuxième catégorie, poursuivit-il.

— Ecoutez tout de même ce que j'ai à dire...

— Franchement, Floyd, nous devrions être en train de nous préparer pour le moment où l'extra-drive sera de nouveau opérationnelle...

— Vous ne voulez pas vérifier si vous êtes sur la bonne piste avant de foncer tête baissée ?

Il ouvrit la porte du vaste espace qui était sa résidence provisoire et conduisit les deux autres à côté du lit. Il s'assit dessus et proposa les deux fauteuils à Tunguska et Auger.

— C'est quelque chose que vous avez dit, Auger : comment pourraient-ils bien s'y prendre, avec les outils de 1959, pour faire le tri dans tous les nombres qui sortaient de cette antenne ?

— Je suis tout ouïe, dit Auger.

— Et moi donc, ajouta Tunguska.

— Nous cherchions un micropoint ou un truc dans ce goût-là, dit Floyd. Parce que nous pensions chercher une dizaine ou une douzaine de chiffres – les coordonnées de l'OVA...

— Continuez, dit Auger avec un petit frisson d'excitation involontaire.

— Eh bien, je pense que nous nous trompions.

— Floyd, ne faites pas durer le suspense...

— Regardons les choses en face : si nous cherchions une information de cette espèce, c'était à peu près désespéré. Vous l'avez dit, Auger, le message aurait pu être dissimulé n'importe où, dans la plus minuscule tache, dans le moindre changement de position ou l'impression de certains caractères. Il aurait fallu que vous sachiez ce que vous cherchiez pour espérer le trouver.

— Floyd..., dit-elle d'un ton d'avertissement.

— La question reste donc entière : comment auraient-ils reçu ces nombres ? C'était une chose de construire cette antenne, mais comprendre ce qu'elle émettait… eh bien, même vous, vous avez dit que ç'aurait été difficile, compte tenu de la situation en 1959. *Mon* année 1959.

— Il n'y a pas d'ordinateurs dans le monde de Floyd, expliqua Auger à Tunguska. Ils sont encore plus en retard que chez nous à la même époque, parce qu'ils n'ont pas eu la Seconde Guerre mondiale pour booster les progrès en informatique.

— Je vois, dit Tunguska en se frottant le menton. Dans ces conditions, on voit mal comment les données du système à ondes gravitationnelles auraient pu être exploitées. L'exercice aurait été complexe, même aujourd'hui.

— Pas trop complexe, j'espère, dit Floyd, parce que je pense que vous allez être obligés de vous y livrer.

— Quoi ?   Qu'avez-vous   trouvé ?   demanda Tunguska.

Floyd pêcha l'un des disques dans le carton posé au pied du lit. Auger vit l'étiquette : *Louis Armstrong*.

— Ça, répondit-il simplement.

— J'avais cru comprendre que vous étiez un peu déçu par ces disques…, commença Tunguska.

— Absolument. Mais je me demande si l'indice que nous cherchions depuis le début n'est pas là, dit-il.

Il retourna la pochette et en sortit le disque.

— Dans un micropoint, sur l'étiquette ? avança Auger, intriguée.

— Non. C'est plus complexe que ça. Je pense que ça doit être dans la musique proprement dite. Et pas seulement dix ou douze chiffres, mais les données mêmes émises par l'antenne. Vous aviez raison,

Auger : il n'y avait pas moyen d'interpréter les données en 1959. Et donc ils n'ont pas essayé.

— Alors, qu'ont-ils fait ? demanda impatiemment Auger.

Ce n'était plus un frisson d'excitation ; elle avait carrément la chair de poule.

— Ils ont renvoyé les informations par le portail. Les gars de Niagara les récupéraient, et le décryptage se faisait à l'autre bout.

— Alors, quelque chose est encodé dans la musique ? demanda Auger.

— Il y avait des mois que quelqu'un inondait Paris avec des contrefaçons grossières, dit Floyd. Maintenant, on sait pourquoi.

— Rien ne prouve qu'il y ait un lien entre les deux phénomènes, dit-elle.

— Eh si. Mon vieil ami Maillol m'a même indiqué un lien entre l'affaire Blanchard et sa propre opération de lutte anticontrefaçon. Sur le coup, je n'avais malheureusement aucun moyen de comprendre comment elles pouvaient être liées.

— Et maintenant vous pouvez ? demanda Auger.

— Custine avait parlé à l'un des locataires de Blanchard, un dénommé Rivaud, qui avait vu un de vos sales gamins traîner autour de l'immeuble. Quand j'ai essayé de parler à Rivaud, il s'était volatilisé. Quelques jours plus tard, Maillol m'a dit qu'on avait retrouvé son corps flottant dans le sous-sol inondé d'un entrepôt de Montrouge…

— Joli, fit Auger en fronçant le nez d'un air dégoûté.

— Attendez, ce n'est pas fini. Le type présentait des traces d'abrasion au niveau du cou, comme si un de ces gamins l'avait encouragé à garder la tête sous l'eau. Et l'entrepôt était l'endroit où Maillol avait découvert cet atelier de contrefaçon de disques.

— Vous pensez que Rivaud était l'un des faussaires ?

— Possible, répondit Floyd. Mais alors il faudrait qu'on m'explique comment Susan White s'était retrouvée justement dans l'immeuble où il habitait. Sacrée coïncidence.

— En effet.

— Trop grosse. Il est plus vraisemblable que Rivaud avait reconnu un de ces enfants et décidé de mener sa petite enquête. Il avait dû le suivre jusqu'à l'entrepôt. A moins que le gamin n'ait pensé qu'il en avait trop vu et ne l'y ait attiré.

— Floyd a peut-être mis le doigt sur quelque chose, dit Tunguska. Je vais examiner ce disque à la recherche d'informations latentes…, dit-il en prenant l'objet que lui tendait Floyd.

— C'est un original ? demanda Auger.

— Non. C'est une réédition faite d'après un scan de l'original effectué par Cassandra, répondit Tunguska. Mais il devrait être assez précis pour ce que nous avons à en faire.

— Croyez-moi sur parole, dit Floyd. Soit ce virus qui tue la musique s'est déjà insinué dans ma tête, soit il y a quelque chose qui cloche dans cet enregistrement…

— Un signal haute fréquence pourrait être encodé dans le sillon, dit Tunguska. Suffisamment pour receler une partie significative des données transmises par cette antenne. Je vérifie ça tout de suite…

— Tout de suite quand ? demanda Auger, incapable de refréner son impatience.

Il lui fit un clin d'œil.

— Tout de suite maintenant. Regardez : il suffit d'examiner les données holographiques de Cassandra et de chercher une anomalie structurelle. Il est toujours plus facile d'identifier un schéma quand on a une idée de ce qu'on cherche.

— Et alors…, insista-t-elle.

— Floyd a raison. Un canal d'information additionnel est gravé sur l'enregistrement. Pas assez pour rendre la musique originale inaudible, mais assez pour qu'un homme aux goûts raffinés comme lui s'en aperçoive. Sans vous, nous ne l'aurions jamais remarqué, dit-il en le gratifiant d'un sourire admiratif.

Tunguska fit jouer le disque sous la lumière, admirant les reflets sur la surface noire.

— Un objet magnifique, vraiment. Mais aussi une épée à double tranchant.

— Nous les avons aidés, dit Auger. C'est nous qui avons fait sortir cette information de Paris, pensant sauver des artefacts d'une valeur inestimable.

— Ils devaient savoir que vous faisiez collection de produits culturels et que vous leur faisiez quitter la ville, dit Tunguska. Les hommes de Niagara avaient besoin d'en faire sortir leurs propres données au même moment, et votre opération cadrait parfaitement avec leurs projets. Ils n'avaient qu'à dissimuler l'information dans ces enregistrements et faire en sorte qu'ils tombent entre les mains de Susan. Inonder le marché de faux était une solution simple.

— Vous voulez que je vous dise ? reprit Floyd. Je ne serais pas très surpris que la sphère de Paris soit dans le même complexe d'entrepôts. Maillol aurait pu tomber dessus sans avoir la moindre idée de ce que c'était.

— Ils nous ont bien eus, fit Auger, à la fois outrée et confuse.

— Il ne faut pas vous en vouloir, dit Tunguska. Grâce à Susan et à tous les efforts qu'elle a déployés, une énorme masse de documents inestimables ont été sauvés de Paris. Ce n'est ni votre faute ni la sienne si certains de ces objets ont été délibérément contrefaits.

— Mais ce disque ne peut pas, matériellement, receler toutes les informations, dit Auger.

— Nous avons un plein carton de disques…, dit Tunguska en clignant à nouveau des yeux tandis qu'une partie de son esprit s'évadait pour scanner les données de Cassandra et le rapport qu'elle avait fait. Il semblerait qu'un tiers des enregistrements aient une structure microscopique similaire. Les autres sont probablement des originaux.

— Mais nous faisons sortir des disques depuis que nous avons ouvert le portail de Phobos ! dit Auger. Ça fait des centaines de milliers de disques…

— Ça n'a peut-être pas d'importance, dit Tunguska. Vous vous souvenez que Niagara tenait particulièrement à mettre la main sur la dernière expédition ? Il se pourrait que les enregistrements précédents aient contenu des données plus ou moins incomplètes, ou faussées. A moins qu'ils n'aient réussi que tout récemment à faire fonctionner convenablement leur antenne. Il a dû leur falloir du temps pour combiner les flux de données des trois sphères, graver les signaux sur ces disques et les diffuser de telle sorte qu'ils aient une chance de tomber entre vos mains… J'en conclus que la dernière livraison était la plus précieuse.

— Alors, nous avons une chance, dit Auger. Si vous arrivez à décoder le signal incrusté, évidemment.

— Je ne pense pas que ça présente une difficulté insoluble, dit Tunguska. Rappelez-vous qu'il aurait fallu une puissance de calcul colossale pour effectuer un cryptage aussi complexe, ce qui aurait été aussi problématique pour eux que l'interprétation des données sur T2. Ça ne devrait donc pas nous poser de problème… En réalité, ajouta-t-il, je suis déjà en train de compiler et de traiter les données. J'ai dédié une partie significative des ressources informatiques de mon vaisseau à cette tâche. Evidemment, il se peut encore que nous pourchassions des ombres…

— Non, dit fermement Floyd.

Tunguska remit le disque de Louis Armstrong dans sa pochette avec une certaine solennité.

— L'extra-drive est quasiment opérationnelle. Nous allons poursuivre la trajectoire actuelle en prenant le portail le plus vraisemblable. Une fois en transit, nous aurons huit heures pour percer le code à jour et déterminer la position de l'OVA. Ce ne sera pas facile, je ne suis même pas sûr que nous y arriverons, mais au moins ça nous donnera l'espoir d'avoir repris l'avantage sur Niagara.

— Finalement, vous servez peut-être à quelque chose, Floyd, dit Auger.

— Ne me remerciez pas, dit-il. Remerciez la musique. J'ai toujours dit que c'était elle qui sauverait le monde.

39

C'était un bras de l'hyperweb peu fréquenté, qui n'avait vu qu'un trafic sporadique depuis que les Slashers avaient commencé à cartographier les franges externes du réseau. Cinq portails étaient disposés en quinconce dans le même secteur, à peine séparés par une seconde-lumière d'espace interstellaire. A cet endroit, il n'y avait pas de soleils, pas de mondes, pas de lunes vagabondes – même pas de fragments rocheux, avortés ou fracassés. Juste les spirales plumeuses de cinq grosses comètes arides, mortes depuis des milliards d'années, qui offraient chacune un ancrage à un unique portail livré à lui-même.

Mais il y avait autre chose. Un objet que des capteurs cherchaient à tâtons dans les ténèbres. Car il était d'un noir impensable, uniquement éclairé par la lueur des étoiles. Et il était aussi d'un volume impensable : au moins aussi vaste que le soleil lui-même.

— On est arrivés trop tard ? demanda Auger alors que Tunguska assemblait une image composite de l'OVA sur l'une des parois.

— Je ne sais pas. Si j'ai bien calculé, Niagara serait sorti du portail… depuis quatre-vingt-dix minutes à peine.

— Alors pourquoi ne le voyons-nous pas ?

— Il y a une faible traînée de réaction, répondit Tunguska. Elle semble indiquer que Niagara serait déjà passé de l'autre côté de l'OVA. Juste à temps, encore une fois, et en supposant qu'il aurait ignoré les marges de sécurité habituelles.

— Eh bien, suivons-le.

— C'est ce que nous faisons. Seulement, nous devons ménager l'extra-drive. Nous ne pouvons pas accélérer davantage.

L'image composite de l'OVA gagnait en détails à chaque seconde, au fur et à mesure que les capteurs de Tunguska détectaient des éléments de structure dans le noir absolu. Des méthodes statistiques complexes extrayaient le maximum d'informations des maigres données. Auger se rappela le briefing qu'elle avait suivi à bord du *Vingtième-Siècle-SA*. La représentation schématique de Peter était teintée en bleu-gris triste, mais la lumière était trop faible à cet endroit pour activer les récepteurs de couleur oculaires. Compte tenu de la faible lumière ambiante, le schéma de Tunguska conférait à toute la structure un gris plat, sans ombres en dehors des rares contours qui soulignaient la texture de la surface pareille à une assiette. L'OVA de Peter évoquait pour elle quelque chose de viral ou de cristallin, mais la structure lui rappelait maintenant une image très grossie d'un épiderme humain ou animal, déparé par des irrégularités, des sortes de cicatrices, comme si les mécanismes de guérison n'avaient pas tout à fait effacé les traces de vieilles blessures. On aurait dit qu'au lieu de construire l'OVA on l'avait fait pousser.

Et c'était peut-être le cas. Personne ne savait d'où pouvaient bien provenir les matières premières. Peut-être y avait-il eu jadis un système solaire tout entier dans cette poche d'espace, qui avait été complètement dépouillé pour créer la coque dure, fine, de la sphère. A moins que l'énergie-masse nécessaire n'ait été suscitée à partir de rien, dans une version infiniment plus sophistiquée des principes qui sous-tendaient l'extra-drive.

Auger regarda Floyd en se demandant comment il prenait les choses.

— Si ça peut vous consoler, il n'y a pas beaucoup de gens qui ont vu ça, dit-elle.

— Je m'en serais bien passé, répondit-il. Je ne sais pas, mais j'aimais bien penser que je pouvais me fier au ciel nocturne, ou que le Soleil était réel...

— Votre monde est réel, Floyd. Et vous aussi. Rien d'autre n'a d'importance.

— Je détecte quelque chose, annonça Tunguska d'un ton à la fois calme et pressant. Ça pourrait être Niagara.

— Un écho de son vaisseau ? demanda Auger.

— Pas assez près pour ça, dit-il. Mais il y a une tache claire, mouvante, sur la peau de l'OVA. C'est probablement le reflet de sa propulsion. Il fait de son mieux pour la dissimuler, mais s'il veut se diriger, il y a des limites en dessous desquelles il ne peut pas descendre.

— Dites, nous avons encore des missiles à bord ? demanda Auger.

— Aucun. J'avais demandé aux ateliers d'en fabriquer, mais je ne voulais pas détourner exagérément la capacité de réparation de l'extra-drive. Nous devrons nous contenter des rayons, pour le moment.

— Nous sommes à portée de tir ?

— Pas encore. Il va falloir que nous nous rapprochions, mais ça ne devrait pas être trop difficile : cette signature-reflet suggère qu'il ralentit par rapport à l'OVA. Probablement parce qu'il s'apprête à déployer l'arme Molotov.

— Il faut le détruire avant qu'il y arrive.

— Vous êtes sûr de vouloir ça, Floyd ? Si cette bombe à antimatière ne réussit pas à forer un trou dans l'OVA, vous risquez fort de ne jamais pouvoir rentrer chez vous…

— Faites ce qu'il faut, répondit Floyd. On s'occupera de mon billet de retour plus tard. Il y a quelques heures, je n'osais même pas espérer vivre jusque-là.

— Comme chacun de nous, répondit Tunguska.

Son front se plissa tandis qu'une tempête de chiffres affluaient à son cerveau.

— Ah… Ça, c'est peut-être intéressant, dit-il en réponse à leurs regards interrogateurs. J'ai des données plus précises concernant le reflet. On dirait qu'il y a deux sources lumineuses et pas une seule.

— Deux rayons de propulsion ? risqua Auger.

— Oui. Assez éloignés l'un de l'autre pour qu'ils ne puissent être associés au même vaisseau. On dirait que l'appareil de Niagara a largué un engin plus petit. Nous devrions avoir un écho précis à tout moment, maintenant…

Il posa un doigt sur sa tempe.

— C'est logique, dit Auger en se penchant en avant. Son vaisseau principal est juste assez gros pour transporter l'arme Molotov. Alors il va probablement envoyer l'annexe dans l'OVA comme un bélier. A quoi bon extraire le cœur d'antimatière alors qu'il a un engin de livraison tout prêt ? Sans doute une navette dotée d'une autonomie de vol suffisante pour aller jusque sur T2.

— La Pluie d'Argent serait donc à bord, dit Tunguska.

— Avec Niagara, ajouta Auger.

Tunguska ferma les yeux, se dérobant aux distractions du monde réel.

— Je vois la navette, et le vaisseau mère, dit-il. La navette est sur une trajectoire à forte accélération qui l'éloigne de l'arme…

— Comme si elle essayait de s'éloigner le plus vite possible du point d'impact, avança Auger.

Tunguska hocha la tête sans rouvrir les yeux.

— Vous en feriez autant à sa place, non ? commenta Floyd.

— Une chance de l'atteindre rapidement avec un rayon de la mort ? demanda Auger.

— Pas encore. Et croyez-moi, le doigt me démange d'appuyer sur la détente.

Il n'y avait rien d'autre à faire qu'attendre qu'ils se rapprochent. La vision à longue portée de Tunguska se précisait graduellement, confirmant la séparation des deux vaisseaux, et aussi que le vaisseau principal, celui qu'ils avaient suivi depuis la Terre, se dirigeait bel et bien vers l'OVA, sur une trajectoire d'accélération poussée au maximum. Le rayonnement de la propulsion torturée en faisait un objet facile à suivre, même de si loin. Une heure auparavant, il se déplaçait selon une tangente à la sphère, mais à présent il fonçait droit dessus.

— On ne peut rien faire pour arrêter ça, hein ? demanda Auger, exaspérée. Quoi que nous fassions, ce foutu vaisseau va heurter l'OVA.

— Admettez que vous êtes quand même un tout petit peu curieuse de voir ce qui va se passer, dit Tunguska, avec une jovialité assez déplacée.

— Je supporterais de ne jamais le savoir, dit-elle.

Tunguska ouvrit les yeux.

— Rapport de l'extra-drive : nous sommes prêts à accroître notre propulsion à 5 g. Nous n'osons pas en tirer plus pour le moment. Nous n'aurons pas besoin des caissons d'accélération, mais le vaisseau sera obligé de nous immobiliser.

— S'il le faut…, dit Auger.

La pièce frémit et les avala.

Dans la douce étreinte des systèmes protecteurs du vaisseau, le temps s'enflait et s'étirait en vagues oniriques, imprévisibles. Auger se demanda ce que Floyd, qui n'avait pas de machines scintillantes dans la tête, pouvait éprouver. A quoi pensait-il maintenant qu'il était si près de chez lui, et en même temps si près d'assister à l'anéantissement de tout ce qu'il connaissait ?

— D'après mon estimation, reprit Tunguska, l'impact Molotov se produira d'ici cinquante secondes. Je déploie les capteurs sacrifiables, mais je ferme tous les canaux habituels. Personne n'a jamais vu une grosse explosion d'antimatière de si près, et on ne peut pas savoir quel genre de réaction elle entraînera de la part de l'OVA même.

— A quelle distance la navette se trouve-t-elle du point d'impact ? demanda Auger.

— La moitié de notre distance actuelle, répondit Tunguska. Son bouclier a intérêt à être bon s'il veut être encore en vie après ça. Trente secondes…

— Faites-nous grâce du compte à rebours, dit Auger en se cramponnant. Dites-nous seulement si nous sommes encore en vie après.

Tunguska eut beau lui assurer qu'aucun signal ne pouvait matériellement lui parvenir à travers les protections qu'il avait mises en place, elle ressentit une sorte d'écho fantôme de la détonation : un long soupir étiré, comme un coup de tonnerre dans le lointain.

— Le système Molotov a explosé, dit Tunguska. Et nous sommes encore en vie, apparemment.

— Je plaisantais.

— Pas moi. Ce genre de confirmation est toujours agréable.

Lorsque les capteurs sacrifiables le jugèrent prudent, Tunguska dévoila les yeux plus vulnérables du vaisseau et les braqua vers la scène de crime. Il leur fallut un petit moment pour tirer quelque chose des données, parce que la vue était obstruée par un panache de débris qui s'expansait lentement à partir du point d'impact, comme une fontaine rouge cerise. Auger avait du mal à imaginer l'échelle. Elle n'arrivait tout simplement pas à se faire à la taille stupéfiante de l'objet volumineux anormal, le bien-nommé. Le panache était immense – plusieurs centaines de milliers de kilomètres, et il continuait à se dilater –, et pourtant ce n'était qu'un petit détail à la surface de la sphère.

— Les débris se dégagent près de l'épicentre, dit Tunguska. Comme on voit l'image en raccourci, il n'est pas facile d'estimer exactement l'ampleur des dégâts…

— Montrez-nous simplement ce que vous avez, demanda Auger.

Ils durent attendre une vingtaine de minutes que le panache se soit suffisamment dissipé, et leur angle d'observation sensiblement amélioré, pour obtenir une vue plus dégagée. A ce moment-là, le vaisseau de Tunguska suivait, toujours à 5 *g*, la même trajectoire que celui de Niagara, et s'incurvait pour plonger droit vers la surface de l'OVA.

— Ils ont réussi à passer, dit Tunguska.

Il transmit une image dans la tête d'Auger. Le système Molotov avait fait une petite blessure d'entrée étrangement nette dans la peau de l'OVA : un trou presque circulaire, d'une centaine de kilomètres de diamètre. Autour du bord, la peau, épaisse de plusieurs kilomètres, luisait d'un éclat pénible à contempler, s'ombrant de bleu, de jaune puis de rouge, telles des braises, à une distance de deux cents ou trois cents kilomètres de l'épicentre. On devinait dans la section ainsi exposée une structure, un échafaudage ébouriffant, des étais, dont les extrémités décapitées fouettaient le vide comme des terminaisons nerveuses sectionnées.

— Dieux du ciel ! fit Auger. Ils l'ont fait ! Et ce satané machin n'a opposé aucune espèce de résistance...

— Vous vous attendiez à quoi ? A une forme de combat ? demanda Floyd.

— Je ne sais pas. Mais pas à ça.

— Et l'autre vaisseau ?

— Je le suis toujours à la trace, répondit Tunguska. Il est en poussée, et il maintient la trajectoire qu'il suivait avant l'explosion. Elle devrait l'amener à traverser l'ouverture d'ici une dizaine de minutes.

— J'imagine que nous ne sommes pas encore à portée de tir ?

— Non, répondit Tunguska, l'air sincèrement ennuyé. Pour ça, il va falloir que nous le suivions à l'intérieur.

— Par le trou ? !

— Oui, répondit Tunguska. Dans l'OVA. Je crains qu'il n'y ait pas d'autre solution.

40

Le temps qu'ils soient prêts à passer par le trou que Niagara avait fait dans l'OVA, le nuage de débris s'était dissipé. De la blessure, encore à vif et enflammée, montait dans l'espace un faible rayon de lumière réfléchie d'un blanc doré, où scintillaient les rares fragments de matière incandescente en suspension autour du point d'impact.

— Cette lumière a le spectre du rayonnement solaire, annonça Tunguska alors qu'ils plongeaient dans la colonne de lumière. Elle correspond exactement à celle du Soleil, dans la limite d'incertitude de nos instruments.

La transition entre l'extérieur et l'intérieur se produisit en un clin d'œil. Un kilomètre d'épaisseur de coque n'était rien par rapport à leur vitesse. La surface de la sphère grossit, la plaie grandit rapidement, l'œil ensanglanté, entouré de blanc, se transforma soudain en une bouche qui les avala… et puis ils furent de l'autre côté, en train de tomber vers le cœur de l'OVA.

Les capteurs de Tunguska prirent immédiatement toutes les mesures de l'intérieur. La blessure qui reculait derrière le vaisseau entourait un disque parfaitement noir d'espace interstellaire, cerné, de ce côté-là également, par un anneau fiévreux de matière torturée. Mais au lieu de la peau extérieure, bleu-gris, à la texture matelassée, la paroi intérieure de l'OVA était faite d'une matière beaucoup plus étrange. Un élément que les instruments de Tunguska risquaient d'avoir du mal à identifier.

Ils savaient depuis le début que la surface intérieure de la coque devait fonctionner comme une sorte de planétarium presque parfait, projetant une image du ciel tel qu'on l'aurait vu de la Terre. Il y avait de fausses étoiles, dont la couleur et la luminosité étaient reproduites avec précision, disposées exactement comme les constellations que connaissaient les habitants de T2. Certaines des étoiles avaient même dû être programmées pour être variables – pour s'assombrir et s'illuminer au gré d'algorithmes qui avaient dû exiger des calculs astrophysiques complexes. Elles devaient se déplacer les unes par rapport aux autres selon les courants lents, majestueux, de leur mouvement propre, ou le tourbillon vertigineux des orbites binaires.

Au-delà des étoiles, il y avait des galaxies, d'immenses bancs de galaxies à perte de vue. Chacune devait pouvoir résister au même examen attentif que les étoiles. Les novae et les supernovae devaient flamboyer et mourir… qu'on les voie ou non.

C'était stupéfiant, et terrifiant. Et c'était aussi condamné à échouer, parce qu'une telle tapisserie n'aurait jamais résisté à un examen attentif effectué à l'aide des instruments astronomiques disponibles à l'époque d'Auger. Une simple sonde interplanétaire aurait repéré des bizarreries dans la position des étoiles… juste avant d'être pulvérisée par la collision avec la surface intérieure de la coque. Non : la structure n'était pas à toute épreuve, mais l'intention de ses constructeurs n'était probablement pas de produire une illusion absolument convaincante. Tôt ou tard, on devait supposer que les habitants de T2 découvriraient la vérité. La fonction de l'OVA était aussi de les protéger des interférences extérieures jusqu'à ce moment précis. Après ça – probablement au moment où ils s'efforceraient de passer à travers la coque –, ils seraient livrés à eux-mêmes.

Mais il y avait déjà quelque chose qui clochait avec la vision du ciel autour du bord intérieur de la blessure ouverte. Sur des milliers de kilomètres dans toutes les directions, les étoiles étaient déformées, allongées, et ressemblaient à des spermatozoïdes à la queue effilée, pointés comme autant de doigts accusateurs vers le trou que Niagara avait fait.

— La zone de distorsion s'étend, dit Tunguska. Franchement, il aurait fallu qu'ils aient les yeux bouchés pour ne pas remarquer ça, sur Terre, même s'ils ont raté l'éclair initial.

— Que vont-ils en déduire ? demanda Auger.

— Ça, je n'en sais rien. Mais si leur seul problème, d'ici la fin de la journée, est une énigme astronomique inexplicable, ils pourront s'estimer heureux.

— On pourrait abattre cette navette, maintenant ? demanda-t-elle.

— Non, répondit-il. Mais je suis prêt à faire cracher l'extra-drive. Si mes estimations sont justes, nous avons encore une chance de l'intercepter avant qu'elle n'entre dans l'atmosphère. Mais j'ai une information pour vous. Ce n'est qu'une observation, et il se peut que ça ne mène nulle part…

Auger n'aimait pas le ton de sa voix.

— Dites toujours.

— La blessure semble se réparer elle-même. L'ouverture faisait plus de cent kilomètres de diamètre juste après l'explosion du système Molotov. Elle en fait maintenant un peu moins de cent. Ça ne veut peut-être rien dire – la limite précise est plutôt difficile à définir –, mais je me suis dit qu'il valait mieux vous le signaler.

— Gardez ça à l'œil, dit Auger. Je n'aimerais pas que cette foutue chose se referme alors que nous sommes à l'intérieur.

— J'aurai une meilleure idée de la vitesse de fermeture d'ici un instant, dit Tunguska.

— Faites cracher à cet engin tout ce qu'il a dans les tripes. Et on pourra tous rentrer chez nous.

Ils passèrent l'heure suivante à s'enfoncer dans l'OVA, suivant l'écho isolé de la navette de Niagara. Toutes les tentatives de communication furent ignorées, ce qui n'empêcha pas Tunguska de renouveler les offres de négociation. Il disait être disposé à tout envisager à condition que Niagara renonce à déployer la Pluie d'Argent. Mais leurs messages restèrent lettre morte.

Malgré le besoin urgent d'intercepter la navette avant son entrée dans l'atmosphère terrestre, Auger ne pouvait s'empêcher de s'émerveiller de cette expérience qui l'avait emmenée à l'intérieur de la sphère OVA et lui permettait de voir son monde tel qu'il avait dû être : une Terre qui n'avait jamais connu la guerre nucléaire, le changement climatique catastrophique, le contrôle climatique ni le Nanocauste. Cette vision lui mettait les larmes aux yeux. Aucune image n'avait jamais autant approché la beauté bouleversante de ce petit monde bleu, beauté d'autant plus poignante qu'elle savait maintenant à quel point elle était délicieusement fragile. La splendeur d'une aile de papillon.

T2 était suspendue exactement au centre géométrique de l'OVA. En orbite autour, ou du moins se déplaçant selon un simulacre convaincant de mouvement newtonien, se trouvait ce qui semblait être une copie à l'identique de la Lune. Auger présuma qu'elle avait été capturée dans le même instantané quantique que T2, mais seules des investigations précises permettraient de s'en assurer. La Lune pouvait tout aussi bien être un simulacre suffisamment détaillé pour abuser les observateurs de la surface, doté d'une gravité suffisante pour provoquer des marées sur Terre. La composante solaire des marées devait être obtenue par un habile stratagème de manipulation gravitationnelle – de petites masses invisibles, en orbite autour de T2, peut-être – parce qu'il n'y avait pas de soleil. A la place, un disque jaune doré, à la bonne température et qui avait exactement le même éclat apparent, brillait vers la surface intérieure de la sphère. Il était conçu pour avoir l'air convaincant vu depuis la surface de la Terre, et de près ils constatèrent qu'il était déformé par la concavité de la sphère.

— Voilà votre source de radiations du spectre solaire, dit Auger. C'est sa lumière qui filtrait par le trou que nous voyions de l'extérieur de la sphère. Combien de temps pensez-vous que le peuple de Floyd aurait mis à le comprendre ?

— Même s'ils n'avaient pas inventé le vol spatial, ils auraient fini, d'ici quelques dizaines d'années, par remarquer des détails curieux, dit Tunguska. Dans notre ligne temporelle, on consacrait beaucoup d'attention à la mesure de la circularité du disque solaire, parce qu'on avait découvert que c'était un moyen de départager les modèles cosmologiques concurrents. Si on l'avait soumis à ce genre d'examen, l'illusion n'aurait probablement pas tenu longtemps.

— Sinon, ils auraient opté pour une autre théorie, dit Auger.

— Peut-être.

— De toute façon, le monde de Floyd n'a pas atteint le niveau scientifique qui était le nôtre en 1959.

— Ils auraient pu rattraper leur retard très vite, répondit Tunguska. Mais après ça, si quelqu'un avait tenté de faire ce que Niagara est en train d'essayer, ils auraient risqué d'opposer une résistance trop forte.

— Conclusion : ceux qui sont derrière tout ça étaient sacrément coordonnés, dit Auger. Suffisamment pour modifier l'issue de la Seconde Guerre mondiale avant qu'elle ne devienne vraiment globale. Et ceux qui ont fait ça sont encore là.

— Et vous pensez qu'ils méritent un châtiment ? demanda Tunguska.

— Evidemment. Pas vous ?

— Ils ont mis fin à une guerre qui a fait des millions de morts dans notre ligne temporelle. Pas de solution finale, Auger. Pas de front russe, pas d'Hiroshima ni de Nagasaki…

— Ils n'ont pas mis fin à cette guerre par bonté d'âme, Tunguska. Ils l'ont fait parce que ça interférait avec leurs projets de génocide global. Et je pense que le moment est venu pour eux de payer pour ça.

— Eh bien, si ça peut vous consoler, nous sommes pratiquement à portée de tir. Cette petite navette va être obligée de décélérer pour entrer dans l'atmosphère. Si elle libère la Pluie d'Argent à cette vitesse, même les blindages ablatifs ne protégeront pas la nanomachinerie abritée au cœur de l'arme. Il y a une marge d'incertitude, mais je peux commencer à tenter la frappe d'ici trois minutes.

— Et les missiles que vous nous aviez promis ? demanda-t-elle.

— Presque prêts. Un peu de patience, s'il vous plaît. En ce qui concerne la guérison de la blessure, je suis quasiment en mesure d'affirmer que...

— Nous aurons encore le temps de repartir ?

— Oui, à condition que...

— Je n'ai pas besoin d'un autre sujet d'inquiétude, Tunguska.

— Bon, eh bien je ne vous parlerai donc pas de l'extra-drive.

Tunguska avait tenu parole : deux minutes plus tard, Auger sentit un léger changement dans la position du vaisseau. Le bâtiment braquait ses armes à rayon. Lorsqu'elles lancèrent leurs salves programmées, elle sentit la montée en charge, puis le reflux des énormes accumulateurs, dans les entrailles du vaisseau.

— Combien de temps pourrons-nous soutenir un feu pareil ? demanda-t-elle.

— Tout le temps qu'il faudra. L'énergie n'est pas un problème.

La navette avait anticipé une frappe par armes à rayon. C'était quasiment inévitable, leur dit Tunguska, mais ses options de défense étaient limitées. Elle pouvait larguer des leurres réfléchissants en se dépouillant de couches superficielles de sa coque, mais pas indéfiniment. Elle pouvait changer de trajectoire de façon aléatoire, compliquant la tâche des rayons qui auraient déjà du mal à se focaliser sur l'aura brillante de sa propulsion – maintenant pointée dans l'autre sens, par rapport à eux, et pourtant encore visible sur le fond de T2 et la surface intérieure de la sphère OVA –, mais toutes les corrections de trajectoires lui coûtaient un peu de son avance péniblement gagnée. Pour le pilote de la navette, c'était un équilibre incroyablement complexe à réaliser.

— Quoi que fasse Niagara, dit Tunguska, il finira par le payer. Toutes mes simulations indiquent maintenant une interception réussie avant qu'il soit à portée de l'atmosphère.

Auger ne pouvait s'empêcher de penser qu'il tentait le sort. L'aplomb avec lequel il avait fait cette déclaration lui donnait la chair de poule.

Ce fut l'instant que choisit l'extra-drive pour les lâcher à nouveau.

Auger sentit que le vaisseau ralentissait, perdant tout à coup du terrain sur sa proie. La propulsion se mit à bégayer, poussant à fond puis s'interrompant. Le cocon amortisseur du vaisseau avait beau faire pour atténuer les soudains changements d'accélération, Auger perdit plusieurs fois connaissance alors que le sang de son cerveau tourbillonnait comme de la boue dans un seau.

— Tunguska…, hoqueta-t-elle lorsqu'elle put parler. Vous pourriez peut-être revoir…

Le vaisseau tombait en chute libre. La propulsion était complètement morte, coupée par les systèmes de commande d'urgence avant que les instabilités n'ouvrent une bouche baveuse dans la chair de l'espace même.

Au cours des minutes suivantes, des mesures de dépannage commencèrent à filtrer. La propulsion était encore réparable, mais les rustines mises en place depuis l'attaque de missiles ne remplissaient plus leur office. Il faudrait plusieurs heures avant qu'ils puissent atteindre ne serait-ce qu'une poussée modérée de 1 g.

Sentant que ses passagers n'avaient plus besoin d'être protégés contre les accélérations et les embardées du combat, le vaisseau libéra Floyd, Auger et Tunguska, et les cocons blancs retrouvèrent leurs formes familières de tables, chaises, sol, parois et plafonds.

— J'espère, Tunguska, que vous avez un plan de secours, dit Auger. Parce que sans ça on l'a dans le…

Il faut porter au crédit de Tunguska qu'il réussit à conserver une belle apparence d'autorité.

— J'ai déjà passé les options en revue, dit-il. Vous serez heureux d'apprendre qu'il y a encore un moyen d'intercepter cette navette spatiale.

— Les missiles ? suggéra Floyd.

— Non, fit-il avec une grimace. Enfin, si, mais ce n'est pas aussi facile.

Auger regarda Floyd et leva les yeux au ciel.

— On vous écoute. Quel est votre plan ?

— La cible est hors de portée des missiles. Mes ateliers de réparation internes disposent de tout ce qu'il faut pour fabriquer à peu près n'importe quoi, à part une propulsion extra-drive complète. Ils peuvent construire des centrales à énergie de fusion rudimentaires. Elles seraient assez rapides, et d'un encombrement assez faible, et elles pourraient faire office d'ogives pour peu qu'on leur donne un coup de pouce…

Ce qui fut dit sur un ton quelque peu réticent : quoi qu'il leur propose, il y aurait un prix à payer.

— Un coup de pouce ? Comment ça ? demanda Auger.

— Il faudrait les livrer à domicile. Nous ne pourrons jamais nous rapprocher suffisamment, et le temps que le vaisseau soit réparé il sera trop tard. Mais nous avons encore la navette du *Vingtième*. Je l'ai fait réparer, et j'ai fait faire le plein, à toutes fins utiles. Il ne serait pas compliqué d'y fixer deux missiles – on pourrait les plaquer sur la coque, comme des parasites.

— La navette pourrait y arriver à temps ? demanda Floyd.

— Tout juste, même si la marge d'erreur est un peu serrée. Il faudra que quelqu'un la pilote.

— Vous ne pourriez pas le faire faire par un cyber-serpent ? suggéra Auger.

— Ils sont déjà en sous-effectif à l'atelier de réparation.

— Alors, qu'est-ce qu'on attend ? demanda Auger en faisant mine de se lever.

Tunguska lui fit signe de se rasseoir.

— Quand j'ai dit que quelqu'un devait la piloter, c'était de moi que je parlais.

— Il n'y a pas de raison. C'est à moi de le faire, dit Auger. Tout ce que vous savez, Cassandra pourra me le dire.

— Ce n'est pas une bonne idée.

— Et pourquoi pas ? Les machines me montreront les manœuvres à effectuer.

— Ce n'est pas la question. Je n'ai aucun doute qu'elles pourraient vous guider. Mais il vaudrait beau-coup mieux que je prenne la navette, avec Floyd comme passager.

— Je ne vous suis pas, dit Auger.

Il soupira, comme agacé de devoir lui mettre les points sur les *i*, puis d'une voix lente, mesurée, don-nant à ses paroles l'emphase d'une terrible déclaration, entreprit de s'expliquer :

— Le problème, c'est que celui qui prendra cette navette risque de ne jamais rentrer chez lui. Intercepter Niagara est encore possible. Mais le temps que la navette lance ses missiles, elle aura à peine le temps de revenir à son point de départ, et elle risque fort de ne pas pouvoir ressortir de l'OVA. La blessure est en train de se refermer. Ce sera très très juste, même si la blessure n'accélère pas son rythme de guérison. Ce que je ne saurais garantir.

Il inspira un bon coup et regarda Auger.

— Voilà pourquoi vous ne pouvez pas piloter cette navette. Vous allez rester ici, prête à quitter l'OVA dès que l'extra-drive sera de nouveau opérationnelle.

— Et vous ?

— Je veillerai à ce que les missiles atteignent leur but. Et quand ce sera fait, je ramènerai Floyd à la surface de T2.

— Et puis ?

— J'évaluerai la situation. Si les circonstances le permettent, je tenterai de regagner ce vaisseau. Sinon... Eh bien, je ne peux pas laisser la navette se balader dans l'OVA, au risque que les semblables de Floyd tombent dessus. J'organiserai sa destruction. Ça ne devrait pas être trop difficile.

— En d'autres termes, c'est un suicide.

— Si vous tenez à exprimer les choses avec cette brutalité...

Elle secoua la tête.

— Ça ne se passera pas comme ça. Vous savez que je pourrais piloter le vaisseau aussi bien que vous. Je vais ramener Floyd chez lui. C'est moi qui l'ai entraîné là-dedans, alors c'est à moi de l'en faire ressortir.

Floyd tendit la main et lui prit le bras.

— Non, écoutez-le. Ce qu'il dit ne manque pas de bon sens.

— Vous le condamneriez pour me sauver ?

— Personne ne parle de condamner qui que ce soit. Il n'a pas besoin de se suicider. Il pourrait encore trouver un moyen de s'en sortir.

— Alors, moi aussi, dit Auger en venant se planter à côté de Floyd. Faites-nous monter à bord de ce vaisseau.

— *Nous ?*

— Floyd et moi.

— Et Cassie ? demanda-t-il doucement.

— Nous venons d'en parler, dit Auger. Elle veut faire la balade.

Le visage de Tunguska adopta une expression de défaite et il secoua la tête.

— Vous ne devriez pas m'obliger à faire ça.

— Eh bien, je le fais quand même.

— Laissez-moi une vingtaine de minutes pour achever la construction des missiles et les interfacer avec l'avionique de la navette. J'ai tenu compte de ce délai dans mes calculs, alors utilisez-le à bon escient. Vous pouvez encore changer d'avis.

— Je n'ai pas besoin de réfléchir, dit Auger.

Tunguska rendit les armes avec un sourire las.

— Je savais depuis le début que vous voudriez que ça se passe comme ça, dit-il. Mais je tenais à en être sûr.

— Je peux vous demander une petite faveur, avant qu'on se dise au revoir ? demanda Floyd.

— Si je peux, c'est accordé.

— Je voudrais que vous me donniez quelque chose. Deux choses, en fait.

Tunguska écarta les mains devant lui.

— Allez-y.

— Vous pouvez faire pratiquement tout sur ce vaisseau, n'est-ce pas ?

— Dans certaines limites.

— Je ne vous demande pas la lune. Je voudrais juste que vous me fabriquiez des fraises.

Un coin de la bouche de Tunguska se retroussa sur un demi-sourire, comme s'il avait mal entendu, ou comme s'il craignait d'être victime d'une blague qu'il ne comprenait pas.

— Des fraises…

— Vous pourriez faire ça ?

— Oui. Enfin, ce ne serait pas vraiment le produit original, mais ça ressemblerait à des fraises, et ça en aurait le goût.

— Je ne suis pas pinailleur. Vous pouvez faire ça en vingt minutes ?

— Je peux faire ça en cinq minutes. C'est pour manger tout de suite ?

— Ce n'est pas pour moi, dit Floyd. Je n'aime pas les fraises, de toute façon. C'est pour une amie. Et je voudrais que vous les mettiez dans un sac.

— Un sac…

— Enfin, un sachet d'épicerie, vous voyez ?

Tunguska hocha gravement la tête.

— Et la deuxième chose ?

— J'ai besoin de votre médecine magique.

— La pan-AC ?

— Une personne de ma connaissance est mourante. La dame pour qui sont les fraises.

41

Tunguska les conduisit par les couloirs blancs, tortueux, en apesanteur, jusqu'à un noyau sous vide, propre et net, situé vers l'arrière du vaisseau. C'était là qu'il avait entreposé la navette du *Vingtième-Siècle-SA* après l'avoir récupérée alors qu'elle se précipitait vers la Terre gelée. La navette avait été remise à neuf : la carlingue, naguère délabrée et bugnée de partout, avait été polie et astiquée, les trous et les bosses effacés. Sans le cheval volant qui était le logo de la compagnie à laquelle elle appartenait, Auger ne l'aurait probablement pas reconnue.

— Je n'en reviens pas que vous ne l'ayez pas tout simplement envoyée à la casse, dit-elle.

— Je l'aurais plutôt recyclée pour récupérer les matériaux, répondit Tunguska. Mais j'ai préféré jouer la carte de la prudence.

Les deux missiles étaient maintenant en place : lisses et effilés, deux requins qui embrassaient comme des parenthèses la coque à laquelle ils étaient fixés par des patins extrudés.

— Ils feront l'affaire ? Vous en êtes sûr ? demanda Auger.

— Je me méfie un peu des affirmations dogmatiques, après la dernière petite débâcle. Mais oui, j'ai une certaine confiance en eux.

— Et la navette ?

— Elle tiendra le coup.

— Eh bien, allons-y.

Tunguska les escorta à bord. Le vaisseau bourdonnait déjà, paré pour un départ immédiat. Il sentait le propre, comme si on venait de le déballer.

— Les réservoirs sont pleins, dit-il en indiquant la console de commande. J'ai dû siphonner un peu d'hydrogène de notre système de réfrigération, mais nous ne devrions pas en manquer.

— Merci, Tunguska, dit Auger.

— Si je peux faire autre chose pour vous, quoi que ce soit…

— Vous en avez fait plus qu'assez, Cassandra et vous, tous les deux… tout le monde. Je vous suis vraiment reconnaissante.

— Moi aussi, dit Floyd.

— Nous partageons tous une responsabilité collective pour le crime de Niagara, répondit Tunguska.

— Eh bien, espérons qu'il n'aura pas l'occasion de le commettre.

— Pourrez-vous jamais nous pardonner, Auger ?

Elle réfléchit un instant et dit :

— Je pense que tout le monde mérite un peu de mansuétude, n'est-ce pas ?

— Certains plus que d'autres.

Elle prit la grande main de Tunguska dans la sienne.

— Je sais ce que je fais. Et Floyd aussi. Ne nous attendez pas. A la minute où vous aurez réussi à remettre l'extra-drive en service, tirez-vous d'ici.

— Je vous attendrai de l'autre côté, dit-il en lui serrant la main. Bonne chance, Auger. Transmettez mes salutations à Niagara. Je regrette de ne pas pouvoir lui faire part de mes sentiments en personne.

— Je veillerai à ce qu'il en ait double dose, dit Auger.

Ils étaient partis depuis une heure lorsque Auger se tourna vers Floyd et dit :

— Il y a quelque chose dont il faut que nous parlions…

— Ça ne peut pas attendre que nous ayons réglé son compte à Niagara ?

— Il se pourrait que nous n'en ayons plus le temps, à ce moment-là.

Le discours, les phrases qu'elle avait préparées mentalement, lui restait en travers de la gorge. Tout ce qu'elle réussit à dire fut :

— Qu'allez-vous faire, maintenant ?

Il la regarda comme si c'était la question la plus stupide qu'on lui ait jamais posée.

— Maintenant ?

— Du reste de votre vie, je veux dire. Maintenant que vous savez… tout. Maintenant que vous ne pourrez plus inspirer une bouffée d'air sans vous rappeler que rien de ce qui vous entoure n'est ce qu'il a l'air d'être.

— J'imagine que je ferai comme tout le monde : je continuerai à vivre et j'oublierai les grandes questions.

— Ce n'est pas une réponse.

— C'est la vérité. J'aurai toujours besoin de chaussures, de manger et de payer les factures d'électricité. Quoi qu'il puisse y avoir tout là-haut dans le ciel, j'aurai toujours besoin de mettre un toit au-dessus de ma tête. Et puis, j'ai des projets.

— Des projets dont vous voudriez me parler ?

— Je dois d'abord m'occuper de Custine, dit Floyd. Je dois le blanchir aux yeux de la police. Pour ça, je vais être obligé de négocier avec Maillol, et peut-être de trouver un moyen de pression sur l'inspecteur Belliard. Il y a au moins un bébé de guerre mort dans le tunnel, à Cardinal-Lemoine. Il se pourrait que Maillol ait besoin d'en trouver un vivant avant de pouvoir intervenir en ma faveur. Mais je ne le saurai pas avant de lui avoir téléphoné.

— Ça ne vous occupera pas jusqu'à la fin de vos jours…

— C'est tout ce que j'ai au programme, pour le moment. Après ça, je suivrai les autres lièvres, quels qu'ils soient.

— D'autres lièvres, comme le frère de Caliskan ?

— S'il est là, je le trouverai. Et si je le trouve, je le ferai parler.

— Ce sont des gens dangereux, dit Auger.

— Je sais.

— Ils sont organisés et ils ne reculeront devant rien pour protéger leurs secrets. Ils n'hésiteraient pas à tuer trois milliards de personnes. Ce n'est sûrement pas la mort d'un petit détective qui les empêcherait de dormir…

— Alors peut-être qu'ils ne me verront pas venir. Et je ne suis pas seul. J'ai Custine avec moi. Peut-être Maillol, si j'arrive à lui faire entendre raison. A nous trois, nous pourrions changer la donne.

— Vous avez déjà changé la donne, dit-elle. Si vous n'aviez pas pris Blanchard au sérieux, tout ce que

Susan a fait aurait été perdu. Nous n'aurions jamais eu connaissance du plan de Niagara.

— C'était une affaire, dit Floyd avec un haussement d'épaules désinvolte. Il fallait la résoudre.

Floyd sentit la navette frémir alors que le premier missile se désaccouplait et filait sur une lance de flamme pareille à une écharde arrachée au soleil. Six heures avaient passé depuis qu'ils avaient quitté le vaisseau de Tunguska, mais ils avaient plutôt l'impression que ça en faisait vingt. Ils n'avaient rien à faire, qu'attendre que la navette se positionne en vue de la frappe ; et redouter que Niagara leur joue, au dernier moment, un tour qui anéantirait tous les stratagèmes minutieux de Tunguska. Mais la poursuite s'était déroulée en parfaite conformité avec les simulations d'attaque, jusqu'à l'ultime moment avant le lancement du missile. Niagara n'avait rien en réserve ; pas d'autre solution que de poursuivre sa course dans l'atmosphère de T2 en espérant y arriver le premier. Il devait savoir que c'était devenu une mission suicide pour lui, et que même s'il réussissait à libérer les spores de Pluie d'Argent sur T2, il ne survivrait pas assez longtemps pour voir leurs effets meurtriers.

Les deux vaisseaux étaient maintenant suffisamment proches pour entrer dans le rayon d'action limité des missiles improvisés. La navette de Niagara suivait une parabole forcée qui l'avait déjà menée à moins d'un millier de kilomètres de la surface de T2, et la navette du *Vingtième-Siècle-SA* la suivait à moins de la moitié de cette distance.

Ils regardèrent la traînée de condensation du missile poignarder le ciel piqueté de nuages au-dessus de l'océan Pacifique. Aucun des instruments à bord de la navette n'était capable d'afficher la position du missile, mais les machines de Cassandra alimentaient la tête d'Auger d'un commentaire continu ; un bredouillis incessant de télémétrie qui la faisait à l'occasion tiquer, quand les nombres excédaient sa faculté de traitement.

Floyd la regarda, dans l'expectative.

— On se rapproche, dit-elle. Et tout a l'air d'aller bien.

Floyd arrivait tout juste à distinguer sur l'océan, en dessous d'eux, le reflet du vaisseau qu'ils pourchassaient. Ils en étaient encore à cinq cents kilomètres, mais c'était la seule chose – en dehors du missile – qui bougeait sur T2, chevauchant une flamme brillante, vibrante, qui poursuivait ses changements de trajectoire subits afin d'esquiver les éventuels missiles.

— Quatre cents kilomètres, annonça Auger. Le missile a toujours l'air dans la course. Tunguska l'a peut-être fabriqué en hâte, mais il ne s'en sort pas mal du tout.

— Je suis content qu'il soit de notre côté.

— Moi aussi. Floyd, ce n'est peut-être pas le moment idéal...

— Quand est-ce que ça le sera, de toute façon ?

— Quoi qu'il puisse arriver maintenant, je ne regrette pas notre rencontre. Je ne regrette rien de cette aventure.

— Vraiment ?

— Et je pourrais vivre un million d'années que je n'en regretterais jamais rien.

Puis elle fronça les sourcils alors que les machines réactualisaient les données directement dans son cerveau.

— Deux cents kilomètres, et nous nous rapprochons toujours. Niagara sait qu'il a un missile aux fesses, maintenant…

Floyd vit la petite étincelle de la propulsion de Niagara s'agiter de plus en plus, ballottée en tous sens comme une plume malmenée par le vent. Il se demanda ce que pouvaient endurer, avec ces mouvements désordonnés, ceux qui étaient encore en vie à bord de ce vaisseau. Peut-être Niagara et ses acolytes étaient-ils tous morts, maintenant, écrasés par la violence de la poursuite, sacrifiés sur l'autel de leur mission.

Mais peut-être que l'équipage était encore vivant, après tout. En ce cas, il devait souffrir le martyre.

Floyd savait quelle option avait sa préférence.

— Ah, il y a du changement, dit Auger. L'albédo du vaisseau de Niagara…

Floyd le vit aussi : l'étincelle mouvante devint, juste un instant, une traînée de lumière argentée.

Le vaisseau de Niagara semblait avoir explosé. Il voulait croire que c'était possible, que le missile avait réussi à traverser l'espace d'un bond, plus vite que prévu. Mais la flamme des réacteurs brûlait toujours, propre et nette comme une dague.

— Que s'est-il passé ? C'est nous qui…

— Non, nous n'y sommes pour rien. Il s'est juste débarrassé d'une grosse partie de sa coque. Il l'a abandonnée comme une vieille peau. Ça ne peut vouloir dire qu'une chose, Floyd : il est prêt à larguer les spores.

Le vaisseau frémit. Le deuxième et dernier missile avait été lancé.

— Premier missile en approche… soixante kilomètres… quarante… vingt…

Floyd regardait toujours, espérant de toutes ses forces. La tache argentée avançait toujours.

— Zéro, dit Auger. *Nada*. Et merde !

Le premier missile filait dans l'atmosphère, s'enfonçant dans le ciel au-dessus d'un saupoudrage d'îles que Floyd ne reconnut pas.

— On n'a plus le temps de lui faire faire demi-tour…

— Essayez.

Mais le missile avait déjà choisi son propre destin. Un point lumineux bourgeonna, devint d'un coup éblouissant et disparut tout aussi vite.

— L'ogive s'est détruite d'elle-même. Ce n'est pas bon.

— Et le deuxième ?

— Il se rapproche. Il est à trois cents kilomètres.

La tache mouvante qu'était le vaisseau de Niagara changea soudain de direction. Même sans grossissement, Floyd vit que la trajectoire de l'appareil s'infléchissait nettement sur l'arrière-plan lisse, clair et brillant de l'immense océan. Sur sa face étincelante étaient semés, comme par le pinceau d'un peintre, des nuages et des îles disposés selon des lignes brisées et des courbes élégantes. C'était son monde, tel que personne ne l'avait jamais vu jusque-là, et il en eut le souffle coupé.

Mais c'était désolant : c'était une vision merveilleuse, magnifique, et il n'avait tout simplement pas le temps d'en profiter.

La prochaine fois, peut-être.

— Le salaud ralentit, dit Auger.

— Il est prêt.

— Deux cent cinquante kilomètres. Le missile ralentit.

— Il ralentit ?

— Le missile a retenu la leçon de son collègue, et il ne veut pas faire la même erreur.

— J'espère vraiment qu'il sait ce qu'il fait…

— Deux cents kilomètres, et il ralentit toujours. Peut-être qu'il a une avarie. Bordel ! J'espère que ce n'est pas ça.

— Si c'est le cas, on n'aura plus qu'à rentrer dedans avec notre propre vaisseau.

Auger le regarda avec une expression indéchiffrable. Impressionnée ou horrifiée, il n'aurait su le dire.

— Ne vous en faites pas pour ça, dit-elle. J'ai déjà entré le programme d'interception.

— Ravi de l'apprendre.

— Je vous en aurais parlé.

Elle cilla, commença à dire quelque chose. Floyd eut l'impression d'arriver à sentir le torrent de chiffres qui défilaient dans sa tête.

— Le missile, Auger ?

— Il ralentit à cent kilomètres… Non, attendez… Attendez ! Il accélère !

— Continuez !

— C'est trop tard. Il n'arrivera jamais à…

La seconde ogive explosa. La tête d'épingle lumineuse enfla, devint d'une clarté aveuglante… et continua à se dilater. Floyd ferma les yeux très fort mais ça ne servit à rien, la lumière traversa sa peau, ses os, le vidant de toute pensée en dehors de la conscience de sa propre intolérable luminosité, pareille à une déclaration divine.

Et puis, lentement, régulièrement, inéluctablement, elle faiblit. Et il n'y eut plus rien.

Que le ciel vide.

— La détonation n'a pas été amortie, dit Auger d'une voix lointaine, presque déconnectée, comme si elle parlait en rêve. Il n'a pas tenté de limiter l'onde de choc. Il devait être sûr de porter le coup fatal.

— Il n'y a plus rien, là-bas.

— Je sais.

— Ça veut dire qu'on a réussi, dit Floyd. Ça veut dire qu'on a sauvé la Terre.

— L'une d'elles, rectifia-t-elle.

— Bon, enfin, il ne faut pas trop en demander. Ça suffira pour aujourd'hui.

42

S'il faisait grand jour au-dessus du Pacifique, c'était la nuit au-dessus de Paris. Les nuages formaient un couvercle au-dessus de la ville, des écharpes de brouillard glacé tourbillonnaient dans les rues. La navette traversa les nuées en chute libre, comme une pierre, économisant son carburant, ralentissant grâce à un minimum de poussée. Plus près du sol, elle reconfigura sa voilure, devint d'un aérodynamisme tout à fait convenable – hypersonique, puis supersonique, et enfin subsonique – et descendit sous le tumulte des nuées, à travers une fenêtre de ténèbres dégagées. Sous le voile de brume, des quartiers de la ville apparurent, soulignés par l'éclairage public, les lampadaires et les phares des voitures. Ici, les buttes de Montmartre et du Sacré-Cœur ; là, le ruban sombre de la Seine ; plus loin, ce fleuve de lumière : la kermesse étincelante des Champs-Elysées.

— Regardez ! fit Auger avec une joie enfantine. C'est la tour Eiffel. Elle est toujours là, intacte. Encore debout.

— Tout est encore là, dit Floyd.

— N'est-ce pas merveilleux ?

— On finit par s'y faire, avec le temps.

— Nous n'avons jamais mérité cette seconde chance, dit-elle.

— Il arrive parfois qu'on reçoive des cadeaux immérités.

La console émit un tintement.

— Ici Tunguska, entendirent-ils. Je vous félicite. Nous avons vu la frappe mortelle à une distance de trois secondes-lumière.

Auger le laissa finir ce qu'il avait à dire avant de demander :

— Et les spores ? La Pluie d'Argent aurait-elle pu survivre à l'explosion ?

Sa réponse leur parvint avec une lenteur mortelle, six secondes plus tard.

— C'est peu probable.

— J'espère que vous dites vrai.

— Moi aussi, je l'espère, dit-il, l'air plus amusé que préoccupé, comme s'il avait épuisé toutes ses réserves d'inquiétude. A ce stade, je suppose que tout ce qu'on peut raisonnablement faire, c'est espérer que tout ira bien. Ça va, vous deux ?

Auger jeta un coup d'œil à Floyd.

— Aussi bien que possible.

— Bon. Vous vous en êtes bien sortis. Mais j'ai peur que vous n'ayez guère le temps de vous féliciter de votre succès. La blessure se referme très vite. Notre extra-drive est un peu instable, mais on peut commencer à remonter vers la sortie.

— Eh bien, dépêchez-vous, dit Auger.

— J'espérais que vous reviendriez avec nous. Et puis vous hébergez Cassandra, et il vaudrait mieux pour elle que vous la rameniez dans l'espace de la Fédération.

Floyd se pencha, retenu par son harnais.

— Elle sera au rendez-vous, Tunguska.

— Floyd…, commença Auger.

— Commencez à repartir chez vous, dit Floyd à Tunguska. Mais tenez-vous prêt à récupérer sa navette à la dernière minute. Dès qu'Auger m'aura largué, elle retournera aussitôt vers vous.

— D'après la télémétrie, vous avez suffisamment de carburant, dit Tunguska d'un ton réservé. A condition de repartir tout de suite après votre atterrissage. Si vous tardez trop, je ne garantis rien. J'espère que c'est clair.

— En Technicolor, dit Floyd.

C'était une bande de sol dégagé entre deux églises abandonnées, pas très loin de l'hippodrome de Longchamp. Si quelqu'un avait vu la navette descendre à travers le brouillard, surgir de la nuit sur le hurlement de sa propulsion verticale, il n'était pas resté dans le coin pour assister à la suite. Peut-être quelques vagabonds, pochards ou autres, l'avaient-ils observée… avant de se gratter la tête et de décider qu'ils n'avaient vraiment pas envie de s'en mêler, surtout compte tenu de l'attitude habituelle des autorités de la ville envers les gens qui fourraient leur nez là où il n'avait rien à faire. De toute façon, quoi que ce soit, il était très peu probable que ce soit encore là le lendemain matin, alors…

Du reste, le cheval volant de la Pegasus Intersolar, cabré sur le vaisseau qui étincelait à la lumière des lampadaires, paraissait impatient de s'élancer vers le ciel. En attendant, il se refroidissait en cliquetant comme un vieux four, tandis que le brouillard décrivait autour de ses tuyères brûlantes de drôles de petits tourbillons. Floyd et Auger se tenaient dessous, au pied de la rampe d'accès.

— Vous avez vos fraises ? demanda Auger.

— Comme si je pouvais les oublier, dit-il en soulevant le petit sac.

— Vous ne m'avez pas dit à qui elles étaient destinées. Pas plus que la pan-AC que vous avez convaincu Tunguska de vous donner.

Floyd palpa la petite ampoule de verre qu'il avait glissée dans sa poche. Elle contenait un fluide gris argenté à l'air anodin, sans goût ni odeur. Mélangé à la nourriture de la personne à qui il était destiné, il envahirait son organisme d'un milliard de machines inlassables, qui identifieraient et guériraient à peu près toutes les maladies connues de la science slasher. De l'immortalité en bouteille.

Enfin, pas tout à fait. La pan-AC avait le pouvoir de guérir n'importe quelle maladie, et les machines microscopiques dureraient assez longtemps pour rendre sa pleine santé au malade, et lui faire connaître une période de grâce, après quoi elles se démantèleraient tranquillement, évacuant l'organisme comme une poussière métallique microscopique. Le patient pourrait continuer à vivre pendant de nombreuses années, mais s'il venait à contracter un virus ou autre un mois plus tard, les machines ne seraient plus là pour l'en guérir.

Ce n'était donc pas l'immortalité. Mais pour Floyd c'était infiniment mieux que rien.

Il sortit sa main de sa poche, laissant la fiole au fond.

— Il faut que vous y alliez, maintenant, Auger.

— Et si je vous disais que je reste ?

Il eut un sourire. Elle crânait, mais au fond il savait qu'elle avait pris sa décision. Il devait juste faire en sorte qu'elle se sente mieux à ce sujet.

— Vous avez une vie chez vous.

— Ça pourrait être chez moi, ici.

— Vous savez bien que non. Ni maintenant ni jamais. C'est un joli rêve, Auger. C'étaient de belles vacances. Mais c'est fini.

Elle l'attira à elle et l'embrassa. Floyd lui rendit son baiser, la serra contre lui, très fort, là, dans le brouillard, comme si par la force de sa volonté il pouvait retenir le temps, comme si le temps lui-même pouvait faire une exception dans leur cas, par compassion.

Et puis, doucement, il la repoussa. Elle pleurait. Il essuya ses larmes.

— Ne pleurez pas.

— Je vous aime, Floyd.

— Moi aussi, je vous aime, Auger. Mais ça ne change rien.

— Je ne peux pas vous quitter comme ça.

— Vous n'avez pas le choix.

Elle se retourna vers le vaisseau qui l'attendait. Il savait ce qu'elle pensait : que chaque seconde maintenant comptait si elle devait fuir l'OVA.

— Vous êtes un homme bien, Floyd. Nous nous reverrons. Je vous le promets. Nous trouverons un autre moyen d'entrer, une autre façon de revenir à Paris.

— Il n'y en a peut-être pas.

— Je n'arrêterai pas de chercher. Pour vous, mais aussi pour les autres personnes coincées ici, des gens que nous n'avons jamais rencontrés, vous et moi. Ils sont encore ici, Floyd ; quelque part, dans ce monde, en Amérique ou en Afrique, et ils ignorent encore qu'ils ne peuvent plus rentrer. Peut-être certains d'entre eux ont-ils été avertis qu'ils devaient regagner Paris... mais ils ne sont sûrement pas tous arrivés. Certains n'arriveront pas avant des semaines, ou des mois. Et quand ils se rendront à Cardinal-Lemoine, ou à l'appartement de Susan... à ces endroits où ils penseront trouver une réponse, ils seront perdus, ils auront peur, Floyd. Il leur faudra un ami, quelqu'un qui pourra leur dire ce qui s'est passé. Ils auront besoin de quelqu'un pour s'occuper d'eux, pour leur redonner l'espoir. Leur dire que nous reviendrons, coûte que coûte, même si ça doit prendre du temps.

Elle l'attira à nouveau contre elle, mais juste pour une accolade chaleureuse, cette fois. Le temps des baisers était passé.

— Vous devriez y aller, dit-il enfin.

— Je sais.

Elle le laissa partir, fit un pas sur la passerelle.

— Je le pense vraiment, vous savez : je ne regrette rien, pas une minute de tout ça.

— Même pas la crasse, les plaies et les bosses, même pas la balle que vous avez prise dans l'épaule ?

— Fichtre non ! Rien du tout !

Floyd porta un doigt à un képi imaginaire, en une sorte de salut.

— Bon ! C'est exactement comme moi. Maintenant, s'il vous plaît, vous voulez bien fiche le camp de ma planète ?

Elle hocha la tête et, sans ajouter un mot, remonta la passerelle. Floyd fit un pas en arrière, les yeux pleins de larmes. Il ne voulait pas qu'elle le voie pleurer. Non à cause d'un stupide orgueil masculin, mais parce qu'il ne voulait pas que ce soit plus difficile pour eux deux que ça ne l'était déjà.

— Floyd... Je voudrais que vous vous souveniez de moi. Quand vous marcherez dans les rues... sachez que j'y suis aussi. Ce ne sera pas le même Paris, mais...

— Ce sera toujours Paris.

— Et nous l'aurons toujours à nous, dit Auger.

Elle monta dans son vaisseau. Il vit son visage disparaître, puis son corps, puis ses jambes...

Puis la passerelle s'éclipsa.

Floyd recula. Le vaisseau gronda, cracha des flammes et remonta lentement dans le ciel.

Il resta là de longues minutes, comme s'il s'était égaré dans le brouillard. Et puis il entendit un coup de tonnerre dans le lointain. Alors il fit demi-tour et commença à retourner vers la ville qu'il connaissait ; la ville sur laquelle il avait un minuscule droit de propriété.

Quelque part, loin au-dessus de lui, Auger rentrait aussi chez elle.

Tunguska avait dégagé sur la paroi une vaste zone où était affichée une image de l'OVA dont la blessure se refermait. Ils l'avaient retraversée et avaient retrouvé le vide de l'espace, mais Auger n'avait jamais connu une angoisse pareille à celle de la dernière heure de l'évasion. La plaie dans la peau de l'OVA cicatrisait à une vitesse variable, imprévisible, qui déjouait toutes les tentatives d'estimation.

— Ça aurait pu se passer plus mal, dit Tunguska de sa voix lente et impavide. Nous aurions pu rester piégés dans l'OVA, et nous ne savons pas ce qui va se passer quand la blessure se refermera.

Auger – et/ou Cassandra – s'était extrudé un tabouret à côté de Tunguska.

— Je ne vous suis pas, dit-elle. Nous aurions été emprisonnés à l'intérieur. Ç'aurait été ennuyeux, certes, mais ce n'est pas ce qu'on peut imaginer de pire. Il y aurait eu des gens, dehors, qui savaient que nous étions là, et qui auraient cherché un moyen de nous récupérer...

Ils étaient libres, maintenant, et ils pouvaient parler avec légèreté de choses qui leur paraissaient terrifiantes peu de temps auparavant.

— Mais ce n'est pas tout, dit gentiment Tunguska. L'OVA entre dans une nouvelle phase inédite, ou du moins que nous n'avions jamais observée directement.

— Encore une fois, dit-elle. Je ne...

— Depuis vingt-trois ans, il y avait un lien entre la matière intérieure de l'OVA et le flux temporel de l'univers extérieur. Je parle du lien hyperweb, évidemment. Nous savons qu'il a été activé, ou qu'il est redevenu pleinement fonctionnel après une période de dormance, pendant l'occupation de Phobos. Jusque-là, le monde de Floyd avait été figé tel que l'instantané quantique l'avait immortalisé. On peut supposer que c'est l'ouverture du lien qui a remis le temps en marche, et à la vitesse normale. Vingt-trois ans dans notre monde, vingt-trois dans celui de Floyd.

— Oui, dit-elle lentement. Ça, je comprends.

— Mais maintenant il n'y a plus de lien hyperweb. Il n'a pas été simplement mis en sommeil, comme après la réoccupation de Phobos, jusqu'à la redécouverte du portail, il y a deux ans. Il a été complètement détruit. Il n'y a plus de machinerie du portail décelable en orbite de Mars.

— Mais nous sommes entrés dans l'OVA, depuis, dit Auger. Nous avons vu T2. Nous avons vu qu'elle n'était pas figée dans le temps...

Tunguska la regarda avec, dans ses yeux aux paupières lourdes, infiniment de douceur et de compassion.

— Mais c'était avant que la blessure ne se referme, dit-il doucement. Maintenant, nous n'avons aucune idée de ce qui va arriver à T2. Le temps peut continuer à passer à la vitesse normale... ou la matière à l'intérieur de l'OVA peut entrer dans une phase de transition, et se figer à nouveau. Etre plongée dans une stase comme celle qu'elle a connue pendant plus de trois cents ans.

— Non, dit-elle. Ce n'est pas possible, parce que...

Et puis elle se rendit compte qu'elle n'avait aucune objection plausible à formuler. Tunguska pouvait avoir raison, comme il pouvait se tromper. Ils n'en savaient tout simplement pas assez sur l'OVA ou son fonctionnement pour le dire.

— Je regrette, dit-il. J'ai pensé que je devais vous signaler cette possibilité, si peu probable qu'elle soit.

— Mais si c'est le cas, dit-elle, alors j'ai condamné...

Il posa son énorme main sur la sienne.

— Vous n'avez condamné personne à rien du tout. Même si le monde se fige à nouveau, rien à l'intérieur ne sera perdu. Trois milliards de vies se figeront en un clin d'œil, comme au moment de l'instantané. Ils ne sentiront rien. Ce sera plus doux que le sommeil. Et peut-être qu'un jour un événement se produira, qui provoquera la remise en marche du temps. Le monde se réveillera. Nous ne pouvons qu'espérer que, lorsque ça arrivera, des esprits plus avisés que nous interviendront de l'extérieur pour aider le monde à vivre son destin… Et peut-être que ça ne se passera pas du tout comme ça, ajouta-t-il en lui tapotant la main. Peut-être que le monde ne va pas se figer. Peut-être que, maintenant qu'il s'est réveillé, rien ne pourra plus l'empêcher de continuer son petit bonhomme de chemin.

— Nous le saurons bien un jour, n'est-ce pas ? Le peuple de Floyd ne va pas mettre longtemps à ouvrir les yeux. Les gens ont dû voir la blessure dans leur ciel. S'ils s'interrogent assez longtemps, tôt ou tard quelqu'un finira bien par additionner deux et deux.

— Et c'est eux qui frapperont à la porte pour qu'on les laisse sortir, au lieu que ce soit nous qui frappions pour entrer.

— A moins qu'ils ne frappent pas du tout, répondit Auger. Est-ce que les bébé oiseaux frappent pour que leur maman oiseau les laisse sortir de l'œuf ?

— J'avoue que je n'en ai jamais vu, répondit Tunguska.

— Un œuf ? Ou un oiseau ?

— Ni l'un ni l'autre. Mais je comprends ce que vous voulez dire. Nous aurions bien tort de sous-estimer la capacité du peuple de Floyd. Après tout, c'est une civilisation très semblable à la sienne qui s'est élevée au niveau de la nôtre.

— Les pauvres fous, soupira Auger.

Un peu plus tard, ils arrivèrent au portail de sortie. Un pépiement de la station de monitoring automatique les informa qu'une communication en temps réel avait été établie avec l'espace de la Fédération.

— C'est Maurya Skellsgard, dit Tunguska. Je la connecte ?

— Et comment ! dit Auger.

La transmission était de mauvaise qualité : le routage du signal à travers de multiples connexions de portails était, en mettant les choses au mieux, difficile, sinon presque impossible, compte tenu du chaos qui régnait dans la zone entourant le Soleil. L'image de Skellsgard n'arrêtait pas de vaciller et le son était haché.

— Je serai brève, annonça-t-elle. De ce côté-ci, nous maintenons les choses avec des bouts de ficelle et des prières. Les Slashers ont de bons techniciens, mais ils ne peuvent pas faire de miracles. Si le lien s'effondre, nous devrons attendre votre retour pour bavarder. Enfin, d'ici là, tout le monde est très fier de vous. J'ai entendu parler de Floyd, aussi. Je regrette que ça ait dû finir comme ça pour vous deux.

— Je vais bien, dit Auger.

— Mmm, on ne dirait pas.

— D'accord, je suis dévastée. Je n'ai jamais aimé les adieux, quelles que soient les circonstances. Et merde ! Pourquoi a-t-il fallu que je m'attache à lui ? Pourquoi fallait-il que ce ne soit pas un trou du cul dont j'aurais eu hâte d'être débarrassée ?

— C'est comme ça que l'univers marche, mon chou. Et vous avez intérêt à vous y faire, parce que ça risque de durer plus longtemps que le temps de Hubble.

Auger s'obligea à rire.

— Exactement ce qu'il me fallait : une épaule compatissante !

— Ecoutez, poursuivit Skellsgard d'une voix grave, le principal c'est que vous soyez sains et saufs, l'un et l'autre. Compte tenu des options qui s'offraient à vous il y a quelques jours encore, je dirais qu'on peut considérer ça comme un bon résultat.

— C'est vrai. Vous avez raison.

Sauf qu'elle avait toujours, dans un coin de sa tête, les spéculations de Tunguska sur l'état quantique de l'OVA. Enfin, elle ne voulait pas y penser pour le moment.

— Et puis c'est bon de savoir que vous allez bien aussi. Je suis heureuse que vous vous en soyez sortie. Comment c'est, chez nous ?

— Tangent.

— Ce n'est pas très précis, ça… Bon, je comprends que vous ayez du mal à chiffrer, mais ça va mieux ou c'est pire qu'hier ?

— Bah, je suppose qu'on peut dire que ça va mieux, mais de la largeur d'une rognure d'ongle de Planck, alors. Les gentils des deux camps ont conclu une sorte de… pff, j'hésite encore à parler de cessez-le-feu ; disons une atténuation sur l'échelle des hostilités. Enfin, c'est toujours ça. Et certains d'entre nous ont déjà réussi à mettre leurs différends de côté, sinon nous n'aurions pas cette communication à longue distance.

— Et la Terre ?

— Tanglewood a réussi à stopper les frappes nucléaires. Ça va être joli dans le secteur pendant quelques siècles, parce que ça va briller la nuit, mais il devrait encore y avoir quelques ruines qui méritent le déplacement.

— Je suppose qu'il faudra nous en contenter, et même nous réjouir que ce ne soit pas pire. Quand tout ça sera fini, il faudra que je recommence à faire le tour des comités qui attribuent les bourses, en tendant ma sébile.

— En réalité, Auger, c'est pour ça que je vous appelle.

Le perpétuel froncement de sourcils de Skellsgard s'atténua imperceptiblement.

— J'ai des nouvelles pour vous. Je ne suis pas encore très sûre de ce qu'il faut en penser, mais j'ai ma petite idée. Inutile de dire que ce n'est qu'une ébauche.

— Dites toujours, fit Auger.

— Vous connaissez l'expression « un mal pour un bien » ?... Bon, peu importe. Ce qu'il y a, c'est que nous sommes tous bouleversés parce que nous avons perdu le portail de Phobos. J'ai regardé les données, aussi – un peu boostées grâce à un nouveau savoir-faire slasher – et on dirait bien que le lien a sauté pour de bon.

— Il ne faut pas renoncer, dit Auger avec fermeté. Il faut essayer de le réinitialiser. T2 est trop précieuse pour que nous la laissions tomber.

— Personne ne la laissera tomber, pas tant qu'il y aura tous ces trous dans la théorie. Mais pour le moment il se peut que ce ne soit pas notre principale priorité...

— Que voulez-vous dire ? fit Auger.

— Quand le portail de Phobos s'est effondré, répondit Skellsgard, il s'est passé quelque chose de vraiment bizarre. Nous ne l'avons pas remarqué tout de suite – notre matériel de monitoring n'était pas assez sensible. Mais les Slashers avaient truffé tout l'endroit de capteurs réglés pour repérer les signatures du portail. Pendant des années, ils n'ont rien détecté du tout. Rien qui indique la présence d'autres portails, en dehors de ceux de Sedna et de Phobos...

— Et maintenant ?

— Quand le lien de Phobos s'est effondré, il a dû y avoir une sorte de vibration, comme un cri d'agonie, qui a provoqué une résonance au niveau des autres liens dormants dans les parages. Mais ce n'est pas tout. Les capteurs ont relevé de faibles signaux de quinze endroits différents dans tout le système.

Auger se demanda si elle avait bien entendu Skellsgard.

— Quinze ? !

— Et il y a peut-être encore autre chose. Les signaux les plus faibles étaient à la limite de détection : il se pourrait qu'il y ait d'autres sources qui leur ont complètement échappé. Toute cette satanée galaxie pourrait grouiller de systèmes dont nous ne soupçonnions même pas l'existence. Nous ne serions jamais tombés dessus par accident : ils sont tous enfouis dans les sous-sols, sur des petites boules de glace anonymes auxquelles personne n'a jamais attaché la moindre attention.

— Dieux du ciel ! fit Auger.

— C'est un peu ça, oui. J'espère que vous êtes impressionnée.

— Pour ça oui !

— Je me suis dit que ce serait sympa de vous changer les idées, fit Skellsgard avec un sourire. Comme je disais, ce n'est qu'une ébauche de théorie. Mais dès que la situation se sera un peu tassée par ici, nous allons monter une expédition conjointe et explorer l'espace jusqu'à ce que nous ayons trouvé une de ces choses. Ensuite, nous nous connecterons dessus, et on verra bien où ça nous emmène.

— Vaste question.

— Comme vous dites. Ailleurs, dans la galaxie ? Mais à quoi bon ? Pour ça, il y a déjà le portail de Sedna. Moi, je pense que ça va nous emmener dans un tout autre endroit.

Au début, Auger essaya de modérer l'excitation de sa voix. Puis elle décida qu'elle s'en fichait. Après tout, Skellsgard savait exactement ce qu'elle pouvait éprouver.

— Dans un autre OVA ?

— C'est l'hypothèse la plus probable. Nous savons qu'il y en a beaucoup par ici. Nous savons que l'un d'eux contient un instantané de la Terre du vingtième siècle. Pourquoi d'autres sphères ne contiendraient-elles pas d'autres instantanés ? Il pourrait y avoir des dizaines de Terres un peu partout, toutes figées à des instants différents de l'histoire. L'un des portails pourrait être notre billet pour le Moyen Age. Un autre pourrait nous ramener au milieu du Trias…

— Il faut que je sois dans cette équipe, dit Auger.

— Je ne vois pas comment il pourrait en être autrement. Mais n'oubliez pas votre tenue de fouilles : il n'est pas sûr que nous arrivions aussi près d'un tunnel que la dernière fois.

— J'espère que vous avez vu juste.

— Moi aussi, dit Skellsgard. Mais même si je me trompe, je ne pense pas que nous ayons le moindre problème pour faire financer nos travaux pendant quelque temps.

Floyd ralentit sa promenade, s'arrêta sous un lampadaire. Il tendit la main, prit l'affiche collée au pied de la lampe et l'arracha, délicatement, pour ne pas la déchirer. Il la présenta à la lumière et regarda la photo imprimée à travers un voile de brouillard mouvant.

Châtelier.

Sauf que, maintenant qu'il y réfléchissait, il lui rappelait beaucoup quelqu'un qu'il avait rencontré récemment. Ce n'était pas le même homme, mais ils avaient indéniablement un air de famille. A vrai dire, ils se ressemblaient comme deux frères.

Peut-être que ce n'était que son imagination.

Mais peut-être pas.

Il plia l'affiche et la mit dans sa poche. Il y avait un numéro de téléphone en bas, pour ceux qui voulaient soutenir la campagne de Châtelier. Floyd se dit qu'il pourrait peut-être passer les voir, demain, pour poser quelques questions. Juste pour leur pourrir un peu la vie.

Il continua à marcher dans la ville en regardant les plaques de rues, à la recherche d'un point de repère. Quelque part, au loin, il entendit une corne de brume sonner dans la nuit. Une cabine téléphonique se dressait dans le vide, comme un phare. Il entra dedans, ferma la porte et regarda, à tout hasard, si une pièce de monnaie ne serait pas retombée... et en trouva une. Son jour de chance. Il la mit dans la fente du taximètre et composa un numéro, à Montparnasse, qu'il connaissait par cœur.

Ce fut Sophie qui répondit.

— Ici Floyd, dit-il. J'espère qu'il n'est pas trop tard. Greta est là ?

— Un instant...

— Attendez, dit-il avant qu'elle ne parte la chercher. Marguerite est toujours...

— Elle est toujours en vie, oui.

— Merci.

— Je vais chercher Greta. Elle est en haut.

Il attendit en pianotant sur la porte de verre de la cabine. Ils ne s'étaient pas quittés dans les meilleurs termes. Comment allait-elle prendre son retour, maintenant ? Il était resté si longtemps absent...

Quelqu'un reprit le téléphone.

— Floyd ? Où es-tu ?

— Quelque part dans Paris. Je ne sais pas très bien. J'essaie de rentrer rue du Dragon.

— On était vraiment inquiets pour toi, Floyd. Où étais-tu passé ? On t'a cherché partout toute la journée.

Elle n'avait pas l'air en colère, plutôt inquiète et soucieuse. Quant à lui, il se demanda ce qu'elle voulait dire par « toute la journée ». Il était resté absent bien plus longtemps que ça.

— J'étais parti, dit-il. Avec Auger, ajouta-t-il.

— Elle est où, maintenant ?

— Partie.

— Partie…

— Partie, rentrée chez elle. Je ne pense pas que je la reverrai un jour.

Greta parut s'absenter. Quand elle reprit la parole, ce fut d'une voix changée. Une faille s'y était ouverte. Derrière laquelle il entrevoyait le pardon.

— Je suis désolée, Floyd.

— Tout va bien.

Sauf que ce n'était pas vrai. Ça n'allait pas bien du tout.

— Floyd, où es-tu ? Je peux t'envoyer un taxi…

— Non, ça va. J'ai besoin de marcher. Je peux passer demain ?

— Oui, bien sûr. Je serai là toute la matinée.

— Je passe te voir à la première heure. J'ai envie de voir Marguerite. J'ai un petit cadeau pour elle.

— Elle croit toujours que tu vas revenir avec des fraises, dit tristement Greta.

— On se voit demain matin.

— Floyd… avant que tu raccroches… Je suis toujours sérieuse, pour l'Amérique. Tu as eu le temps,

858

maintenant, non ? Le temps de réfléchir. Et maintenant que tu n'es plus distrait par autre chose…

— Tu as raison, dit-il. J'ai eu le temps de réfléchir. Et je crois que tu as raison. L'Amérique, ce sera formidable pour toi.

— Ça veut dire que tu as pris une décision ?

— En quelque sorte, répondit-il.

Il raccrocha et sortit de la cabine. Tout à coup, le brouillard s'éclaircit un peu, suffisamment pour lui permettre de distinguer la rue où il se trouvait. Un sentiment de familiarité excita sa mémoire ; il savait où il était, plus ou moins. En réalité, il allait dans la bonne direction depuis le début.

Floyd pêcha dans sa poche. Le sac de fraises y était encore, gage d'un rêve qui n'avait rien à faire dans le monde réel. Et la petite ampoule de pan-AC aussi.

Il pensa à Greta montant dans l'hydravion pour l'Amérique, tournant une nouvelle page de sa vie. Partant pour un destin plus lumineux, plus ambitieux, que tout ce qu'il pourrait jamais lui offrir à Paris. Un avenir plus brillant et qui aurait plus d'envergure que s'il partait avec elle en Amérique. Et puis il l'imagina restant ici, par amour, soignant Marguerite jusqu'à ce qu'elle guérisse, pendant que cette autre vie fuyait, lui coulait entre les doigts comme de l'eau.

Il prit l'ampoule, la laissa tomber par terre.

Il l'écrasa sous son pied, sur les pavés, et se perdit dans le brouillard.

Remerciements
et suggestions de lecture

Je me suis appuyé, pour l'écriture de ce roman, sur de nombreux livres. Lors de mes recherches d'un scénario « alternatif » plausible pour les événements de mai 1940, j'ai eu la chance de tomber sur l'excellent livre de Julian Jackson, *La France sous l'Occupation*, où il est dit que l'offensive dans les Ardennes aurait très bien pu être stoppée si les Alliés avaient eu connaissance de la vulnérabilité de l'agresseur, et pris les mesures qui s'imposaient au moment décisif.

Les versions de Paris décrites dans ce livre n'ont qu'un lointain rapport avec la réalité, mais j'ai trouvé beaucoup d'informations très utiles sur Paris dans *Seven Ages of Paris*, d'Alistair Horne, et dans *Le Flâneur*, d'Edmund White. Les enquêtes du commissaire Maigret, de Georges Simenon, m'ont aussi fourni un précieux stimulant pour l'imagination. Total respect, Jules.

La quête du rayonnement gravitationnel émis par les sources cosmiques est toujours d'actualité, mais elle ne devrait plus tarder à aboutir. Si vous vous intéressez à ce domaine fascinant et controversé, je vous recommande *Einstein's Unfinished Symphony*, par Marcia Bartusiak, qui constitue une approche prodigieuse – et d'une lecture tout à fait abordable – du sujet, depuis les travaux préalables entrepris, dans les années 1960, par Joseph Weber (celui-là même que mentionne Maurya Skellsgard) jusqu'aux projets ultrasensibles comme le programme GRAIL, mené en ce moment même à Leiden, à quelques kilomètres à peine de l'endroit où j'écris ces lignes. Au passage, feu Robert Forward, le célèbre auteur de science-fiction, dont les romans regorgent de spéculations fascinantes sur la gravité et la physique exotique, fut l'un des étudiants de Weber.

Le virus Amusica, fruit du génie génétique, n'est que pure invention, mais il existe malheureusement une affection, comparable à l'aphasie dans le domaine du langage, qui frappe les centres du cerveau concernés par la musique. Ceux qui en sont atteints perdent la faculté d'apprécier la musique, d'en jouer, d'en composer, etc. J'ai appris l'existence de cette maladie dans *Toscanini's Fumble*, le livre passionnant de Harold L. Klawans. Comme les cas présentés par Oliver Sacks, les histoires médicales racontées par Klawans font davantage penser à de la science-fiction que la vraie science-fiction elle-même, et on en deviendrait facilement accro, comme de tous les recueils de nouvelles.

Le passionnant *Histoire des codes secrets*, de Simon Singh, m'a fourni une masse d'informations utiles sur l'histoire et le fonctionnement de la machine Enigma.

Pour les informations générales sur la musique de l'époque de Floyd, qui n'est pas tout à fait la même que celle de nos années 1950, je me suis beaucoup appuyé sur l'encyclopédie du jazz de Ronald Atkins, et sur le magnifique ensemble de 5 CD qui accompagne l'œuvre de Ken Burns, *Jazz : The Story of America's Music*. La série de CD « Jazz in Paris » de Gitanes m'a été aussi d'une aide précieuse.

Pour toutes les conversations que nous avons eues, et les réponses qu'ils ont apportées à mes questions stupides, que soient ici remerciés Tony Ballantyne, Barbara Bella, Bernd Hendel, Peter Hollo et Christopher Priest. Et si vous relevez des erreurs, il va de soi qu'elles sont entièrement de mon fait et ne sauraient leur être en aucune façon imputables.

Composé par Nord Compo
à Villeneuve-d'Ascq (Nord)

Imprimé en Espagne par
LIBERDUPLEX
à Sant Llorenç d'Hortons (Barcelone)
en mars 2010

POCKET – 12, avenue d'Italie – 75627 Paris cedex 13

N° d'impression : 17448
Dépôt légal : avril 2010
S19143/01